HET VERLEDEN

literatura latina

Alan Pauls

Het verleden

ROMAN

Uit het Spaans vertaald door Arie van der Wal

J.M. MEULENHOFF

De vertaling is tot stand gekomen met steun van
de Stichting Fonds voor de Letteren.

Oorspronkelijke titel *El pasado*
Oorspronkelijke uitgave Editorial Anagrama S.A.
Copyright © Alan Pauls 2003
Copyright Nederlandse vertaling © 2006 Arie van der Wal
en J.M. Meulenhoff bv, Amsterdam
Vormgeving omslag Studio Marlies Visser
Foto voorzijde omslag 'The Gilded Circle', Josephine Sacabo,
courtesy of the John Stevenson Gallery, New York

www.literaturalatina.nl
www.meulenhoff.nl
ISBN 90 290 7548 1 / NUR 302

Ik ben er allang aan gewend dood te zijn.

Jensen, *Gradiva*

EERSTE DEEL

1

Rímini stond onder de douche toen de bel van de intercom ging. Hij sloeg een handdoek om – de enige die hij kon vinden in die uitdragerij van parfums, plastic kapjes, crèmes, zouten, oliën, medicijnen en smeermiddeltjes waarin Vera de badkamer had veranderd – en een spoor gehoorzame druppeltjes volgde hem naar de keuken. 'Post,' hoorde hij iemand zeggen tussen het geraas van twee vrachtwagens door. Rímini vroeg of de brief onder de deur door geschoven kon worden en plotseling, alsof hij verrast werd door de schim van een indringer in een kamer die hij verlaten waande, zag hij zichzelf naakt, rillend, in de glazen deur die een windvlaag zojuist had geopend. Het klassieke beeld van de tegenspoed: banaal, doeltreffend, te nadrukkelijk. De flarden waterdamp die vanuit de badkamer binnendreven – hij had de douche laten lopen met het idee dat hij de onderbreking daarmee zou bekorten – veroorzaakten een gevoel dat leek op misselijkheid. 'U moet tekenen,' werd er in de intercom geschreeuwd. Rímini duwde briesend op de knop om de deur te openen en keek onbewogen toe hoe het landschap van zijn geluk in stukken uiteenviel.

De ochtend in huis, de gelukzaligheid van de zonnestraal die zijn gezicht had gestreeld terwijl hij stond te douchen, de nieuwe beschikbaarheid, als op de eerste dag van een reis, die hij voelde wanneer hij wakker werd en ontdekte dat hij alleen was en zijn eerste onhandige, jeugdige bewegingen de stilte van de nacht doorbraken, de enigszins naïeve levenslust waarmee de lange liefdesnachten met Vera hem gewoonlijk vervulden, dat alles brokkelde razendsnel af. Hoewel misschien... Rímini bedekte de hoorn met de palm van zijn hand en bleef een paar seconden roerloos staan, enigszins vooroverhellend tegen het aanrecht, alsof hij probeerde onzichtbaar te worden. Maar de bel ging opnieuw en bijna geruisloos, als in een stomme film, versplinterden de laatste ruiten van zijn ochtendeuforie. Rímini, die nergens een grotere hekel aan had dan aan de manier waarop de wereld soms zijn persoonlijke tegenslagen leek na te volgen, voelde zich dit keer niet geplagieerd. Hij was in gevaar. Niet langer het slachtoffer van een aantekening in de kantlijn maar van een complot. Hij legde zich er evenwel bij neer en drukte toch maar op de knop, en terwijl hij naar zijn voeten staarde – voeten als van een reus, waaromheen zich twee minuscule menselijke oceanen begonnen te vormen – hoorde hij nog net wat hij vanaf het begin gevreesd had dat er gezegd zou worden: de buitendeur zat op slot.

Toen hij op de benedenverdieping aankwam, nadat hij de drie eindeloze trappen van de tussenliggende verdiepingen, die hij dagelijks vervloekte te, was afgerend ('Geweldig, ik háát liften!' had Vera met een bewonderende blik op de donkere spiraal van het trappenhuis uitgeroepen toen ze het appartement voor het eerst bezichtigden), deed Rímini de deur open, keek naar links en rechts maar zag niemand. Hij voelde zo'n woede in zich oplaaien dat hij dacht dat hij zou ontploffen. Dat kon toch niet waar zijn? Een oude bestelwagen reed in slow motion voorbij, volgepakt met gebruinde armen die zich achter de raampjes verdrongen. Er klonk een langgerekt getoeter. 'Hé, schoonheid!' riep een spottende stem hem toe, zich een weg banend tussen de massa armen. Rímini keek opnieuw naar zijn voeten (de linkersandaal aan de rechtervoet, de rechter aan de linker: de typische ochtendrokade), de roze handdoek tot halverwege zijn dijen, als een Romeinse gladiator, de regenjas die al vochtig begon te worden bij zijn schouders – maar om een of andere reden voelde hij zich niet aangesproken. Hij wilde net weer naar binnen gaan toen een glimlachend gezicht opdook uit de kiosk naast het huis en hem tegenhield. Het was een jongeman, mager als een fakir, met die vezelachtige tengerheid, vol in het oog springende aderen, die rocksterren van Egon Schiele hadden overgenomen. Maar hij was niet lang, en hij droeg ook geen uniform. 'Remini?' vroeg hij, wapperend met een envelop. Rímini stond op het punt hem te verbeteren, maar zag ervan af: 'Waar moet ik tekenen?' De ander overhandigde hem een gekreukeld formulier boordevol rechthoekige vakjes waarin handtekeningen en documentnummers stonden. Rímini wachtte: een balpen, een potlood, wat dan ook. Maar de postbode deed niets anders dan kijken naar Rímini's in de zon glanzende teennagels en met een rietje vreemde bubbelgeluiden maken op de bodem van een blikje. 'Heb je iets om mee te schrijven?' zei Rímini. 'Nee, eerlijk gezegd niet. Stom, hè?' antwoordde de ander, alsof die simpele uiting van verbazing hem ontsloeg van zijn onnozelheid.

Tien minuten later, op het toppunt van zijn slechte humeur (Rímini vroeg een balpen te leen bij de kiosk, de kioskhouder wilde hem er alleen een verkopen, Rímini – wiens noodkledij geen portemonnee bevatte – beloofde later te betalen en eiste de brief op, maar de postbode-fakir weigerde en zei dat hij hem pas kreeg als hij een kerstlot zou kopen. Rímini voerde aan dat hij geen geld bij zich had, de postbode – met een knipoog van verstandhouding naar de kiosk – stelde hem voor het krediet te gebruiken waarmee hij zojuist de pen had gekocht), liet Rímini zich in een fauteuil ploffen en wierp voor het eerst een blik op de brief. Hij voelde zich enorm opgelucht, alsof die kleine, langwerpige envelop die hij nu voor zich had de enige talisman was die deze nacht-merrieachtige ochtend kon bezweren.

De vorm vond hij minder opvallend dan het zijdezachte glanspapier en de kleur, een verbleekt hemelsblauw dat enige tijd geleden, op het moment dat het was aangeschaft, wel eens lavendelkleurig kon zijn geweest. Alsof hij een onder ontvangers van ouderwetse brieven verplicht ceremonieel naleefde, bracht Rímini de envelop naar zijn neus. De geur (een mengeling van brandstof, nicotine en aardbeien- of kersenkauwgom) had minder te maken met het papier en de kleur van de envelop dan met de vingers van de postbode, waarvan de afdrukken gedeeltelijk waren achtergebleven op de rand. Er stond geen afzender op en het handschrift zei hem ook niet veel. Rímini's naam en adres waren geschreven in blokletters, te onpersoonlijk om spontaan te zijn (*niet ingegeven door het hart maar door sluwheid*, dacht hij, plotseling verzeild geraakt tussen de bladzijden van een keukenmeidenroman): niets wat niet ook verklaard zou kunnen worden door toeval of weinig vertrouwdheid met het schrijven van brieven. Wat hem vreemd voorkwam was de manier waarop de letters ergens in een hoek van de envelop leken te zijn samengedreven, alsof de schrijver van de brief de belangrijkste ruimte had gereserveerd voor iets wat hem nooit te binnen was geschoten of waar hij op het laatste moment van had afgezien. Hij kreeg het vermoeden dat hier meer achter zat, en de gedachte kwam bij hem op dat de verstoring van zijn ochtendgeluk misschien toch niet helemaal voor niets was geweest. Hij bekeek het poststempel en las: Londen. Vanaf de postzegels werd hij in drievoud aangestaard door een hooghartig, afgeleefd gezicht met pruik. Met de nodige moeite ontcijferde hij de postdatum, waarvan de getallen een dun snorretje vormden op een van de gezichten. Anderhalve maand, rekende hij uit. In een fractie van een seconde stelde Rímini zich de wederwaardigheden van een reis vol hindernissen voor, vertraagd door stakingen, dronken postbodes en verkeerde brievenbussen. Anderhalve maand leek hem te lang voor een brief die gericht was aan iemand die niet gewend was brieven te krijgen.

Rímini wist strikt genomen niet eens hoe hij ze moest openen. Hij wilde een van de hoeken van de envelop afscheuren, maar iets binnenin bood weerstand. Hij rukte er verwoed aan met zijn tanden, als een hond, en toen hij het stukje envelop uitspuugde ontdekte hij dat hij ook een deel van de inhoud had verminkt. Het was een kleurenfoto: in het midden, uitgestald in een vitrine, lag een rode roos op een bescheiden zwarte sokkel; daaronder, in kleine maar leesbare letters, stond op een witte plaat: 'In memoriam Jeremy Riltse, 1917-1995.' Een duistere flits schoot door hem heen: vocht, stof, die ranzige alchemie die plotseling door een deurkier naar binnen begint te sijpelen. Iets van zijn argeloosheid brokkelde af. Toen hij de foto omdraaide, was Rímini, die een voorgevoel had van wat hij zou aantreffen, minder jong dan tien seconden tevoren.

Kleurechte donkerblauwe inkt, een microscopisch, naar rechts hellend handschrift. En de aloude aanvechting bij het minste of geringste iets tussen haakjes te zetten. Hij las: '*In Londen (net als zes jaar geleden), maar nu kijkt het raam van het appartement (gehuurd van een Chinese* vrouw met een lapje voor haar oog) uit op een binnenplaats zonder bloemen, waar een stel honden (ik geloof steeds dezelfde) elke nacht de vuilniszakken kapotbijten en naar elkaar grommen om een paar treurige botten. (Je zou het landschap eens moeten zien waarin ik elke ochtend wakker word.) Twee nachten geleden had ik een lange, zoete droom: ik kan me er weinig van herinneren, maar jij kwam er ook in voor, gespannen, zoals altijd, vanwege iets volkomen onbelangrijks. Precies op het moment dat ik droomde (daar kwam ik later achter) pleegde J.R. zelfmoord. De dingen gebeuren gewoon; ze beantwoorden aan een roeping, zonder dat iemand ze daartoe hoeft aan te moedigen. Je kunt hiermee doen wat je wilt. (Ik ben veranderd, Rímini, zozeer veranderd dat je me niet meer zou herkennen.) Dit papier lijkt speciaal voor jou te zijn gemaakt: alles wat je erop schrijft kun je met je vinger uitvegen, zonder dat er een spoor achterblijft. Misschien zijn deze regels zelfs al wel verdwenen als je ze krijgt. Maar J.R. noch de foto is ook maar ergens schuldig aan. Als je in mijn plaats was geweest (en dat was je: mijn droom zweert dat je dat was), zou je hem ook genomen hebben. Het enige verschil is dat ik hem je durf op te sturen. Ik hoop dat de jonge Vera niet jaloers wordt op een arme dode schilder. Ik hoop dat je in staat bent gelukkig te zijn. S.'

Rímini keerde terug naar de foto en bestudeerde hem nogmaals aandachtig. Hij herkende het museum en vervolgens, aan de rechterkant, buiten het bereik van de flits, de vage contouren van een schilderij van Riltse dat hem eerst niet was opgevallen. De vitrine leek nu te worden overschaduwd door een ander beeld. Hij bracht de foto dichter bij zijn ogen en zag, weerspiegeld in het glas dat de roos beschermde, het witte flitslicht, de kleine automatische camera en ten slotte, verblindend als een stralenkrans, de grote blonde halo van het haar van Sofía.

2

Wat was het dat hem zo verbaasde? Het laatste wat hij van haar had gehoord, een maand of zes eerder, anderhalf jaar nadat ze uit elkaar waren gegaan, had hem ook bereikt via een geschreven boodschap. Het
was geen brief, niet eens een A-viertje, maar de helft van een geel velletje – met de hand afgescheurd, waardoor er aan de bovenkant nog zo'n
kort gerafeld stukje overbleef, dat meestal ontstaat door een nonchalante of woedende ruk langs de met de duimnagel getrokken lijn –,
waar onderaan, als het restant van een briefhoofd, nog net een adres in
de wijk Belgrano leesbaar was.

Rímini was jarig. Hij had opnieuw besloten het niet te vieren, of het
feest te beperken tot het eenzame genot van op een schrijfblok de namen te noteren van vrienden die in de loop van de dag hun felicitaties
op het antwoordapparaat zouden achterlaten. Maar Vera, die zijn onwil interpreteerde als een mannelijke vorm van koketterie (en daarmee
sloeg Vera de spijker op zijn kop), stal in een onbewaakt ogenblik zijn
lijst met telefonische loyaliteitsbewijzen, telde ze en reserveerde een tafel voor twaalf in een restaurant in het centrum. (Slechts tien jaar
scheidden haar openhartigheid van zijn hysterie: Rímini was geboren
aan het begin van de Cubaanse Revolutie; Vera bij de eerste maanlan-
ding.) Víctor arriveerde als eerste; Rímini zag hem binnenkomen, het
restaurant met een vorsende blik in zich opnemen en de verlaten
ruimte doorlopen met een te ver vooroverhellend bovenlichaam, in
dat wankele evenwicht dat Rímini toeschreef aan zijn onevenredig
kleine voeten, en hij concludeerde dat hij ook de eerste zou zijn die
weer weg zou gaan. Víctor ging hijgend naast hem zitten en feliciteerde
hem niet. Hij maakte een gejaagde indruk. 'En Vera?' vroeg hij op fluis-

tertoon. Rímini wees naar de bar, waar Vera, met de wreef van haar voet over haar kuit wrijvend, het menu van de avond stond door te nemen met de *maître*. 'Ik kwam Sofía vanmiddag nog tegen,' zei Víctor. Rímini voelde plotseling een druk op zijn ribben, alsof hij werd aangevallen, en sloeg zijn ogen neer. Víctors vuist opende zich als een tere, vleesetende bloem met lange bloembladeren en gelakte nagels. Rímini zag in de palm van de hand een stuk papier dat zich langzaam openvouwde na een tijd opgesloten te hebben gezeten, en nadat hij een vluchtige blik in de richting van de bar had geworpen (Vera was al naar hen op weg) liet hij het met een snelle handbeweging verdwijnen. 'Neem me niet kwalijk,' fluisterde Víctor opgelucht tegen hem, terwijl hij zich oprichtte om Vera te begroeten, 'maar toen ze hoorde dat ik naar jou toe ging was ze niet meer te houden.'

Rímini herinnerde zich die geheime tijdbom pas drie uur later, op het toilet, toen hij probeerde een lichte duizeligheid te verdrijven door strak in de spiegel te kijken en op zoek was naar een muntje voor de zeepautomaat. Hij voelde met zijn vingertoppen de sleutels, de dop van de balpen, die op datzelfde moment, ontdaan van zijn kop, een van de zakken van zijn colbert met inkt besmeurde, een muntje voor de metro met beschadigde rand en ten slotte de scherpe kant van het papier. Die simpele aanraking bezorgde hem een schok; hij had het gevoel dat hij alleen al door het te openen een hele reeks rampen over zich af zou roepen. Maar het was nu of nooit. En dus vouwde hij het bericht open en las het staande voor de spiegel, heen en weer wiegend tegen de rand van de wasbak, in het licht dat plotseling was begonnen te flikkeren: '*Stoute jongen. Hartelijk gefeliciteerd. Hoe is het mogelijk dat je jarig blijft worden zonder mij? Vandaag werd ik vroeg wakker, te vroeg (eigenlijk weet ik niet eens of ik wel geslapen heb), en pas toen ik de straat op ging (een jas over mijn nachthemd, wollen sokken, pantoffels) besefte ik waarom. Weer een veertiende augustus! Ik heb iets voor je gekocht (ik kon het niet laten, ik zweer het je). Het is maar een kleinigheidje. Ik geef het niet mee aan Víctor omdat ik me daarvoor schaam (en je weet ook wel dat ik je niet in verlegenheid wil brengen tegenover mijn opvolgster), maar zodra hij weg is (wees aardig voor hem, zorg dat de jonge Vera aar-*

dig voor hem is, herinner hem eraan dat hij zijn medicijnen moet inne-
men) krijg ik er vast spijt van, en dan is het te laat. Als je het wilt hebben,
bel me dan. Ik zit nog steeds op dezelfde plek. S. (Wees maar niet bang: dit
bericht vernietigt zichzelf over vijftien seconden.)'

Er werd tegen de deur geduwd; Rímini voelde een klap in zijn rug en in de veronderstelling dat hij betrapt was, draaide hij de kraan open om zich een houding te geven. Het papier glipte tussen zijn vingers uit en landde op de bodem van de wasbak, waar het gedoopt werd met drie timide straaltjes water. 'Smeerlap,' hoorde hij een bekende stem zeggen. Rímini draaide zich half om, terwijl Sofía's handschrift onder het water uitliep in bleke inktspiralen. Het was Sergio, een van zijn gasten. 'Je hebt alles in je eentje opgesnoven.' Rímini glimlachte: 'Dat is toch mijn goed recht? Het was tenslotte een verjaarscadeau.'

3

Die schrijfdwang was niet nieuw voor hem. Hoe vaak had hij daar al niet onder geleden? Hoe vaak in de loop van de tijd dat hij gescheiden van Sofía leefde, en hoe vaak gedurende de bijna twaalf jaar dat hij met haar samen was? Wanneer ze geconfronteerd worden met een emotionele grens, dat point of no return waar een onontkoombare hartstocht een andere taal vereist, houden operapersonages op met praten en beginnen te zingen, houden musicalacteurs op met lopen en beginnen te dansen. Sofía *schreef*. Als kind had ze zang gestudeerd (het prototype van het meisje met een overdaad aan buitenschoolse activiteiten, altijd slaperig en altijd gelukkig), en in het circuit van haar 'lichamelijke onderzoekingen' (zoals ze de verscheidenheid van cursussen en workshops noemde waaraan ze zich na haar puberteit had overgegeven) had ze meer dan eens te maken gekregen met de discipline van de dans. Maar als de liefde haar verstikte, als een van die amoureuze complicaties, de gelukkigste én de rampzaligste, de extase bijvoorbeeld, of de wanhoop, de drempel overschreed waarmee de geldigheid van woorden en gebaren aan banden werd gelegd, verstomde Sofía en trok zich in zichzelf terug, alsof ze eerst moest verdwijnen voordat ze verder kon. Een uur, een dag, soms een week later, wanneer de economie van de liefde haar normale evenwicht had hervonden en het 'incident', zoals Rímini die episodes van afasie bij zichzelf had gedoopt, spontaan vergeten leek te zijn, stuitte Rímini dan plotseling op een bericht, een brief, drie inderhaast geschreven regels of hele bladzijden vol zelfverloochening, die Sofía in haar eentje had opgesteld tijdens die merkwaardige tussenpozen waarin ze weliswaar zonder Rímini maar ook alleen voor hem bestond: opgesloten in een kamer, in een bar, met haar ellebogen leunend op een tafel bezaaid met servetjes, of midden in de nacht klaarwakker aan de keukentafel, terwijl Rímini, overdwars slapend, van de gelegenheid gebruikmaakte om het hele bed in beslag te nemen met de door zijn benen gevormde perfecte vier. Soms werd hij bij het bekijken van het boodschappenlijstje overvallen door twee romantische regeltjes, als bij toeval verzeild geraakt tussen groenten en schoonmaakmiddelen. Of hij deed bij de bushalte zijn portemonnee open en ontdekte tussen twee verbleekte bankbiljetten onverhoeds de rand van een envelop, met op de voorkant zijn liefdevol versierde initialen en binnenin de vruchten van de passionele recapitulatie, samengebracht op een receptenbriefje van hun arts. De berichten van Sofía verrasten hem in het medicijnkastje in de badkamer, onder in een zak van zijn jas, op het schrijfblok naast de telefoon, tussen de bladzijden van het document dat Rímini moest vertalen (waar Sofía ze achterliet als heimelijke boekenleggers) of zelfs in de koelkast, waar ze urenlang op hem lagen te wachten, verkleumd maar stoïcijns, geleund tegen een pak melk of een bekertje yoghurt.

In het begin vatte Rímini ze op als blijken van liefde en voelde hij zich gevleid. Ze waren vrijwel altijd geschreven op de achterkant van een al beschreven stuk papier, als hulpkreten of geheime boodschappen, en hadden iets van huiselijke edelstenen, de charme van een sentimenteel stuk handwerk, smachtend en conjunctureel, dat zowel ontroert door zijn spitsvondigheid als door zijn onvolkomenheden. Zodra hij zo'n papiertje vond voelde Rímini de dringende behoefte het te lezen, een vertraagde reactie op de drang die Sofía moest hebben gevoeld toen ze het schreef, en hij genoot zo van die onverwachte zinnetjes dat hij in staat was de gaspit open te draaien en te vergeten hem aan te steken, zijn werk halverwege te onderbreken, bij het oversteken midden op straat te blijven staan of, met de klassieke onbeleefdheid van de verliefde, de vraag die iemand hem zojuist had gesteld in de lucht te laten zweven. Elk bericht was een balsem, een ontlading van geluk, de kleine dosis waarmee een absolute drug, de liefde die hij voor Sofía voelde, zijn verslaving nieuw leven inblies op het moment dat Rímini dat het minst verwachtte, of wanneer de gewoonte – en de tijdelijke afwezigheid van Sofía – hem had doen geloven dat hij ook wel zonder zou kunnen. Niet het feit dat hij ze vond ontroerde hem, maar het feit dat ze onfeilbaar in staat waren hém te vinden, door als zelfmoordboodschappers alle hindernissen die de wereld tussen hem en Sofía opwierp te omzeilen en te overwinnen. Hij las ze onmiddellijk, soms in de hachelijkste situaties, als een onoplettendheid hem schade had kunnen berokkenen of in gevaar had kunnen brengen. Maar hij waande zich onkwetsbaar: de brieven – en vooral die verrukkelijke wolk waarin ze hem hulden – waren zijn harnas en zijn tegengif. En nadat hij ze gelezen had, vrijwel altijd zachtjes voor zich uit prevelend, in de illusie dat op die manier Sofía's stem te horen zou zijn tussen de regels van de zijne door, deed Rímini net alsof hij de taak die door de brieven was onderbroken, hervatte en begon hij weer te werken, te praten, door de straat te lopen, met de werktuiglijke doelmatigheid van een slaapwandelaar, terwijl hij de brieven, als een geheime talisman, langdurig koesterde in de holte van zijn hand. En later, tegen het vallen van de avond, bij het weerzien, hoefde Sofía niet eens te vragen of hij ze gelezen had, omdat Rímini haar al voor was en zich tegelijk euforisch en verslagen in haar armen wierp en haar, zelfs nog voordat hij haar begroet had, dolgelukkig dat hij eindelijk de liefdesverklaring die Sofía hem had gestuurd kon beantwoorden, met kussen overlaadde en, struikelend over zijn woorden, de boodschap weer opnam op het punt waar zij had besloten die te beëindigen. Ze waren hoogstens acht tot tien uur, soms zelfs minder, uit elkaar geweest, maar de simpele tussenkomst van de brief, die Rímini, hoe vertrouwd hij ook was met het systeem, steeds met verbazing en een zekere hulpeloosheid ontving, zoals je de rol van het toeval aanvaardt, leek de duur van de scheiding tot ondraaglijke grenzen uit te rekken en de afstand tussen de werelden waarin ieder van hen in de loop van die uren had geleefd te verveelvoudigen. (Op een keer, toen hij in de metro verrast werd door een van die boodschappen en met een vluchtige blik het handschrift van Sofía herkende, stond Rímini op het punt flauw te vallen: hij merkte dat hij ineens dacht dat Sofía dood was, jaren geleden overleden, en stelde tegelijk hevig geschrokken vast hoe die heimelijk tussen de bladzijden van zijn agenda geschoven alinea, als een stem uit het hiernamaals of een onverwacht levensteken, niets heel liet van zijn overtuiging op het moment dat die zich aan hem opdrong.) Het was die vreemde *verheviging* van hun liefde, ongetwijfeld eerder het gevolg van de retrospectieve illusie dan van de liefde zelf, die de extreme, bijna wanhopige vervoering verklaarde waaraan Rímini en Sofía zich overgaven bij het weerzien. Ze omhelsden elkaar niet als geliefden maar als slachtoffers, slachtoffers die eindelijk waren bevrijd, en de bijna onhoorbare lieve woordjes die ze tussen hun kussen door fluisterden, leken niet zozeer te verwijzen naar een noodlottige verwijdering in het dagelijks leven als wel de beëindiging te vieren van een onmenselijke kwelling, de opheffing van een veroordeling die ze een eeuwigheid van elkaar gescheiden had gehouden.

In de loop van de tijd legde Rímini een aanzienlijke verzameling berichten aan. Hij bewaarde ze op geheime plekken die hij regelmatig veranderde, uit angst dat Sofía ze zou ontdekken. Hij herlas ze nooit: het was voor hem genoeg te weten dat hij ze had; maar er waren weinig dingen die hem zo opwonden, vooral wanneer hij Sofía's voetstappen hoorde naderen, als snuffelen in een oude schoenendoos, in een boek of in de zak van een jas die hij niet meer droeg, om een nieuw stuk aan zijn verzameling toe te voegen. (Rímini, die overspel niet veroordeelde maar het beschouwde als iets wat heel ver van hem af stond, even extravagant en onbegrijpelijk als levitatie, astrologie of drugsverslaving, had evenwel een bijzondere manier gevonden om die vorm van ontrouw in praktijk te brengen: zijn geliefde bedriegen met de blijken van liefde die ze zelf voor hem had opgesteld.) Hij bewaarde ze zoals anderen foto's, haarlokken, bierviltjes, toegangsbewijzen voor het theater, vliegtickets of ansichtkaarten uit vreemde landen bewaren, relikwieën waar geliefden van tijd tot tijd bij wegdromen om zich de historische dimensie van een dagelijkse hartstocht te herinneren of om die nieuw leven in te blazen, het vuur weer aan te wakkeren als de passie, ongewild in rustiger vaarwater gekomen, dreigt te verzanden in een opeenvolging van louter herhalingen.

Op een dag – een dag als alle andere, zonder voorafgaande waarschuwing of bijzondere voortekenen – ontdekte Rímini weer eens zo'n bericht en besloot voor het eerst het niet meteen te lezen. Hij was te laat voor een afspraak. Toen hij de metro op het perron hoorde stoppen, rende hij, zich een weg banend door een slaperige menigte, met drie treden tegelijk de trappen van het station af. Hij zocht in zijn zak naar een muntje; zijn vingers moesten het op de tast tussen de kreukels van het papier uit vissen waarin het verstrikt was geraakt. Hij liep door de tourniquet, ontweek een kordon reizigers die zich blijkbaar hadden bedacht en hield de dichtgaande deuren tegen door de helft van zijn lichaam in de wagon te duwen. Hij reisde twee haltes met gebogen hoofd, beschaamd over zijn eigen vermetelheid, en toen hij zijn handen in zijn zakken stopte – om niet te veel ruimte in beslag te nemen, alsof hij met dat gebaar van burgerzin, dat door niemand werd opgemerkt, de brutaliteit van zijn opwelling wilde compenseren – stuitte hij opnieuw op het bericht. Heel even kwam het idee bij hem op het daar ter plekke, in die extreme situatie, tegen de deuren van de wagon gedrukt, te lezen, het zou een onweerstaanbaar bewijs van liefde zijn, maar hij verwierp die gedachte meteen weer; en na de randen van het briefje met zijn vingers te hebben afgetast, als om die geluidloze stem die hem riep tot zwijgen te brengen, liet hij het papier verder met rust. Maar hij was nog altijd te laat, het slachtoffer van die vreemde kettingreactie die het gevolg is van een eerste gebrek aan punctualiteit, en de rest van de dag, die nog maar net begonnen was, probeerde hij vertwijfeld de tien of twaalf minuten die hij 's ochtends was kwijtgeraakt weer in te halen. Het lukte hem niet. Hij nam de verkeerde beslissingen, haalde tijden en plaatsen van afspraken door elkaar, raakte verwikkeld in incidenten op straat, lunchte en werkte slecht, verkrampt, waarbij hij zich vastbeet in onbelangrijke details (hij las een acht in plaats van een drie op een rekening en had het gevoel dat hij was opgelicht; hij verdedigde, bijna tegen beter weten in, een voetnoot bij een vertaling die onverdedigbaar was). En hij vergat het bericht van Sofía volledig.

Twee dagen later, tijdens het eten, vroeg Sofía of hij het gelezen had. Rímini voelde zich duizelig worden, alsof zijn maagmond zich plotseling samentrok. 'Ja,' wist hij uit te brengen, 'natuurlijk.' Ze aten een paar minuten in stilte, zonder elkaar aan te kijken. Rímini zag alles wit, die eindeloze, schuldige matwitte kleur die vaak over het geheugen ligt van een student voor een examentafel. Hij speelde een beetje met zijn eten en legde vervolgens bijna onbewust zijn bestek kruiselings op het bord. Later, in bed, dommelden ze langzaam weg bij een oude Argentijnse film op tv. Rímini merkte dat hij vertwijfeld probeerde zijn ogen open te houden; het geluid van de film drong tot hem door als een vaag, morsig geroezemoes op de achtergrond, een soort oud schuim waartegen de deinende ademhaling van Sofía zich aftekende. Hij durfde niet eens naar haar te kijken. Hij lette op het ritme van haar ademhaling, op de geringste huivering van haar lichaam, op hoe Sofía's arm, schuin over zijn borst, zwaarder of lichter leek te worden. Heel even had hij het gevoel dat zijn leven afhing van de vraag wie van hen tweeën als eerste door slaap werd overmand, en dat dit cruciale moment, waarop ze gewoonlijk vol vertrouwen en gelukkig lagen te wachten, als op een amoureuze zegening, de drempel van de nacht waarop de een, de zwakste, zich eindelijk overgaf aan de waakzaamheid van de ander, nu veranderde in de alles beslissende veldslag in een onbekende oorlog.

Een jonge vrouw, met haar rug naar de camera, kleedde zich uit voor de wellustige ogen van een beeldhouwer en bijna op hetzelfde moment stierf ze de vergiftigingsdood, als in extase. Hij droomde van een beeld (een spierwitte hand, als van marmer, waarvan de vingers zich openden en een heel klein flesje gif lieten vallen) toen hij wakker werd. Hij was alleen. Het was ochtend, vermoedelijk al na elven. Hij begon zich aan te kleden toen hij aan de sleutel van de klerenkast een hanger zag met de broek die Sofía de vorige avond van de stomerij had gehaald. Hij besloot hem aan te trekken. Hij stopte zijn hand in een zak en herkende onderin een hard geworden, verschrompeld stuk papier, waarvan de randen tussen zijn vingers verbrokkelden.

4

Beweren dat ze van Riltse hielden zou een belediging zijn geweest – de ergste, laaghartigste, verachtelijkste belediging die maar denkbaar was. Ze *aanbaden* hem. Dat hadden ze al gedaan sinds ze de jaren des onderscheids hadden bereikt, een tijdperk waarvan ze het begin gewoonlijk dateerden, voor zichzelf en ook, ieder afzonderlijk, voor de ongelovige getuigen die zo welwillend waren naar hen te luisteren, op de dag dat ze ontdekten dat ze van elkaar hielden. Rímini was zestien; Sofía zeven maanden ouder – een verschil waar Rímini nooit aan had kunnen wennen en dat hij zich even troosteloos voorstelde als de weinige maar onoverbrugbare meters die Achilles altijd zouden scheiden van de schildpad. Ze aanbaden Riltse en hielden van Tanguy, Fauxpass, Aubrey Beardsley, die hele verdachte kunstenaarsfamilie waarmee de ontwikkelde studenten – die beroepsmatige beoefenaars van de naïviteit en de zelfingenomenheid – de voorkant van hun schrijfmappen versierden om hun vijanden, die de hunne volplakten met foto's van film- of rocksterren, te vernederen. De tijd stelde hen al snel teleur. Twee of drie jaar later waren de gesmolten voorwerpen, de stalactieten in de vorm van liefdespaartjes, de oude bedden, de ogen en hoeden die in zuiver blauwe hemels hingen, heel dat uitgekiende repertoire dat ze steeds hadden vereerd als het toppunt van verbeelding, pure oplichterij en wekten ze alleen nog hun verontwaardiging. Ze hadden ontdekt (hoewel ze dat pas later beseften, toen ze samen waren verhuisd naar een piepklein gemeubileerd optrekje in Belgrano R en hun ex-studiegenoten, in een typische opwelling van onheilspellende bewondering, over hen spraken als een paar 'vroegtijdige bejaarden') dat de adolescentie geen kunstenaars of kunstwerken aanbad maar alleen alternatieve familievormen, en dat aan de andere kant van die ongedifferentieerde aanbidding al even ongedifferentieerde teleurstellingen op de loer lagen. Die constatering deed pijn. Ze voelden zich een stel onherroepelijke idioten, omdat de trots die zich achteraf als onnozelheid ontpopt dubbel telt, en ze zagen hoe in die wond die al flink begon te schrijnen, een weliswaar minder belangrijk maar toch waardevol deel van hun jeugd verloren ging. Het was echter die nuchtere zelfkritiek die ze redde; hen beiden van de hoon van de anderen en van de wereld, die altijd voorop plegen te lopen bij het ontdekken van dwaasheden, en Riltse van de verbitterde woede waarmee Rímini en Sofía zich ten slotte ontdeden van die hele massa oplichters, na ze lange tijd te hebben verafgood.

Tegenover Tanguy waren ze onverbiddelijk. De schilder beloonde hen door de schaarse asresten van zijn roem op te lossen in de dauw die de golvende weilanden nog deed glinsteren. Van Fauxpass verbrandden ze alles in één enkele middag, in de wildernis vol vliegen achter het huis in City Bell van een grootmoeder van Sofía. Ze verloren zelfs geen tijd met toekijken hoe de vlammen hun verraden harten louterden. Max Brauner kostte hen minder werk: ze hadden bijna geen reproducties van zijn schilderijen. Die kenden ze uit de tweede hand, via de geëxalteerde beschrijvingen in de autobiografie van een slimme tijdgenoot die als schilder was mislukt maar veertig jaar later, toen Brauner al dertig jaar lag weg te rotten op een Pools kerkhof, de rijkste en schuwste kunsthandelaar van de Sovjet-Unie was geworden. Ook de autobiografie viel ten prooi aan de vlammen.

Toen was het de beurt aan Riltse. Sofía verzamelde de afbeeldingen. Rímini, inmiddels een volleerd pyromaan, zorgde voor de brandstof en de lucifers. Tot dat moment hadden ze, eerder uit bijgeloof dan uit rancune, de veroordeelden die laatste blik onthouden, de blik die afscheid neemt maar nooit vergeeft, waarmee de gang naar het schavot tenminste nog enigszins wordt verlicht. Maar bij Riltse aarzelde Sofía, alsof ze heel vaag aanvoelde dat er wel eens sprake kon zijn van een onherstelbare vergissing. De prenten trilden even boven de vlammen. Rímini, die zijn vingers al bijna schroeide, liet ze los. Maar Sofía bracht ze in veiligheid en zocht wanhopig naar één bepaalde afbeelding, zoals iemand tussen nutteloze papieren, die allemaal heel erg op elkaar lijken, op zoek is naar het vrijgeleide dat toestemming geeft tot het oversteken van een grens. Rímini protesteerde. Hij was koppig; niets kostte hem zoveel moeite als het overtreden van de regels die hij zichzelf had opgelegd. Onder het mompelen van zijn bezwaren keek hij een paar tellen naar het vuur; daarna, toen hij vond dat hij Sofía genoeg tijd had gegeven om op haar beslissing terug te komen, draaide hij zich weer in haar richting en zag dat ze met haar rug naar hem toe in het gras zat en dat haar schouders zacht schokten. Hij ging naar haar toe en vroeg wat er was. Sofía huilde geluidloos: tussen haar benen lagen, als lijkjes in een wieg, de drie reproducties van de serie 'Kwellingen'. Rímini keek opnieuw naar de ronde platformen, de als vee opgehangen lichamen, de uitgerekte witte ribbenkasten, de galakleding keurig opgehangen aan de kapstokken op wieltjes, en hij glimlachte. Riltse overleefde.

Hun eerste reis naar Europa was alleen maar een voorwendsel om de originelen van de meester te zien. Sofía was er al met haar ouders geweest, en dus maakte ze van dat tweede lichte voordeel gebruik om de vader van Rímini, een van de geldschieters van de overtocht, te dwingen de route af te stemmen op de enigszins verouderde maar onvergetelijke sporen van de vorige, die de ouders van Sofía op hun beurt hadden geërfd van een bevriend echtpaar 'met veel reiservaring', dat dol was op sportkleding (Rímini bezwoer dat ze de wegbereiders waren geweest van het joggen – de kleren, de discipline en de strijdlust – in Belgrano en misschien wel in heel Argentinië), glazen miniaturen en Spaanse kunstboeken. Van de zeventig dagen die de reis zou duren, verdeeld over een stuk of zes landen, zouden ze er alleen al in Oostenrijk vijftien doorbrengen. Rímini vond dat een onevenredig groot percentage. Hij had niets tegen Oostenrijk, maar hij hoefde maar een blik op de kaart van Midden-Europa te werpen, op het oog de grootte van het land en de omvang van zijn onbekendheid met het Duits te meten en die maten vervolgens te projecteren op het tijdsbestek van twee weken, om te beseffen dat hij niet over de noodzakelijke gegevens beschikte om de situatie volledig te begrijpen. Sofía biechtte het pas op toen ze in het vliegtuig zaten, aangemoedigd door het flesje wijn dat ze bij het eten had besteld: het met haar ouders bevriende echtpaar kwam uit Oostenrijk.

Rímini vatte het op als een sympathieke gril, een van de vele die zijn relatie met Sofía kleurden met de licht kwijnende excentriciteit die zijn naaste vrienden zowel respect afdwong als plagerijen ontlokte. Meer dan de helft van hun eindexamenklas reisde dat jaar naar Europa. Maar met uitzondering van César Lichter, wiens brillenglazen Rímini meende te zien glinsteren achter een tijdschrift voor sportauto's op het station waar ze waren uitgestapt omdat ze een verkeerde trein hadden genomen, kwamen ze in zeventig dagen geen enkele ex-klasgenoot tegen. In feite waren de Europa's die ze doorkruisten alleen hetzelfde continent in de reisgidsen en op de landkaarten die ze van het reisbureau hadden meegekregen. Fels en Matheu zwalkten door Amsterdam, overladen met drugs, wollen sjaals en pornografische miniaturen, Catania keerde terug naar haar geboortestad Turijn en trad toe tot een groep 'theoretische gesprekstraining' – de intellectuele kiem, naar later bleek, van de eerste cellen van de Rode Brigades –, Bialobroda, met zijn legendarische hoektanden – de ene gebroken, de andere van goud –, maakte een eind aan zijn buitensporige levensjaren door zich aan zijn broekriem op te hangen in Hotel du Vieux Paris, op twee straten van de Seine, in een kamer waarvan de rekening nooit werd betaald, Maure sliep in de buitenlucht op Ibiza en Nepper, blond, mager als een lat en stinkend rijk, werd gearresteerd op het toilet van een bar in de rosse buurt van Barcelona. Intussen verzamelden Rímini en Sofía, beschermd door het amiant van een parallel, meer alpien en minder verontrustend Europa, middeleeuwse dorpjes, met sneeuw bedekte bergen, pleinen schoon als sanatoria, nationale klederdrachten, trams, verstikkende dekbedden, bierfeesten, folkloristische liederen vol nachtegalen, glooiende heuvels, uitgestrekte landerijen en hartenleed, die door een stuk of zes voortvarend achterovergeslagen pullen bier gemakkelijk veranderden in heuse strijdliederen.

Meer dan eens vervloekte Rímini, terwijl hij, duizelig van de schandalige punctualiteit van de Eurorail en beladen met koffers, van de ene trein overstapte in de andere, zijn lammycoat – een bijdrage van zijn

moeder op het laatste moment –, die hem dwong zich als een gespalkte sneeuwpop voort te bewegen, en had hij het vermoeden dat hij bezig was met de verkeerde reis. Niet dat hij veel te klagen had: de treinen waren comfortabel en de service efficiënt; de plaatselijke bewoners compenseerden de taalproblemen met hun vriendelijkheid; in de cafés lagen, gevat in schitterende houten spanners, kranten uit de hele wereld op hen te wachten; de banketbakkerskunst was onweerstaanbaar. Sofía, bijna onherkenbaar door haar buitensporige winterjas, sleepte hem aan zijn hand mee door doodlopende straatjes, aangespoord door de veelal vage herinneringen aan haar vorige reis, die ze probeerde te bevestigen door een blik te werpen in haar zakagenda, waarin ze zei die te hebben genoteerd. 'Wacht even... hier was een on-ge-loof-lij-ke winkel met kantwerk... ik heb het opgeschreven... Hier staat het: kantwerk! "Aan het eind van de steeg van de smeden..." Daar lopen we nu toch? "Voorbij banketbakkerij Grillpärzer..." Daar: dat is Grillpär... Dan moet het hier zijn... Die maakten een strudel... straks gaan we er wel even naar binnen... Daar! Daar is het, ik herinner het me nog precies! De etalage was helemaal wit...' 'Het is een muziekwinkel, Sofía.' 'Doe niet zo negatief. Laten we oversteken.' 'Zie je wel? Oude instrumenten.' 'Dat kan toch niet.' 'Het is twee jaar geleden, Sofía: hier veranderen de dingen ook.' 'Kijk eens naar die luit! Is ie niet prachtig?' Maar het probleem voor Rímini was niet het kantwerk (dat zich, zoals te voorzien viel, in de Kantstraße bevond), noch de strudel van Grillpärzer (verrukkelijk), noch de luiten (hoewel de eigenaar van de zaak ze meteen bij binnenkomst vroeg hun sigaret uit te maken, buiten hun schoenen goed te vegen en zacht te praten), of ook maar iets van wat hij allemaal meemaakte. Het probleem was alles wat hij níet meemaakte, die negatieve reis die zich van tijd tot tijd, te midden van al dat tersluikse Oostenrijkse geluk, arglistig aan hem opdrong, als een niet-afgeloste schuld, en heimelijk zijn achterdocht wekte. Zouden we niet een beetje smeriger moeten zijn? Hadden we ons paspoort niet moeten kwijtraken? Zou de politie niet wantrouwig naar ons moeten kijken, ons aanhouden, om onze papieren vragen? Waar waren de discotheken, de mensen zoals wij, de jeugdherbergen, de injectiespuiten?

Het waren niet meer dan onbestemde gevoelens – het nabije klap-wieken van een onoplettende vogel, te kortstondig, dacht Rímini, om schadelijk te zijn – en ze lieten verder geen sporen na. Bovendien leek elk punt van de route het door het vorige ingegeven wantrouwen uit te wissen. Salzburg corrigeerde de blinde vlekken van Innsbruck. Wenen die van Salzburg et cetera. En in Wenen, toen Sofía, mooi en uitgeteerd, eenmaal hersteld was van de griepaanval die haar vijf dagen in zijn greep gehouden had, brachten de schilderijen van Klimt, Egon Schiele en Kokoschka hem eindelijk tot rust, als aperitief voor de verrukking die hij gedroomd had in Londen te ervaren bij die van Riltse. Tot dat moment had Rímini de tijd wakend naast het bed doorgebracht waar Sofía tussen de lakens lag te ijlen. De eerste dag van haar ziekte kon hij onmogelijk onderscheiden wanneer ze sliep en wanneer ze wakker was. Ze trapte de lakens van zich af alsof ze brandden op haar huid en vijf minuten later ging ze er, rillend van de kou, wanhopig naar op zoek in het schemerdonker van de kamer. Ze stond midden in de nacht op, met bleke lippen woorden prevelend in een onbekende taal. Rímini vroeg om de dokter van het hotel; hij sprak met de receptionist, met de dienstdoende nachtwaker, met de maître van het restaurant en ten slotte met de manager, en toen de lijst met beschikbare Engelssprekenden eenmaal was uitgeput, meende hij, eveneens uitgeput, te begrijpen dat 'dokter Kleber zich voor het eerst in twintig jaar had ziek gemeld'. Maar ze zouden hem niet in de steek laten. Ze lieten aspirine boven brengen, vrijwel koude soep (er zaten zes verdiepingen tussen de keuken en hun kamer), handdoeken met het monogram van een ander hotel, een abnormaal trage thermometer en een paar verouderde exemplaren van het tijdschrift van de Oostenrijkse luchtvaartmaat-schappij. Rímini liep voortdurend heen en weer; nog nooit had hij zo vaak dezelfde deur geopend, en nog nooit had hij zich zo ontmoedigd gevoeld als hij hem weer dichtdeed. Telkens wanneer Sofía tien minu-ten achter elkaar niet bewoog, voelde hij zich weer jong worden van ge-luk; hij liep blootsvoets, op zijn tenen, naar het raam en vierde het wonder door naar de traag en stompzinnig neerdwarrelende sneeuw-vlokken te kijken, in een verbazingwekkend rode nacht.

De volgende dag was de koorts een paar streepjes gedaald. Sofía begon alweer oog te krijgen voor bepaalde ouderwetse aspecten van de kamer toen Rímini, met een tekort aan slaap maar een helder hoofd, de telefoongids opensloeg en het adres van het Engelse ziekenhuis vond. Korte tijd later werden ze geholpen door een jonge arts met gedistingeerde omgangsvormen, gekleed in een doktersjas die zo nieuw was dat hij knisperde. Om hen voor zich in te nemen zei hij, met slissende s'en, een paar woorden in het Spaans – Rímini leidde hieruit af dat hij regelmatig in Spanje op vakantie ging –, schreef hun antibiotica voor – hij sprak tegen hen beiden, alsof Rímini net zo ziek was als Sofía – en was zo vriendelijk hun een apotheek te wijzen waar ze Engels spraken. Toen ze weer buiten kwamen omhelsden ze elkaar. Overstromend van dankbaarheid hadden ze allebei het gevoel dat het de ander was die op het punt stond in huilen uit te barsten. Sofía stelde voor de medicijnen te gaan kopen en bij terugkeer in het hotel de dokter een bedankbriefje te schrijven. Hij moest weten, zei ze, wat hij allemaal voor hen gedaan had: dat was iets wat ze beslist niet mocht verzuimen. Rímini wist het haar opnieuw uit het hoofd te praten. In de loop van de reis had hij een stuk of zes van dit soort epistolaire bevliegingen weten te verijdelen, allemaal bedoeld als wederdienst voor de edelmoedigheid van gondeliers, taxichauffeurs, museumbewakers, obers en bankbedienden – anonieme redders die in de meeste gevallen niet meer hadden gedaan dan de naam van een straat correct spellen, vragen waar ze vandaan kwamen, zonder reden tegen hen glimlachen of, simpelweg, nalaten hun stem tegen hen te verheffen.

Sofía werd beter. Ze begon weer met smaak te eten; na haar eigen bord te hebben leeggegeten viel ze aan op het bijgerecht van *spätzle* dat Rímini onaangeroerd had gelaten. Op de vijfde dag, toen Rímini al niet meer bij het raam hoefde te gaan staan om alles te beschrijven wat er op het deel van de hoek gebeurde waar hun kamer op uitkeek, stelde Sofía hem voor even naar buiten te gaan om een frisse neus te halen. Rímini protesteerde. 'Ga nou maar,' drong ze aan, 'gewoon, een uurtje. Er zal heus niks met me gebeuren.' Rímini ging en maakte van de gelegenheid gebruik om het huis van Freud te bezoeken, een idee waar de afgelopen anderhalve maand ook een stuk of veertig andere Argentijnen op waren gekomen, zoals uit het gastenboek bleek. Hij bladerde het enigszins nieuwsgierig door, maar hij kwam geen enkele bekende achternaam tegen. En toch, zodra hij zijn handtekening had gezet – geen commentaar: alleen zijn naam en achternaam, onherkenbaar misvormd door de zwierige uithalen, en de datum –, dwong iets hem zijn ogen over de pagina te laten dwalen: een 'onregelmatigheid', iets ondefinieerbaars wat zich niet direct in zijn blikveld bevond maar veeleer aan de rand daarvan, in het verborgene, iets wat plotseling als een zwarte tak leek te zijn heen en weer gezwiept, en toen Rímini zijn blik van onder tot boven over de kolom met bezoekers liet gaan, kwam hij een bijna onleesbare naam tegen – Ezequiel, Rafael, Gabriel –, geschreven met letters bestaande uit bloemstelen en bloemen, maar hij verwierp de gedachte meteen weer. Het was halfzes 's middags en pikdonker toen hij weer buiten kwam. Het sneeuwde niet, de lucht was helder en de stralenkrans van mist die gewoonlijk de straatlantaarns omhulde was verdwenen.

Rímini had een vreemd gevoel. Een uur zonder Sofía en hij had al de niet geheel onbekende gewaarwording dat hij het enige levende wezen in de stad was. Hij voelde zich ontzettend eenzaam: uitgerekend nu Sofía naar het land der levenden was teruggekeerd, kwam de reis hem voor als een onheilspellende, dwaze onderneming. Hij bedacht dat hij naar Buenos Aires kon bellen om zijn vader te vragen waarom hij Wenen in het reisplan had opgenomen. Aangespoord door de kou wilde hij een rood stoplicht negeren en rennend een verlaten straat oversteken, maar hij werd tegengehouden door het agressieve geblaf van een *dachshund* die door zijn bezitster, een krom, bevend vrouwtje, net bij een boom werd uitgelaten. Tien of twaalf straten verder weigerde het toestel in de telefooncel een collect call maar slokte wel de twee extra geldstukken op die Rímini in de gleuf had gestopt uit angst dat de verbinding verbroken zou worden. Aan de andere kant van de lijn liet een nieuw dienstmeisje, dat voortdurend op vragende toon Rímini's naam herhaalde, hem enigszins wantrouwend weten dat zijn vader voor het weekeinde naar Villa Gesell was vertrokken.

Maar twee dagen later (de twee dagen die Wenen volgens zijn laatste berekeningen uiteindelijk zou afsnoepen van Londen), toen ze in de Österreichische Galerie de Klimtzaal binnengingen – Rímini uitdagend, Sofía zwak en aanbiddelijk, als een winterse bedoeïene gehuld in een poncho, allebei de verwarmde lucht opfrissend met de witte wolkjes die ze van buiten meenamen –, voelde Rímini zich beschermd als iemand die na een langdurige ballingschap vol ontberingen terugkeert naar zijn vaderland. Hij liep door de zalen, doezelig vanwege het zachte gelige licht, en bekeek met opgewekte tegenzin de schilderijen, alsof hij zo'n afstand tot alles had dat zelfs schoonheid zijn gevoel van welbehagen niet kon ondermijnen. Ze bleven staan voor *De kus* en keken ernaar met de armen om elkaar heen geslagen, bevangen door die mimicry die zich meester maakt van verliefden zodra ze naar een beeld kijken waarvan ze altijd hebben geloofd dat het hen aankijkt en tegen hen praat. Het ergste is voorbij, dacht Rímini, en toen hij 'het ergste' wilde benoemen, was het niet Wenen dat in zijn hoofd opkwam, noch de problemen met de taal, noch de koorts, zelfs niet het geld en de tijd die de 'Oostenrijkse vergissing', zoals hij het was gaan noemen, hun gekost had, maar de eenvoudige mogelijkheid, die hij niet zag opdoemen in de toekomst maar in het verleden, in die paar uur die hij twee dagen eerder alleen had doorgebracht, dat Sofía, die kleine, compacte warmtemassa die zich nu tegen hem aan drukte, voor altijd uit het leven verdwenen zou zijn. Net als de overlevende die elke avond voor het slapengaan steeds weer het ongeluk meemaakt dat hem bijna het leven heeft gekost, en die pas na zich de details in herinnering te hebben geroepen tot de ontdekking komt dat er die dag geen momenten van onoplettendheid, geen nat wegdek, geen dodelijke auto's zijn geweest, en dat het ongeluk dat nooit heeft plaatsgevonden hem desondanks van een deel van zijn toekomst heeft beroofd door een afschuwelijke wond in zijn ziel open te rijten, zo zag Rímini zichzelf opnieuw ver weg van Sofía, zag hij zichzelf zonder haar, en die eenzame figuur, die van al zijn bezittingen leek te zijn bestolen, deed het bloed in zijn aderen stollen van ontzetting. Hij had zojuist gezien wat er van een man overblijft als men de vrouw die hij liefheeft aftrekt van alles wat hij is, van alles wat hij meent te zijn.

De vliezen van de liefde zijn broos; een onverhoedse aanraking kan ze doen scheuren. Als ze door de angstige vermoedens van Rímini waren aangetast, blootgesteld aan de infectie die voor de verliefde besloten ligt in de verleiding een ander leven te leiden dan het leven dat hij leidt, dan was het ervaren van de catastrofe genoeg om ze te regenereren. Misschien was dat wel de ware functie van die onwaarschijnlijke tragedies, die zich alleen voltrekken in een door de terugblikkende verbeelding geschapen wereld en tijd: hem onderdompelen in de verschrikking en hem er meteen weer uithalen; hem vernietigen én redden, en de ongewenste mogelijkheden die in de toekomst zijn liefdesleven zouden kunnen aantasten bijna tot in het belachelijke bagatelliseren. Sofía was niet verdwenen, ze was niet dood, ze was bij hem en had hem nog altijd lief: wat was de rest, *welke rest dan ook*, anders dan pure frivoliteit?

5

Die mengeling van nederigheid en bijgeloof cultiveerde Rímini al gedurende drie jaar; het was logisch dat hij die als kenmerkend beschouwde voor zijn relatie, aangezien hij er al mee was begonnen toen hij nog maar zes maanden bij Sofía was. Enthousiast, in een soort trance, had Rímini haar net verteld over het gesprek dat hij die middag met een vriend had gevoerd. Ze hadden het gehad, zei hij, over 'liefdestrouw'. De vriend geloofde absoluut niet in monogamie. Als vroegrijpe veteraan van de losbandigheid kon hij zich alleen maar verbazen over Rímini's liefdesleven: de ongewone regelmaat, de grondigheid, de nijvere trouw, als van een edelsmid. Zes maanden met dezelfde vrouw? Híj kon het gezicht van een vrouw met wie hij de nacht had doorgebracht bij daglicht maar amper verdragen. Hoe was het mogelijk? Verlangde hij dan niet naar andere vrouwen? Had hij soms geen andere vrouwen nodig? Rímini was zich ervan bewust dat er een theorie achter die verbijstering zat, maar hij had nooit een poging gedaan die te weerleggen. Die middag keerde Rímini hem zoals wel vaker de rug toe en overstelpte hem, als de figurant die drie bedrijven lang vrijwel onopgemerkt blijft en eindelijk toekomt aan de lange monoloog die hem aan de vergetelheid zal ontrukken en zijn onopvallende gezicht in het geheugen van de meest onoplettende toeschouwer zal griffen, met een uiteenzetting over vertrouwen, over de spontane en daarom magische manier waarop vertrouwen, als het wederzijds was, de schijnbaar natuurlijkste behoeften kon opschorten – Rímini verbeterde zichzelf, hij wilde *opheffen* zeggen, maar het werkwoord verzette zich, ontglipte hem en kwam niet meer terug.

Dat was de lofrede op de liefde die Rímini zojuist, staande voor

Sofía, opnieuw had uitgesproken, terwijl zij, zittend op de rand van het bed, naar hem luisterde – een onhandige monoloog, vurig, met hartkloppingen, alsof hem eindelijk de eer te beurt was gevallen die toespraak te houden voor de persoon voor wie hij werkelijk bestemd was. Maar toen hij klaar was zag Rímini, ontroerd door zijn eigen betoog, dat Sofía bleef zwijgen, zonder hem aan te kijken, en dat een duistere emotie haar gezicht deed betrekken. 'Vertrouwen...' 'Wederzijds...' Rímini meende, als in een droom, zijn eigen wegebbende, uiteenrafelende stem te horen. 'Rímini,' zei Sofía razendsnel, 'ik ben met Rafael naar bed geweest.' Een seconde lang zag Rímini de onwaardige mogelijkheden die in zijn verbouwereerde, bedrogen lichaam om voorrang streden. Doodgaan. Overgeven. Zijn eigen kamer aan stukken slaan en daarbij – per ongeluk natuurlijk – Sofía verwonden. Voor altijd zijn spraakvermogen verliezen. Getroffen worden door een embolie. Iemand bij vergissing de kamer zien binnenkomen en zich een houding moeten geven. Hij zag de mogelijkheden, maar ze weken terug, als werden ze verleid door een andere gegadigde. Toen opende hij zijn mond en begon te huilen, en iemand met lippen die minder trilden dan de zijne sprak in zijn plaats en eiste de triviaalste, smerigste, wellustigste genoegdoening: de details van het verraad. Sofía deed net of ze hem niet gehoord had. 'Je weet toch,' zei ze, 'dat het iets was wat nog moest gebeuren. Ik zou niet met jou verder hebben gekund als ik dat niet had gedaan.' Sofía stond op. Rímini keek, tegen de vensterbank geleund, door een gordijn van tranen naar de fontein in de tuin drie verdiepingen lager. Hij voelde Sofía's vingertoppen langs zijn wang strijken, niet zozeer om hem te troosten als wel om hem te dwingen haar aan te kijken, en hij werd overmand door een diep gevoel van schaamte. Hij hield als bij toverslag op met huilen. Sofía keek hem van heel dichtbij aan. Toen wist Rímini dat als er ooit een dag kwam dat hij niet meer van haar zou houden, het iets sterkers dan een andere man of vrouw, iets zo onmenselijks en blinds als een ramp, een vliegtuigongeluk, een aardbeving zou moeten zijn wat haar van hem losrukte en wegsneed uit zijn ziel. Maar Sofía keek eigenlijk niet naar hem en ze keek hem beslist niet in zijn ogen: ze keek, met bijna zinnelijke nieuwsgierigheid, naar iets wat onder een van Rímini's ogen zat. Rímini, die zich weer naar het raam had gewend, bekeek zichzelf in de ruit en zag een donker puntje, iets wat leek op een moedervlek, het korstje van een miniem wondje waarvan hij zich het ontstaan niet eens herinnerde. Sofía bleef nog één of twee seconden geobsedeerd naar het puntje kijken voordat ze uit haar trance ontwaakte en blozend, heel zacht een van zijn handen streelde. 'Bel me maar. Ik ben wel thuis,' zei ze.

6

Zelfs de hardnekkigste bewonderaars zijn het erover eens: *Spectre's portrait* is niet de beste Riltse. Het is een klein (Riltse blonk altijd uit in de grote formaten) en donker (de meester bleef schilderen tégen het licht van Cézanne) schilderij, verscheurd door een dweperige spanning: terwijl de vormen met expressionistische vurigheid over elkaar heen rollen, probeert de geest van de schilder op zijn tenen door een zijdeur weg te glippen. Een typisch overgangsschilderij, waarin de stemmen uit het verleden weigeren te verstommen en de toekomst, met haar uitbarstingen van licht en kwaadaardigheid, nog niet meer is dan een verward gestamel. Riltse wilde terug naar Londen. Hij had speelschulden, kon niet langer tegen de zon en de eerste symptomen van zijn ziekte hadden zich net geopenbaard: twee paarse plekken op zijn benen, hevig trillen in de ochtend, moeite om zich de dingen te herinneren die het laatste halfuur waren gebeurd. Alleen de relatie met Pierre-Gilles, inmiddels in het eindstadium, hield hem in Aix-en-Provence. Hem doden of zichzelf doden? Hem doden én zichzelf doden? Er was geen dag of zelfs geen uur dat Riltse deze alternatieven niet heel even overwoog. Hij ging alleen schilderen op het platteland om weg te zijn van zijn geliefde, of misschien ook in de hoop dat een nieuw schilderij of een zonnesteek voor altijd die doorn uit zijn gekwelde vlees zou halen. Op een kinderlijke manier illustreert *Spectre's portrait* het mislukken van die pogingen. Hoewel Riltse het volsmeert met lagen en nog eens lagen smerig paars en het licht van het middaguur vervangt door een spelonkachtige duisternis, blijft het landschap op het schilderij dat van het platteland, met zijn roerloze lucht, zijn beklemmende horizon en zijn bomen, die, hoewel onherkenbaar, volhangen met vruchten. Het is alsof Riltse het landschap *met hun ogen* geschilderd heeft, met de ogen van die vruchten, maar niet in de staat waarin ze verkeerden toen hij ze zag, aan het begin van de lente, maar in een later stadium, dat van de snelle verrotting die Riltses verbeelding ze leek toe te wensen. Op de voorgrond zijn twee vlekken te zien, de twee enige heldere penseelstreken die de monotonie van het schilderij doorbreken en die, op het eerste gezicht, verward zouden kunnen worden met de lichtkransen van twee straatlantaarns of met twee door de nabijheid sterk uitvergrote vuurvliegjes. Als je er echter beter naar kijkt, vervaagt die algemene indruk van helderheid, of tekent zich scherper af, en vertonen beide vlekken dezelfde innerlijke structuur, bestaande uit ragfijne concentrische cirkels die, net als de jaarringen bij bomen, vanuit een donker middelpunt lijken te komen. Het effect is geforceerd maar blijkt even later tamelijk doeltreffend: het donkere punt is een open mond die brult van ontzetting, de cirkels vormen de echo van dat gebrul en de vlekken worden uiteindelijk de door de ontzetting getekende gezichten. Nog een stap dichterbij en alles is duidelijk te onderscheiden, als de nerven van een blad onder een microscoop die net is scherpgesteld: in het donkere punt van de mond worden de tanden en de tong zichtbaar; een stukje daarboven ontstaat een neus; de uitpuilende ogen drukken dezelfde ontzetting uit als de mond en kijken recht in het gezicht van de toeschouwer, die tegen die tijd, als de betovering gewerkt heeft, al bijna met zijn neus tegen het schilderij gedrukt zou moeten staan. De toeschouwer begrijpt, meent te begrijpen dat hem om hulp gevraagd wordt en krijgt medelijden. Maar dan gaan zijn ogen naar het bronzen plaatje, hij leest de titel van het schilderij en beseft op hetzelfde moment zijn grove vergissing en de verborgen bedoeling van de kunstenaar. *Spectre's portrait*. Het is zijn eigen gezicht dat de ontzetting van de vlekken opwekt. Hijzelf is het schrikbeeld dat Riltse heeft geportretteerd.

Fanatiek tot bijziend toe bekeken ze het schilderij van zo dichtbij dat het glas door hun adem besloeg. Heel even werden de twee kleine vlekken die hen vol ontzetting aankeken door de twee vochtkringen aan het oog onttrokken. Wie zou die toegewijde brutaliteit hebben afgekeurd? Tenslotte had de schilder zelf gewild dat je zo, op die afstand, naar zijn schilderij keek. *Spectre's portrait* was trouwens de énige Riltse op de tentoonstelling. Iemand – een Argentijn, een van die onheils-boodschappers die Argentijnen zo graag spelen als ze een landgenoot in het buitenland ontdekken – had hen daar al op voorbereid toen ze, dronken van euforie, de trap van het museum op liepen: de rest van het werk (de tweeluiken, de drieluiken, de geretoucheerde foto's, inclusief het monumentale *De helft van de gebeurtenis*, na een kwarteeuw schan-delijke Duitse gevangenschap teruggekeerd naar het vaderland) was overgebracht naar een officieel depot in de buitenwijken van Londen, waar het de drie maanden die de staat had uitgetrokken voor de ver-bouwing van het museum zou blijven.

Terwijl Sofía probeerde bij de receptie van het museum een bevesti-ging van het nieuws te krijgen, bracht Rímini, hardop protesterend en opzettelijk de arbeiders tussen de steigers in de weg lopend, twintig minuten in de buitenlucht door. Waar was die hele reis goed voor ge-weest...? Met welk recht...? Hadden ze hen niet op zijn minst moeten waarschuwen...? Hij zocht naar redenen, een of andere troost; hij kon alleen vergeldingsmaatregelen verzinnen. En plotseling meende hij de ergste, de meest agressieve gevonden te hebben: gewoon vertrekken, zonder naar binnen te gaan. 'Laat ze de klere krijgen...!' 'Vind je?' vroeg Sofía, die al voorzag dat ze hem die avond op zou moeten beuren om-dat hij spijt had van zijn beslissing. 'We zijn hier nu toch, Rímini. Beter één schilderij dan helemaal geen: laten we naar binnen gaan.' Ze gingen naar binnen. Rímini, die zijn poot stijf wilde houden, liet zijn voeten nadrukkelijk met veel lawaai over de vloer slepen, als een recalcitrante pelgrim. Sofía stelde voor om even in het café van het museum te gaan zitten: misschien zou het hun teleurstelling enigszins verlichten als ze eerst iets dronken. Die van Rímini nam alleen maar toe. Net als de rest van het museum was het café nauwelijks de helft of een kwart van wat het ooit was geweest; een paar wankele tussenschotjes scheidden het gedeelte dat nog in gebruik was, met een stuk of tien tafeltjes, flikke-rende lichten en een vloer die bedekt was met dubbelgevouwen kran-tenpagina's, af van het werkgebied, waarvandaan het methodische geluid van de hamerslagen en enkele vrolijk opdwarrelende witte stofwolken tot hen doordrongen. Sofía, die de verantwoordelijkheid nooit uit de weg ging als ze een verkeerde beslissing had genomen, bood bij wijze van genoegdoening aan in de rij te gaan staan om de drankjes te halen. Vreemd genoeg nam Rímini haar aanbod aan. (Sofía, die zich er al op had voorbereid dat hij zou weigeren, omdat dat Rímini's gewoonte was als zij voorstelde zich voor hem op te offeren, voelde zich enigszins onzeker worden en bleef een fractie van een seconde roerloos staan, alsof ze precies op het punt waar de twee situaties – de ene virtueel, de andere reëel – elkaar ontmoetten door de kou bevangen was.) Rímini had inderdaad de roep van de hoffelijkheid gehoord, maar hij was zo moe – teleurstellingen hadden op hem veel meer een lichamelijk dan een moreel of psychologisch effect – dat hij nergens anders aan kon denken dan zich zo snel mogelijk van het enorme gewicht van zijn lichaam te bevrijden. Vijf minuten later, toen zijn handpalmen, zijn onderarmen en zelfs zijn linkerwang (die hij heel even op de tafel had laten rusten) al helemaal wit waren, geschminkt door het fijne stof van de bouw, kwam Sofía terug met een dienblad, twee piepschuimen bekertjes met koffie en een plastic schoteltje met twee brownies. Ze werd gevolgd door een lange, magere man in pak, met het bedenkelijke air van fatsoen – bij elkaar gehouden door stukjes naaigaren, plakband, paperclips en nietjes – dat mensen die al weken niet in bad zijn geweest zich gewoonlijk aanmeten. Aan zijn hand hing een fles bier. Sofía ging zitten. Toen hij langs hen liep, groette de man haar met een enigszins ouderwetse buiging. 'Wie is dat?' vroeg Rímini, licht verdoofd door het stankspoor dat de onbekende had achtergelaten. 'Geen idee. Hij stond in de rij en vroeg geld om iets te kunnen kopen. Wat een botteriken zijn die Engelsen toch: je had eens moeten zien hoe ze naar hem keken. Of liever gezegd, hadden ze maar naar hem gekeken. Dat zou tenminste iets zijn geweest.' 'Heb je hem geld gegeven?' 'Ja.' 'Had je niet besloten geen aalmoezen meer te geven?' 'Dit is anders. Ik weet zeker dat hij íemand is. Mmm... proef die brownies eens: ze zijn verrukkelijk.' 'Iemand?' Rímini begon ongeduldig te worden. 'Hoe weet je dat?' 'Dat weet ik gewoon. Ik zíe het.' 'Je zou het anders ook moeten ruiken.' 'Ik ben nog een beetje verkouden van Wenen.' Sofía boog abrupt voorover en rook aan het schoteltje en de dampende bekertjes. 'Is er iets bedorven? Dan brengen we het terug, hoor.' 'Bovendien, iedereen is iemand. Is dat niet een wat zwakke voorwaarde om een onbekende te beklagen?' 'Sufferd. Een belángrijk iemand, bedoel ik.' 'De directeur van het museum bijvoorbeeld,' spotte Rímini. Sofía keek over zijn schouder en glimlachte al kauwend naar iets achter hem, en daarna bedekte ze haar mond met haar hand. 'Niet omkijken, maar ik ben er bijna zeker van dat...' Rímini merkte dat ze een kleur gekregen had. 'Van wat?' 'Nee, het is onzin.' 'Waar ben je zeker van?' 'Niets, niets, let maar niet op mij. Wil je koffiemelk?'

Ze gingen ieder apart de zaal binnen, zonder iets te zeggen. Van hen tweeën was alleen Rímini zich bewust van de situatie. Zoals altijd als ze onenigheid hadden, was Rímini de enige wiens gedrag als verankerd bleef in het voorval dat de spanning had veroorzaakt, waarbij het als een inactieve, kinderlijke, enigszins belachelijke planeet om hem heen bleef draaien. Sofía daarentegen leek het incident meteen vergeten te zijn, zodat alles wat ze daarna deed – alles wat, in Rímini's geval, niets anders was dan het trieste en onvruchtbare resultaat van het meningsverschil – voortvloeide uit andere motieven en andere prikkels, vermoedelijk van minder belang maar wel nieuw. Terwijl het leven voor Rímini was vastgelopen op een vast pijnpunt, hardnekkig en schijnbaar onoplosbaar, ging het voor Sofía gewoon verder. Maar alleen Rímini merkte dat verschil, en alleen hij zag de gapende kloof die daarin besloten lag. Zoals altijd als hij onverschilligheid wilde voorwenden, was zijn lichaam veranderd in een bundel vijandige impulsen. Hij had het warm, maar hij had alle kleren die hij kon uittrekken al uitgetrokken. Hij ontdekte een paar kruimels chocolade op zijn mouw en knipte ze met zijn vinger weg alsof ze giftig waren. Iemand – iemand met precies hetzelfde postuur als hij – ging tussen hem en een Turner in staan, en met een genot waarvan hij niet wist dat hij ertoe in staat was, liet hij in de nek van de man een lange, geluidloze reeks Argentijnse verwensingen neerdalen. Totdat hij de Riltse zag. Hij ontdekte hem ineens, op hetzelfde moment als Sofía, en dacht voldaan dat die toevallige samenloop een eind zou maken aan de krenkende autonomie waarin Sofía zich bewogen had na het incident in het café. Dus toen zij zich omdraaide en hem zocht, met de duidelijke bedoeling hem te vragen er samen naar te gaan kijken, wendde hij zich half af, deed net alsof hij even niet oplette en liet haar alleen voor het schilderij staan. Pas daarna, gebruikmakend van het moment dat zij hem de rug toekeerde, keek Rímini ook.

Zoals het daar hing, alleen tussen enorme schilderijen van anderen, zag het er te bescheiden, haast geïntimideerd uit. Rímini kende het niet. De paar bezoekers in het museum – een groep toeristen, een tiental slaperige schoolkinderen, een verliefd stel dat in innige omhelzing van schilderij naar schilderij liep, of liever gezegd sprong, hun benen in elkaar verstrengeld als obscene gymnasten – liepen eraan voorbij alsof ze het niet zagen. Rímini voelde een nieuw vuur, zo hevig dat hij er bang van werd; het was de verrukking, het Messiaanse geluk dat de afgodendienaar ervaart wanneer, in een vertwijfelde situatie, zijn afgod besluit hem te vereren met de moeilijkste, de meest cruciale opdracht van de wereld: hem verlossen. Rímini was geen verdoemde: hij was een uitverkorene, en *Spectre's portrait* was niet zijn troost maar zijn voorrecht. Hij liep met een uitputtende traagheid de hele zaal door, waarbij hij voor volkomen oninteressante schilderijen bleef staan en lettergreep voor lettergreep de toelichting in de museumgids las, en zelfs een paar verdwaalde schoolkinderen, met snot parelend aan hun neus, hielp zich weer bij hun klasgenoten te voegen voordat de leraar die hen begeleidde zou ontdekken dat ze ontbraken. Door zichzelf op die manier te kwellen sloeg Rímini twee vliegen in één klap: hij stelde het genot om samen met Sofía voor de Riltse te staan uit, en maakte tegelijk van die ontmoeting een soort toeval.

Betoverd begon Sofía het schilderij al te naderen toen Rímini naast haar bleef staan. Ze keken elkaar niet aan en zeiden zelfs geen woord, maar Rímini voelde het aureool van eensgezindheid waarmee het schilderij hen omhulde, en hij liet zijn rancune varen en gaf zich over. Zo stonden ze, heel dicht bij elkaar, voorovergebogen in een hoek van bijna negentig graden, met hun rood geworden neus tegen het glas van het schilderij gedrukt, toen ze opschrokken van een stem achter hun rug: 'Als ik jullie was zou ik er niet zo dichtbij gaan staan.' Omdat ze dachten dat het een suppoost was, spreidden ze ten teken van onschuld instinctief hun armen, zoals ze gewend waren te doen als bij het verlaten van een winkel plotseling het alarm afging, en ze weken een paar passen terug. Rímini sloeg met moeite zijn ogen op en keek naar het rode knipperende oog van de sensoren. 'Nee,' zei de man, met een laatdunkend lachje, 'was dat maar het probleem.' Rímini had de indruk dat de stem nu dichterbij klonk. Er kwam hem een weerzinwekkende stank tegemoet, als van slecht uitgespoelde kleren, een mengeling van bleekwater en schimmel, dezelfde geur die hem een halfuur eerder ook al had bedwelmd. Hij draaide behoedzaam zijn hoofd om; het was niet zijn bedoeling hem aan te kijken – hij was te zeer overdonderd door de onbeschoftheid waarmee de ander hun leven was binnengedrongen –; het leek hem voldoende hem vanuit een ooghoek op te nemen en zich snel, zonder al te veel details, een beeld van hem te vormen, alleen maar om een idee te krijgen wie hij was en de vluchtige schets te vervangen die hij in het café van hem gemaakt had. De onbekende was hem voor: 'Ik ben verantwoordelijk voor die verschrikking,' zei hij, wijzend op het schilderij van Riltse, in korzelig Engels, alsof hij het alleen sprak bij gebrek aan een andere keus. 'Wat heb ik je gezegd? Ik zíe het, Rímini,' fluisterde Sofía tegen hem. Rímini was verrast en zag zich genoodzaakt wat langer bij de man stil te staan. Hij was groot, met asymmetrische schouders, louter vel over been onder een pak dat twintig jaar geleden al uit de mode was. Hij had lang haar, met resten van een oude kleurspoeling, dat glom van een laag vet; op zijn wangen groeide een warrige baard van weken, en zijn handen, zo bleek dat de glimmende blauwe aderen erop getekend leken, hield hij omhoog, roerloos voor zijn gezicht, alsof ze daar waren blijven hangen vlak voor of na een gebaar. Zijn vingers gingen druk heen en weer en trilden heel even; Rímini kon nog net zien hoe zijn lippen, vuurrood en glanzend als die van een dronkaard, in stilte bewogen alsof ze een gebed prevelden. De man keek hem plotseling met enige verbazing aan. 'Ik ben...' begon hij opnieuw, alsof hij zich voor wilde stellen. 'U, ik: iedereen,' viel Rímini hem in de rede, 'dat is toch het idee achter het schilderij?' De man zwaaide wild met een hand in de lucht en kneep zijn ogen met kracht dicht. Hij had rode, uitgedroogde schilfers op zijn oogleden, op zijn voorhoofd en langs zijn haargrens. Een van de schilfers, op de brug van zijn neus, was gaan bloeden. 'Het idee achter het schilderij?' herhaalde hij, Rímini aankijkend. Rímini voelde een ruk aan zijn elleboog en ontdekte Sofía naast zich met vertrokken mond, als droeg ze een onzichtbare knevel, terwijl ze met haar kin wees op iets op de grond. 'Het idee achter het schilderij?' hoorde Rímini opnieuw – maar de toon was nu van verbazing overgegaan in ergernis –, en op hetzelfde moment keek hij naar beneden en viel zijn oog op twee rijglaarzen zonder veters, allebei van dezelfde voet, de linker, maar elk van een ander paar, en achter de tong, met een bijna berekenende achteloosheid naar voren omgeslagen, zag hij meteen de huid, de blote huid van de wreef, getatoeëerd met nog meer glinsterende schilfers die langs zijn benen omhoogklommen tot ze onder de broekspijpen verdwenen. Toen Rímini hem weer aankeek, was de man heel dichtbij, hen praktisch omhullend met zijn stinkende wolk. 'U heeft het recht niet,' zei hij dreigend, maar in zijn stem klonk een vreemd, intens verdriet door, 'alleen ik heb het recht naar dat schilderij te kijken en te zeggen "Ik". Ik ben het ding waar die twee verschrikte gezichten naar kijken. Ik, ik, ik. Tweeënveertig jaar geleden. Ik ben het ding, de oorzaak. Ik ben daar geweest. Een prachtige plek. Ik melkte koeien tot aan mijn enkels in de mest terwijl de zon... Je moet weten hoe je moet kijken... Alles is er. Het land, de kleren aan de waslijn, de hangmat, het verrotte fruit, aangepikt door de vogels... De smeerlap heeft alles erop gezet behalve mijn gezicht. Waarom? Raak me aan. Toe maar, raak me aan, ik ben geen monster. Ik keer terug, dat is alles. Ertoe veroordeeld terug te keren. De wet zegt dat ik niet dichterbij mag komen dan honderd meter. Ik ben een man van het platteland: "meters" betekent niets voor me. 45 x 45. En de wet zegt niets over dit schilderij. Of wel soms? Ik ben een man van het platteland: ik weet niets van schilderijen. De liefde, juffrouw. *De liefde is een voortdurende stroom.* U weet wel wat ik bedoel. Houdt u dit even voor me vast, alstublieft. Nu is het mijn beurt. Het duurt maar één seconde.'

Het duurde natuurlijk langer dan één seconde, maar wie zal dat een man kwalijk nemen die bijna veertig jaar met een gebroken hart heeft geleefd? Trouwens, niemand neemt genoegen met één seconde om een levensdroom in vervulling te laten gaan, zeker niet als die droom bestaat uit het met een bijl in stukken hakken van het enige schilderij van Jeremy Riltse dat wordt tentoongesteld in het veiligste museum van Londen. In feite waren het drie minuten, gerekend vanaf het moment dat de arme Pierre-Gilles (alias Douglas Durban, alias Stephen Stacy, alias Richard Right, alias nog een stuk of zes valse persoonlijkheden – allemaal trouw aan dat cinematografische bijgeloof, ongetwijfeld ingegeven door Riltse, dat ervan uitgaat dat het herhalen van dezelfde beginletter bij voor- en achternaam garant staat voor eeuwige roem – die Pierre-Gilles na zijn breuk met Riltse veertig jaar lang gebruikte om de Engelse immigratiedienst op een dwaalspoor te brengen en zijn ex-geliefde te bestoken met een dubbele reeks grieven: Riltse – het gebroken maar gevoelloze hart van Riltse – verwierp keer op keer de grieven van de liefde; de Engelse Justitie die van de wet, allemaal volstrekt absurd) zijn portemonnee in Sofía's handen legde, de kleine bijl (hetzelfde stuk gereedschap, verklaarde hij later, waarmee Riltse een keer bijna een van de vruchteloze discussies had beslecht die hun siësta's in het zuiden van Frankrijk hadden verziekt, en ook hetzelfde waarmee hij, Pierre-Gilles, om een oude belofte gestand te doen, op de schrijnwerkerstafel van de galerie zijn eigen geslacht had afgehakt, na het lezen van de brief waarin Riltse hem uitlegde waarom hij hem voor altijd verliet) uit de binnenzak van zijn jas opdiepte en het glas dat het schilderij beschermde aan splinters sloeg, totdat het beveiligingspersoneel van het museum, bijgestaan door twee onhandige maar forsgebouwde zaalwachters, er ten slotte in slaagde hem te ontwapenen en hem, te midden van glasscherven, flarden beschilderd doek en stukken lijst en metselwerk, tegen de grond te werken.

7

Ze geloofden in de manier waarop ze elkaar liefhadden, en dat geloof was sterker dan welke natuur, sterker dan welk teken ook dat de wereld hun gaf om ze tegen te spreken of belachelijk te maken. Ze waren arrogant en bescheiden, hooghartig en buitengewoon behulpzaam. Ze deelden hun problemen met niemand – er zat iets maffioos, iets van een onverzettelijke teamgeest en discretie, gedicteerd door de liefde maar nog aangewakkerd door de angst voor de catastrofe, in de manier waarop ze vermeden dat er ook maar iets van hun relatie uitlekte –, maar het duurde niet lang of het kleine appartement in Belgrano R veranderde in een emotioneel opvanghuis dat vierentwintig uur per dag open was en waar uiteindelijk praktisch al hun vrienden wel een keer langs zouden komen. Allemaal: degenen die elke eerste januari heimelijk het einde van hun relatie voorspelden, degenen die vertwijfeld probeerden hen na te volgen, degenen die de gulden middenweg bewandelden en het wonder goedkeurden maar regelmatig hun 'reserves' uitspraken – en zelfs hun ouders, smachtend naar de helderheid en wijsheid die hun eigen wijze van liefhebben blijkbaar niet kon bieden. Ze oordeelden nooit: ze luisterden. Ze waren ruimhartig, tolerant en op een onberispelijke manier evenwichtig. Dat was misschien ook wel het enige waar ze later, als het persoonlijke 'consult' eenmaal gegeven was, bereid waren trots op te zijn: als monogame, conservatieve voorstanders van een amoureuze discipline die dagelijks water, lucht en licht nodig had, kostte het hun geen enkele moeite de vrienden te begrijpen die in het andere kamp streden – kortstondige passies, dwaze begeerten, gebrek aan continuïteit, onstandvastigheid –, zelfs als de hulp die ze verleenden onmiskenbaar de tegengestelde richting op ging. Behalve de misstap van Sofía met Rafael – die al zo snel werd opgenomen in de mystiek van openhartigheid van de relatie dat hij uiteindelijk geen trauma werd maar een heilzame uitdaging, een mogelijkheid om te groeien en verder te komen, die bij hen zelfs het idee versterkte dat hij aanvankelijk volledig leek te hebben ondermijnd, namelijk dat de liefde een fort was – had geen van beiden ervaring op het gebied van overspel, verraad of driehoeksverhoudingen. En toch, hoe vreemd dat ook mag lijken, was het alsof ze alles van die wereld wisten. Ze kenden het mechanisme van de vurige hartstocht, de logica van het bedrog, de heimelijke invloed van de dominantie en de minachting, alle factoren die het leven van anderen bewogen, glans gaven en soms verwoestten. Hun analyse van de situatie was vrijwel altijd accuraat; ze zaten er maar zelden naast bij het stellen van een diagnose; en als ze adviezen gaven – iets wat ze bij hoge uitzondering en alleen in de ernstigste of dringendste gevallen deden, zo huiverig waren ze voor alles wat zou kunnen worden opgevat als emotionele manipulatie –, vermeden ze angstvallig de zwakheden, aanvechtingen en neigingen die de operatie een schijn van partijdigheid zouden kunnen geven. Ze hadden te maken met heel goede vrienden met wie ze lief en leed deelden en bij wier enthousiasme ze zich altijd onvoorwaardelijk aansloten; maar tijdens de 'consulten' leek die saamhorigheid hen niet zozeer te verleiden tot betrokkenheid als wel een zekere mate van soberheid, zelfs van onverschilligheid te versterken. Ze handelden belangeloos en dat stelde ze in staat de hardste waarheden uit te spreken zonder iemand te kwetsen. Het was eenvoudig: ze hadden niet het gevoel dat ze loyaal moesten zijn aan hun vrienden, zelfs niet aan hun gevoelens; al hun loyaliteit lag bij de situatie, bij de idealen van de situatie: liefde, vertrouwen, intimiteit, respect, diepzinnigheid – die volmaakte begrippen waarvoor ze bereid waren te lijden, een lans te breken, alles op te offeren.

Ze leken bijna niet menselijk meer. Toch waren ze dat wél, althans Rímini. Hoe vaak had hij, terwijl hij bezig was met het luchten van de woonkamer, het legen van de asbakken vol door tranen week geworden peuken, het afscheuren van de blaadjes van het telefoonblok waarop zijn vrienden, in een opwelling van kubistisch automatisme, de beeltenis van hun lijden hadden geschetst – vierkanten, driehoeken, schoorstenen: altijd hetzelfde –, hoe vaak had hij niet in zijn benen de druk van een onrechtvaardige vermoeidheid gevoeld, en hoe vaak – zoals hem meer dan eens was overkomen tijdens de reis door Europa – had hij zich niet afgevraagd of achter dat alles, achter de bereidheid om te luisteren, het bemiddelen, die superieure existentiële vaardigheid die de onbaatzuchtigheid van een openbaar ziekenhuis combineerde met de afstandelijke wijsheid van een stel goeroes, in wezen niet iets anders schuilging, een duister, onbekend sediment, waarvoor hij vermoedelijk verschrikt zou terugdeinzen als hij het in al zijn naaktheid voor zich zag. Ze leefden in een andere wereld, een wereld waarin degenen leven die de indruk hebben dat ze delen in een unieke ervaring, of misschien maakten ze de unieke ervaring mee van degenen die de indruk hebben dat ze delen in een wereld die voor de meeste stervelingen ontoegankelijk is. Hoe ze daar gekomen waren, wisten ze niet. Als ze het geweten hadden, zouden ze er vermoedelijk nooit gekomen zijn. En dus hadden ze zelfs het moment van aankomst uit hun geheugen gewist. Ze stelden zich graag voor dat ze daar altíjd al waren geweest, dat hij in een ziekenhuis in Banfield geboren had kunnen zijn en zij in een kliniek in Caballito, maar dat ze sámen daar geboren waren, in die andere wereld van waaruit ze zich de luxe konden veroorloven alles te begrijpen zonder het zelf te hoeven ervaren. Soms voelde Rímini zich zwak worden, liet hij zich afleiden en ging Sofía uit de weg, zich schamend over de angst dat hij niet tegen de situatie was opgewassen. Zijn eigen zwakheid maakte hem woedend.

Op een keer had hij een opdracht aangenomen om in allerijl een Argentijnse film te ondertitelen die vertoond zou worden op een Europees filmfestival. Hij sliep bijna twee dagen niet en zat achter een paar videomonitoren een redactrice met kort, in v-vorm geknipt haar en doorlopende wenkbrauwen geconcentreerd wegwijs te maken in de Franse vertaling van uitdrukkingen als *avisá, che*, 'laat het even weten', of *aguantá que es un minuto*, 'een momentje geduld, alsjeblieft'. Ze liepen bijna een vergiftiging op van de koffie, de sigaretten en het extravagante snoepgoed dat zij midden in de nacht ging kopen, als alleen het snurken van de nachtwaker de stilte van de studio verstoorde. En de volgende ochtend, toen ze bij de deur van de studio afscheid namen, de golven water ontwijkend waarmee een vrouw op pantoffels haar stoep stond te schrobben, lachend omdat ze bij het afscheid nemen onbewust twee van de ergste zinnen uit de film hadden gebruikt en zij, ze heette Maira of Mirna of had in elk geval een naam die Rímini onherroepelijk steeds weer met andere zou verwarren, op zijn onderarm leunde en hem met bijna terloopse tederheid op zijn mondhoek kuste, niet zozeer bewust als wel uit een door het tijdstip en de slaap ingegeven onhandigheid, had Rímini het gevoel dat zijn hart letterlijk *oversloeg* en kreeg hij een vaag, meedogend vermoeden van alles wat hem kon overkomen als hij heel even, net als de nachtwaker, ophield waakzaam te zijn en toegaf aan zijn vermoeidheid.

Sofía was sterk. Het kon best zijn dat ze niet altijd op de hoogte was van de 'hartritmestoornissen' waar Rímini af en toe onder leed, maar ze voelde ze aan en verlangde er zelfs naar, in de overtuiging, zoals elke gelovige, dat het geloof dat ze omarmden die naam niet zou verdienen als het alle tegenslagen waarmee het op de proef werd gesteld niet ongeschonden, en zelfs versterkt, zou overleven. Ze hoefde er niet naar op zoek te gaan: ze wist het toch al. Het was alsof de zestien, twintig, vijfentwintig, achtentwintig jaar, alle leeftijden waarop Rímini haar gekend had, alleen maar de officiële, zichtbare leeftijden waren van een onafzienbaar en eeuwenoud leven – een leven waarin ze geleerd had alles te weten. Op die manier was Rímini doorzichtig voor haar. Sofía kon door hem heen kijken als door glas, of zelfs beter – want voor glas was het voldoende dode materie te zijn en glas hoefde geen weerstand te bieden, terwijl Rímini, die het niet kon laten in opstand te komen tegen die veroordeling, zich erop toelegde het vuurwerk, de rookgordijnen, de afleidingsmanoeuvres op te stapelen, in de overtuiging dat hij daarmee aan ondoorzichtigheid zou winnen. Sofía liet hem begaan en vierde zijn trucjes in stilte, als nummers van een onbedoelde jongleursact. Ze wist alles, en het was niet ondenkbaar dat zich tussen alle dingen die ze wist ook het feit bevond dat Rímini waar het bedreigingen betrof, nooit verder zou gaan dan al was gebeurd bij het aanbieden van zijn wang aan de redactrice in de deuropening van de studio en, niet lang daarna toen hij uitgeput thuiskwam, het afslaan van Sofía's uitnodiging zich uit te kleden en bij haar in bed te komen liggen, alsof hij bang was dat Sofía, als ze hem naakt zag, de sporen zou kunnen ontdekken van het verraad dat hij níet had gepleegd. Afgezien van een toespeling op de redactrice, zo ongepast, zo onnodig sarcastisch – 'een onhandig meisje,' zei hij zonder dat Sofía hem iets gevraagd had: zo onhandig dat ze 'twee dagen nodig hadden gehad voor iets wat makkelijk in één dag had gekund' – dat het duidelijk was dat hij die opmerking als dekmantel gebruikte, zei Rímini geen woord. Maar Sofía kon zich de scène tot in detail voorstellen: het zwakke licht van de ochtend, de frisse buitenlucht, de overgevoeligheid die bezit nam van die slaperige lichamen, het gebrek aan wilskracht, de bedrieglijke maar doeltreffende intimiteit die Rímini met het meisje had gedeeld... Nee, het was geen aangename gewaarwording – Sofía voelde een korte steek van pijn –, maar de zekerheid dat ze de scène voor zich zag zoals die geweest was – dat ze het zelfs al had gezien voordat die zich had afgespeeld en dat ze daarvan nu simpelweg de bevestiging kreeg – verzachtte en verlichtte het gevoel enigszins, zelfs zozeer dat het veranderde in zo'n vage, gecompliceerde maar opwindende lichamelijke sensatie, de prijs voor bepaalde bevredigingen van een hogere orde.

Maar voor hen was de liefde de hogere orde. Rímini stelde zich die voor als een kleine, knus verwarmde plek met tapijten op de vloer en wanden vol boeken, waar de schokkende gebeurtenissen in de wereld alleen binnenkwamen vertaald in het zachte dialect van de plaatselijke taal. Afgezien van een enkel oosters accent – behalve op de vloer óók tapijten aan de wanden, geparfumeerde kringelende rook die ergens uit opsteeg, gordijnen om kamers van elkaar te scheiden, een algehele indruk van ongezonde overdaad – dat in zijn fantasie duidelijker naar voren kwam, stelde Rímini zich die plek precies zo voor als de woonkamer van het huis dat hij met Sofía deelde. Nee, het ontbrak hem niet aan verbeeldingskracht. Maar hij wist de efficiëntie van het reële naar waarde te schatten. Waarom zou hij zich de orde van de liefde anders voorstellen als hij erin leefde, erdoor omhuld werd, als het zijn dagelijkse leefmilieu was en hij het tot in het kleinste detail uit zijn hoofd kon beschrijven, zonder zich te vergissen? En toch, *was het wel reëel?* Dat was de vraag waarmee de meest sceptische vrienden hem uiteindelijk altijd uitdaagden. Dan keek Rímini ze verbluft aan, alsof de vraag hem automatisch veranderde in een vertegenwoordiger van een buitengewoon exotische soort, en kon hij alleen nog uitbrengen: 'Meen je dat serieus?' Want, wat dachten ze eigenlijk? Dat alles een illusie was? Dat de manier waarop ze elkaar liefhadden louter façade was? Dat Sofía en hij leefden als slaapwandelaars, bedwelmd door een of andere misleidende drug? Het was halverwege de jaren zeventig. En Rímini had ten slotte bedacht dat hun bedenkingen niet zozeer het gevolg waren van observatie, van de indrukken die zijn huwelijksleven opriepen, als wel van een van de meest gangbare politieke theorieën uit die tijd, die stelde dat elke ideologie noodzakelijkerwijs de omkering was van de reële bestaansvoorwaarden, en dat het voor het ontmantelen van haar bedrieglijke effecten voldoende was om het oorspronkelijke proces van omkering opnieuw om te keren, recht te trekken wat de ideologie had kromgebogen, het omgedraaide om te draaien. Op hun manier waren degenen die Rímini met hun bezwaren lastigvielen, zonder het zelf te weten – dat was ook niet nodig: het hing destijds in de lucht, als het griepvirus in de winter en het verraderlijke stuifmeel in de lente –, ook volgelingen van Althusser, alleen hadden ze het kennisgebied dat traditioneel het terrein van de ideologie, de religie en de kunst bestreek, uitgebreid met een sfeer die tot dan toe niet erg open had gestaan voor de politieke beschouwing: de sfeer van de liefde. Zoals ze elk sociaal conflict toejuichten en aanmoedigden, elke scheuring die de burgerlijke instellingen in gevaar bracht, elke barst waardoor de werkelijke, diepliggende, onzichtbare orde zijn duistere dissonanten liet doorsijpelen naar de oppervlakte van de zichtbare orde, waarbij ze even enthousiast waren wanneer de geschillen in hun voordeel werden beslecht als wanneer het resultaat nadelig voor hen was, zo waren ze ook bereid elke onzekerheid die Rímini en Sofía aan het wankelen bracht toe te juichen, hun zwakke punten verder uit te diepen, en zelfs, beschermd door een soort hygiënische moraal, de kansen te benutten die hen konden afbrengen van de weg van exclusieve wederkerigheid die ze hadden gekozen.

Het was tevergeefs. De barsten waren nooit groot genoeg, of het vlies dat hen beschermde was te taai, of – en dat was wel het toppunt – de tijd, de klassieke vijand van elke amoureuze bestendigheid, leek hun buitengewoon welwillend gezind, zelfs zozeer dat zijn befaamde vergiften – afbrokkeling, gewenning, het slaapverwekkende effect van een vertrouwdheid zonder dubbele bodems –, als ze ermee in contact kwamen een totaal andere werking kregen en veranderden in medicijnen, in vreemde brouwseltjes die haar, vermengd met de liefde, lankmoedig, hecht, onkwetsbaar maakten. Ze hadden de tijd aan hun kant. Dat was het geheim. Na verloop van een aantal jaren gaven hun vrienden het op – allemaal, zowel medestanders als lasteraars –, ze bleven hen opzoeken, de vriendschap werd niet minder, maar ze zagen ervan af iets van dat geheim te kunnen bezitten dat alleen Rímini en Sofía leken te bezitten, inclusief het minieme maar cruciale deel dat ze in staat zou stellen de superieure orde waarin ze leefden te vernietigen, of anders te stelen en voor zichzelf te gebruiken, en hun liefde, niet langer meer bewonderd, benijd of verafschuwd maar onveranderlijk en eeuwig als een steen die door zon, wind en water wordt gepolijst en vormgegeven en elke dag een beetje meer glans krijgt, doorstond de tijd, vierde jubilea en raakte uit de mode, alsof het vlies dat haar beschermde ook het conserveermiddel was dat haar intact hield, afgescheiden van alles, onschuldig en ouderwets tegelijk, overwonnen, als die personages uit een sciencefictionfilm die vlak voor de catastrofe een atoomschuilkelder weten binnen te vluchten en daar jarenlang zitten opgesloten, eenzaam peinzend over het voorrecht te overleven, en wanneer ze dan eindelijk weer aan de oppervlakte komen, omdat ze denken dat het gevaar voorbij is en de wereld zich heeft hersteld, ontdekken dat de catastrofe nooit heeft plaatsgevonden, dat ze dat alleen niet hebben gemerkt door hun hermetische en diepe isolement, en dat de wereld nu, jaren nadat ze er voor het laatst deel van hebben uitgemaakt, vervormd, onherkenbaar en onverschillig is en naar ze kijkt met de geamuseerde ontzetting waarmee over enkele jaren, niet eens zoveel, de kinderbevolking van de wereld naar alle dingen zal kijken die vandaag het zinnebeeld van het heden zijn.

8

Jaren later, slechts tweeënzeventig dagen (precies de tijd die Riltse nodig had om de eerste van zijn drie buitengewone *Helften van Pierre-Gilles* te schilderen) voordat ze hun twaalfjarig samenzijn zouden vieren, gingen Rímini en Sofía uit elkaar. Ze hadden alle hun bekende records van langdurig samenleven gebroken. Hoewel ze zo tactvol waren het nieuws geleidelijk, in een getrapt proces – van de nieuwste vriendschappen naar de oudste, van de vrijgezelle vrienden naar degenen met een partner, van zijn ouders, pioniers op het gebied van echtscheiding, naar die van haar, die zojuist hun zilveren bruiloft hadden gevierd – bekend te maken, was de breuk toen die eenmaal het officiële stadium had bereikt, voor iedereen een schok, alsof de aarde plotseling beefde of een donderslag een eeuwenlange stilte doorbrak. Dat kon toch niet waar zijn! Sommigen – de zeer weinigen die er prat op bleven gaan dat ze deze afloop hadden voorspeld – betreurden het nieuws met een zekere tevredenheid en weemoed, zoals je het verdwijnen van een in verval geraakt maar dierbaar instituut betreurt, een instelling die door niemand meer wordt bezocht maar inmiddels deel uitmaakt van een atavistisch cultureel erfgoed. Anderen bespraken het verrast, op een toon alsof Rímini en Sofía een Siamese tweeling waren geweest die door een chirurgische ingreep eindelijk van elkaar gescheiden waren en misschien wel van het leven beroofd. Er was een derde groep, die zich verraden voelde en hen uit de grond van hun hart haatte en weigerde hen aan de telefoon te woord te staan en hen maandenlang niet meer opzocht, totdat de wonden ten slotte heelden en alles min of meer zijn normale loop herkreeg. 'Het is alsof we van de ene dag op de andere van... hoe zal ik het zeggen, ...van munteenheid zijn veranderd!'

opperde iemand tijdens een van de vele privé-bijeenkomsten die de vrienden toen wijdden aan het bespreken van het wonder, het onheil, de ramp. Gegeven de wankele Argentijnse economie in die tijd grensde de opmerking aan cynisme, maar er moet toch een kern van waarheid in hebben gezeten want niemand protesteerde.

Het waren vreemde dagen, waarin een koortsachtige activiteit heerste. Golven van revisionisme sloegen over hen heen, over het *geval* waarin de tijd ze uiteindelijk had veranderd – twaalf jaar van liefde! Díe twaalf jaar! –, op zoek naar de verbindende reeks beelden die de afloop kon verklaren. Het deed er niet meer toe of ze conservatief of vooruitstrevend, hypocriet of arrogant, ouderwets of vernieuwend waren geweest. Het ging om de logica van de gebeurtenissen, die zich plotseling aaneen begonnen te rijgen en geheime verbanden blootlegden waarin een spoor van minuscule voorspellingen, waar ze destijds uit verblinding of onoplettendheid aan voorbijgegaan waren, het onverwachte van de scheiding logenstrafte. Het was allemaal op een bepaald ogenblik begonnen, zoveel was duidelijk. Maar wanneer? Met de verhuizing? Met de reis naar Brazilië? Het was mogelijk. Om een of andere reden had Rímini zich tot op het laatst tegen die reis verzet. Hij stemde er pas mee in toen hij met de rug tegen de muur stond, maar hij probeerde nog wel San Salvador de Bahía – de *feijoadas*, de macumbanachten op het strand, de *pelourinho*, alle verrukkelijke kwellingen waarmee Sofía hem probeerde te verleiden – te verruilen voor Rio de Janeiro. Die onbetekenende eis, tot overmaat van ramp uitgesproken ná op het voornaamste twistpunt (Brazilië) te hebben toegegeven, zoemde nog even na in Sofía's oren en verdween toen als een venijnig maar niet al te volhardend insect. Ze keerden terug als andere mensen. Sofía was zwanger; Rímini praktisch misvormd door een beginnende allergie en door de natuurlijke zalfjes – jojoba, mango, aloë vera – waarmee, zo bezwoer Sofía, hetzelfde Bahía dat hem ziek had gemaakt, hem ook weer zou genezen.

Ze lieten zich aborteren. Zo noemden ze het, in de overtuiging dat het meervoud het verdriet enigszins zou verlichten. Op een zaterdagmorgen ging Sofía's moeder met hen mee naar het Vicente-López-ziekenhuis en bleef de anderhalf uur die alles duurde, zitten wachten op de overdekte binnenplaats die dienstdeed als wachtkamer, en daarbij hield ze Rímini's hand tussen de hare, om hem te warmen, zoals ze zei, terwijl de regen op de golfplaten van de overkapping kletterde en een verpleegster op pantoffels een paar armetierige plantjes uit een ketel water gaf. De abortus hield hen tegen maar dreef hen niet uit elkaar. Opnieuw was 'de hogere orde' hen gunstig gezind en stelde hen in staat het gebeurde te verwerken. Hadden ze het besluit tenslotte niet sámen genomen? Het was een lichte maar doorslaggevende nuance: het omvatte het externe ongelukje en het geweld op het organisme van de liefde, en zo, door beide op te nemen en terug te brengen tot een inwendige functie, werden de schadelijkste effecten geneutraliseerd. Twee maanden later, toen Rímini en Sofía nog altijd met enige angst de liefde bedreven, schitterde de abortus in de annalen van hun relatie als een verschrikkelijke maar *gewonnen* veldslag.

Misschien was het befaamde 'keerpunt' wel de tijdelijke scheiding die ongeveer acht jaar na het begin van hun relatie plaatsvond en die niemand aan enig voorval in het bijzonder durfde toe te schrijven. Sterker nog: toen het bekend werd ging iedereen ervan uit dat het maar tijdelijk zou zijn. De scheiding duurde acht maanden: een maand voor elk jaar dat ze samen waren – zelfs daarin waren ze nauwgezet. Sofía bleef in het comfortabele appartement dat in de plaats gekomen was van het hol in Belgrano R; Rímini, geholpen door een van die nieuwe vrienden met veel overtuigingskracht die plegen aan te spoelen op de kusten van de gescheiden man, verhuisde naar een deprimerende voormalige huisartspraktijk in de omgeving van de medische faculteit, waar hij weinig betaalde, de tijd doodde met het lostrekken van stukken oud behang van de muren en zijn verdriet verdreef met het kijken naar kunstbenen en tandartsstoelen in de etalages van de bedrijven in de buurt. Beide kampen hadden twee keer een liefdesaffaire, die allebei hartstochtelijk werden beleefd maar tot niets leidden. Ze onderhielden dagelijks telefonisch contact en wisselden regelmatig cadeautjes uit. Van het twaalftal brieven dat Sofía schreef, verstuurde ze er acht; de andere vier las ze hem persoonlijk voor toen ze weer samenwoonden. Ze zagen elkaar één, twee of drie keer in de veertien dagen, vrijwel altijd bij Sofía thuis. De ontmoetingen, getekend door dat merkwaardige amorele karakter dat het bedriegen van een minnares van enkele dagen met een echtgenote van meerdere jaren impliceert, mondden uit in ware biechtcompetities (eíndelijk huilde Rímini) of in vurige liefdessessies die ze gebruikten om elkaar de buitenshuis geleerde kneepjes bij te brengen.

Er waren geen scheuren in de relatie ontstaan. Er was niets afgestorven. Weliswaar vrijden ze tijdenlang niet, maar zelfs toen leek het woord 'verval' niet op zijn plaats: seks was nooit buitengewoon belangrijk voor hen geweest. Op een avond – ze lagen in bed: Sofía was al aan het indommelen, Rímini achtervolgde met de penlight die hij van haar had gekregen zinnen in een boek – rolde Sofía opzij op het kussen, keek hem, alsof ze haar laatste adem in waaktoestand gebruikte alvorens zich over te geven aan de slaap, door de spleetjes van haar ogen aan en glimlachte droevig, met de moedeloosheid die wordt ingegeven door iets heel moois en nutteloos, maar toen hij haar om uitleg wilde vragen, waarbij hij met het lampje op haar gezicht scheen, draaide ze hem haar rug toe en lag een hele tijd met haar kin en wang op het kussen heen en weer te schuiven, als een diertje dat op zoek is naar de lekkerste houding, totdat ze plotseling alsof ze hardop droomde, prevelde: 'Wij zijn een kunstwerk.'

Twee of drie avonden hierna gingen ze naar de bioscoop om *Rocco en zijn broers* te zien, een film waarover ze met een woest fanatisme met elkaar wedijverden. Hoe vaak hadden ze hem al gezien? Twaalf keer? Zeventien keer? Vlak voor de scène met Annie Girardot en Delon op het dak van de dom – de scène waarbij Rímini altijd zijn zelfbeheersing verloor en huilde als een kind –, keek Sofía hem vluchtig aan, alsof ze hem onderzoekend opnam in het donker, en nog voordat Rímini instortte, bracht ze haar geopende hand naar zijn nek en liet die daar een paar seconden zweven en warmte uitstralen, als zo'n genezer die geen contact hoeft te maken met het lichaam om het te genezen. Ze hadden de troost vervangen door de preventie. De scène ging voorbij, Annie Girardot begon over het terras te rennen met Delon achter zich aan, de vingers van Sofía trilden lichtjes bij de nek van Rímini en Rímini huilde vanzelfsprekend niet. Hij huilde toen niet en zou daarna ook niet meer huilen, en *Rocco* werd opgeslokt door die verschrikkelijke avond. Ze hadden een zeldzame vorm van perfectie bereikt. Ze leefden in het binnenste van een binnenwereld, in een van die ecosystemen die, tussen vier muren, achter een reusachtige glazen wand, zodat de bezoekers het realisme kunnen bewonderen, via kunstmatige middelen temperatuur, vochtigheid, luchtdruk en de flora en fauna van exotische leefomgevingen nabootsen. Er was geen deel van de luchtbel dat niet door het vlies werd bedekt. Rímini en Sofía ademden normaal, maar de buitenwereld begon al een beetje wazig te worden, vervaagd door de sluiers die hun adem op de glazen wanden achterliet.

Ze hadden het allemaal gedaan. Ze hadden elkaar ontmaagd en elkaar ontvoerd uit het huis van hun respectieve familie; ze hadden samen geleefd en gereisd; ze hadden samen de puberteit overleefd en daarna de jeugd en hun hoofd om de hoek van de volwassenheid gestoken; ze waren samen ouders geworden en hadden gehuild bij de piepkleine dode die ze nooit werkelijk hadden gezien; samen hadden ze leraren, vrienden, talen, werk, genoegens, vakantiebestemmingen, teleurstellingen, gewoontes, vreemde gerechten, ziektes leren kennen – al die attracties die een bedachtzame maar veelzijdige versie van die mengeling van verrassing en vluchtigheid die gewoonlijk *leven* genoemd wordt hun kon bieden, en van elk daarvan hadden ze iets behouden, het unieke spoor dat ze in staat stelde zich het bewuste voorval te herinneren en heel even weer dezelfden te zijn die ze waren toen ze het meemaakten. En om de verzameling compleet, *definitief* compleet, te maken, voegden ze er zelf het topstuk aan toe: de scheiding. Zoals alles planden ze die samen, met de angstvalligheid, de toewijding, de ambachtelijke precisie waarmee ze in de loop van de tijd de trofeeën van de liefde hadden vervaardigd, en gedurende de anderhalve maand die ze nodig hadden om alles te regelen, was er niets, geen greintje verbittering of ongevoeligheid, wat een schaduw durfde te werpen over de zuiverheid waarmee ze hadden besloten afscheid te nemen. De scheiding was niet het hiernamaals van de liefde: het was haar limiet, haar toppunt, de binnenkant van haar grensgebied; als ze zich voltrok zoals zij zich hadden voorgenomen dat ze zich zou voltrekken, liefdevol, dan zou dat de liefde de kans bieden op een *mooie* dood; dat wil zeggen, in hun woorden, dat ze *zonder hen* zou blijven voortleven in het binnenste van de luchtbel die ze hadden geschapen.

Ze kwamen overeen dat Rímini zou verhuizen. Elke ochtend zocht hij in de kleine advertenties naar een appartement en las hij hardop de aantrekkelijkste aanbiedingen voor. Sofía luisterde aandachtig terwijl ze het ontbijt klaarmaakte, waarbij ze af en toe achterdochtig een bezwaar naar voren bracht – 'Lijkt je dat echt wat, het zakencentrum?' of 'Mmmm... ik zie je nog niet zitten in een *atypisch* appartement' of 'Bel eens en vraag hoe oud het gebouw is' – dat hem dwong zijn eigen onroerende behoeften nader te omschrijven of te herzien. Zoals te verwachten was, werden ze al snel volledig in beslag genomen door het ontcijferen van het jargon in de advertenties; ze konden uren bezig zijn met het tussen de regels door lezen, waarbij ze zich vol minachting de turkooizen tapijten, de houten vloeren of de siertegels voorstelden die schuilgingen achter het woord 'juweel' of de gouden kranen die de uitdrukking 'alles als nieuw' beloofde. Het was alsof het gescheurde weefsel van de liefde zichzelf met onvoorstelbare snelheid herstelde, en de draadjes als vanzelf het oorspronkelijke ontwerp volgden en opnieuw aaneengeknoopt werden, totdat elk spoor van de scheur was uitgewist. Op een middag, in de universiteitsbibliotheek, terwijl hij een bibliografie raadpleegde voor de vertaling waar hij mee bezig was, liet Rímini zich, alsof hij hardop zat te denken, ontvallen dat hij op zoek was naar een appartement, waarna een ex-studiegenoot – een volkomen onbekende voor hem, met wie hij in vijf jaar studie hoogstens tien woorden had gewisseld – zijn hoofd tussen twee rijen boeken door stak en met een stralende glimlach tegen hem zei dat hij op het punt stond met zijn vriendin te gaan samenwonen en dat zijn vriendin een 'fantastisch' appartement achterliet op drie straten van het metrostation Colegiales.

Sofía belde hem zelden op de universiteit, maar die middag deed ze dat wel. Ze had niets bijzonders te vertellen; ze wilde alleen maar 'wat praten'. En meteen na die opmerking vervielen ze allebei in stilzwijgen.

Ten slotte biechtte Rímini haar enigszins onhandig op dat hij een appartement ging bekijken. 'Dat is snel,' zei ze, alsof ze in zichzelf sprak, en haar stem haperde; Rímini kon bijna zien hoe ze de hoorn een stukje van haar gezicht afhield om zich niet te verraden. Toen ze zich weer hersteld had, nam ze met hem alle eisen door waaraan het appartement moest voldoen. Zoals te voorzien viel, voldeed het 'fantastische' appartement van de vriendin van zijn studiegenoot aan geen daarvan: het was donker, gehorig en als je je hand uit het raam stak kon je hem meteen door het raam van de buren weer naar binnen steken; de muren gingen gebukt onder bloemetjesbehang, dat het meisje, terwijl ze het liet zien, met de lange nagel van haar wijsvinger loskrabde om te bewijzen dat het geen probleem was als het hem niet beviel, omdat het 'er gemakkelijk afging'. Daarna kreeg hij een kop koude thee en zeiden ze iets over de kosten, die ontzettend hoog of ronduit belachelijk waren. De buitenlucht maakte zijn hoofd weer helder. Rímini wist dat hij niet op zijn standpunt terug zou komen.

Hij kwam in een uitstekend humeur thuis en merkte dat hij tegenover Sofía ongebruikelijk gedetailleerd de gebreken van het appartement beschreef, alsof zijn geheugen bij dingen was blijven stilstaan die zijn ogen nooit hadden gezien. Maar Sofía luisterde niet. Die middag had ze, meteen na hun telefoongesprek, een besluit genomen: ze zou zelf ook gaan verhuizen. 'Ik zou hier niet kunnen blijven,' zei ze, 'met al deze dingen om me heen.' Rímini zweeg meteen. Hij voelde zich plotseling zwak en hulpeloos. Het was niet Sofía's besluit dat hem zo aangreep, maar het zuiver strategische feit – want het is bij een scheiding, als het tij van de liefde laag is, dat de logica van krachten die door de liefde werden verhuld aan het licht komt, als een bed met vlijmscherpe schelpdieren – dat Sofía, die tot dan toe de rol had gespeeld van de achterblijfster, hem ineens het initiatief uit handen had geslagen, nu Rímini duidelijk liet zien dat hij vast van plan was een ander leven te gaan leiden.

Toen hij de volgende morgen, heel vroeg, de voordeur opende, lag de krant niet op de deurmat. Dat leek hem een slecht voorteken. Onder het roepen van Sofía's naam liep hij het hele huis door. De krant lag in de keuken, naast de koffiekan, maar de pagina's met kleine advertenties had ze apart gelegd. Drie advertenties waren met rood gemarkeerd en drie met blauw. Rímini vond onder een kopje het volgende briefje: 'De rode zijn die van mij; de blauwe die van jou. (Ik heb liever niet dat we elkaar in hetzelfde appartement tegenkomen. Ik heb al zo de pest aan makelaars.) Als ik jou was zou ik eerst naar Las Heras gaan, die met tweeënhalve kamer. Ziet er goed uit. En als ik die in de calle Cerviño huur zouden we bijna buren zijn en wie weet... (Ik denk dat de koffie weer te slap geworden is.)'

Maar Sofía huurde Cerviño niet. 'Te *keurig*.' Ze wilde niet overhaast te werk gaan. Ze zou nog een tijdje in Belgrano blijven en rustig haar kans afwachten. De afzegging gaf haar veel extra vrije tijd, zodat ze met Rímini meeging naar Las Heras, genietend de geur van de lindebomen in de straat opsnoof, zich lovend uitsprak over het balkon dat uitkeek op de tuin, de groene long van het huizenblok, en fel onderhandelde over de huur met een vertegenwoordigster van het makelaarskantoor, een bleke vrouw met een heleboel tics, die hen van kamer naar kamer volgde met een notitieblok in haar hand en een totaal verwarde indruk maakte. 'Je moet het nemen,' zei Sofía toen ze weer op straat stonden, 'als je hier woonde zou ik het niet vervelend vinden je op te zoeken.' Rímini herinnerde zich die twee zinnen toen hij de aanbetaling deed, en een fractie van een seconde werd hij tegengehouden door een overweldigend gevoel van argwaan. En als Las Heras, en de portier van Las Heras, en de eigenares van Las Heras, en de nieuwe wijk, en de nieuwe gewoontes, en alles wat hij, met het onbeholpen en tomeloze enthousiasme dat opwelde uit zijn langdurige maagdelijkheid, 'mijn nieuwe leven' noemde, nu eens geen verworvenheden van hem of symbolen van zijn fonkelnieuwe onafhankelijkheid waren, maar de eerste stappen die Sofía gezet had om hem volledig in haar macht te krijgen? En als Rímini, terwijl hij dacht dat hij haar achterliet, zich nu eens alleen maar steeds meer aan haar overgaf? Maar hij betaalde, en een week later, na allerlei drogredenen te hebben aangevoerd om te voorkomen dat Sofía met hem meeging, tekende hij het huurcontract. Rímini had de indruk dat die simpele juridische formaliteit, uitgevoerd in het halfdonker van een ordinair kantoor, ten overstaan van een klerk die voorlas alsof hij bad, hem dwong een drempel over te stappen, hem ver weg slingerde en hem – nu wél, en Rímini voelde dat het voor altijd was – aan de andere kant van Sofía neerzette.

In tegenstelling tot wat Rímini verwacht had ontstonden er geen problemen over de verdeling van de meubels. Ze hadden ze steeds samen uitgezocht en gekocht en de emotionele lading die ze bezaten was veelal zo groot dat de functionele of esthetische waarde er volledig door overschaduwd werd. En dat maakte het al bij voorbaat onmogelijk tot een normale verdeling te komen. Als ze vruchten van de liefde waren, vroeg Rímini zich af, als elk meubelstuk op een of andere manier een monument was ter nagedachtenis van een episode uit hun liefdesgeschiedenis, wat voor leven zouden ze dan kunnen hebben als die geschiedenis eenmaal was afgesloten? Maar zonder dat Rímini het wist had Sofía zich in de loop van de twaalf jaar dat ze samen waren geweest gewijd aan het ontcijferen van de verborgen onderlinge affiniteit die ieder van hen met de dingen had ontwikkeld, zodat ze nu, de pijn van het verdelen verzachtend op grond van een natuurlijke, spontane wet die werd ingegeven door verwantschappen uit het dagelijks leven die alleen voor haar blik zichtbaar waren, zonder de minste aarzeling kon herkennen wie wat toebehoorde, met dezelfde mate van zekerheid waarmee ze in staat was de herkomst van een kerf in een houten tafel of een winkelhaak in de bekleding van een fauteuil thuis te brengen.

Rímini maakte geen bezwaar: hij zou zelf geen passend criterium voor de verdeling hebben kunnen kiezen, en tegen dat van Sofía was niets in te brengen. En toch begon Rímini, ondanks de bevrijding, een bepaalde weerzin te voelen, alsof de zo geciviliseerd verlopen scheiding de te zoete geur van een overrijpe vrucht uitwasemde. Het was vreemd: het uitdoven van de liefde vermeerderde alleen maar de vormen, zorgen en sferen van de liefde. Er werd niet getwist over de verdeling van de meubels, maar meer dan eens in de loop van de morgen die hij in Belgrano doorbracht met het afhandelen daarvan, voelde Rímini dat hij overdadig zweette, dat zijn hart op hol sloeg, dat hij op het punt stond flauw te vallen. Ze liepen als een paar vertederde taxateurs van

kamer naar kamer, en dan bleef Sofía regelmatig bij een bepaald meubelstuk staan en riep met fotografische precisie het moment en de
plaats in herinnering waar ze het gekocht hadden, de tijd die het gekost
had om het te vinden, hoeveel ze ervoor betaald hadden, waar ze vervolgens naartoe gegaan waren om de aanschaf te vieren en welke tekenen de jaren en de liefde erop hadden achtergelaten. Was het mogelijk
je zoveel zo goed te herinneren? Zou ze het niet allemaal verzinnen?
Nee, nee, wat ze zei klopte. Hoewel hij de nauwkeurigheid van die herinneringen onbegrijpelijk vond, kon Rímini, zodra Sofía ze ontvouwde, niet anders dan ermee instemmen en toegeven, de weg naar het verleden volgen die de sporen hem wezen. De zaak met eiken meubelen
van Escobar, de lunch in een grillroom onderweg, het Italiaanse accent
van de timmerman, de schommelstoel met rieten zitting, de kapstok
met spiegel, waarin hun triomfantelijke gezichten, dwaas stralend van
geluk, weerspiegeld werden... De boedelscheiding was als een bouil-
lon, een essence van liefde, een liefde zonder verhaal, simpelweg ge-
kristalliseerd in een reeks onbeweeglijke punten. Sofía had gelijk: alles
was precies zo gegaan, alles was waar – maar die blokken ervaring, miniaturen van liefde, ongeschonden trofeeën van een bezeten verzamelaarster, leken op Rímini neer te dalen als zware, compacte, hypnotische wolken. Hij wilde dat het afgelopen was, dat er eindelijk een einde
aan alles kwam. De nachtkastjes, de rieten jaloezieën, het stereomeu-
bel, de schilderijen – nóg een rieten mand en hij zou in elkaar zakken.
Net als tijdens de eerste reis naar Europa had hij het gevoel dat er iets
ontbrak aan het tafereel: een handgemeen, onredelijkheid, rancune,
geschreeuw, iets onregelmatigs wat die afgeronde, beschermende lief-
lijkheid een beetje zou aanscherpen... Plotseling zei Rímini dat hij weg
moest. 'Maar...' zei Sofía geschrokken. 'Ik moet nog dingen doen. De
vrachtwagen staat beneden,' zei hij, struikelend over zijn woorden. 'Alles heeft zijn labeltje. Je hebt mij niet meer nodig.' Sofía hoorde de trilling van angst in zijn stem en maakte van de gelegenheid gebruik om te
zeggen: 'De foto's hebben we nog niet gehad. Wat doen we met de foto's?' Rímini meende een reusachtige kartonnen doos voor zich te zien,
scheefgezakt en vervormd door een groot hoekijzer – hij was zo groot

dat hij hem alleen in maquetteversie kon zien –, met daarin miljoenen gezichten en plekken en tijdperken en huisdieren en badplaatsen en auto's en t-shirts en kapsels en familieleden en wegen, die hun arme wezenarmpjes uitstrekten om zijn aandacht te trekken en hem smeekten – in dat brabbeltaaltje waarin het verleden zich uitdrukt – hen toch vooral niet te vergeten.

'Een andere keer. Ik heb nog dingen te doen,' zei Rímini, koppig als een kind, met geen andere overtuiging dan het vooruitzicht geen vaste grond meer onder de voeten te hebben en te verdrinken in die zee van fotografische obsceniteiten. 'Dat is goed, maar laten we er niet te lang mee wachten,' zei Sofía. 'Nee,' zei hij. Hij trok zijn windjack aan en schatte hoeveel meters hem scheidden van de deur. 'Bel jij maar, oké?' zei ze, terwijl ze de richting van zijn hand corrigeerde, die hij hardnekkig in de verkeerde mouw probeerde te steken. 'Ja, ja.' Maar Sofía was al vlak bij hem en streek met haar vingers over zijn gezicht, vastbesloten het afscheid de emotionele intensiteit mee te geven die twaalf liefdesjaren verdienden. De bel ging. Rímini kuste haar snel, met een bestudeerde nonchalance, op een mondhoek; Sofía wilde het contact verlengen en duwde met haar lippen tegen de zijne toen hij alweer terugweek. Ze hield zijn hand vast en vroeg smekend: 'Je belt me toch?' 'Natuurlijk,' zei Rímini, en hij deed de deur open en vertrok. Hij was nog maar net buiten of de verhuizers, zoals altijd bezweet en uitgeput nog voordat ze begonnen te werken, gingen naar binnen.

Rímini dook een taxi in – de eerste die voorbijkwam, een Dodge 1500 die walmde in de koude namiddag – en gaf vaag een richting op, 'naar het centrum', als om de chauffeur te laten weten dat hij hier alleen maar ver vandaan wilde en wel snel, zo snel mogelijk. Hij had zojuist een fout gemaakt, de vorm van onnadenkendheid die, geprojecteerd op het witte doek in een bioscoop, zelfs de minst gevoelige toeschouwer doet beven van ontzetting en opwinding en hem kreten van schrik ontlokt die hij zich alleen herinnert als kind te hebben geslaakt, tijdens een lang vervlogen poppenkastvoorstelling. Maar Rímini was geen cynicus; niemand die in doodsangst verkeert heeft tijd voor cynisme; afzien van het verdelen van de foto's – want het uitstel was alleen maar de dekmantel voor iets definitievers: een desertie – was geen kwestie van berekening maar van overleven. *Hij vluchtte.* Er zijn mensen die vluchten voor een vulkaan, een aardbeving, een onheilspellende plaag. Rímini, op zijn onnadenkende en verraderlijke, onverschillige en zelfs belachelijke manier, vluchtte voor iets zo conventioneels en huiselijks als een scène waarin herinneringen werden verdeeld, maar zichzelf met gekruiste benen op de vloer zien zitten, gebogen over de doos met foto's, beelden ophalend die zij zich met dezelfde precisie herinnerde waarmee hij ze was vergeten, zodat wat voor haar bekende gezichten waren voor hem beklemmende mysteries leken, maakte die hele 'vriendschappelijke' compositie van de scène nog niet minder rampzalig, en dat Rímini daarvoor vluchtte kwam omdat hij in die stapel foto's niets eigens meer kon herkennen, niets wat bewees dat hij had bestaan en gelukkig was geweest, hij zag alleen een enorme *sentimentele berg* die hij fysiek niet bij machte was te verdragen.

Maar het was een fout geweest, en als hij met zijn blik de horizon had afgespeurd die zijn desertie zojuist in zijn leven zichtbaar had gemaakt, zou Rímini uit de rijdende taxi zijn gesprongen en zijn teruggerend naar het appartement waar de verhuizers al met de hoeken van de meubels langs de wanden schuurden. Hij zou het gevoel van onbehagen, het gereutel van tederheid, de steriele intimiteit van dat begrafenisritueel hebben geaccepteerd, en zelfs de mogelijke onmiddellijke gevolgen: het troosten, de liefkozingen, die maalstroom van sidderingen, samengeknepen lippen en tranen die dikwijls eindigt met een bittere en lusteloze ontlading op het tapijt, met verkreukelde kleren en foto's die zitten vastgeplakt aan de huid van de billen, resten van een obsceen bed van verwelkte bladeren. De meubels zijn nooit een probleem bij scheidingen. Hoe doordrenkt ze ook zijn van betekenis, ze hebben altijd een functie, en dat nut stelt ze op een of andere manier in staat verder te leven en weer een bestaan op te bouwen in nieuwe omstandigheden en een andere context. Maar foto's, net als het gros van die symbolische futiliteiten die stellen in de loop van de tijd verzamelen, verliezen alles zodra de context die ze betekenis gaf verdwenen is: ze hebben letterlijk geen enkel nut, geen enkele toekomst. In zekere zin blijven er dan maar twee mogelijke bestemmingen over: de vernietiging – Rímini had dit overwogen maar was afgeschrikt door het idee zichzelf als een echtelijke Attila door een met verbrande foto's bezaaid landschap te zien lopen – en de verdeling. Rímini's fout was geweest dat hij niets had besloten, dat hij zich ertoe had beperkt afstand te doen. En dus bleven de foto's daar, vastgelopen in de besluiteloosheid, als amuletten die nadat ze uit de roulatie waren genomen, niets anders konden doen dan energie en betekenis verzamelen.

9

De wereld schitterde als een fonkelnieuw voorwerp en Rímini, moe maar gelukkig, met de gretigheid van een vreemdeling die zojuist na een eindeloze reis is aangekomen in een onbekende stad, was te geconcentreerd bezig die te bewonen om zich door het verleden te laten afleiden. Hij dacht niet aan Sofía. Soms, als hij om twee of drie uur 's nachts terugkeerde naar Las Heras en zich in bed liet vallen, realiseerde hij zich dat hij de hele dag niet één keer aan Sofía of aan ook maar iets wat verband met haar hield had gedacht en dan kon hij het niet geloven. Het was alsof ze haar uit hem hadden weggesneden. De gedachte kwam bij hem op dat iemand hem op een onbewaakt ogenblik – een van die tijdvakken die een machine of een gekke geleerde uit een sequentie haalt en vervolgens, na er allerlei nieuwe informatie aan te hebben toegevoegd, weer terugplaatst alsof het de gewoonste zaak van de wereld is – een geestelijke schoonmaakbeurt, een hersenspoeling van de laatste generatie had gegeven, volkomen perfect, want de hygiëne-operatie omvatte ook secundaire en op het eerste gezicht irrelevante organen als het hart, de maag, de huid. Maar hij hoefde de verdwijning van Sofía maar tot zich door te laten dringen of hij begon aan haar te denken, en in een halfuur – het laatste halfuur dat hij, zonder zich zelfs maar te hebben uitgekleed, wakker in bed lag te woelen – herstelde hij de door zijn gewetenloosheid veroorzaakte schade. Als de veroordeelde die zijn straf wil verlichten met vrijwilligerswerk, liet Rímini herinneringen, gedachten, denkbeeldige scènes waarin Sofía een hoofdrol speelde aan zich voorbijtrekken en zorgde ervoor dat elk opgeroepen beeld vergezeld ging van de emotie die er ook deel van zou hebben uitgemaakt als het spontaan was opgeweld. Op die manier had

Rímini elke avond, op de rand van waken en slapen, verdriet of voelde hij angst, heimwee of spijt; hij haatte, vertekende het verleden en verzoende zich ermee, en zoals anderen bidden voor het slapengaan, zo bracht hij elke avond hulde aan de uitgedoofde liefde. Maar dan begon het licht te worden en streek de eerste ochtendbries via het raam dat hij niet had dichtgedaan zacht over zijn wangen, en Rímini deed zijn ogen halfopen en keek zonder te zien naar de rossige strook aan de hemel, de frisse voorbode van een warme dag. Hij rilde een beetje. Een bijna pijnlijke huivering van genot trok over zijn huid wanneer hij zich ten slotte uitkleedde, alsof zijn vingers die bij het langsstrijken openscheurden, en zodra hij eenmaal in bed lag, bedwelmd door de frisheid van de lakens die zich om zijn benen wikkelden, begon hij, alweer bijna in slaap, zichzelf traag, langdurig en afwezig te bevredigen.

Een paar dagen na de verhuizing belde Sofía hem op en vroeg – terwijl ze haar best deed de scherpe kantjes te halen van het verwijt in haar stem – of hij haar gebeld had. Het antwoordapparaat was kapot, zei ze. Ze dacht dat Rímini misschien een boodschap had achtergelaten, in de veronderstelling dat die zou worden opgenomen en... Rímini op zijn beurt speelde even met de gedachte om van de gelegenheid gebruik te maken en te liegen. Nee, zei hij, hij had haar niet gebeld. Er viel een stilte. 'Hadden we dat niet afgesproken?' zei ze. 'Ja,' zei hij, en hij verontschuldigde zich, waarbij hij uitvoerig stilstond bij alle dingen die hij nog had moeten doen. Sofía vroeg hoe hij het appartement had ingericht. Ze herinnerde zich nog heel goed de indeling en de grootte van de kamers, en veel van de verbeteringen die ze hem door de telefoon voorstelde waren, zonder dat ze zelfs maar gezien had hoe het appartement er nu uitzag, een schot in de roos. Het was alsof het gesprek uit twee lagen bestond: een technische laag, gewijd aan de details, problemen en oplossingen, aan het anekdotische aspect van hun nieuwe levens (een uitdrukking die, als ze onder elkaar waren, uitsluitend uit haar mond kwam, en dan ook nog alleen om te verwijzen naar zíjn leven); en die andere, de emotionele laag, een indringend, gedempt geruis dat op de achtergrond hoorbaar was, als de gehavende achterzijde van een tafellaken dat maar aan één kant wordt gebruikt. 'En jij? Heb jij al een huis gevonden?' vroeg Rímini, die zich koste wat kost probeerde vast te klampen aan de technische details. Nee. Ze was opgehouden met zoeken. Ze had er de energie niet voor. Bovendien, waar zou ze een beter appartement vinden dan dat van haar? 'Dat is waar,' zei Rímini, 'maar je had toch gezegd...' 'Ja,' zei ze, en de toon van haar stem ging van apathisch over op het begin van woede, 'maar dit is mijn huis, dit is de plek waar ik wil wonen. Waarom zou ik hier dan weggaan? Wie zet me eruit?' 'Ik weet het niet. Voor de verandering...' 'Ik wíl niet veranderen. Alles is al meer dan genoeg veranderd. Er moet toch iets blijven zoals het was? Het is allemaal te beladen, dat is waar, maar wat wil je? *Ik* heb het beladen gemaakt. *Jij en ik* hebben het beladen gemaakt. Waarom zou ik weg moeten?' Het was het probleem van de details – die hielden geen stand. De supermarkt, de buurtcafés, het nabijgelegen metrostation, de manke portier, de tweeling die naast haar woonde, de vrouw van de wasserette die Mallea las: al die anekdotische schatten. Rímini zocht ernaar, pikte ze op en ontvouwde ze met tomeloos enthousiasme, alsof hij haar probeerde te laten zien dat louter het feit dat ze bestonden bewees dat er nog niets was afgelopen. Maar ze hadden iets breekbaars, vluchtigs, weinig overtuigends, of misschien werden ze zo door een of ander chemisch verschijnsel, als ze in contact kwamen met Sofía, of wanneer Sofía of iets in Sofía – een bepaald geloof in gedegenheid, het idee dat alles wat niet gedegen was een vorm van verraad aan de ervaring was – ze scherp deed afsteken tegen de emotionele achtergrond van het gesprek, waar ze vervolgens al snel zwakker werden, als vallende sterren. Een voor een zag Rímini ze fonkelen, een snel hoogtepunt bereiken en weer verdwijnen in de lucht, weggevaagd door een pikdonkere nacht, en als Sofía op dreef kwam, gesterkt door de triomf van het wezenlijke over het anekdotische ('We moeten kunnen leven met wat we waren, Rímini: dat is de beste les die onze liefde ons zou kunnen geven.'), had Rímini maar één gedachte in zijn hoofd: ophangen. Ze praatten nog een tijdje door, totdat elk woord een minuscuul eilandje was, op drift geraakt in een zee van stilte en geschraap van kelen, en Rímini, bijna verstijfd door de ongemakkelijke houding, ten slotte een of ander dringend excuus aanvoerde om het afscheid te versnellen. 'Neem me niet kwalijk, maar er wordt aangebeld.' 'Ik heb niets gehoord. Waar zit je?' 'In de slaapkamer.' Weer een stilte. Er knisperde iets in de stem van Sofía. 'Is het een meisje?' 'Ik weet het niet,' zei Rímini lachend, 'ik geloof het niet.' 'Bel je me nog eens?' 'Ja, natuurlijk. Volgende week ben ik...' 'Je bent me tenslotte iets schuldig.' 'Iets schuldig...?' 'Je bent óns iets schuldig. De foto's. Dat ben je ook jezelf schuldig. Ik heb ze gisteren bekeken: het moeten wel zo'n duizend, vijftienhonderd foto's zijn.'

Rímini kwam zijn belofte niet na en een week later belde Sofía hem opnieuw. Ze was opgewekt: ze ging veertien dagen naar Chili met Frida Breitenbach, haar lerares, om haar te assisteren bij een workshop voor kunstenaars met motorische problemen. Ze hadden Rímini's vader gebeld voor de tickets. 'Dat vind je toch niet erg?' vroeg ze, op samenzweerderige en sarcastische toon, 'we zijn dan wel gescheiden, maar ik vind hem nog altijd de beste schoonvader ter wereld.' Ze klonk zo gelukkig, zo weinig *bedreigend*, dat Rímini dacht dat als hij haar in die gemoedstoestand zou zien, hij weer verliefd op haar zou kunnen worden. Hij stelde haar voor om elkaar te ontmoeten als ze terug was. Hij voelde zich zeker van zijn zaak: hij dacht dat de bijzonderheden van de reis het afglijden naar sentimentele ontboezemingen zou voorkomen. 'Oké, te gek!' zei ze. 'Dan kan ik meteen zien hoe je huis geworden is.' 'Daar is niet veel veranderd,' krabbelde hij terug, 'we kunnen elkaar beter ontmoeten in de bar tussen de calle Canning en de calle Cabello.' 'Die met de verchroomde stoelen?' 'Ja.' 'Ik heb een hekel aan chroom, dat weet je toch? Er is een betere, met allemaal hout, op de hoek van Paunero en Cerviño.' Rímini ging akkoord, hoewel hij er op de terugweg naar huis twee of drie keer langsgekomen was en zich duidelijk de vreemde geur herinnerde – ranzige kaas, ontsmettingsmiddel, een oude mengeling van beide – die hem bij het passeren tegemoetkwam.

Een paar dagen later, alsof hij er de hele nacht over had liggen nadenken, werd hij wakker met een idee-fixe: zijn haar laten knippen. Hij besloot het flink kort te laten knippen, en omdat hij daarmee een einde maakte aan vijftien jaar lang haar, een dogma waar zijn vader hem van jongs af mee had besmet, aangemoedigd door de liberalisering van de haardracht in de jaren zestig die hij door zijn eigen kaalhoofdigheid zelf niet in praktijk kon brengen, en Sofía had die later goedgekeurd en toegejuicht, liep hij de hele dag argumenten te verzinnen om de opschudding die dit ongetwijfeld zou veroorzaken de kop in te drukken. Hij twijfelde. Hij dacht dat hij er niet toe in staat zou zijn en voelde zich ellendig. Om de last wat te verlichten bracht hij het besluit terug tot een onbezonnen ingeving en liep zomaar een kleine kapperszaak binnen in de winkelgalerij naast het appartement in Las Heras, een kapper waar hij nooit langs kon lopen zonder zich af te vragen wie er in vredesnaam zo idioot kon zijn om daar naar binnen te gaan. Hij ging in een stoel zitten – de enige die niet de vorm had van een vliegtuig, een kajak of een olifant – en zag zijn verschrikte gezicht in de door plakplaatjes omlijste spiegel, en toen de kapper verscheen en met een schaar met roze handvat knipbewegingen bij zijn hoofd maakte, zei hij alleen maar: 'Flink kort.' De rest van de tijd – het halfuur dat hij zwetend onder een enorme geruite schort doorbracht, gekweld door de hete lampen in de zaak – was hij alleen maar bezig met er spijt van hebben. Zo nu en dan wierp hij een vluchtige blik naar buiten en keek verbaasd naar de mensen die verbaasd naar hem keken: hij kon niet geloven dat terwijl hij daar zat, gevangen, langzaam gekortwiekt door een kapper die hardnekkig met verkleinwoordjes tegen hem bleef spreken, de mensen gewoon doorliepen, etalages bekeken en hun normale leven leidden. En plotseling, tussen al die verbaasde gezichten, zag hij er een dat hem veel te nadrukkelijk, bijna provocerend observeerde. Twee seconden later herkende hij dat gezicht: het was Víctor. Te midden van wolken talkpoeder beduidde Rímini hem dat hij buiten moest wachten, alsof hij zichzelf een extra vernedering bespaarde door hem af te raden binnen te komen en hij sloeg de handspiegel en de zuurtjes af en betaalde, vastbesloten de volgende tien uur de gruweldaad die zojuist op zijn spiegelbeeld was gepleegd uit zijn geheugen te wissen. 'Nee maar,' zei Víctor, voordat Rímini hem van zijn plan op de hoogte had kunnen brengen, 'wat een verandering.' Ze omhelsden elkaar. Ze hadden elkaar al een tijd niet gezien. Bij de scheuring die de scheiding onder hun vrienden had veroorzaakt, had Víctor de kant van Sofía gekozen. Dat was logisch: op twaalf- of dertienjarige leeftijd was ze zijn vriendinnetje geweest, en Rímini had haar via hem leren kennen. Maar Víctor, die er geen moeite mee had tegenover Rímini toe te geven tot welk kamp hij behoorde, bezat tegelijk een merkwaardige gelijkmoedigheid, een zorgvuldig afgewogen mix van belangstelling en afstandelijkheid, van betrokkenheid en onpartijdigheid, die Rímini maar zelden bij andere vrienden aantrof. Staande in de galerij – de scheiding was nog te kort geleden om samen iets te gaan drinken –, terwijl Rímini toekeek hoe de kapper met een bezem zijn haren bij elkaar veegde en Víctor de gedeeltelijke rampen in ogenschouw nam die de schaar op het hoofd van Rímini had aangericht, spraken ze over Sofía. Rímini zei dat ze elkaar weer zouden zien als zij terug was van haar reis. 'Ja, dat vertelde ze me voordat ze wegging,' zei Víctor. Met overdreven enthousiasme zei Rímini dat hij verbaasd was geweest over de verantwoordelijkheid die Frida Sofía had toevertrouwd, en dat dit voor hem duidelijk een soort 'promotie' betekende. 'Vind je?' zei Víctor. 'Nou ja, hoeveel leerlingen heeft ze? Honderd, tweehonderd? Ze zou net zo goed ieder ander hebben kunnen kiezen.' 'Jazeker, ieder ander die dat soort werk zou willen doen.' 'Zo erg is het nu ook weer niet: ze zijn gewend met gehandicapten te werken.' Víctor keek hem enigszins verbaasd aan. Rímini drong aan: 'Dat zeg je omdat het een workshop is voor acteurs met problemen, hè?' Víctor glimlachte ongemakkelijk, waarna de glimlach overging in een rusteloze grimas. 'Het is Frida die problemen heeft,' zei hij, 'ze is twee maanden geleden aan haar heup geopereerd. Sofía gaat niet mee voor de workshop maar als therapeutische begeleidster. Als kruk.'

Ze kwam een week eerder terug dan voorzien. 'Ik vond het niet interessant, het was allemaal heel elementair,' zei ze door de telefoon. Haar stem klonk nadrukkelijk en gespannen, het soort stem waarmee iemand probeert zichzelf ergens van te overtuigen door zijn gesprekspartner te gebruiken als proefkonijn. Ze vervroegden hun afspraak. Rímini wilde haar een andere bar voorstellen. 'Ik heb iets voor je meegenomen, zie je?' zei Sofía, met dat blinde gevoel voor het buitenkansje dat wordt ingegeven door wanhoop. Het scheelde niet veel of ze hadden elkaar niet herkend. Sofía had wallen onder haar ogen en was bruin geworden door de Chileense zon – die winterse zon van skiërs die de huid lijkt te bedekken met een laagje oranje make-up – en ze had een koortslip die de helft van haar mond vervormde. De eerste tien minuten van de afspraak ging ze volledig op in het bekijken van Rímini's hoofd, zonder dat ze het durfde aan te raken – ze maakte wel het gebaar, maar haar vingers trokken zich terug voordat ze hun doel bereikt hadden, alsof ze werden afgestoten door een elektrische schok –, terwijl ze een afgodsbeeldje van terracotta vol gekleurde lintjes en stukjes touw tussen haar handen rond liet draaien en het lange betoog van Rímini, met het ongeloofwaardige verzoek – 'Niet te kort, alstublieft' –, zijn uitputtende en onvriendelijke beschrijving van de kapper en zijn eveneens onwaarschijnlijke besluit hem als vergelding niet te betalen voor het knippen, het ene oor in en het andere weer uit ging. Ten slotte duwde ze het afgodsbeeldje lusteloos en vastberaden tegelijk in Rímini's richting, als iemand die in één keer afstand doet van alles wat hij nog bezit alvorens een woestijn in te trekken. Ze zei: 'Het is een Chileense Ekeko, een huisgod. Ze zeggen dat het geluk bre...' En ze begon te huilen. 'Nooit meer. Nooit meer,' herhaalde ze snikkend, 'alsjeblieft, Rímini: de volgende keer dat ik tegen je zeg... Laat me niet gaan... Het maakt niet uit wat ik tegen je... Laat me niet gaan. Nooit, nooit meer, mijn god. En dan krijg ik ook nog dit monsterachtige ding op mijn mond... Nee, niet naar me kijken, alsjeblieft.'

Een week als een nachtmerrie. Frida had voortdurend pijn, de hotelkamer – één kamer voor hen tweeën, met maar één bed – lag op de derde verdieping zonder lift, het hotel was vol, alle vijf verdiepingen waren bezet door een delegatie Cubaanse volleyballers die nooit voor halfvijf 's morgens naar bed gingen. Vanaf het begin had Frida, gealarmeerd door een van die boosaardige geruchten die in Buenos Aires de ronde doen, geweigerd schelpdieren en vis te eten. 'Ik laat me door die Chilenen niet vergiftigen,' zei ze. Ze at alleen gekookte aardappelen, begon steeds meer op te zwellen, deed 's nachts geen oog dicht en behandelde haar leerlingen slecht. Het waren er vijf. Twee daarvan kwamen de derde dag al niet meer opdagen, nadat ze bij de directie van het centrum waar de workshop werd gehouden een formeel protest hadden ingediend tegen de uitgenodigde docente, die ze omschreven als een 'beroepsmatige psychopate'. Een derde, een jonge man, een epilepsiepatiënt die heel zacht praatte en een Chileense televisiester was geweest, had ze bijna gedwongen een *rebirthing* te ondergaan, volgens Sofía een van de hachelijkste therapeutische oefeningen, waarna hij met hevige krampaanvallen in het ziekenhuis moest worden opgenomen. De workshop werd afgelast. Ze maakten van de gelegenheid gebruik om een dag in de bergen in de zon door te brengen, en diezelfde avond had Sofía het eerste schrijnen van haar lip gevoeld. Frida, die erg verstoord was, had haar haar zwakheid verweten. Hoe was het mogelijk dat een leerlinge van Frida Breitenbach zó'n lage weerstand had? Ze dreigde haar: als de herpes tot uitbarsting kwam, zou ze haar in een andere groep plaatsen zodra ze terug waren in Buenos Aires. Dan zou ze weer van voor af aan met het vierde jaar moeten beginnen. Als het nodig was zou ze zelfs het derde jaar over moeten doen. De workshop werd niet meer hervat, het centrum betaalde alleen de twee dagen die ze les had gegeven en Frida schrapte Sofía van de lijst met onkosten, wegens 'overmacht'. Die avond werden ze het hotel uitgezet, nadat de conditietrainer van het volleybalteam Frida (of haar nachtelijke dubbelgangster, die hij in aanwezigheid van een stel heel nieuwsgierige politieagenten omschreef als 'een hijgend monster vol sproeten, met haren die wel geëlektrificeerd leken, dat op me af kwam onder het uitbraken van obsceniteiten in een satanische taal') had aangeklaagd wegens handtastelijkheden en het dreigen met een stok op een buitengewoon donker gedeelte van de trap tussen de tweede en derde verdieping. 'Ik had op mijn intuïtie af moeten gaan,' zei Frida op de terugreis tegen haar, vol mededogen haar gezicht strelend, 'je bent nog te groen: je bent niet voldoende voorbereid op ervaringen van dit niveau.'

'Nou ja, het is voorbij,' zei Rímini, en hij strekte zijn hand uit en woelde een beetje door haar haar. Het was een vreemd gebaar: afgewogen en liefdevol maar te professioneel, als van een verpleger. Zodra ze evenwel de liefkozing voelde, tilde Sofía, die haar gezicht in haar armen verborgen had, haar hoofd op en bood hem zicht op het complete landschap van haar verslagenheid, de geïrriteerde ogen, de uitgelopen mascara, de rode neus die druppelde, de kleine purperen rups op haar lip. Alsof ze een karateslag uitvoerde – de slag van een liefdevolle vorm van karate, uitgedacht om een oude geliefde te heroveren – onderschepte Sofía Rímini's hand abrupt in de lucht, terwijl die alweer bezig was terug te keren naar zijn basis, bracht hem naar haar lippen en kuste hem: één kus in de palm, twee op de rand, drie op de rug, waarna ze hem omdraaide en dwong zich te openen, want de hand had zich inmiddels als een egel gesloten, om hem opnieuw, als in aanbidding, in het midden van de palm te kussen, en Rímini, die als verlamd had toegekeken, kreeg de indruk dat hij aan een vagelijk esoterische behandeling werd onderworpen, alsof een mond met herpes een gezonde hand kon genezen door die een van tevoren bepaald aantal keren te kussen. 'Maar zo erg was het nu ook weer niet,' zei Sofía, voor het eerst glimlachend, terwijl Rímini zijn hand terugtrok onder het voorwendsel dat hij de ober wilde roepen. Ze keek hem aan. Ze keek hem vastberaden, kalm en met een onwankelbare zelfbewustheid aan, alsof een week ellende met Frida Breitenbach in Santiago, vertaald naar het metrische systeem dat haar emoties mat, kon uitdijen tot een ervaring van eeuwen en haar het gezag verleende van een Egyptische godin. 'Ik heb tijd gehad om na te denken, zie je,' zei ze, 'ik heb veel over ons nagedacht, over wat er met ons gebeurd is...' Rímini knikte mechanisch. Sofía glimlachte weer en keek hem vragend, bijna uitnodigend aan. 'Wat?' vroeg Rímini, 'wat is er?' 'En jij,' zei ze, 'heb jij nog nagedacht?' Rímini zocht, zocht, zocht, maar het bleef pikdonker in de bovenkamer. 'Het is allemaal nog te vers,' zei hij. 'Kom nou,' zei Sofía, waarbij ze haar hoofd een beetje dichter naar hem toe bracht, alsof ze op zoek was naar het centrum, 'je moet toch iets gedacht hebben.' 'Ik weet het niet, ik zou het je niet kunnen zeggen.' 'Hé. Ik ben het, Sofía. Het gaat toch wel goed met je, hè?' Ze bleven een moment zwijgend en roerloos zitten, zij heel dicht bij hem, van onderaf naar hem opkijkend, nog altijd wachtend, terwijl hij net deed of hij afwezig naar de schaduwen staarde die van tijd tot tijd de fel verlichte achtergrond van de straat doorsneden. Er moest wel een of andere verzwegen termijn verstreken zijn, want Sofía deed zuchtend haar handtas open en zei: 'Ik heb je een brief geschreven.'

10

Het is tien over drie 's nachts, de Heks is net in slaap gevallen en ik ben
naar beneden gegaan, naar de bar van het hotel, met jouw oude exemplaar van Ada (zoek er maar niet meer naar: het lag thuis, je bent het vergeten of je had geen zin me ernaar te vragen, nu is het van mij en heb je
geen recht meer om te protesteren), de kaart met het schrikbeeld van Riltse en mijn Gloria-schriftje om je, bijna in het donker, een brief te schrijven
waarin ik je alles kan zeggen wat ik je zou zeggen als je één keertje niet was
gevlucht en we samen in Buenos Aires zouden zijn, jij en ik, Rímini, Rímini en Sofía, samen. (Ik kan het niet goed zien, mijn handschrift is een
ramp: ik beloof je dat ik morgen alles in het net zal schrijven.) Sinds je uit
huis gegaan bent schrijf ik schriften vol met dingen die in mijn hoofd opkomen, herinneringen, zinnen, dingen die ik lees ('De vergetelheid is een
schouwspel dat zich elke avond voltrekt', Ada, blz. 263). Het doet me zo
goed te schrijven, Rímini. Ik weet niet waarom ik als ik schrijf het idee heb
dat je dichtbij bent, dat je naar me kijkt, en vaak merk ik dat ik net zo doe
als op school, toen ik het kaft van het schrift een stukje optilde zodat die
achterlijke meid van een Venanzi niet kon afkijken. Je vergeet me toch
niet? Alsjeblieft, zeg dat je me niet vergeet, Rímini. Dat zou ik niet kunnen
verdragen. Zeg dat je me haat, dat je me zou willen slaan, dat je me pijn
wilt doen, dat je verliefd bent op een andere vrouw, dat je gaat emigreren,
maar zeg niet dat je me vergeten bent. Dat is misdadig. Het zijn twaalf
jaar, Rímini. (Bijna de helft van ons leven!) Niemand (je ziet het niet omdat mijn balpen weigert, maar ik heb 'niemand' dubbel onderstreept)
kan zomaar, van de ene dag op de andere, twaalf jaar vergeten. Je kunt het
proberen als je wilt (ik heb het geprobeerd, Rímini, geloof me, maar ik kon
het niet, zo simpel is het), je kunt nog zo je best doen, maar het heeft geen

zin. Het zal je niet lukken. (Het hotel zit vol met Cubaanse volleyballers. Ik heb ze vandaag voor het hotel op straat zien spelen en ik moest aan jou denken. Nee, ik moest niet aan je denken. Ik zág je, Rímini. Ik zag je springen bij een net op het strand, blond en slank, zo jong dat ik zin kreeg om te huilen. (Neem me niet kwalijk. Ik geloof dat Ada me geen goed doet. Riltse doet me geen goed. Niets doet me goed.)

11

Maar Rímini las de brief niet. Hij vouwde de envelop dubbel en stopte hem in zijn zak, zoals hij later steeds zou doen als Sofía hem iets overhandigde wat ze geschreven had, en Sofía keek hem droevig en teleurgesteld aan, zoals ze later steeds zou doen als Rímini haar beroofde van haar heerlijkste genot: naar zijn gezicht kijken terwijl hij las wat zij zonder hem, ver weg van hem, alleen voor hem, geschreven had. Hij las de brief die ze hem in Chili had geschreven niet waar ze bij was, en ook niet de brief die ze een tijdje later schreef in de wachtkamer van de praktijk van haar homeopaat (*'We zijn vastbesloten, Rímini: we gaan met de herpes tot het eind.'*), net zomin als de brief die daarna in haar opkwam, toen ze, met haar hele onderlip gekoloniseerd door de purperen rups, op weg was naar de dermatoloog die een fel voorstander was van corticosteroïden, en de metro twintig minuten tussen twee stations bleef staan (*'Waar ben je, liefste? Je zegt dat ik op je kan rekenen, maar waar ben je nu ik je nodig heb?'*), noch de brief die ze in gedachten begon op te stellen bij Frida op de avond dat lerares en leerlinge, gezegend door een Engelse documentaire over doventaal, zich verzoenden (*'Ik leg mijn hand op mijn hart en daarna op het jouwe: de Heks zegt dat twee mensen zoals wij niet mogen scheiden.'*), en evenmin de tien smachtende, volkomen wanhopige regels, waarbij de blauwe inkt van een zestal woorden was uitgelopen door haar tranen, die Sofía zwoer bijna vijftien jaar eerder, nadat ze verteld had dat ze met Rafael naar bed was geweest, aan hem te hebben geschreven en die ze in hetzelfde sieradenkistje had opgeborgen waarin ze de haarlok van de zesjarige Rímini bewaarde.

Op een middag kwamen ze elkaar toevallig tegen op straat. Het regende pijpenstelen. Terwijl ze hem met haar paraplu beschermde, stelde Sofía voor iets te gaan drinken. Opnieuw was Rímini verbaasd en bewonderde hij het gemak waarmee ze altijd beschikbaar leek te zijn; het was alsof Sofía na de scheiding alle tijd had *voor de liefde.* Hij verontschuldigde zich: hij moest ergens heen en was al laat. Maar hij was buitengewoon beminnelijk, zoals altijd als hij haast had, en keek nieuwsgierig naar het stukje gaas en pleister dat ze hadden aangebracht op Sofía's koortslip. Ze was geopereerd. 'Opereren ze herpes?' vroeg hij. Nu hij wist dat hij weg móest, werd hij door een onverklaarbare maar oprechte belangstelling tegengehouden. Sofía keek hem bedroefd aan. 'Heb je mijn brief gelezen?' vroeg ze. 'Ja, natuurlijk,' zei hij en vroeg: 'Plaatselijke verdoving of narcose?' 'Heb je mijn brief gelezen?' herhaalde ze. 'Ja. Dat zei ik net. Hebben ze het gehecht?' 'Waarom vraag je me dan alles wat ik je al in mijn brief verteld heb?' Ze discussieerden in de regen, onder de kleine beschermende omtrek van de paraplu. Rímini maakte overdreven gebaren, tikte tegen haar kin, vlak bij de wond, en vroeg of ze hem wilde vergeven. Twee mannen die met hun aktetas boven hun hoofd aan kwamen rennen moesten de straat op om hen te ontwijken. Door het ruisen van de regen heen hoorde Rímini een van die door jaloezie ingegeven verwensingen waarmee mensen vaak hun afkeuring uitspreken over een romantische scène omdat ze die ongepast vinden, alsof een meedogenloze context – stortregen, wind, smal trottoir, zakencentrum – het exhibitionisme van een man en een vrouw die zich samen, heel dicht bij elkaar, in het openbaar vertonen, op een onvergeeflijke manier verergerde. Uiteindelijk stonden ze aan de bar van een duister café met vagelijk gele wanden, omringd door loopjongens en kantooremployés die dronken en aten en schichtig om zich heen keken alsof ze een of andere fraude op hun geweten hadden. Haar stem verheffend om boven het lawaai van het espressoapparaat uit te komen, herinnerde Sofía hem aan de nog niet opgeloste kwestie van de foto's en ze stelde een ultimatum. Terwijl de lange punt van de paraplu op de wreef van zijn schoen druppelde, verdedigde Rímini zich oprecht en zei dat hij zich er niet toe in staat voelde. Dat was het, eenvoudig gezegd. Als hij dacht aan de taak die ze voor zich hadden, leek het hem onmogelijk, volslagen onmogelijk. Niet omdat het vijftienhonderd foto's waren. Dat maakte het juist makkelijker. Hij hoefde maar aan één enkele foto te denken, en dan niet een van de betekenisvolste maar een willekeurige foto, een van de vele die gewoonlijk verdwijnen zonder een spoor achter te laten, om het gevoel te krijgen dat het gekkenwerk was, dat het verleden uit één ondeelbaar blok bestond, en dat je het zo ook moest vasthouden of opgeven, en bloc, als een geheel. Er viel een stilte. De paraplu was opgehouden met druppelen. Rímini dacht dat hij zou gaan huilen en wendde snel zijn hoofd af. Het was een reflex: hij wist dat hij niet de geringste kans had te doen alsof: voor de tekenen van de liefde – en onder liefde verstond zij ook alles wat voor en na de liefde kwam, alles wat ermee gepaard ging, wat er in het voorbijgaan achterbleef, wat er als een wolk omheen zweefde, wat door de liefde was verdreven en wat de liefde had verdreven: álles – waren Sofía's ogen even snel en trefzeker als de ogen van croupiers voor dat alfabet van handen, getallen en kleuren waarmee elke avond het laken van de roulettetafel wordt beschreven. Sofía bracht als in vervoering een hand naar de hand van Rímini en zocht zijn ogen – hij voelde een scheut in zijn nek, alsof er iets heel kleins maar hardnekkigs onder zijn huid naar zijn gezicht kroop – en vervolgens stopte ze twee vingers in de ruimte tussen de mouw van zijn overhemd en zijn pols. 'Ik weet het wel,' zei ze. 'Denk je soms dat het mij niet net zo vergaat?' Rímini voelde zich enigszins opgelucht. Hij draaide zich met moeite om en begon haar omzichtig op te nemen, alsof hij zich langzaam vertrouwd wilde maken met wat hij zou zien. 'Maar we moeten iets doen, Rímini. Alleen kun je het niet; ik ook niet. We moeten *allebei* iets doen. Al is het het laatste wat we doen. Alsjeblieft. Laat me niet alleen met deze dode. Dan word ik gek.'

12

'Met mij. Het is halfzeven: je had al een uur geleden hier moeten zijn. Ik maak me zorgen, Rímini. Hallo? Hallo? Je bent er niet... Nou ja, laat maar. Ik wacht op je. Bel me, alsjeblieft. Maakt niet uit hoe laat. Ik ben in de werkplaats...' Rímini strekte zijn hand uit om het geluid van het antwoordapparaat zachter te zetten en onderweg, meegesleept door iets als een windvlaag die opstak in zijn lichaam, stootte hij tegen een hoek van het bureau en gooide een fles mineraalwater, een plastic potloodhouder en een stapel boeken om. Sofía's stem werd zachter totdat hij helemaal verdwenen was, alsof hij werd opgeslokt door een heel diepe put. Terwijl hij de gevolgen van de ramp opruimde – de derde van die dag: vergeleken met de andere twee niet meer dan een ongelukje –, had Rímini de indruk dat hij iets ervoer wat leek op schuldgevoel, maar dan ver weg, afgezwakt door de grote afstand, precies zoals de huid na een verdoving de pijn van een snee reduceert tot een oppervlakkig gekriebel. In feite *registreerde* hij het meer dan dat hij het voelde. De cocaïne veranderde hem in een registratieapparaat, alomtegenwoordig en waakzaam, als een radar of een televisiecamera die dagenlang een parkeerplaats opneemt zonder iets te zien. En dat hij aan schuldgevoel dacht kwam bijna voort uit een reflex, eenvoudig omdat hij vertrouwd was met de ervaring, niet omdat hij daarin de morele gevolgen herkende. Hij beschouwde het als een idee, een intellectuele constructie, alsof hij het gevild achter glas in een museum zag liggen, volledig beroofd van elke mogelijkheid hem persoonlijk te raken.

Het was helemaal niet zijn bedoeling geweest zijn afspraak met haar niet na te komen. Maar hij had dan ook geen bedoelingen meer nodig om dingen te doen. En nu hij ontdekte dat hij het inderdaad gedaan had, dacht hij: natuurlijk. Hoe had ik ooit wél kunnen gaan? Alles leek vreemd en noodlottig, als stond het geschreven in een boek dat hij niet gelezen had, en die noodlottigheid was het zachte, donzige bed waarin hij geleerd had zijn gehavende lichaam te ruste te leggen. Alles wat er gebeurde – alles wat hem niet kon schelen: alles *behalve* vertalen en, in de afgelopen tien dagen, Vera ontvangen –, speelde zich af op een ander niveau, in een parallelle dimensie met gecapitonneerde, geluiddichte wanden, waar de gebeurtenissen zich niet zozeer voltrokken als wel traag en lusteloos werden opgevoerd voor een verveeld publiek. Rímini ging dat verlaten theatertje binnen, snoof de lucht op en vertrok weer, en die kortstondige concessie aan de wereld van de feiten kwam hem later, als hij zich over zijn boeken boog en zijn werk hervatte, voor als een onvergeeflijke onachtzaamheid.

Nauwelijks een week daarvoor was hij begonnen drugs te gebruiken, maar het leven deed zich nu al aan hem voor als een slagveld zonder nuances. Hij wilde alleen nog maar vertalen. De rest – zijn tanden poetsen, eten, uitgaan, telefoneren, zich aankleden, mensen zien, de deur opendoen voor de man van de ongediertebestrijding – waren belemmeringen, storingen, sabotagepogingen. In een week had Rímini, alsof zijn kennismaking met drugs niet iets nieuws, het begin van iets was geweest, maar eerder de bekroning van een langdurig maar onmerkbaar proces, praktisch alles geleerd. Hij praatte ongedwongen met zijn dealer, in de neutrale en onnadrukkelijke taal waarmee de transacties worden afgehandeld en die ver af staat van het jargon dat alleen de mensen spreken die uitgesloten zijn van de praktijk van de drugs, maar die zichzelf en anderen willen wijsmaken dat ze erbij horen. Hij belde op en zei: 'Hallo, met Rímini. Kan ik even langskomen?' Dat was alles. Het zou nooit in zijn hoofd opkomen het woord cocaïne aan de telefoon uit te spreken, een onbedwingbare neiging van parvenu's, die, eerder opgewonden door het gevaar dan door de coke, synoniemen en bijnamen aaneenregen om bij de dealers in het gevlij te komen en terloops de politieoren in verwarring te brengen die verondersteld werden mee te luisteren. Het ging discreet en snel. Hij betaalde stipt wat hij kocht. Hij had maar één stelregel: geen schulden maken. De eerste keer dat hij wat had gekocht proefde hij vlug de korreltjes en legde met professionele snelheid de lijntjes, en hij aarzelde alleen even toen hij, terwijl hij naar het glas toe dook om het eerste lijntje op te snuiven, een paar gekleurde vlekken zag en daarna een huidkleur en daarna iets wat leek op een mond, een gezicht dat vertwijfeld probeerde vorm aan te nemen onder het zijne, dat in het glas weerspiegeld werd, en ten slotte drong het tot hem door dat het dienblad waarop hij de cokelijntjes had gelegd een ingelijste foto van Sofía was, het enige portret dat erin geslaagd was de grootschalige afsluiting van zijn grenzen te omzeilen. Het was elf uur 's morgens, Rímini was nog nuchter, maar de gelijktijdigheid van de verschijning van Sofía's portret én zijn debuut in de cocaïne, gekocht van zijn eigen geld bij een dealer die hem zojuist in zijn klantenkring had opgenomen – die toevallige samenloop van omstandigheden die hem er op een ander moment toe zou hebben aangezet de dingen vanuit een sentimenteel, psychologisch of simpelweg historisch oogpunt te beschouwen –, werd desondanks al bepaald door de eigen logica van de drug, die hem in twee helften sneed, om de ene helft, de betekenis van de omstandigheid, als irrelevant te verwerpen, en de andere, de omstandigheid zelf, te accepteren vanwege haar doeltreffendheid: het glas was groot, schoon, perfect; er pasten moeiteloos zes lijntjes op.

Alles had zich met duizelingwekkende snelheid afgespeeld: de verschijning van Vera, de drug, de vertalingen: in veertien dagen was het onmetelijk aantal mogelijkheden dat Rímini's leven sinds zijn scheiding van Sofía was geweest, *neergedaald* op een dichte, compacte, buitengewoon geconcentreerde bodem, waar alle beloften die hij daarvoor meende te herkennen, en die vanuit de toekomst op hem werden afgevuurd, werden vertaald in de ondoorgrondelijke taal van een heden dat niet ophield zich te voltrekken. Veertien dagen eerder ging hij met opgewonden gretigheid de straat op, als iemand die een pretpark bezoekt om alle attracties tegelijk uit te proberen, en wat de dag hem ook te bieden had, dat enthousiasme voedde hem urenlang, zelfs zozeer dat het hem verstikte, totdat hij terugkeerde naar huis en zich opsloot in Las Heras om alles nog eens aan zich voorbij te laten trekken, niet zozeer wat hem was overkomen, want de inventarisatie van gebeurtenissen, die van dag tot dag verschilde, werd door het toeval bepaald, als wel alles wat hem *had kunnen* overkomen, een onontkoombaar eindeloze en daarom essentiële inventarisatie, en wat hij aan zich voorbij had laten gaan. Nu was er niets meer mogelijk: alles was *actueel*. Hij snoof een papiertje cocaïne per dag, soms twee. Vera zag hij om de andere dag. Hij vertaalde drie boeken tegelijk, voor drie verschillende uitgevers, met een snelheid van veertig bladzijden per dag. De gebeurtenissen verstikten hem niet langer: hij was een gelukkige arbeider.

Vera daarentegen was jong en schuw. Toen hij haar voor het eerst zag, op een vrijdagmiddag, vierentwintig uur voordat hij zich aan de cocaïne overgaf, was ze alleen en praatte in een mobiele telefoon die ze tussen haar wang en schouder geklemd hield, terwijl ze met grote, energieke stappen heen en weer liep aan de andere kant van de etalage van de zaak waar ze werkte. Een dier, dacht Rímini: een dier gevangen in een glazen kooi, nog maar pas uit het oerwoud gehaald waar ze nooit meer naar terug zal keren, pogend vreemde lucht in te ademen. Hij liep naar het raam, deed net of hij geïnteresseerd was in een smakeloze armband van slakkenhuizen en bleef er een paar minuten naar staan kijken met het puntje van zijn neus tegen de ruit gedrukt, terwijl zijn profetische verbeelding de fasen van een volstrekt onmogelijke scène aaneenreeg: hij, Rímini, die al bij voorbaat vernederd de zaak binnenging, zich onhandig voortbewoog op die tien vierkante meter met tapijt, dichroïsche lampen en stellingkasten van namaakmarmer, diep nadacht over de eerste woorden die hij tegen haar zou zeggen en, op de rand van een paniekaanval, zijn hersenen pijnigde om te voorzien wat ze hem zou antwoorden, allemaal om ten slotte te komen tot de troost van een triviale dialoog en een onnadenkende aankoop, waarna het meisje opnieuw het nummer zou intikken dat ze daarvoor al had gebeld en Rímini zou oplossen in het niets, met lege zakken en een zakje van smakeloos goudpapier in zijn hand, met daarin de prijs voor zijn moed, de ring van rodochrosiet, of de amulet van onyx, of de vioolsleutel van tin die een bedelaar met een goede neus later zou vinden bij het doorzoeken van het afval van de galerie.

Nog nooit had hij die dwaasheid begaan: een vrouw aanspreken van wie hij helemaal niets wist. Om wat voor stap dan ook te zetten had hij een inleiding nodig, een minimale *stock* gedeeld verleden, een of andere context die als voorbereiding en bescherming kon dienen. Maar het tin, het rodochrosiet en het ei van onyx vervaagden tot een grote blinde vlek en Rímini sloeg behoedzaam zijn ogen op en keek naar haar – Vera draaide van tijd tot tijd om haar as, alsof ze klappen ontweek of uitdeelde, de telefoon nog steeds klem tussen haar schouder en gezicht –, en op een gegeven moment, een van de weinige momenten waarop hij haar goed kon zien, ontdekte hij de V die het haar op haar voorhoofd tekende en besloot hij naar binnen te gaan. Alles kwam hem vijandig voor: de warmte, de nabijheid van de dingen, de eigenaardige gastvrijheid van het ambachtswerk (hij sneed zijn vinger bijna aan de getande rug van een glazen dinosaurus, en om een zeepaardje dat in gevaar verkeerde te redden stond hij op het punt een Peruaans dorpje van keramiek op de grond te gooien) en vooral het volledig ontbreken van het gevoel dat hier een kans voor hem lag. Vera praatte aan de telefoon, of liever gezegd, ze maakte ruzie aan de telefoon met iemand wiens naam onherkenbaar vervormd tot Rímini's oren doordrong, ze liet haar stem dalen en verhief hem dan weer met plotselinge uitroepen van verontwaardiging, ze dook ineen, als om haar kleine privé-twist te beschermen tegen Rímini's blik, maakte drukke gebaren en verviel zo nu en dan in korte momenten van ijzige helderheid, waarin ze details wilde weten over een of andere onduidelijke kwestie, tijdstippen, plaatsen en namen van getuigen eiste, vroeg hoe lang iets geduurd had en woedend elk antwoord herhaalde dat ze kreeg, alsof ze zichzelf er zo, door het uit haar eigen mond te horen, van overtuigde dat het allemaal gelogen was. Eén keer maar, afgeleid door een straatventer die in de deuropening verscheen om haar koffie aan te bieden, dwaalden haar ogen snel door de zaak, bleven rusten op het verschrikte gezicht van Rímini en keken er dwars doorheen alsof het van glas was. Rímini meende te zien dat ze groen waren en hield vol. Hij draaide zich om, twijfelde tussen een stenen sigarettendover en een rieten potloodhouder – waarom had alles wat hij daar zag een samengestelde naam? 'Denk je soms dat ik achterlijk ben?' schreeuwde Vera in de telefoon. 'Dat ik geen ogen in mijn hoofd heb, dat ik niets zie, dat ik niets hoor?' Hij vroeg zich af waarom hij eigenlijk bleef. Om haar te vernederen? Enigszins beschaamd keek hij naar buiten: geleund tegen de deurpost van de winkel ertegenover – een zaakje met hindoekleren – nam een vrouw die haar nagels stond te vijlen hem wantrouwend op. 'Meer bewijzen?' hoorde hij. 'Wat? Wil je dat ik je laat volgen? Wil je soms foto's, net als in een film? Foto's terwijl je aan het neuken bent? Met dat kutwijf?' Rímini, met zijn rug naar haar toe, hoorde hoe ze naar adem hapte. 'Ellendeling. Je bent een ellendeling. Verdwijn uit mijn leven. Ik wou dat je dood was.' Vera huilde. 'Nee,' voegde ze eraan toe, 'zelfs dat niet: ik wil je nooit meer zien. Niet eens dood.' Rímini hoorde een doffe klap op het tapijt en draaide zich om. Hij zag de telefoon op de grond liggen, met het groene lichtje nog aan, en Vera die geluidloos huilde, als een filmbeeld waarbij het geluid was weggedraaid. Terwijl hij naar haar toe liep, zag Rímini hoe een paar rossige vlekjes bezit namen van haar bleke wangen. Hij vond haar zo mooi dat hij zelf ook bijna begon te huilen. 'Hoeveel... hoeveel is het?' Vera wendde haar ogen af van Rímini's borst, waar ze op waren blijven rusten, en richtte haar blik op de potloodhouder. Ze hield onmiddellijk op met huilen. Rímini zou hebben kunnen zweren dat de tranen weer over haar gezicht omhoogkropen om opgezogen te worden door haar traanbuizen, alsof hij de hele sequentie teruggespoeld zag worden. 'Niets, het is gratis,' zei ze, 'neem maar mee.' Ze trok een laatje onder de toonbank open, haalde er de paar kleine bankbiljetten uit die erin lagen, stopte ze in een doorzichtige handtas en zei voordat ze wegging: 'Neem maar mee wat je wilt.'

Tien minuten later, in de bar waar hij haar, met haar rug naar de wereld, alsof ze boete deed, aan de meest ongastvrije tafel zag zitten, overhandigde Rímini haar de sleutelbos waarmee hij de winkel had afgesloten. 'Je had ze in de deur laten zitten,' legde hij verontschuldigend uit. Ze trok de sleutels over de tafel naar zich toe en liet ze in haar handtas vallen. Daarna dronk ze in één teug haar glas leeg – cognac, dacht hij, of een van die naamloze drankjes die alleen bestaan als alle andere op zijn, om wanhopige mensen dronken te maken –, zei: 'Maar...' alsof ze de zin liet volgen op een voorafgaande, waarvan Rímini geen getuige was geweest en waar ze, zo kwam het hem voor, al dagen, maanden of jaren mee in haar hoofd rondliep, en begon te praten, een halfuur lang zonder onderbreking. Rímini luisterde zonder een woord te zeggen, eerst staande bij de tafel, van tijd tot tijd zijn gewicht verplaatsend, daarna, profiterend van het moment waarop ze, met een zwakke, bedelende stem die niet op de hare leek, de ober vroeg haar glas weer bij te vullen, zittend op de stoel naast haar, starend naar de bleekheid van haar kinderlijke handen en haar ontvelde nagelriemen. Hij hoorde haar als in een droom een vreselijke lijdensweg reconstrueren, doorspekt met aanwijzingen, in de wind geslagen waarschuwingen, bewijzen die ze als een dwaas naast zich neer had gelegd en die ze nu in herinnering riep en weer uiteenzette, als iemand die de stukken van een spel opstelt, een spel waarvan ze de regels niet kende, maar dat ze toch speelde en verloor en dat ze nu, nu het geen geheimen meer voor haar heeft, opnieuw wil beleven, met als enige doel bevestigd te zien dat ze gelijk had, dat alles al van begin af aan verloren was. Rímini zat bij haar, heel dichtbij (het toevallige contact van twee onderarmen bezorgde hem kippenvel) maar hij maakte zich geen illusies: Vera praatte niet tégen hem, ze praatte *ten overstaan van* hem, die abstracte en ideale instantie waarvoor iemand verschijnt die voor een rechtbank pleit, en in de nauwkeurigheid waarmee ze elk detail uit het verleden opriep lag niet zozeer verbittering als wel een soort koppige, onverzettelijke objectiviteit die veel meer juridisch was dan emotioneel. Ze was buitengewoon helder van geest en herinnerde zich alles: het te laat komen, het omkleden, de afdrukken in de hals, de tegenstrijdige verklaringen, de geur van een pas genomen bad, op het laatste moment afgezegde afspraken, schijnbaar terloops uitgesproken nieuwe namen, uit de agenda gescheurde bladzijden, en met al die tekenen die ze emotieloos wist thuis te brengen, spon ze haar web, besloop ze de schoft van wie de tekenen afkomstig waren en ving hem in haar draden door hem te confronteren met de naakte waarheid van het verraad. Rímini voelde zich duizelig worden, alsof hij plotseling aan een heel dun draadje in de lucht hing; hij verzette zich of deed heel even alsof hij zich verzette en maakte van de eerste de beste onoplettendheid gebruik om haar voor te stellen of ze die avond met hem uit wilde. Ze hield op met praten en keek hem aan, waarbij ze een paar keer snel met haar ogen knipperde, alsof de mist die tot dan toe haar zicht belemmerd had plotseling was opgetrokken en ze hem nu pas kon zien. Hij zag hoe ze glimlachte en vond dat die glimlach haar jonger maakte. Ze zag er verlegen, kouwelijk, verschrikt uit. 'Een momentje, alsjeblieft,' zei Vera plotseling, en terwijl ze opnieuw met haar ogen knipperde, boog ze haar hoofd en bracht allebei haar handen naar haar gezicht. Rímini wendde zijn blik af, als weigerde hij nogmaals getuige te zijn van een privé-scène. Na een paar seconden, toen hij weer naar haar wilde kijken, werd hij door iets verrast, alsof er tijdens dat korte moment van verlegenheid een soort optische illusie, subtiel maar doeltreffend, was bijgesteld. Hij wist niet wat hij moest doen, waar hij zijn verbazing aan moest toeschrijven. Er waren geen zichtbare veranderingen maar toch was alles anders, net als in de fantastische televisieseries die hem in zijn jeugd hadden gekweld. Maar hij slaagde erin het onbestemde gevoel van zich af te schudden, bekeek haar eens goed, en vrijwel op hetzelfde ogenblik dat hij het kleine lensje op een van haar vingertoppen zag glinsteren, ontdekte hij dat de groene iris van haar rechteroog niet meer groen was maar amber.

Maar de v van het haar op haar voorhoofd was echt. Overigens was Rímini gezwicht voor iets veel minder falsifieerbaars dan de kleur van haar ogen: de omsingeling, de gevangenschap, de verrukkelijke en bijna exotische kwelling van de jaloezie. Wat zou hij er niet voor over hebben gehad als hij in staat was geweest die slapeloze belangstelling te wekken, het mikpunt van die woedeaanvallen te zijn. Wat zou hij er niet voor hebben willen geven om in het hart van het web te zitten en toe te kijken hoe Vera's schaduw langzaam naderde om zich te wreken.

Die avond, in het huis van Sergio, terwijl Vera als een schipbreukelinge te midden van luidruchtige inboorlingen vertwijfeld naar hem op zoek was in die massa van door elkaar heen krioelende onbekende gezichten, sloot Rímini, enigszins onvast op zijn benen, zich op in de badkamer en snoof, met een ongewone behendigheid voor een beginneling, die ook nog eens dronken was – een behendigheid die hij ten dele had geleerd van de vele versies van dezelfde scène die hij in de bioscoop had gezien, en ten dele op de heimelijke leerschool die gevormd wordt door de verlangens waarvan we niet weten dat we ze hebben en die ons heel geleidelijk van de kennis voorzien die we pas veel later, als ze eindelijk aan de oppervlakte komen, in praktijk zullen brengen – met een paar flinke halen de twee lijntjes op die een man zojuist voor hem had gelegd op het zwarte marmer van de wastafel van het toilet. Rímini kwam met een ruk overeind, opgestuwd door de kracht van de laatste snuif, en voelde zijn hele lichaam uitdijen alsof er plotseling een extra golf bloed doorheen stroomde. Toen pas, nadat de uitbarsting van helderheid die hem had verblind was opgelost, keek hij om zich heen en zag dat er behalve de man die de lijntjes had gelegd ook een meisje aanwezig was. Hij had de indruk dat de badkamer erg klein was of dat zij te groot waren en dat niemand zich zou kunnen bewegen zonder de ander te raken. Ze stonden zo dichtbij dat Rímini, terwijl het meisje zich vooroverboog om haar portie op te snuiven, het ronde litteken, ter grootte van een traan, kon zien dat aan de onderkant van haar nek tussen twee slierten haar schitterde als een diamant. Rímini was stomverbaasd. Die intimiteit met onbekenden, die hij op een ander moment onverdraaglijk zou hebben gevonden, gaf hem nu alleen maar een gevoel van bescherming en innerlijk rust. Hij was even beschikbaar als daarvoor, dacht hij, maar die naamloze gezichten die hij voor zich had vormden ook zijn grens, een horizon binnen de horizon, kleiner, overzichtelijker, die op een of andere manier een kalmerende uitwerking had op zijn duizeligheid en angst. De man ging met een vinger over het marmer en veegde de restjes coke weg. Hij draaide de kraan open en begon zijn handen te wassen. 'Neem jij niets?' vroeg Rímini. 'Nee,' antwoordde hij, terwijl hij zich opzij draaide en in de spiegel onderzoekend zijn profiel bekeek, 'ik kan er slecht tegen.' Rímini nam hem vanuit een ooghoek enigszins geïntimideerd op. Nee, er bestond geen enkele vorm van vertrouwelijkheid tussen hen: als Rímini en het meisje plat waren, dan was de man driedimensionaal, of andersom. Sergio had hem zo'n beetje in het voorbijgaan, schijnbaar achteloos aan hem voorgesteld. 'Een vriend van...' zei hij. Rímini was zijn naam en die van de vriend vergeten, maar in de loop van de avond liep hij hem twee of drie keer tegen het lijf en kon niet voorkomen dat hij met enige achterdocht naar hem keek. Het viel hem op hoe groot de afstand was die hem leek te scheiden van de anderen, hoe sober en onverschillig hij zich op het feest bewoog, steeds alleen, met een glas mineraalwater in zijn hand, en hoe hij een paar minuten later ineens het praatgrage, stralende middelpunt was van de gasten die hem even daarvoor nog hadden genegeerd. Hij bewoog zich niet in dezelfde dimensie als de anderen maar in een iets hogere, beheerst en efficiënt, een dimensie die Rímini, op twintig centimeter van hem af in de badkamer, zich om een of andere reden voorstelde als een grote sportschool waar oorverdovende muziek klonk, bevolkt door mensen zoals hij, gekleed in het zwart, die niets anders deden dan zweten, als bezetenen hun spieren opwarmen en trainen. 'Gaan jullie eerst maar,' hoorde hij hem zeggen, en Rímini ervoer zijn stem als een zware maar vriendschappelijke hand op zijn schouder.

Ze verlieten de badkamer – eerst het meisje, met de lippenstift nog in haar hand, daarna Rímini, die twee stappen zette en, alsof hij aan de oppervlakte kwam na over de bodem van een verkwikkend, ijskoud zwembad te hebben gezwommen, de aanvechting voelde de vijftig of zestig personen die in het schemerdonker aan het dansen waren te omhelzen. Vera, lang en alleen, stond op het punt haar zoektocht te staken toen ze omkeek en hem uit de badkamer zag komen, voorafgegaan door het roodharige meisje dat op de tast haar lippen bijwerkte. Alles voltrok zich veel te snel. Rímini herkende haar niet of herkende haar pas gaandeweg, beetje bij beetje, op het ritme van het stroboscopische licht waarin haar vlucht verbrokkelde. Hij zag eerst een paar ogen die op hem gericht waren en dacht dat zij het kón zijn, maar toen hij weer keek was ze al verdwenen. Hij zag de contouren van een lichaam dat zich naar de deur verplaatste, maar toen hij het haar, de haarband en de licht sportieve tred waarmee ze zich een weg baande door de mensen meende te herkennen, schoof er iets, een idioot die met zijn heupen wiegde, tussen het beeld en hemzelf en verloor hij haar opnieuw uit het oog. Hij zag alles heel scherp maar kon het pas *lezen* met een seconde vertraging, zoals in een film waarin het geluid iets later tot je doordringt dan het beeld, zodat toen hij er zeker van dacht te zijn dat hij haar herkende, zij er al niet meer was om dit te bevestigen. Hij zag een witte handtas oplichten bij de deur, hij zag de halfopen deur en, vrijwel meteen daarna, een hand die twee keer de sleutel omdraaide. Maar dat hij dit allemaal gezien had drong pas tien of vijftien minuten later tot hem door, toen hij, na haar in het hele huis te hebben gezocht, de garderobe binnenstormde en Sergio, met zijn hoofd tussen de jassen, tegen hem zei dat hij meende dat hij haar had zien vertrekken.

De volgende dag, na een reeks vergeefse telefoontjes, kreeg Rímini haar eindelijk te pakken. 'Snel, alsjeblieft: ik wilde net weggaan,' zei ze, verwoed rammelend met een sleutelbos. Haar woede was hooghartig en zelfingenomen, het soort woede dat zichzelf voortdurend moet voeden om niet voortijdig uit te doven. Rímini vroeg waarom ze zomaar vertrokken was. *'Waarom? Zomaar?'* zei ze. Ze had een fijn gehoor, zoals iedereen die ziekelijk jaloers is, en dat gebruikte ze in de eerste plaats om de wreedheid van de ander te benadrukken en de oorzaken van haar lijden uit te laten komen in de woorden die ze hem zojuist had toegebeten. 'Ja,' drong hij aan, 'waarom, zomaar.' Maar toen hij verder wilde gaan kreeg hij de indruk dat een vijandig leger door de telefoonlijn op hem afstormde. Hij hoorde een hatelijke opmerking over roodharige vrouwen en nog een, zo schunnig dat hij ervan bloosde, over de achterstand van de cosmetische industrie, die nog altijd geen lippenstift had kunnen produceren die bestand was tegen ejaculaties, en meteen daarna de kille, bijna verveelde beschrijving van het *onmiskenbare* complot dat Rímini met medeplichtigheid van Sergio gesmeed had om haar belachelijk te maken. 'Maar ik kende haar niet eens!' protesteerde Rímini. *'Je kende haar niet eens.* Nog erger!' schreeuwde Vera. 'Nog veel erger!' En ze hing op. Rímini belde haar nog één, drie, tien keer, en telkens liet hij de telefoon een beetje langer overgaan, alsof in de duur van het rinkelen een of andere amoureuze boodschap verborgen zat. Hij was ervan overtuigd dat Vera nog bij de telefoon zat, en de voldoening die hij zich kon voorstellen dat ze voelde – het genot hem gewoon te laten bellen of, dankzij die vorm van helderziendheid die verkregen wordt door de rancune, te zien hoe hij tevergeefs steeds weer hetzelfde nummer intoetste – vermeerderde op een oneindige manier de voldoening die híj voelde, alleen, weerloos, gevangen in het web van de liefde.

Vera nam niet op. Rímini slaagde er pas tegen het vallen van de avond in haar aan de lijn te krijgen. Hij kwam net terug van zijn eerste bezoek aan de dealer. In zijn ene hand hield hij het cokepapiertje en in de andere de hoorn van de telefoon. Hij beefde. Nooit eerder was hem zo duidelijk geworden in hoeverre enthousiasme bestaat uit angst, pure, doodgewone angst, die maakt dat je gaat beven, dat je handpalmen vochtig worden en je mond droog aanvoelt. Hij legde de hoorn tussen zijn schouder en jukbeen, zoals hij Vera in de winkel had zien doen met haar mobieltje en begon het nummer in te toetsen terwijl hij zijn andere hand gebruikte om het papiertje behoedzaam open te vouwen. Vera nam meteen op. Ze klonk gedeprimeerd, verdoofd, of misschien wel allebei. Rímini stelde zich haar voor op een onopgemaakt bed, met de jaloezieën naar beneden en de tv aan zonder geluid, omringd door borden met etensresten en smerige asbakken. Ze spraken een hele tijd met elkaar. Vera vertaalde haar betoog van het middaguur in de geciviliseerde taal van de noodlottigheid. Er was tijd overheen gegaan, dat was alles; het gesprek op zich was niet veranderd. Rímini, aangeduid als 'seksmaniak van de toiletten', ontdekte bij zichzelf een talent voor promiscuïteit waarvan hij nooit had vermoed dat te hebben, en hij ontdekte ook, glimlachend als betrof het een wonder, dat de grondstof voor de liefde niet een gedeeld, onvoorwaardelijk en continu vertrouwen hoefde te zijn; het tegenovergestelde was net zo goed mogelijk: diepgeworteld ongeloof, wantrouwen, achterdocht. Hij lachte en ontkende alles. Vera accepteerde zijn argumenten uitsluitend om op een ander onderwerp over te kunnen gaan, maar onder haar volgzaamheid bleef Rímini, die als ieder mikpunt van jaloezie ook zijn gehoor begon te verfijnen en af te stemmen op de bijna onhoorbare frequenties waarop het gepieker van jaloerse mensen wordt uitgezonden, de worstelingen van de argwaan bespeuren. 'Wacht even,' moest hij op een gegeven moment zeggen. Hij hield op met praten, alsof hij plotseling ineenkromp van de pijn. Alleen was het niet direct pijn wat hij voelde, maar iets onbekenders: het was alsof ze zijn huid hadden afgestroopt en het contact tussen hem en alles wat zich buiten hem bevond – in de eerste plaats Vera's stem – zich zonder bemiddeling voltrok, rechtstreeks, als het contact tussen twee opengereten organismen. Hij zweeg even, met zijn ogen dicht. Daarna, met zijn hand op de hoorn, boog hij zich over het jonge, gebruinde gezicht van Sofía en snoof het lange lijntje op dat hij had gelegd. 'Er is toch niet iemand bij je, hè?' vroeg Vera toen ze hem weer hoorde. Het kostte Rímini geen moeite haar gerust te stellen. Overmoedig geworden door de drug, waarvan het effect, misschien omdat het de eerste gekochte dosis was, hem dit keer veel heftiger leek dan de vorige avond, begon hij druk te praten, druk en met een vreemde nauwkeurigheid, bedacht op de kleinste nuance, alsof hij met zijn woorden alle kleine afgronden die de onzekerheid in Vera opende wilde *opvullen*. Hij was zich niet erg bewust van wat hij zei, maar iets in hem – niet zijn wil, noch zijn gezond verstand, maar misschien een mengeling van liefdevolle toewijding, cynisme en zelfbeheersing, precies de verschillende elementen in het verbinden waarvan de cocaïne gespecialiseerd is, zelfs zozeer dat als ze eenmaal verbonden waren, niemand nog op het idee zou komen dat ze ook onafhankelijk van elkaar konden bestaan – iets in hem dicteerde waar hij zijn voeten neer moest zetten, waar hij druk moest uitoefenen en waar hij beter kon toegeven, wanneer hij het initiatief moest nemen, wat hij moest zeggen en wat verzwijgen, en naarmate hij verder praatte zag Rímini tot zijn verwondering hoe in Vera's stilzwijgen geleidelijk de buitengewone doeltreffendheid van zijn woorden bevestigd werd. Zoals de strandwachter een te avontuurlijke zwemmer terugbrengt naar het strand en hem niet alleen van de verdrinkingsdood moet redden maar ook het door het onderbewustzijn of de schaamte ingegeven om zich heen slaan, tegensparetelen en verzet moet overwinnen, zo trok Rímini haar omhoog uit de draaikolk van haat waarin ze worstelde en bracht haar naar die tussenliggende strook die al geen open zee meer is maar ook nog niet het vasteland, waar de gevoelens van jaloezie, moe van het hevige verzet, terugkeren naar de gietvorm waaruit zij ooit door de rancune verdreven werden: de gietvorm van de ontreddering. Toen hij haar na zijn lange monoloog weer hoorde, niet langer vijandig maar beverig, weerloos, als iemand die, op de hoogte gebracht van de ramp die zich zojuist heeft voltrokken, weigert zijn verantwoordelijkheid volledig te aanvaarden en vermijdt zich in het openbaar te laten zien, en zij, met een bedeesd stemmetje, hem eerst vroeg, daarna dringend verzocht en ten slotte van hem *eiste*, op die ontroerende toon waarop eisen worden gesteld in omstandigheden van extreme zwakheid, dat als het zover kwam dat hij een andere vrouw begeerde, als er ooit een andere vrouw *zou zijn*, hij dit openlijk tegen haar zou zeggen, omdat, zo zei ze, niet zozeer het verraad of het verlaten worden ondraaglijk voor haar was, maar de onwetendheid – toen zei Rímini ja, beloofde en zwoer hij dat hij het tegen haar zou zeggen, hoewel hij betwijfelde of zoiets zich ooit zou voordoen, en vanaf dat moment wist hij dat zijn leven daadwerkelijk bezig was te veranderen.

Toen ze na verloop van enige tijd, geschrokken van de regelmaat waarmee ze elkaar zagen, ieder voor zich, zonder dat ze het met elkaar hadden besproken, die typische begerigheid begonnen te ervaren die veelbelovende relaties onderscheidt van kortstondige, en die eerder een lichamelijke dan een emotionele indruk is, vergelijkbaar met wat de longen moeten voelen als ze na een kort moment van benauwdheid plotseling weer lucht krijgen, kon Rímini verifiëren in hoeverre de *uitgesproken* woorden, die voor iedere verliefde, hoe pijnlijk ze ook zijn, altijd een zekere luchtigheid houden die hem in staat stelt erop terug te komen, verbeteringen aan te brengen of zichzelf tegen te spreken zonder het liefdescontract waarin ze waren opgenomen aan het wankelen te brengen, in hoeverre die woorden, vooral als ze verwijzen naar de hypothese van het bedrog, de ultieme kern van het drama, voor de jaloerse minnaar belangrijk, kernachtig zijn en niet zozeer deel uitmaken van de ijle dimensie van de liefde als wel van die andere wettelijke dimensie – zo vertrouwd voor wie jaloers is, zo verontrustend voor alle anderen –, dat 'liefdesrecht' waarin elke belofte een eed is en elke verklaring een verplichting.

Op een dag kwamen ze elkaar toevallig tegen in de buurt van Las Heras. Heel even wisten ze niet goed wat ze moesten doen. Het was twee uur 's middags: behalve de dag waarop ze elkaar leerden kennen, hadden ze elkaar nooit eerder bij daglicht gezien. Ze keken elkaar aan als twee collega's die elkaar voor het eerst zonder uniform op straat tegenkomen. Bovendien hadden ze een paar uur eerder telefonisch afgesproken dat Vera tegen de avond bij Rímini langs zou komen, wat de ontmoeting nog verwarrender maakte. Wat te doen? De oorspronkelijke afspraak handhaven en tot later afscheid van elkaar nemen? De toevallige ontmoeting combineren met de afspraak? En als ze dan tot de ontdekking kwamen dat de liefde louter een nachtelijke illusie was? Maar ze waren allebei hongerig, en toen ze geïntimideerd zwegen, alsof ze naakt waren, liet zijn maag een spiraalvormig geluidje horen, helder en duidelijk als in een tekenfilm, waarna Vera's maag zijn voorbeeld volgde en ze allebei begonnen te lachen en in dezelfde richting keken. Ze ontdekten, met die maanzieke, volkomen onevenredige verbazing waarmee in gedachten verzonken mensen plotseling ontdekken dat ze zich precies op de plek bevinden waar ze zich wel móesten bevinden, dat ze voor een delicatessenwinkel stonden. Ze kochten eten, veel eten, alsof ze van plan waren zich langdurig op te sluiten, grote porties die ze om beurten bestelden, eerst hij, daarna zij, waarbij ze minder dachten aan het feit dat ze die tien minuten later zouden moeten opeten dan aan het tentoonspreiden van het uitgebreide repertoire van hun persoonlijke smaak, en daarna gingen ze naar Rímini's huis en terwijl Rímini de kleine kartonnen dienblaadjes in de keuken uitstalde, riep Vera vanuit de woonkamer of hij er bezwaar tegen had dat ze muziek opzette. Ze liep al de hele ochtend rond met een bepaald liedje in haar hoofd. Ze wilde het samen met hem horen om te weten of hij het ook leuk vond. 'Zet maar op wat je wilt,' zei Rímini. Hij was druk bezig met het organiseren van de lunch en hoorde dat Vera doorging met praten, maar haar stem werd steeds zwakker, alsof die zich verwijderde. Hij deed de koelkast open, zocht van alles waarvan hij wist dat hij het niet had en sloeg de deur weer met een klap dicht. 'Ik dacht dat ik mosterd had...' verontschuldigde hij zich hardop. 'Of mayonaise... Of ketchup... Of boter...'

ging hij verder, half tegen zichzelf, half tegen Vera, als om het schouwspel van zijn onbehagen te etaleren, terwijl hij snel twee glazen omspoelde en aarzelde tussen het gebruik van een plastic mes – de buit van een of andere binnenlandse vlucht – en snijden met de vork. 'Laat je niet imponeren door de luxe...' zei hij. Hij had het gevoel dat zijn stem te *eenzaam* klonk. Hij zweeg en luisterde. Er was niets te horen: geen muziek, geen voetstappen, niets. Hij werd plotseling bevangen door paniek. Razendsnel recapituleerde hij: hij was midden onder zijn werk het huis uitgegaan, met het idee dat hij zo weer terug zou zijn, zonder gezelschap; hij had net zijn dagelijkse portie geïnhaleerd; hij had geen enkele voorzorgsmaatregel genomen – hij liet het dienblad achter in de woonkamer en liep op zijn tenen naar zijn werkkamer: Vera stond volkomen bewegingloos achter het bureau. Rímini naderde langzaam. Ze zag er bleek uit, maar er begon alweer een rood vlekje op haar wang te verschijnen en nog een bij haar kin. Ze knipperde niet met haar ogen; de draagriem van haar handtas had een paar diepe groeven in haar hand achtergelaten van het knijpen. 'Wie is dat?' vroeg ze ten slotte met een grafstem. Rímini zag het portret als leeswijzer op het woordenboek liggen; eerst zag hij de verspreide cocaïnesporen, als wolkensluiers, en pas daarna viel zijn oog op de stralende close-up van Sofía, de haarlok over het linkeroog, het stuk blauwe lucht, de top van de rode vlag die nog net aan de rand zichtbaar was, de moedervlek op de rechterschouder...

Hij moest snel handelen. Rímini wikte en woog en besloot Sofía naar de illegaliteit te verwijzen – uitgerekend de keuze die hij bij zijn innerlijke strijd steeds had verworpen. Waarom? Waarom, als hij zeker wist dat hun geschiedenis ten einde was en Sofía geen bedreiging meer vormde? En toch, zodra hij het besluit genomen had, kreeg hij onmiddellijk een gevoel van voldoening, alsof het, ondanks het irrationele karakter, of misschien wel juist daarom, volmaakt paste bij de gevoelens van onzekerheid die hem de laatste tijd waren gaan kwellen. Tot dat moment had hij niets anders gedaan dan het besluit uitstellen, in de hoop dat een afschrikkingspolitiek Sofía elke illusie zou ontnemen. Nu was alles ineens anders. Nu zou hij Sofía uit zijn leven bannen. Vera zou zijn goddelijke oorzaak zijn, Vera, die met haar jaloezie, hoe storend die ook was, niets anders deed dan een van de weinige principes bevestigen die Rímini in zijn emotionele leven erkende: een oprechte liefde sterft geen natuurlijke dood maar gaat ten onder in een bloedige strijd, door de slagen die haar worden toegediend door een andere liefde, niet noodzakelijkerwijs oprecht – want wat dat betreft kennen de wetten van de liefde, blind voor adellijke titels, geen enkel mededogen – maar wel opportuun en, vooral, gedreven door de enthousiaste wreedheid die alle jeugdige emoties bezielt.

De dagen, de cocaïne, de uren die hij opging in de vertalingen en de bezoeken van Vera deden de rest. De uitroeiing, aanvankelijk onbarmhartig, werd al snel een dagelijkse gewoonte. Sofía belde en Rímini liet haar praten op de cassette van zijn antwoordapparaat, vragen spuien en verwijten maken voor een onmogelijk nageslacht. Later, toen hij merkte dat ze niet opgaf, besloot hij het volume van het apparaat op nul te zetten. Om twee of drie uur 's nachts, als Vera overdwars in zijn bed lag te slapen en hij zich, klaarwakker door de coke, opmaakte om weer te gaan vertalen, luisterde hij de telefoontjes van die dag achter elkaar af. Zodra hij Sofía's stem hoorde, drukte hij op de knop *forward* en ging door naar het volgende bericht. Hij hoefde bijna niet te luisteren om te weten dat zij het was: de stilte die voorafging aan al haar berichten was al voldoende, die gespannen en moedeloze leegte – Rímini kon horen hoe ze haar adem inhield – waarin Sofía, geërgerd door het feit dat ze voor de zoveelste keer met het apparaat moest praten, nog eens nadacht over de boodschap die ze had voorbereid, met die afgewogen verhouding tussen ernst en luchtigheid, en besloot die te vervangen door de hulpeloze klaagzangen die ze ten slotte op het cassettebandje achterliet. De foto's, de foto's. Aan het eind kwam ze altijd weer terug op de foto's. Ze werd kwaad, en haar woede, direct en reactief, had alle onmiddellijke kenmerken van verdriet. Maar ze probeerde ook berichten achter te laten die getuigden van een serene volwassenheid; ze zei dat ze Rímini's gebrek aan consideratie heel goed begreep – want ook zij kon zich, *als ze dat wilde,* zo gedragen als hij; dat kostte haar geen enkele moeite – en ze gaf hem dezelfde welwillende speelruimte als moeders hun pubers geven als ze die op heterdaad betrappen. Zij kon ook, *als ze dat wilde*, overal haar handen van aftrekken: daarvoor hoefde ze alleen maar te weten dat er iemand anders was die overal voor zorgde. Maar begrip is een vermogen dat een reactie verlangt. Als er niet een of andere vorm van uitwisseling optreedt, komt er onherroepelijk een einde aan, en als er een einde komt aan het begrip, ontstaat op dezelfde voedingsbodem waar eerst de tolerantie bloeide, de dorre, droge hardheid van de strijd. 'Hallo. Nog een keer met mij. Ik zie dat je er weer niet bent. Bel me alsjeblieft terug. We moeten nog dingen regelen. Vandaag ben ik thuis tussen zeven en negen, halfnegen. Nee, zeven en negen. Je hebt twee uur.' Beknoptheid, telegramstijl, nul emotie – alles doordrenkt van de lichte, onwaardige ergernis die veroorzaakt wordt door een volstrekt onnodige tegenvaller. Maar 'dingen regelen' was te algemeen, te vaag: niemand zou voor het gerecht verschijnen voor 'het regelen van dingen'. De foto's daarentegen rechtvaardigden een dagvaarding: ze hadden een materieel karakter, vormden een kapitaal, een roerend goed, ze konden verdeeld worden en in andere handen overgaan. Rímini kon altijd niet verschijnen, zoals hij feitelijk deed, maar elke keer dat hij verstek liet gaan gaf hij blijk van het zelfzuchtige en eigenmachtige karakter van zijn beslissing, en het uitblijven van zijn antwoord was niet langer de uitoefening van een recht maar een niet te rechtvaardigen belediging. Rímini wist dat hij in gebreke bleef, maar wat kon hij doen? Niemand onderbreekt een chirurgische ingreep halverwege. Hij moest doorgaan, ook al betekende doorgaan dat hij zichzelf met bloed, het oude bekende bloed, besmeurde, en ook al was dat wat hij had uitgeroeid nog steeds ergens aanwezig om hem te herinneren aan zijn monsterachtige misdaad. En bovendien was Vera er nog. Als één enkele foto van Sofía haar al op de rand van de catatonie had gebracht, wat zouden de duizend foto's die nog op hun beurt wachtten dan wel niet met haar doen? En hoe zou ze reageren op de lange middag vol losbandige intimiteit waarin Rímini en Sofía ze zouden verdelen? Eén foto maakte alle verschil, was de drempel die het geluk scheidde van de hel.

Die middag, de middag van de toevallige ontmoeting, de middag van de foto, probeerde Rímini Vera's tranen te stelpen door een samenvatting te geven van zijn verleden met Sofía, een beknopt overzicht, mager, zielloos, zonder emoties. Maar hij slaagde daar alleen in ten koste van een belofte: zich ontdoen van het portret. Vera hield niet op met huilen, maar ze sloeg haar ogen op en keek hem voor het eerst sinds lange tijd aan. Rímini herhaalde de belofte, waarbij hij lettergreep voor lettergreep uitsprak, alsof hij tegen een buitenlandse praatte. Vera snotterde nog wat na, schudde haar hoofd en drukte haar zakdoek – die ze al sinds haar zesde gebruikte – tegen haar rood geworden neus. 'Ik-ge-loof-je-niet,' zei ze tussen haar snikken door. 'Ik zweer het je,' zei hij, en hij maakte een lange vochtige haar los van haar jukbeen. Vera onderdrukte een vertraagde snik: 'Zou je dat doen?' 'Natuurlijk,' zei hij. Een golf van extase overspoelde hem; hij had het gevoel dat hij op het punt stond flauw te vallen. 'Nu?' vroeg ze.

Het portret bleef waar het was, alleen had het nu niet één leven meer maar twee: een nuttig leven overdag op het bureau, tussen boeken en woordenboeken, dat Rímini telkens weer vernieuwde wanneer hij de kleine bergjes wit poeder op het glas liet neerdalen; een steriel, benauwend nachtelijk leven, dat precies om zeven uur 's avonds begon, wanneer Vera op de bel van de intercom drukte en Rímini, nog voordat hij opendeed, het portret haastig tussen de bladzijden van een of ander bijzonder onleesbaar boek stopte en het boek op de meest onbereikbare plek in de boekenkast zette. En toch had Rímini zich van het portret ontdaan. Het bewijs daarvoor was dat die middag, terwijl ze gekleed op bed rolden, er weer vanaf vielen en op de vloer de liefde bedreven, opgewonden door de weerstand die hun kleren boden – alsof ritssluitingen, broeken, t-shirts, het elastiek van een onderbroek, de sluiting van een bh, al die textiele belemmeringen, een onhandige en maagdelijke woestheid aan de dag legden –, Sofía's portret lag te zieltogen in de afvalemmer in de keuken. Daar ontdekte Rímini het een halfuur later, toen hij na Vera uitgeleide te hebben gedaan, nog natrillend, de keuken inging om iets te drinken te halen en bij het openen van de koelkast met de deur tegen de afvalemmer stootte, waardoor deze omviel, en hij boven het oerwoud van fruitschillen, slablaadjes en proppen papier een glimmende, harde punt zag uitsteken. Pas een tijdje later kwam hij op het idee dat het het portret was. Wat hij in feite als eerste waarnam was een aanstootgevende ongerijmdheid: het contrast van het beeld – het glas en de etensresten, de metalen lijst en het afval, de kleurenafdruk van het gezicht en de organische ontbinding – had iets monsterachtigs, als uit een nachtmerrie. Een golf van misselijkheid onderdrukkend, bevrijdde Rímini het portret onmiddellijk uit zijn benarde positie, alsof uitstel van seconden het overleven ervan in gevaar zou kunnen brengen. Nee, hij had de foto niet gered uit genegenheid of trouw, maar eerder om die toevallig ontstane afwijking te corrigeren; maar dat Rímini daarna, toen hij besefte dat het inderdaad het portret was, besloot het te bewaren, zodoende tweemaal het prille evenwicht tartend dat hij in zijn relatie met Vera had bereikt, ten eerste omdat door het bewaren van de foto de mogelijkheid bleef bestaan dat hij haar pijn deed, en ten tweede, en dat was het belangrijkste, omdat hij heimelijk de belofte schond die hij haar zojuist had gedaan, was in feite uit bijgeloof. Rímini dacht: Sofía noch het bestaan van mijn verleden met Sofía is afhankelijk van deze foto. Hij dacht: het bestaan van mijn relatie met Vera is afhankelijk van deze foto. Hij dacht: er is iets diepers, iets wat niet mijn verleden met Sofía is noch mijn relatie met Vera, iets wat afhankelijk is van deze foto. Hij kon niet precies omschrijven wat. Maar zeker is dat hij het portret zorgvuldig schoonmaakte, alsof hij de vernedering die het had ondergaan weer wilde goedmaken, en dat hij vijf minuten later, achter zijn bureau gezeten, klaar om zijn werk te hervatten, opnieuw met zijn neus over het glas sleepte om een flinke lijn coke op te snuiven.

13

Het was de opwindendste periode van zijn leven. Hij ging om twee uur 's middags, na een laat ontbijt, naakt, in een dan al onvoorstelbare staat van opwinding, achter zijn bureau zitten om te werken. De boeken, de toetsen van de schrijfmachine, de papieren waarop hij tijdens het vertalen de alternatieven noteerde, het bureau zelf, met zijn zachte hout en zijn oneffenheden – alles kwam hem gloedvol en sensueel voor, alsof het van vlees en bloed was en heimelijk doortrokken van miljoenen zenuwbanen. Gaan zitten was al een verrukkelijk masochistisch ritueel: de billen getekend door de latten van de zitting, de verticale scherpe randen van de rugleuning die in zijn nieren beten... Rímini voelde zich het epicentrum van een seksuele aardbeving. Hij opende de bovenste la van het bureau, haalde het cocaïnepapiertje uit de creditcardhouder waarin hij het altijd verstopte en bevrijdde Sofía's portret uit zijn gevangenschap in de boekenkast. Hij voelde de eerste tinteling zodra hij, na het zilverpapiertje te hebben opengevouwen, een beetje coke in een hoekje verzamelde en het poeder met zachte tikjes op het glasoppervlak strooide. Daarna, terwijl hij de eerste lijntjes legde, veranderde het tintelen in een verkramping en de verkramping, heel geleidelijk, in een wonderbaarlijke erectie. Met het topje van zijn penis kon hij de onderkant van de middelste la van het bureau aanraken. Hij snoof het eerste lijntje, altijd het langste, en een soort waanzinnige zuiger, in werking gezet door de coke, reinigde zijn hoofd van alles wat er sinds de laatste keer, tegen het vallen van de avond van de vorige dag, in had gezeten. Die selectieve uitwissing van het verleden was een van de eerste effecten die indruk op hem maakten. In tegenstelling tot marihuana, dat door zijn uitdijende werking altijd aanzet tot verstrooidheid, tot het denken aan iets *anders*, was cocaïne autoreferentieel: het schakelde letterlijk alles buiten zichzelf uit. Meer dan om het papier, met al dat zilver en die vouwen en plooien, of het poeder, de drug, ging het in het geval van cocaïne om het *snuiven* zelf. Meer dan eens, in de loop van een periode van vrijwel volledige opsluiting die zes maanden duurde, zou Rímini er álles voor hebben overgehad – niet voor het bemachtigen van de beste, zuiverste en duurste coke, maar voor het genieten van de langste snuif, waarvan de duur het bestaan van de wereld geheel en al zou absorberen. Vandaar dat het eerste lijntje van de dag cruciaal was: het *verbond* dat specifieke punt van het heden met het laatste overeenkomstige punt dat was vastgelegd in het verleden, de zin die Rímini nu voor zich had, onaangeroerd, versluierd door de huid van de oorspronkelijke taal, met de laatste zin die hij de vorige avond had vertaald, de zin die na het geluid van de intercom een einde maakte aan zijn werkdag. En dan – naarmate zijn werk vorderde, als zijn moedertaal de geuren van de andere taal begon waar te nemen en te herkennen, het uitgangspunt van een achtervolging en, meteen daarop, van een klopjacht die Rímini, voortgedreven door een onbekende kracht, dag in dag uit blindelings in gang zette en waarvan hij aan het eind van de dag volledig vervreemd en uitgeput terugkeerde, met nog net voldoende energie om zichzelf te beloven wat hij zichzelf steeds weer beloofde maar nooit nakwam, namelijk dat hij die onbarmhartige vorm van slavernij die vertalen is nooit meer zou accepteren – dan nam de erectie af, werd de tinteling rond zijn anus en balzak minder en verving een lusteloze slapheid de buitengewoon aangename seksuele spanning van het begin, het hele gebied bedekkend met een zachte, verkillende dauw. Hij vertaalde en snoof, vertaalde en snoof. Hij veranderde alleen van houding als hij naar de wc moest om te plassen, iets wat hij steeds vol ongeduld deed, herhaaldelijk zijn penis schuddend en zijn sluitspier samentrekkend en uitzettend om het proces te versnellen, waarbij hij vaak net iets te snel dacht dat hij al klaar was, wat het spoor van druppeltjes op de houten vloer verklaarde, een teken van de voortijdige terugkeer naar het werk of van een bezoek aan de keuken om de flessen mineraalwater te verversen die hij aan een stuk door dronk, de ene na de andere, direct uit de fles – de aanwezigheid van een glas zou hem tot waanzin hebben gedreven –, soms met slokken waarmee hij een kwart van de inhoud naar binnen werkte – en dat alles in een toestand van uiterste geprikkeldheid. Regelmatig kwam hij overeind en liet zich dan meteen weer terugvallen in de stoel, niet in staat om gewoon te blijven staan. Zijn benen sliepen, iets waarvan Rímini zich pas bewust werd als hij ze wilde gebruiken, maar ook zijn billen en genitaliën sliepen, en wanneer hij zich dan in de stoel liet vallen – slap maar ook geïrriteerd vanwege de tijd die hij zou moeten wachten voordat zijn ledematen weer reageerden en hij de controle erover terugkreeg, tijd die hij als volledig verloren beschouwde, wat in zijn toestand zonder enige twijfel het ergste was – meende hij te begrijpen, tenminste voor een moment, wat invaliden moesten voelen, of liever gezegd niet voelden, invaliden die hij als jongetje wanneer hij uit school kwam door de afrastering heen op het basketbalveld van het Instituut voor Lichamelijk Gehandicapten zag rondrijden in hun rolstoelen, geen pijn, geen atrofie, zelfs geen verbazing, maar het totale niets. Toch ging dat slapen van het vlees, het gevolg van de onbeweeglijkheid en de vergetelheid waartoe het door Rímini's geconcentreerde houding was veroordeeld, uiteindelijk altijd weer voorbij, en na een paar minuten waarin hij het effect probeerde te verkorten door zichzelf te knijpen of met de punt van een balpen te prikken of, in het ergste geval, door zichzelf te slaan met een lange plastic liniaal, waarschijnlijk het enige souvenir van zijn middelbare-schooltijd, herkreeg Rímini de controle over zijn eigen lichaam. Er was nog een andere vorm van inslapen, ongetwijfeld minder drastisch, hoewel ook verontrustender, die langer duurde en die – even heimelijk als de eerste, omdat de eerste, die veel meer in het oog sprong, de tweede vaak overschaduwde en omdat Rímini er evenmin iets van merkte, verdiept als hij was in de vertaling – op een veel dieper, centraal organisch niveau leek op te treden. Eigenlijk ging het hierbij meer om een soort doezeligheid, een merkwaardig sluimeren, zoals bij een lichaamsdeel dat een lichte plaatselijke verdoving krijgt: het lichaamsdeel wordt nog steeds waargenomen, het blijft gevoelig voor prikkels van buitenaf, maar wie kon garanderen dat het, wanneer het moet handelen, bewegen, reageren, in staat zal zijn dat op een bevredigende manier te doen? Die effecten waren niet nieuw; Rímini had ze de eerste keren al ervaren, toen hij na het opsnuiven van een lijntje doelbewust de handeling nabootste die hij jaren daarvoor een voormalige chef had zien uitvoeren – een reclamemaker uit lijfsbehoud maar ook schrijver en uitgever van verweesde schrijvers, zoals hij zichzelf graag definieerde, en vooral iemand die in Rímini's geheugen zou blijven hangen als 'de eerste', niet alleen de eerste die in zijn aanwezigheid cocaïne snoof, maar ook de eerste die bootschoenen droeg en de eerste die met een retromodel van een Montblanc-vulpen schreef, drie gewoontes waarin hij, gegeven het tijdperk, 1977, misschien '78, in elk geval aan het begin van de militaire dictatuur, beslist een pionier was –, op een vingertop de restjes coke verzamelde en ermee over zijn tandvlees wreef, waarna zijn mond binnen een paar seconden totaal gevoelloos werd, een effect dat zelfs zo sterk was dat als de drug per ongeluk ook in contact kwam met zijn lippen, Rímini niet meer in staat was zonder morsen uit de fles te drinken, zodat hij zich, als een zieke, tevreden moest stellen met minuscule slokjes ter grootte van een theelepeltje. Hij zou deze onaangename gevolgen hebben aanvaard als resultaat van een of andere kwellende tandheelkundige behandeling, maar niet van zijn eigen besluit om zichzelf te stimuleren, en dus gaf hij de gewoonte al snel op. Toch had Rímini zich dankzij deze ervaring een tamelijk concreet beeld kunnen vormen van de strikt genomen chemische werking die de drug op zijn lichaam had, en ook van het paradoxale karakter ervan: aan de ene kant hyperactiviteit, onuitputtelijke energiereserves, uiterste concentratie, het verlangen de mogelijkheden van het heden ten volle uit te buiten; aan de andere kant verdoving, gelatenheid, onverschilligheid, onderdrukking van de gevoeligheid. En vertrouwd als hij was met een dergelijk effect, dat als het zich tot het tandvlees beperkte een geweldige zuiverheid bereikte, verraste het hem dan ook niet als hij het in een ander deel van zijn lichaam ontdekte, waar het op afstand optrad, zonder dat er sprake was van rechtstreeks contact. Hij vertaalde en snoof, vertaalde en snoof. Het vlees, de botten, het bloed – dat alles leek deel uit te maken van een oude, vergeten dimensie, waar complexiteit nog iets waardevols was en diversiteit de lovenswaardige wet der dingen. Met de coke was alles vlak, homogeen, uniform geworden: hij hoefde zich alleen maar over te geven aan het soort van bezetenheid dat zinnen, bladzijden, uren verslond. En toch, er kwam een moment waarop het lichaam terugkeerde – of liever gezegd, dat vanuit het lichaam het ergste terugkeerde, namelijk het besef dat het verdwenen was. Alles ging goed zolang Rímini woorden verbrandde, zolang hij zonder haperingen vorderde met de vertaling, als een racewagen midden in de nacht op een verlaten weg. Maar op een bepaald ogenblik dwong iets hem af te remmen, een onregelmatigheid, een ongeluk, iets wat Rímini bij de eerste lezing, dat globale maar aandachtige uitkammen waarmee hij het moment van de eigenlijke vertaling uitstelde, niet had ontdekt, en dan, gedwongen tot het zoeken van een oplossing, niet zozeer vanwege de uitdaging het probleem uit de weg te ruimen of het bij het overbrengen naar de andere taal spoorloos te laten verdwijnen, maar vooral uit een dringende behoefte zijn weg te vervolgen, zo snel mogelijk verder te gaan, juist vanwege de logica van het ongeluk dat de continuïteit van de dingen onderbreekt en daarom de uitwerking heeft dat het tijd toevoegt aan de tijd, dan herinnerde Rímini zich plotseling dat er nog iets was wat lichaam genoemd werd, een eigen maar vrijwel verlaten gebied, waarvan de vertaalroes hem urenlang had afgeleid. Zo, terwijl hij woordenboeken, handleidingen, overzichten met problemen en eerdere versies raadpleegde, terwijl hij de weerbarstige zin op duizend manieren veranderde, ondersteboven keerde en verboog, met dezelfde overweldigende energie waarmee hij een minuut later de volgende zin verslond, alleen geremder, rustiger, gedwongen te functioneren in het vacuüm van een en hetzelfde punt, werd Rímini zich, verward, alsof hij bijkwam van een flauwte, geleidelijk weer bewust van zijn voeten, enkels en knieën. En zodra hij dat bewustzijn had teruggekregen, ontdekte hij, in een korte flits van ontzetting, dat ze niet werkten, dat ze aanvoelden alsof ze leeggegoten waren. Als iemand die zijn broekzak aanraakt nadat die door een snelle hand is gerold, bracht Rímini zijn hand naar zijn penis en voelde eraan om zich ervan te overtuigen dat hij nog op dezelfde plek zat, tussen zijn benen, en hij vroeg zich af of zijn lul zo hoorde te voelen, zo klein en slap. Hij streek er met zijn vingers langs, trok zacht aan de voorhuid, tilde hem op en liet hem op de houten zitting van de stoel vallen. Ja, hij voelde alles, maar *ver weg*, oppervlakkig, zoals een vreemde taal tot je doordringt die je totaal niet kent: het patroon van het geluid is heel duidelijk, maar van het plan dat eraan ten grondslag ligt geen spoor – het was net als toen hij een keer op zijn buik op een met zwart skai overtrokken brancard lag en hij, na plaatselijk te zijn verdoofd, de punt en het scherp van een of meerdere chirurgische instrumenten had voelen prikken in de cyste onder in zijn nek. En ineens herinnerde hij zich dan dat Vera die avond langs zou komen en keek hij op de klok. Het was nooit laat, maar ook niet vroeg. Hij had nog drie, vier uur de tijd voordat ze kwam; dat betekende nog twee of drie uur vertalen en snuiven. Hij bevond zich *in het midden* en vroeg zich af of de coke zijn pik niet zou hebben uitgedroogd. Om vier uur, op zijn laatst halfvijf, begon hij te masturberen. Hij ging naar de wc, bleef voor de toiletpot staan – een positie die hij uit gemakzucht koos, om later het zaad niet weg te hoeven vegen, en ook vanwege de verwantschap die hij zag tussen sperma en andere menselijke afscheidingen –, zocht steun tegen de muur, worstelde met zijn lul, althans met dat levenloze visje dat hij dolgraag lul zou willen noemen, keerde na een tijdje ontmoedigd terug naar zijn bureau, keek opnieuw op de klok en haalde na enig zoeken een pocketeditie van *De elfduizend pikken* uit de boekenkast, een van de weinige souvenirs die hij had overgehouden van zijn kortstondige carrière bij het reclamebureau, waar hij, behalve werken aan campagnes die nooit het licht zagen, het redigeren van scenario's die nooit werden verfilmd en het bedenken, op verzoek van de directeur, van imaginaire producten voor imaginaire behoeften, begonnen was met het vertalen van enkele klassieken van de pornografische literatuur, *De elfduizend pikken* onder andere, voor een collectie die de pionier van de bootschoenen van plan was per drie stuks, geseald, in kiosken te verkopen. Hij ging terug naar de wc, bladerde door het boek, dat hij goed kende, zocht razendsnel naar passages waarvan de seksuele dichtheid niet volledig werd tenietgedaan door de lachwekkende toon van het geheel, en begon pas weer over zijn geslacht te wrijven als hij een bladzijde had gekozen waarvan hij een hele tijd later, soms wel tien of vijftien minuten, alleen opkeek om te ejaculeren. De zin die het fragment inluidde waarin de vice-consul van Servië een orgie hield op de eerste verdieping van het hoofdkantoor van de diplomatieke dienst, waar de hoofdpersoon weet binnen te dringen zonder te zijn uitgenodigd – *Toen hij bij de deur van het vice-consulaat van Servië aankwam, piste Mony langdurig tegen de voorgevel en drukte vervolgens op de bel*–, vormde voor Rímini al heel snel het vrijgeleide dat hem toegang verschafte tot een onweerstaanbare scène en hem op redelijke termijn verzekerde van de volledige verrijzenis van zijn pik en de terugkeer van zijn seksuele begeerte. Daarna veegde hij met twee of drie op elkaar gelegde velletjes wc-papier de bril schoon, waarbij hij ervoor zorgde dat hij geen spettertje vergat, keerde opgelucht terug naar zijn bureau en schoof zijn penis, die zich al begon te ontspannen, recht om zich ervan te vergewissen dat hij ook na de ejaculatie nog wakker was. Hij boog zich over het boek, spoorde het probleem op waar hij noodgedwongen bij stil was blijven staan, in de tekst aangegeven met dezelfde plastic liniaal die hij gebruikte om zijn slapende benen wakker te maken, en na het te hebben opgelost, wat hem wonderbaarlijk gemakkelijk afging, alsof iemand terwijl hij met zijn sperma het witte porselein besproeide, van zijn afwezigheid gebruik had gemaakt om het probleem te vereenvoudigen, snoof Rímini, als beloning, of misschien ook om energiek de volgende fase van de dag in te wijden, die door de ejaculatie was ingeluid, twee lange lijntjes achter elkaar, het eerste met zijn rechterneusgat, het tweede met zijn linker, en stortte zich op de schrijfmachine. Hij vertaalde anderhalf uur ononderbroken, vrijwel zonder zich te bewegen; hij nam alleen een adempauze om zijn neusgaten te bevoorraden, met een paar snelle, terloopse halen, waarvoor hij zijn werk niet eens onderbrak. Zo zou hij jaren, eeuwen hebben kunnen doorgaan. In zekere zin was de cocaïne, als hij er goed over nadacht, in deze context overbodig. De drug, de echte drug, was het vertalen: de ware onderwerping, het vurige verlangen, de belofte. Misschien had Rímini alles wat hij wist van drugs, en dat was niet veel en niet weinig, al stond het beslist in geen verhouding tot zijn status van beginneling, wel onbewust geleerd tijdens het vertalen. Misschien was vertalen wel zijn drugsschool geweest. Want al eerder, lang voordat hij voor het eerst cocaïne gebruikte, in zijn jeugd, wanneer Rímini op een zonnige zondagochtend in de lente, terwijl zijn vrienden bezit namen van de pleinen in de buurt, gehuld in de kleuren van hun favoriete voetbalclub, de jaloezieën van zijn kamer liet zakken, de radio afstemde op de zender die de belangrijkste wedstrijd van de dag uitzond en in het schemerdonker, met een bureaulamp als enige verlichting, in zijn ochtendjas, als een tbc-patiënt, boeken letterlijk verslond met zijn vertalersvraatzucht – hij ging er in een razend tempo doorheen, maar op hetzelfde moment onderwierp hij zich eraan, alsof iets tussen de plooien van die regels hem riep, hem dwong voor ze te verschijnen, ze los te rukken uit de ene taal en over te brengen naar een andere –, toen al had Rímini ontdekt in hoeverre vertalen geen vrije opgave was, die hij volkomen bewust, zonder druk van buitenaf had gekozen, maar een dwang, het onvermijdelijke antwoord op het bevel, de opdracht en de smeekbede die schuilgingen in het hart van een in een andere taal geschreven boek. Het simpele feit dat iets in een andere taal was geschreven, een bekende taal maar niet zijn moedertaal, was genoeg om bij hem, overigens volledig automatisch, het idee te doen ontstaan dat er door dat boek, artikel, verhaal of gedicht een *schuld* moest worden afgelost, iets onmetelijks, onmogelijk te schatten en daarom vanzelfsprekend ook onmogelijk te betalen, en dat hij, Rímini, de vertaler, degene was die de schuld op zich moest nemen *door te vertalen*. Op die manier vertaalde hij om te betalen, om de schuldenaar te bevrijden van de ketenen van zijn schuld, om hem weer mondig te maken, en daarom impliceerde het vertalen voor de vertaler fysieke inspanning, opoffering, ondergeschiktheid, de onmogelijkheid afstand te doen van een gedwongen bezigheid. Ze vroegen hem wel eens, vooral de vrienden van zijn ouders, of vertalen moeilijk was. Rímini antwoordde dan moedeloos van niet, terwijl hij zich tegelijk afvroeg wat het er eigenlijk toe deed of het al dan niet moeilijk was. Ze vroegen ook hoe je dat deed, vertalen, en Rímini zei dat dat de verkeerde vraag was, dat het niet iets was wat je deed maar iets wat je niet kon laten. Toen al, op zijn dertiende of veertiende, met zijn beperkte maar verbazingwekkend intense ervaring als leerling, was hij geconfronteerd met het onontkoombare feit waar iedere vertaler vroeg of laat mee geconfronteerd wordt: je bent de hele tijd aan het vertalen, vierentwintig uur per dag, ononderbroken, en al het andere, dat wat over het algemeen leven genoemd wordt, is niet meer dan een bescheiden reeks onderbrekingen en vakanties, die alleen de vertaler met een ijzeren wil weet te ontfutselen aan dat continue onderdrukkingsapparaat dat vertalen is. Rímini was in staat om in een weekeinde – van tien of elf uur vrijdagavond, wanneer hij begon, tot maandagochtend vroeg, twee of drie uur voordat hij zich, tollend van de slaap, aankleedde om naar school te gaan, wanneer hij de boeken, woordenboeken en schriften opruimde en alle sporen van de koorts waardoor hij bevangen was geweest uitwiste – een heel boek te vertalen en dan niet een provisorische versie, zomaar even neergekrabbeld en de meer gedetailleerde problemen uitstellend tot een latere revisie, maar de definitieve, met alle noodzakelijke voetnoten, correcties en opmaak voor een eventuele publicatie. Hij keek bijna niet op van het boek waar hij aan bezig was. Toen al, toen cocaïne voor hem nog helemaal niet bestond, was elke onderbreking, een telefoontje, de bel, zelfs de noodzaak om te eten of te plassen, elke menselijke aanwezigheid, zijn moeder of de man van zijn moeder, ook al kwam dat maar zelden voor omdat ze de meeste weekeinden op aandringen van Rímini doorbrachten in een gehuurd landhuis, de kleinste inmenging van de buitenwereld, al genoeg om hem tot wanhoop te drijven. Als de telefoon ging, begon hij vanuit zijn kamer meteen te brullen. En als hij de intercom in de keuken hoorde, schopte hij tegen meubels en gooide dingen op de grond. In die zin had, twintig jaar later, de cocaïne niets toegevoegd, hoogstens het onpeilbare karakter van het vertalen, en vooral de belangrijkste verslavingsfactor, het moeizame aftellen, geformaliseerd en vastgelegd. Het boek had een begin en een eind, zoals ook de in afzondering doorgebrachte weekeinden in zijn jeugd dat hadden, of de reeks van tien tot één, en elke vertaalde zin, elk uur besteed aan het vertalen van zinnen, verkortte onverbiddelijk de afstand die hem scheidde van de laatste punt. Tien, negen, acht, zeven, zes... Hij móest ophouden. Maar anderhalf uur later, wanneer de effecten van de laatste dosis na de aanvankelijke shock waren opgelost in een algehele organische loomheid, nog versterkt door de vermoeidheid van urenlang onafgebroken werken, werd Rímini weer bang. Hij had nog maar twee uur voordat Vera zou komen en hij voelde opnieuw een groot gat tussen zijn benen, op dezelfde plek waar even tevoren, weerspiegeld in de oude gele tegels van het toilet, zijn handen, om beurten, hem een zacht gekreun van genot hadden ontlokt. Bij de gevoelloosheid van de drug voegde zich nu die van het klaarkomen, van de bevrediging. Wat als Vera eerder kwam? Hij stelde zich voor hoe ze in de kamer op hem stond te wachten, en hij zocht zijn penis om het verband te leggen tussen dat beeld en de doffe achtergrond van zijn verdoofde begeerte, het expliciter te maken. Hij zocht en zocht en tien seconden later drong het tot hem door dat hij hem al een tijdje in zijn hand hield. Hij voelde niet eens het gewicht. Zijn mond was kurkdroog en hij rilde alsof hij koorts had. Hij pakte het exemplaar van *De elfduizend pikken*, ging weer naar de wc en was een tijdje niet zozeer bezig met masturberen als wel met het zachtjes wrijven en kneden van zijn genitale materie, alsof hij voordat hij zich, een beetje angstig, overgaf aan de bevrediging eerst de organen moest herkennen die hem die zouden bezorgen. Maar *Vibescu kwam langzaam dichterbij en terwijl hij zijn prachtige pik tussen de grote billen van Mira liet glijden drong hij binnen in de halfgeopende en vochtige kut van het meisje*, en Rímini had het gevoel dat een verre huivering, kortstondig als het knipperen met zijn ogen, schoorvoetend de vormeloze klomp klei die hij stond te kneden tot leven wekte. Op dat moment was hij al een kwartier bezig dit trage uitrekken in een redelijke erectie te veranderen, en hij had nog eens tien of vijftien minuten nodig om klaar te komen, wat hij, in tegenstelling tot de eerste keer, gefixeerd als hij was om eindelijk dat punt te bereiken, in dit geval deed zonder enige voorzorgsmaatregel te nemen, zich ongeremd overgevend aan de spasmen, waardoor hij volkomen ongecontroleerd de granieten plavuizen, de rand en de bril van de wc-pot en een enkele wandtegel besproeide. Wat kon hem het schoonmaken nog schelen – op zijn knieën op de ijskoude vloer gaan zitten, waar hij voortdurend het gevaar liep een vergeten druppel op zijn broek te krijgen, speurend naar elk spatje dat hij weg moest vegen om er zeker van te zijn dat Vera er niet toevallig een tegen zou komen – nu hij had bewezen dat hij geen levende dode was, dat zijn lichaam nog altijd bloed en zenuwen bevatte en dat zijn geslacht, mits op de juiste wijze gestimuleerd, en Rímini hield daarbij rekening met het feit dat zelfs de meest losbandige avonturen van de hoofdpersoon uit *De elfduizend pikken* niet te vergelijken waren met de aantrekkingskracht die Vera op hem uitoefende, in staat was volkomen normaal te functioneren. Dat moest gevierd worden. Rímini snoof de lijntjes die hij al op het portret had gelegd, en de angst verdween. Maar hij moest onmiddellijk nieuwe leggen, niet zozeer om ze meteen op te snuiven als wel om te weten dat ze daar lagen, keurig op een rijtje, als hij ze nodig mocht hebben, en om het beeld van het glas voor het lege portret te ontlopen, veruit het ergst mogelijke beeld voor Rímini in de aan vertalen gewijde middag, en nadat hij het zilverpapiertje had opengevouwen en de inhoud al wapperend op het glas had uitgestrooid, begreep Rímini dat het piepkleine bergje poeder dat hij daar zag liggen, en dat toevallig de pupil van Sofía's rechteroog wit kleurde, álle coke was die hij nog had. Of het veel of weinig was kon Rímini nooit zeggen. Bij cocaïne waren er voor hem maar twee mogelijkheden: hij had *alles*, en dat was – of hij nu één of tien gram had gekocht, voor dertig of voor driehonderd dollar – de onvermijdelijke indruk waarmee hij de plek verliet waar hij de drugs kocht, een appartement aan een binnenplaats op de hoek van Rivadavia en Bulnes, altijd verlicht door het witte nachtlicht van twee tl-buizen en gemeubileerd met van die fauteuils en goedkope geelhouten tafels vol knoesten die meestal zijn inbegrepen bij de huur van een appartement, of hij had *niets* meer, en dat was de verschrikkelijke ontdekking die, veelal tussen zes en halfzeven 's avonds, met een enigszins onverklaarbare schok tot hem doordrong, alsof de dosis die hij tussen de middag uit de la van zijn bureau had gehaald niet geleidelijk, opgesnoven door zijn eigen neusgaten, was verminderd, maar in één keer door een of andere wonderbaarlijke goocheltruc was verdwenen. De hoeveelheid cocaïne vond hij alleen relevant als die zijn gemoed, zijn humeur en zelfs zijn organische gesteldheid kon verstoren, dat wil zeggen, als er sprake was van een *bedreigde* hoeveelheid en, daarmee samenhangend, als het tot hem doordrong hoezeer hij, de drugsbehoeftige die hij was, er steeds van overtuigd was geweest dat zijn portie cocaïne *nooit* op zou raken. De hoeveelheid vormde altijd pas achteraf een probleem, dat alleen optrad in die vreemde mengeling van terugblik en vooruitblik waarin Rímini wegzakte als hij er nog voordat zijn dosis op was naar keek vanuit het standpunt van degene die alles heeft opgebruikt. Wat te doen? Meer kopen was uitgesloten. Vera zou op zijn laatst over een uur komen, en Rímini snoof nooit als zij er was. Hij zou het niet kunnen verdragen dat er ook maar een gram op hem lag te wachten in de la van zijn bureau en dat hij er niets van zou mogen gebruiken. Wat te doen? Een mogelijkheid was om dat wat hij nog had op te splitsen in een groot aantal kleine lijntjes en die geleidelijk, met min of meer regelmatige tussenpozen, op te snuiven, en zo de tijd en het werk die hem nog restten voor Vera's komst te overbruggen. De andere mogelijkheid: alles in twee flinke lijnen verdelen en die meteen, in één grote apotheose, opsnuiven als afsluiting van de dag. Omdat hij nooit voor één ding kon kiezen, wisselde Rímini beide mogelijkheden af. Als hij alles opsplitste, nam hij het eerste lijntje en ging, hoewel onbevredigd omdat zijn verlangen om te snuiven altijd omgekeerd evenredig was met de hoeveelheid coke die nog op het portret lag, verder met zijn werk, en dan leek het vertalen, met zijn eigen manier om hem te verdoven, het effect aanvankelijk buitengewoon rustig te beïnvloeden. Maar dan nog zorgde de geringe omvang van de lijntjes, verergerd door zijn gespannenheid, ervoor dat de tijd tussen het snuiven steeds korter werd, zodat Rímini in niet meer dan een halfuur hoogstens dertig regels, in het beste geval één bladzijde had vertaald, en vrijwel altijd met allerlei fouten, onduidelijkheden en tijdelijke oplossingen, waardoor hij gedwongen was ze de volgende dag, wanneer alles weer van voor af aan begon, te herzien en soms zelfs helemaal over te doen, maar dan was het hexagram van wit poeder dat hij op het glas van de foto had gelegd al helemaal op. Wat hij dan deed was als een bezetene gaan douchen, en na zijn neus van restjes coke te hebben ontdaan en zijn neusgaten met water en zeep te hebben uitgespoeld om te voorkomen dat Vera, als ze haar tong erin stak, zoals ze al eens had gedaan, de bittere smaak zou aantreffen die ze een keer voor novocaïne had gehouden, was hij een hele tijd bezig met het van boven tot onder inzepen van zijn lichaam, waarbij hij zijn spieren masseerde en de delen die het meest waren aangetast door de verdovende werking van de coke, en die hij het hardst nodig meende te hebben als Vera kwam, nieuw leven inblies, in de eerste plaats zijn trage handen, die aanvoelden alsof er van binnenuit door miljoenen ragfijne naalden in werd geprikt, daarna het hele gebied rond zijn mond en neus, waar de huid volledig leek te zijn uitgedroogd, en zijn spieren, die zo strak stonden dat het leek of ze waren ingekort, en ten slotte zijn tong, dik en zwaar, en zijn penis, dat slappe worstje dat geen enkel teken van leven vertoonde en in zijn geheel in zijn gesloten hand paste, waaraan hij eerst afwezig begon te trekken, in de hoop dat die prikkel, gevoegd bij de massages van de douche, genoeg zou zijn om hem weer tot leven te wekken, en waar hij zich daarna exclusief en vol verbetenheid op richtte door hem met zeepschuim in te smeren en aan allerlei andere handelingen te onderwerpen, totdat hij er, na twintig minuten hard werken en met een vreselijk schrijnend gevoel, ongetwijfeld veroorzaakt door het contact van de zeep met de geïrriteerde huid van de eikel, die al bijna bloedrood verkleurd was, drie of vier druppels abnormaal stroperig zaad wist uit te persen, bijna grijs vergeleken met het wit van het schuim, die een seconde bleven plakken aan het stuk huid dat duim en wijsvinger verbindt en vervolgens door de waterstraal werden weggespoeld. Maar of hij de coke nu in kleine doses opsplitste of in één keer, met een lange, eindeloze haal tot zich nam, waarna hij een ogenblik roerloos, in een toestand van maximale spanning, met gezwollen halsaderen bleef staan, en al was het hierna onmogelijk verder te werken omdat hij wist dat hij definitief zonder drugs zat, in beide gevallen was de douche een verplicht nummer, de douche en vanzelfsprekend ook de laatste masturbatie onder de douche, uitgevoerd vrijwel op slag van Vera's komst en daarom op het toppunt van angstige spanning. Zieltogend als ze waren, toch gaven die laatste druppeltjes sperma, en

vooral de erectie, traag maar stevig en vurig, hem een vreemde levenskracht, het soort van verbijsterend enthousiasme en welbehagen, louter bestaande uit de voldoening die je soms kunt voelen na een afmattende fysieke inspanning, en dan kwam Rímini de badkamer uit met
een handdoek om zijn middel, ging op de houten vloer van de woonkamer liggen, naast de geluidsboxen van de stereo-installatie, en liet
zich omhullen, of eigenlijk, afgaande op het volume, letterlijk overdonderen door het vijftal geluid producerende wangedrochten dat de
hitlijst van de verachtelijkste zender van de hele radio aanvoerde,
waarvan de melodieën zijn hart rechtstreeks leken te doen sidderen,
zonder eerst het gehoor te zijn gepasseerd, en waarvan hij de teksten al
zo vaak had gehoord dat hij ze uit zijn hoofd kende en meezong, eerst
zachtjes, meedrijvend op de stroom van de muziek en overstemd door
de zangers, daarna harder, alsof hij een gevecht leverde met wat hij
hoorde, en ten slotte luidkeels, schreeuwend, met zijn hakken op het
parket bonkend om beter aan te geven wanneer hij moest inzetten, zo
volledig losgeslagen dat de benedenbuurman meer dan eens naar boven was gekomen om op de deur te bonzen en zich te beklagen, totdat
de zon onderging en er een purperen vlek verscheen op het langwerpige wandkleed van de hemel dat hij door het raam kon zien en de bel
van de intercom tot hem doordrong en Rímini, languit op de vloer, opgelucht bij zichzelf zei: 'Daar is ze, daar is Vera.'

14

Op een nacht had Rímini net de berichten van die dag afgeluisterd toen het tot hem doordrong dat er iets ontbrak. Geen gesnuif, geen verdachte stilte, geen geërgerd neergelegde telefoon, geen beledigende opname. (Op de laatste, tegen de achtergrond van tangomuziek op de radio, voorspelde een woedende stem hem allerlei exotische kwalen.) Kortom: zijn antwoordapparaat bezorgde hem al een week geen verrassingen meer. Hij had het gevoel dat het gemis werd overgedragen op de lucht van de nacht, en naakt naast zijn bureau gezeten begon hij aandachtig te luisteren. Het kinderlijke gesnurk van Vera drong door tot in de kamer, af en toe onderbroken door iets wat klonk als hikken. Vanuit de woonkamer dreef het constante gebrom van de stereo-installatie binnen. Ze hadden de degens van elkaars luiheid gekruist, met een triest gelijkspel als resultaat: geen van tweeën was ertoe te bewegen op te staan om het apparaat uit te zetten. Rímini was het hoekpunt waar alle geluiden uit het huis samenkwamen.

Hij voelde opluchting – nu de telefoon 'schoon' was kon hij de dagelijkse berichten misschien afluisteren waar Vera bij was –, maar meer nog een triomfantelijke, merkwaardig grootmoedige euforie, het soort van trots dat artsen vast ervaren als het geneesmiddel dat ze hebben voorgeschreven en dat aanvankelijk de ziekte niet verdrijft maar de symptomen juist alarmerend verergert, de doeltreffendheid bewijst waarin alleen zij vertrouwen hadden. Misschien had Sofía er nog eens goed over nagedacht. Rímini zou er een tijdje overheen laten gaan, totdat de nieuwe stand van zaken genormaliseerd was, en haar daarna waarschijnlijk een keer opbellen. Tegen die tijd, dacht hij, zou de verdeling van de foto's louter een formaliteit zijn.

Een paar dagen later, op een vrijdag, was zijn vader jarig. Rímini besloot onverwacht bij zijn kantoor langs te gaan en hem mee uit lunchen te nemen. Hij liep een tijdje door de calle Florida, op zoek naar een cadeau. Vergeleken met de pracht en praal uit zijn herinnering vond hij de straat een behoorlijk ordinaire indruk maken, met zijn tweedehandszaakjes, zijn winkels met leren jassen, zijn boekhandels voor toeristen, zijn bedelaars, zijn fastfoodrestaurants en zijn verkopers, die, hun lege zaak beu, de straat op gingen om met dwingende gebaren klanten te lokken en die hun aanbiedingen van handtassen en nertsen op dezelfde heimelijke toon fluisterden waarop vier of vijf zijstraten verder, waar de calle Florida plotseling een ander sociaal aanzien kreeg, de kaartjesverkopers tevergeefs probeerden geïnteresseerden te werven voor een sauna of een non-stop stripteasevoorstelling. Bij Viamonte besloot hij terug te gaan. De geur van frituurvet werd sterker; vlakbij dreigde een vrouw, haar stem vervormd door een megafoon, de voorbijgangers met een bijzonder meedogenloze maar vermijdbare variant van de straf van God. Hij begon al te denken aan het uitstellen van zijn cadeau toen hij in een etalage een dikke trui met ritssluiting en leren elleboogstukken zag liggen. Hij kocht hem. Maar hij was nog niet goed en wel buiten, met de ingepakte trui op de bodem van een papieren draagtas, of hij werd overvallen door een hele reeks twijfels. De kleur – krachtig wijnrood, bijna paars – leek niet echt iets voor zijn vader; behalve zwart, grijs, wit en beige, zijn grootste concessie aan de schelheid, vond hij alles schreeuwerig, extravagant of vrouwelijk; ook dat er een ritssluiting in de trui zat zou hem danig in verwarring brengen, net als de elleboogstukken – een volkomen vreemd woord, *pitucones*, schoot door zijn hoofd en verdween weer, de lucht vullend met minieme vibraties. Maar toen hij bij het gebouw aankwam waar zijn vader werkte, zette Rímini alle bezwaren die hem de laatste drie straten hadden gekweld nog eens op een rijtje en besloot ze te veranderen in de *redenen* die hem ertoe hadden aangezet de trui te kopen en hem cadeau te doen.

Er klonk een zoemer. Rímini duwde moeizaam de deur open en liep naar het kantoor van zijn vader, de laatste van een rij demontabele en identieke boxen. Hij ging meteen naar binnen, zonder te kloppen, en het eerste wat hij zag was een wijnrode vlek die zich voor hem heen en weer bewoog. Hij bleef als verlamd in de deuropening staan, zijn levenloze hand op de klink. Heel even dacht hij dat hij hallucineerde: op twee meter afstand zag hij de trui die op de bodem van de draagtas lag. Maar het was zijn vader, die hijgend worstelde met de ritssluiting van een dikke wollen wijnrode trui met elleboogstukken, het tweelingbroertje van de trui die hij zojuist had gekocht. Hij slaagde erin de ritssluiting omhoog te trekken, keek hem glimlachend aan, met de bedremmelde triomf van mensen die het hebben klaargespeeld een onhandigheid te vermijden maar nooit zullen weten hoe, spreidde zijn armen om te showen en zei: 'Wat vind je ervan?' Hij stond hem perfect. Zo, precies zo, had Rímini zich zíjn cadeau aan het lichaam van zijn vader voorgesteld, aangenomen dat hij hem zou hebben willen passen. Maar hij trok een zuinig mondje en zei: 'Mmm... Ik weet het niet. Die kleur. Bovendien, sinds wanneer hou jij van truien met een ritssluiting?' 'Daar hou ik ook niet van,' zei zijn vader, geconcentreerd bezig hem recht te trekken. 'Ik heb hem net cadeau gekregen. Maar hij staat me niet gek, hè? Als ik een spiegel had...' Hij liep voor hem langs de gang op. Rímini kon nog net het prijskaartje lezen dat aan de hals hing: dezelfde zaak. Hij liep achter hem aan, met een gezicht als een oorwurm. Zijn vader poseerde voor een langwerpige spiegel, die net breed genoeg was om één arm tegelijk te kunnen zien. 'Gefeliciteerd met je verjaardag,' zei Rímini, terwijl hij werktuiglijk de zak met zijn cadeau achter zijn rug verborg. 'Helemaal niet slecht,' herhaalde zijn vader tevreden, en met een blik op zijn ellebogen voegde hij eraan toe: 'Zelfs de pitucones...' 'De wát?' Twee of drie hoofden draaiden geschrokken in zijn richting: Rímini besefte dat hij geschreeuwd had. 'Dit,' zei zijn vader, wijzend op de zeemleren stukken, 'heet pitucones.' Rímini wilde glimlachen, maar hij kwam niet verder dan een ondefinieerbare grimas. 'Serieus. Dat heeft Sofía me verteld.' En daarna, zacht en heel snel: 'Ik heb hem van haar gekregen.' Op de toon waarop hij zich altijd dingen liet ontvallen die hij niet wilde verzwijgen maar waarmee hij ook niemand wilde kwetsen. 'Wat fijn dat je gekomen bent,' zei hij, terwijl hij hem terugduwde naar het kantoor. Rímini keek hem recht in zijn ogen: 'Heb je Sofía gezien?' 'Ze is net weg. Als je vijf minuten eerder was gekomen had je haar nog gezien.' Hij sloot de deur en deed net of hij de zak die Rímini achter zijn benen verborgen hield niet zag. 'Een cadeau hou je nog van me te goed,' zei Rímini, 'maar ik wilde je uitnodigen om met me te gaan lunchen.' 'Geweldig. Wat voor weer is het buiten?' 'Fris.' 'Dan hou ik mijn trui aan.' 'Je krijgt het vast warm.' 'Dan trek ik hem wel uit.' Ze gingen naar buiten. 'Je vindt het toch niet vervelend, hè?' 'Wat?' 'Dat ik mijn trui heb aangehouden.' 'Papa, wat een onzin.' 'Ik weet het niet. Niet iedereen reageert hetzelfde.' Ze liepen langs de receptioniste. 'Ik ben om drie uur terug,' zei zijn vader. Ze wachtten op de lift; zijn vader streelde de trui met zijn handpalmen, alsof hij hem glad wilde strijken. 'Ze zag er goed uit. Beter dan de vorige keer, in elk geval. Ze heeft me een kus voor jou gegeven.'

Toen ze aan een tafel achter in het Italiaanse restaurant hadden plaatsgenomen, zoals altijd bedreigd door het reusachtige affiche dat erboven hing, waarop een uit gekleurde lampjes opgebouwde Brooklyn Bridge regelmatig aan- en uitging, verbaasden ze zich erover dat er zo weinig mensen zaten. Ze maakten er een opmerking over tegen de ober, dezelfde die hen al jarenlang bediende. Ja, er waren inderdaad minder klanten, gaf hij toe, wat niet meer dan normaal was na de incidenten van vorige week. 'Incidenten?' vroeg Rímini's vader. Een paar toeristen gingen aan de tafel naast hen zitten. De ober boog zich voorover, dempte zijn stem en zei op vertrouwelijke toon: 'We hebben hier een stel overvallers gehad. Drie: twee dikke mannen en een vrouw. Puur toevallig zat er net een politieagent op de wc. Toen hij naar buiten kwam trok hij zijn dienstwapen en richtte dat op ze. De vrouw schoot als eerste. *Madonna santa.* Een geweldige schietpartij. Ik smeet de *rigattoni* van tafel zestien van me af en liet me op de grond vallen. Hier, hier waar ik nu sta. Cadeautje voor de zaak. Saldo: één dode klant, een andere gewond, de politieagent met lichte verwondingen, een misdadiger neergemaaid en twee voortvluchtigen. *Due spaghetti carbonara,* zoals gewoonlijk?'

Zodra de ober weg was, klopte Rímini's vader, als om te benadrukken dat hij blij was met de herwonnen intimiteit, liefdevol op zijn hand en zei: 'Goed, vertel maar.' Dat was de dwingende en ongelijke vorm die hun ontmoetingen hadden aangenomen sinds Rímini en Sofía uit elkaar waren. Jarenlang was het precies andersom geweest: Rímini leende, vanaf de top van zijn onwankelbare emotionele stabiliteit, zijn oor en zijn eindeloze vermogen tot begrip aan zijn vader, die van scheiden zijn beroep had gemaakt, verlovingen aanging en verbrak, even gemakkelijk van huis veranderde als van overhemd, ruziemaakte en zich weer verzoende, onderhandelde met advocaten, trouwde in Paraguay of Mexico en onverwachte huwelijksreizen maakte, geregeld te vinden was in privé-speelholen waar hij poker speelde – hij noemde het 'beleggen' – en dezelfde managers en commissarissen kaalplukte, of zich door hen liet kaalplukken, die hem overdag, schijnbaar lijdend aan geheugenverlies, vriendelijk aanspraken in het zakencentrum, of zijn speelzucht afreageerde met bliksembezoekjes aan het casino. Rímini, weer 'vrijgezel' – dat wil zeggen: *zonder Sofía*, de enige factor die zijn vader in acht scheen te nemen bij het bepalen van zijn burgerlijke staat –, was nu een potentiële bron geworden voor avonturenverhalen. Maar in de uitnodiging om te vertellen waarmee zijn vader elke keer dat ze elkaar zagen het spel opende, meende Rímini, behalve verwachting, ook een soort grootmoedigheid op te merken die hem irriteerde, alsof zijn vader geloofde dat de verantwoordelijkheid voor Rímini's verandering bij hém lag, of beter gezegd bij zijn besluit hem het voorrecht te verlenen een min of meer riskant leven te leiden, en niet bij de logica van het leven van Rímini zelf. Hoe het ook zij, Rímini gehoorzaamde en bracht verslag uit. Er waren onderwerpen die garant stonden voor succes: zijn zelfredzaamheid, zijn beschikbaarheid, het ontbreken van grenzen in het dagelijks leven. En natuurlijk zijn relatie met Vera, die zijn vader zei graag te willen leren kennen, maar zonder overtuiging, alsof hij vermoedde dat ze wel eens een verzinsel van Rímini zou kunnen zijn, van Rímini's verlegenheid of angst, en hij dat niet bevestigd wilde zien of zijn zoon voor schut wilde zetten.

Die middag had Rímini de indruk dat zijn vader niet naar hem luisterde. Hij knikte en keek hem aan met zijn oude, vochtige ogen, en af en toe sloeg hij met zijn vlakke hand op de tafel om zijn verontwaardiging of verbazing te onderstrepen. Maar achter al die werktuiglijke gebaren, waarmee hij deed voorkomen dat hij aandachtig luisterde, zat niets. Ze roerden gelijktijdig in hun kopje koffie. Rímini had het al gehad over Vera, over de hoeveelheid werk waarmee hij overstelpt werd en zelfs over zijn ervaring met cocaïne, al had hij daarbij wijselijk de werkelijke frequentie en doses verzwegen, toen hij naar zijn vader keek en zag hoe deze zijn ogen tot spleetjes kneep en knikkebolde, alsof hij op het punt stond in slaap te vallen. Hij vond hem er oud uitzien, tegelijk geïsoleerd en beschermd door die wereld van trage spijsvertering, rillingen en ongelegen slaperigheid, waarin de gloednieuwe trui straalde als een rijke toerist in een arm land. Toen klopte hij liefdevol op zijn hand, om hem te wekken, en vroeg naar Sofía. Zijn vader reageerde onmiddellijk, alsof dit de enige vraag was die hem uit zijn slaap kon houden, maar hij wilde de kwestie afdoen met een paar plichtmatige zinnen. 'Papa,' interrumpeerde Rímini, waarmee hij hem een ongemakkelijke glimlach ontlokte. 'Nee, ik wil gewoon niet dat...' begon hij zich te verontschuldigen. 'Wat wil je niet?' zei Rímini. 'Je hebt de hele lunch met je trui aan gezeten en nu doe je ineens zo terughoudend?'

Nee, ze had er niet goed uitgezien. Helemaal niet goed. Ze had wallen onder haar ogen, zei zijn vader. Alsof ze niet genoeg sliep. Ze wisselde onverklaarbare vlagen van enthousiasme af met langdurige momenten van stilzwijgen en onbeweeglijkheid. Ze had het onverzorgde uiterlijk van iemand die dagen niet thuis is geweest. Haar hand trilde bij het vasthouden van een koffiekopje. Af en toe brak haar stem, alsof ze net had gehuild of op het punt stond te gaan huilen. Zijn vader kon het niet met zekerheid zeggen, maar hij had soms het idee dat ze loenste. 'Hebben jullie het over mij gehad?' vroeg Rímini. 'Een beetje, alleen terloops,' zei zijn vader. 'Wat zei ze?' drong hij aan. 'Niets.' 'Papa...' 'Wat alle vrouwen zeggen als ze net gescheiden zijn: dat je haar ontloopt. Dat je je uit de voeten hebt gemaakt.' Ze zwegen. Rímini voelde de ogen van zijn vader op zich rusten. 'Ik leef mijn eigen leven. Daar heb ik na twaalf jaar toch recht op, of niet soms?' 'Ik weet het niet,' zei zijn vader. 'Na al die tijd dit te moeten meemaken. Dat moet wel hard zijn,' zei zijn vader. 'Dat zijn letterlijk haar woorden, niet?' Rímini begon boos te worden. Hij keek naar het breisel van de trui, de doelbewust anachronistisch dikke wol, de opzettelijk versleten randen van de elleboogstukken... Hij kreeg zin hem te vragen het ding uit te trekken. 'Is het nou zoveel moeite?' zei zijn vader. Rímini stak een hand in de lucht om de rekening te vragen. 'Ik weet hoe ze is. Ik zeg niet dat je haar moet opzoeken. Gewoon af en toe een telefoontje, meer niet. Totdat het allemaal een beetje tot rust is gekomen. Het is maar een fase, dat zul je zien. Die gaat voorbij en dan valt alles vanzelf op zijn plaats.'

Rímini wilde weg. Hij wilde onmiddellijk terug naar Las Heras, waar een nog onaangebroken papiertje cocaïne, dertig bladzijden om te vertalen en de kast waar hij zich eindelijk zou kunnen ontdoen van de tweelingtrui op hem wachtten. Hij nam op straat voor de ingang van het kantoorgebouw afscheid van zijn vader. Hij had de gewoonte hem bewegingloos na te blijven kijken tot hij uit het zicht verdwenen was. Trekkend aan de rand van de trui kwam zijn vader aan bij de liften, bleef staan, stak een hand in zijn zak, draaide zich half om en kwam weer naar hem toe. Rímini dacht dat hij hem geld zou geven, zoals hij vijftien jaar geleden elke vrijdag deed als ze afscheid van elkaar namen. Maar wat hij uit zijn zak haalde was een kleine zwartwitfoto. 'Deze heeft ze me voor jou gegeven,' zei hij – maar Rímini, volledig verrast, keek al naar de foto voordat hij hem aannam, ging tien, twintig, dertig jaar terug in de tijd, en werd weer dat jongetje in uniform, korte broek en knoopschoenen, dat zijn jonge, gretige gezicht begroef tussen de tralies van een kooi in de dierentuin.

Na een taxirit die veel weg had van een nachtmerrie kwam hij aan in Las Heras. Vanaf zijn middel tot aan zijn voeten was alles hypergevoelig: het simpele schuren van zijn onderbroek langs de huid van zijn dijen ontlokte hem een dubbelzinnig gekreun, het midden houdend tussen pijn en genot. Heel even leek alles te wankelen: Rímini ging naar binnen, deed de deur achter zich dicht, draaide de sleutel twee keer om, zette de radio op volle sterkte, alsof hij een leger verborgen microfoons wilde overstemmen, ging met zijn kleren aan in bed liggen en toen pas, met de deken opgetrokken tot aan zijn kin, durfde hij opnieuw naar de foto te kijken, hem om te draaien en te lezen wat er op de achterkant geschreven stond: *Ik wil niet praten met de schuldige die leven verwart met vluchten, met zich verbergen, met 'zich beschermen' tegen datgene waar hij van houdt (en tegen datgene wat van hem houdt). Ik wil praten (omdat ik hem ken, omdat hij me vertedert, omdat hij vóór al het andere komt) met de onschuldige die op zijn zevende (je was toch zeven?), met zijn schoenen onder het stof, de middagen opfleurde met zijn nieuwsgierigheid. Als hij nog leeft, als hij zich nog ergens bevindt (en ik geloof dat dat zo is, dat hij zich nog ergens bevindt), laat hij dan drie keer op deze foto kloppen, dan zal ik de deur voor hem openen.*

Rímini bekeek de achterkant van de foto van dichtbij en zag zijn ergste vermoeden bewaarheid: het was met potlood geschreven. Een klassieker van Sofía: een van haar lievelingsmanieren om te verschijnen, op te treden en de wereld te markeren, door er een eerbiedige kerf in achter te laten, bijna onzichtbaar maar tegelijk vastberaden, want, veeleisend als ze was, er hoefde maar één blik, één enkele blik te zijn die in staat was die inkeping te ontdekken om, net als zo'n minuscuul gedehydreerd beest dat door het contact met water plotseling een enorm aquarium kan vullen, haar betekenis buitengewone dimensies te laten aannemen. Door met potlood te schrijven, een zacht potlood en dus gemakkelijk uit te gummen, gaf Sofía hem een heel spectrum aan keuzemogelijkheden: het bericht lezen en niets doen, het lezen en uitgummen, het direct uitgummen zonder te lezen; maar wat hij ook koos, de foto bleef intact. Opnieuw had Rímini het gevoel dat hij *gezwicht* was. Dat Sofía hem opbelde, brieven stuurde of zijn vader betoverde met haar pathetische goocheltrucjes – zijn vader, die, na drie scheidingen, uit elke amoureuze afgrond klauterde met de zekerheid dat hij de *ware* schuldige was –, dat was het probleem niet. Het probleem was het oog van Rímini: zijn instinct, zijn intuïtie, zijn ontvankelijkheid voor de subtiele vorm waarin Sofía, als op haar tenen, steeds weer aan de horizon van zijn leven verscheen. Wat had het voor zin zich afzijdig te houden, het geluid van het antwoordapparaat af te zetten, de telefonische aanslagen te negeren, als Sofía geen bevestiging nodig had om te weten dat haar boodschap – en niet alleen de woorden en wat ze betekenden maar ook, en vooral, het feit dat ze geschreven waren met het idee dat ze wel eens zouden kunnen verdwijnen, en in plaats van alles te doen om dat te verhinderen, juist alles te doen om dat *mogelijk te maken* – was aangekomen, doel had getroffen en was ontcijferd zoals zij het, zonder dat te hoeven zeggen, verlangde? Wat zou hij niet over hebben gehad voor een beetje onverschilligheid. Rímini lag rillend in bed en voelde zich zwak, onbeschermd, maar vooral moedeloos, net als de herstellende patiënt die na enkele weken van voortdurende vooruitgang, al vrijwel symptoomloos, op het moment dat hij, als hij zijn ziekenhuishemd niet aan zou hebben, door de anderen, de zieken en zelfs de artsen, voor een gezonde bezoeker gehouden zou kunnen worden, plotseling een terugval krijgt en weer in de staat van verzwakking verkeert die hij voorgoed achter zich meende te hebben gelaten en tot de ontdekking komt, eerder bezorgd dan vol ontzetting, dat dat wat hij gezondheid noemde zo precair, broos en vluchtig is dat, als bij het eerste huidje op een wond, de geringste druk al genoeg is om het te laten scheuren.

Rímini gaf niet toe. Hij nam de typische wraak van iemand die ervan afziet te handelen en schepte er genoegen in te denken dat als Sofía niet die indirecte, schaamteloos sentimentele vorm had gekozen om zich in zijn leven te mengen, hij haar waarschijnlijk zelf zou hebben gebeld of hoe dan ook zou hebben gereageerd op een van de signalen die hij van haar kreeg. Hij ging zelfs zover dat hij zichzelf wat voorloog; hij riep aanvechtingen in herinnering – haar bellen of antwoorden op een van haar brieven – die hij nooit had gehad. Alles onderwierp hem voortdurend aan een soort maniakaal herschrijven. Het was niet zo dat Sofía opnieuw een wond had geopend die, tegen zijn wil, nog bleef schrijnen in dat 'door littekens getekende' leven dat hij leidde; Sofía had op een onvergeeflijke manier een kans om zeep geholpen, en Rímini, aangemoedigd door het vonnis van die aanvechtbare retrospectieve rechtspraak, kon nu doen wat hij tot dat moment, uit liefde of uit angst, had vermeden: haar *volledig* vergeten.

Hij zette de foto op een plank in de boekenkast tegen de ruggen van een paar boeken. Die middag, in de loop van de zes uur dat hij vertaalde, snoof en, drie keer, op de wc masturbeerde, met zo'n bezetenheid dat na de derde keer, de moeizaamste en ook de meest vertwijfelde, een dun straaltje bloed, resultaat van het dunner worden van de huid van de eikel als gevolg van het wrijven, het onbeduidende kwakje dat hij had weten te lozen rood kleurde, betrapte Rímini zich er meer dan eens op dat hij zijn ogen opsloeg en met een duistere rusteloosheid naar de foto keek. Iets op de foto leek zich verborgen te houden telkens wanneer Rímini ernaar keek – iets wat, onzichtbaar maar verscholen, maakte dat de foto niet helemaal van hem was. Terwijl hij zich, terug van de wc, ontdeed van het exemplaar van *De elfduizend pikken*, kwam er een idee bij hem op waar hij van schrok: en wat als de foto nu eens bezeten was? Misschien gaf ze helemaal niet iets terug, dacht hij: misschien was de foto gewoon het middel, het enige dat Rímini niet had kunnen tegenhouden of dat hij niet kende, waarmee Sofía probeerde het nieuwe leven van Rímini binnen te dringen en zich daar te installeren zonder van haar plaats te hoeven komen, alsof de foto haar agent op afstand was of haar geestverschijning.

Vera kwam tegen het vallen van de avond, en nog in de roes van de cocaïne die de verslaafde verandert in een vorst en de rest van de wereld in een immense verzameling annexeerbare provincies, vroeg hij haar wat ze dacht van zijn idee. 'Bezeten foto's?' Vera glimlachte, waarbij ze met een scherpzinnige vinger naar hem wees: ze had ontdekt waar hij zich tijdens zijn befaamde 'werkmiddagen' mee bezighield. Rímini aarzelde en bleef doodstil staan, alsof hij zich aan de rand van een afgrond bevond. 'Met het kijken naar fantastische films!' riep ze uit, en ze liep op hem toe, duwde hem in een fauteuil en hield hem in bedwang door een knie op zijn borst te zetten. Vera – een amazone met dunne armen, afgekloven nagelriemen, slachtoffer van schaamrood, woede en schoonheid. Rímini voelde dat hij ontzettend veel geluk had gehad. Vijf minuten eerder, voordat Vera er was, kwam de wereld hem voor als een ongastvrije plaats, afgetakeld door rancune en intrige, vol nutteloze dubbele bodems. Nu, terwijl hij net deed of hij zich verzette en wild met zijn hoofd schudde, als een maagd die op het punt staat verkracht te worden, overweldigd door de kracht van dat lichaam dat niet bang voor hem was, had Rímini het gevoel dat hem een wonderbaarlijk uitstel was verleend. 'Ik moet plassen,' zei Vera, en even snel als ze hem in de stoel had gedrukt liet ze hem nu ook weer los en verdween in de richting van de wc. Rímini bleef onderuitgezakt in de fauteuil zitten. Het was het meest onzekere uur in zijn leven als druggebruiker: hij zou niets meer nemen tot de volgende dag en de laatste lijntjes, tot het uiterste opgesplitst vanwege de noodzaak tot rantsoenering, begonnen uitgewerkt te raken, maar zijn hart, zijn waarneming van de dingen en vooral zijn tijdsbesef stonden nog onder invloed van de cocaïne, zodat zijn relatie met de wereld van minuut tot minuut veranderde. De vlucht van Vera bijvoorbeeld was een bijna bovennatuurlijk verschijnsel geweest, onverhoeds als een bliksemflits en tegelijk even traag als het langstrekken van wolken aan de hemel, alleen dan samengebald in een minimum aan ruimte – iets wat hij aanvankelijk slechts onbewogen wist gade te slaan, alsof het plaatsvond in een ontoegankelijke dimensie, en wat hem er pas later, toen hij besefte dat de gele schim van haar jurk wel erg lang wegbleef, toe aanzette te reageren, op te staan en zich ongerust naar de wc te haasten, terwijl hij zich probeerde voor te stellen waarom ze zo lang op zich liet wachten. Een meter voor de wc, toen hij langs zijn bureau kwam, stapte hij met een van zijn blote voeten op iets wat hem bijna deed uitglijden. Het was meer dan 'iets': een stuk van zijn gezicht, van het gezicht dat hij op zijn zevende had gehad, maar het was niet meer in staat ook maar iets op te fleuren. Hij bukte zich en herkende in een ander stuk een paar afgezaagde tralies en verderop een deel van een elleboog of een knie, en een stuk hemel, en een oorlelletje dat onder enkele haarlokken uitstak, en een verminkte zin ('dagen opfleur / og leeft, als hij / rie keer op') die hem bijna in huilen deed uitbarsten. Hij schrok op van het geluid van de lift. Hij kwam naar boven. Vera was niet op de wc maar buiten, op de overloop, en ze huilde met haar gezicht tegen de traliedeur van de lift. 'Waarom?' vroeg Rímini. Hij wilde haar arm aanraken. Vera rukte zich met geweld los. Rímini raakte haar nogmaals aan, alsof hij zich ervan wilde vergewissen dat ze daar stond en echt was. 'Haal die hand weg,' zei ze, ' je bent een smeerlap, een klootzak.' 'Maar dat was ík,' zei Rímini, 'ik op mijn zevende, in de dierentuin. Mijn vader heeft hem genomen met een Kodak Instamatic.' Vera draaide zich om en keek hem vol afgrijzen aan, alsof ze een monster zag. 'Ik kan me niet voorstellen dat je zo cynisch bent,' zei ze. 'We gingen er elke zaterdagmiddag heen. Ik had altijd een blok met Canson-tekenpapier bij me...' Ze stortte zich op hem en als een machine waarvan plotseling alle functies tegelijk in werking worden gesteld begon ze hem in zijn gezicht te slaan, te krabben, aan zijn haar te trekken, terwijl ze tegen zijn borst duwde en hem dwong terug te wijken. De deur van het tegenovergelegen appartement ging open: twee jonge husky's begonnen tegen hen te blaffen, trokken aan hun gele riem en sleepten een man achter zich aan de overloop op, gekleed in een joggingpak van vliegeniersstof en met rossig naar voren gekamd haar, die bij het zien van Rímini in ochtendjas beschaamd zijn blik afwendde. Rímini zag Vera's gezicht heel dicht bij het zijne, enorm, vertrokken, monsterachtig. Toen sloeg hij haar: een zachte, snelle oorveeg. Vera bleef als verlamd staan. Zelfs de husky's hielden op met blaffen. De lift was net gearriveerd en wierp een ruitpatroon van licht over hen heen. '... en een doos met Stabilo-kleurpotloden in zesendertig kleuren die ik van mijn oma gekregen had...' zei Rímini, en hij sloeg haar voor de tweede keer. Vera deinsde terug en botste tegen de deur van de lift, waarmee ze de hond die net aan haar schoenen wilde gaan ruiken aan het schrikken maakte. 'We kochten van die koekjes in de vorm van dieren, die legde ik op het papier en dan ging ik met het zwarte potlood langs de randen om de omtrekken te tekenen...' De derde klap miste zijn doel. Vera had zich al omgedraaid naar de lift, zodat Rímini's hand treurig tegen de rand van haar tas sloeg en tussen een van de openingen in de traliedeur terechtkwam, precies op het moment dat Vera die met een ruk opentrok. Rímini brulde het uit, alsof zijn hand door een schaar was afgeknipt. Vera sprong in de lift, gevolgd door de opnieuw verwoed blaffende honden en de man in joggingpak, die Rímini in het voorbijgaan een lange minachtende blik toewierp. Toen pas, nadat de buurman en Vera hun bewegingen op elkaar hadden afgestemd, waarbij de een de eerste deur met een klap sloot, de ander de tweede en op de knop voor begane grond drukte, kon Rímini zijn hand, die in vuur en vlam leek te staan, terugtrekken.

Drie of vier dagen later, op een meter afstand van de plek waar de gebeurtenissen zich hadden voltrokken, ondersteunde Rímini met zijn verbonden hand een postformulier en met de andere, de linker, krabbelde hij een karikatuur van een handtekening in het lege vakje naast zijn achternaam, waarna een astmatische postbode hem in ruil voor dit vertoon van invaliditeit en handigheid een kleine gevoerde envelop overhandigde. Dit keer had de foto een gekartelde rand: Rímini voer traag, uiterst traag, bijna bewegingloos, over het Lago del Rosedal, zijn hoofd tegen de borst van zijn vader, die de trappers van de waterfiets bediende. Dit keer was er geen tekst. Die was er ook niet een paar dagen later, toen een andere postbode hem een nieuwe envelop overhandigde met weer een foto, waarop Rímini zichzelf niet zo gemakkelijk herkende. Hij was zes en had het kapsel dat hij zelf had gemaakt met de schaar die hij tijdens de siësta uit een naaimand had gehaald en waarmee hij als door een wonder net geen oor had afgeknipt; dat hij alleen op de foto stond, apart van de andere kinderen, met zijn handen in zijn zakken, volledig in beslag genomen door de vorm en de grootte van elk takje dat hij onder zijn voeten liet knappen, kwam niet door de straf die hij had gekregen, die trouwens behalve dat hij het afgeknipte haar moest oprapen en in de vuilnisbak gooien, nooit een definitieve vorm had aangenomen, maar eerder uit overtuiging, uit loyaliteit aan het beeld van gekwelde vroegrijpheid dat hij met dat zestal woeste knippen van de schaar had opgeroepen.

Het was duidelijk dat Sofía had nagedacht, of in elk geval haar strategie had gewijzigd: ze verving de belegering door een regelmatige, lankmoedige aanwezigheid, die terloops een oplossing bood voor de kwestie van het verdelen van de foto's. Rímini op zijn beurt kreeg zijn erfgoed terug, in de vorm van zijn jeugd en de foto's. Hij was niet gezwicht, maar hij maakte zich ook geen illusies. Hoewel hij genoot van de tolerantie waarmee Vera probeerde hem zijn misstap te vergeven, wist hij nu dat hij nooit iets met haar zou kunnen delen wat deel uitmaakte van zijn verleden, een woord dat Vera niet kon uitspreken zonder te slikken en waarmee ze niet alleen het leven dat achter hem lag in het algemeen bedoelde, maar ook Rímini's leven *zonder haar*, inclusief de volwassen, seksueel en emotioneel actieve Rímini én, hoe onschuldig ze ook mochten zijn, de pasgeborene, de zuigeling, de tandeloze, de Rímini die bang was in het donker, de onvermoeibare tekenaar van dieren, de seizoens dyslecticus en de grote fan van *Those Magnificent Men in Their Flying Machines*, *Chitty Chitty Bang Bang* en *One Silver Dollar*, allemaal bewijzen voor het feit dat zij niet altijd onmisbaar voor hem was geweest. Dus toen Rímini de twee foto's ontving stopte hij ze bijna zonder erbij na te denken, alsof het voorval bij de lift zijn leven in twee parallelle maar onderling niet met elkaar verbonden fasen had verdeeld, in een doos die hij speciaal voor die gelegenheid had gekocht en zette de doos, zonder enige emotie, niet zozeer om hem te verbergen als wel om hem zijn natuurlijke plek te geven, in de hoogste lade van de kast in de slaapkamer. En terwijl hij de deur dichtduwde vroeg Rímini zich enigszins opgewonden af: Hoe zal de volgende eruitzien? Hoe oud zal ik zijn? Wat ben ik dit keer aan het spelen?

Maar er kwamen geen foto's meer. Op een ochtend stond Rímini onder de douche en las Vera, gehuld in zíjn ochtendjas, onder het knabbelen op een toastje, in vogelvlucht de krant voor. Dat was een gewoonte waar ze zich met genoegen aan overgaven: Rímini vond het prettig 's morgens de krant in de bus te krijgen maar niet om hem te lezen, en Vera, bij wie de berichten niet de minste nieuwsgierigheid opwekten, tenzij ze echt uitzonderlijk waren, was dol op voorlezen, iets wat ze met buitengewoon veel toewijding en enthousiasme deed, waarbij ze als een taallerares nadrukkelijk álle klanken van de woorden uitsprak. Rímini probeerde net de zeep te pakken te krijgen, een enorme, peperdure, schuimige baksteen die hij had gekocht op aanraden van een bevriende apotheker, toen hij het woord 'Riltse' meende te horen. De zeep glipte uit zijn handen, maakte twee sprongetjes op de tegelvloer, botste tegen het douchegordijn en gleed verder tot hij stil bleef liggen op de grond. Vera gaf hem het stuk zeep weer aan terwijl ze verder las: '... aanstaande donderdag arriveert in het Museo de Bellas Artes, ter afsluiting van de internationale tournee die negen maanden geleden begon in het Palazzo Pitti in Florence en ook het Centre Beaubourg in Parijs en galerie Sperone in New York heeft aangedaan, *De kleinere hand*, de overzichtstentoonstelling die tekeningen, schetsen, ontwerpen en ander "persoonlijk" werk omvat van de buitengewone Engelse kunstenaar...'

Net als sommige hardnekkige dromen, die je niet alleen kwellen tijdens je slaap maar je ook na het ontwaken blijven achtervolgen, gaf het opnieuw opduiken van Riltse Rímini's dag een duister tintje. Hij dacht niet meer aan hem, maar ergens in zijn achterhoofd bleef hij de bescheiden maar onophoudelijke druk voelen van een vreemde aanwezigheid, monotoon als een vage echo van pijn. Hij stortte zich op zijn werk. Hij vertaalde, of beter gezegd herschreef, een bloemlezing van onleesbare essays over perversiteit, waarbij hij even verlangend uitkeek naar elke nieuwe ziektegeschiedenis als een lezer in de zomer naar de seksscènes in een dikke roman die zich afspeelt in Aziatische sferen. Hij snoof als nooit tevoren. Het kwart van het papiertje van de vorige dag, dat hij niet had kunnen nemen omdat Vera onverwachts eerder kwam, snoof hij een paar seconden nadat hij afscheid van haar had genomen in één keer op, zonder zelfs maar van neusgat te wisselen. De mengeling van brandend vuur en gevoelloosheid die hem overspoelde was zo ondraaglijk dat hij zich in drie uur vier keer moest aftrekken, en om de laatste keer tot een goed einde te brengen, gezien de staat van onvruchtbaarheid waarin hij door de vorige drie keer verkeerde, moest hij zijn pik in een van de slipjes wikkelen die Vera sinds enige tijd regelmatig in het appartement liet liggen.

Van alle effecten van de scheiding, althans van alle effecten waarvan hij zich min of meer bewust was, was het enige dat hem echt bleef verbazen het feit dat de tekenen van de liefde die hij achter zich gelaten had, tekenen 'uit zijn andere leven', zoals hij ze graag placht te noemen, de catastrofe overleefd hadden en min of meer ongeschonden, bezwangerd met dezelfde betekenis als vroeger, bleven voortbestaan in zijn nieuwe leven. Hoe was het mogelijk dat alles veranderde *behalve* dat? Wat voor soort schepsels konden over de noodzakelijke kracht en halsstarrigheid beschikken om die regelrechte verandering van een geologisch tijdperk te doorstaan die de ondergang van een liefde van twaalf jaar was? Soms, als hij op straat liep, overkwam het hem dat hij ineens opkeek en bijna letterlijk tegen een bord met de naam van een bar aan liep, of oog in oog stond met het affiche van een kledingmerk, de ingang van een metrostation, de omslag van een boek dat op de tafel van een boekenkraam lag, een tijdschrift in een rek van een kiosk, een hondenras, een strand als reclame in de etalage van een reisbureau, en dan voelde hij hoe aan de hand van een van die banale tekenen een heel blok verleden onaangekondigd oprees uit de nacht en met brutaal geweld door zijn ziel sneed, alsof het die in tweeën wilde klieven. Op zo'n moment, te midden van die fysieke onrust, die het gevolg was van de botsing tussen twee tijdeenheden en niet van twee emotionele ervaringen, dacht Rímini dat als er een chirurgische ingreep had bestaan die hem de complete verwijdering van elk van die tekenen, hun terugkeer naar een oorspronkelijke staat van ondoorzichtigheid, had kunnen garanderen, hij zich zonder tegen te sputteren, met zijn ogen dicht, aan een dergelijke operatie zou hebben overgegeven, of hij droomde bedroefd van een wereld waarin het persoonlijk en vrijwillig gebruik van geheugenverlies werd gestimuleerd, een leven waarin iedereen in staat was om door middel van een paar eenvoudige stappen de tekenen elke betekenis te ontnemen die door het verstrijken van de tijd nutteloos was geworden, precies zoals je aan het begin van een nieuw jaar de namen en telefoonnummers die je niet langer nodig hebt uit je agenda schrapt.

Om zes uur, halfzeven, gekweld door hoofdpijn en met een mond zo droog dat hij wel van zand leek, stond Rímini op van zijn bureau en ging naar de keuken om zich op te frissen. Hij voelde zich gebroken. De geringste beweging ontlokte hem een reeks wrevelige snauwen. Voor het eerst vond hij het vooruitzicht drugs te nemen een kleingeestig en onbevredigend kinderspelletje. Hoewel alcohol nooit een verleiding voor hem was geweest, luchtte het hem op dat hij achter in de keukenkast een fles whisky ontdekte. Hij herinnerde zich niet eens dat hij die had gekocht. Hij schonk twee vingers in een glas en dronk het in één teug leeg. Hij huiverde; een stroom vloeibaar vuur trok razendsnel door zijn aderen. Hij was net bezig een tweede keer in te schenken toen hij opschrok van het aanslaan van de lift. Hij schonk nog een beetje meer whisky in het glas, maar toen tilde hij de opening van de fles plotseling een klein stukje op, zodat de drank in een horizontale lijn traag heen en weer schommelde in de fles en ten slotte helemaal stillag, en wachtte. De lift kwam naar boven. Hij sidderde toen zijn geslachtsdeel, dat levenloos tussen de panden van zijn ochtendjas uitstak, de rand van het marmeren aanrechtblad raakte. Hij had het gevoel dat hij ontwaakte uit een eindeloos lange droom. Maar toen hij zijn aandachtspunt wilde verleggen hield een voorgevoel hem tegen: het overigens niet eens zo absurde idee dat er iets belangrijks was wat mogelijk afhing van het feit of hij daar al dan niet in de keuken stond te wachten. De lift kwam omhoog onder begeleiding van een aanhoudende, heel lage toon, niet zozeer een geluid als wel een diepe innerlijke trilling, en bij elke verdieping die hij passeerde klonk een metaalachtig knarsen, alsof hij een barrière moest nemen. Rímini begon in gedachten de verdiepingen te tellen. Hij had hartkloppingen. Tweede... Derde... Vierde... maar hij onderbrak het tellen toen hij boven het lawaai uit een vrouwenstem meende te horen die een wijsje neuriede. Weer een schok, dit keer vlakbij, en de trilling verdween; heel even traden alle andere geluiden in het gebouw op de voorgrond, totdat ze door de stilte werden opgeslokt. Rímini bewoog zich niet: hij wantrouwde alles. Was de lift al op zijn verdieping? Verder naar beneden? Waarom hoorde hij niets? Hij voelde zich *bekeken*; schaamte dwong hem zijn ochtendjas dicht te slaan en vast te maken met de ceintuur. Toen hoorde hij de deuren van de lift opengaan. Hij kreeg de aanvechting naar de deur te rennen en zijn oog tegen het spionnetje te drukken, maar hij dacht dat hij daar geen tijd meer voor had en dat het belangrijkste op dit moment was zich niet te verraden. Hij sloeg zijn ogen op – de enige geluidloze beweging waartoe hij zich in staat voelde – als om afleiding te zoeken, keek door de vuile ruit van het keukenraam van het appartement aan de overkant, een verdieping hoger, naar binnen en zag een onbehaard gezicht met een bril op dat hem aankeek. Aan de andere kant van de deur klonken traag rondschuifelende voetstappen, als van een zieke, alsof de persoon in kwestie eerst alle deuren taxeerde alvorens te besluiten ergens aan te bellen. Even later ging de bel, één keer, kort en droog, maar niet buiten, in de lucht, maar binnen in zijn hoofd. Hij trok zijn buikspieren samen en hield zijn adem in. De tweede bel klonk harder maar ook verder weg, vermengd met het geluid van een sleutel die in het slot van een aangrenzende deur werd gestoken. Rímini herkende de pootjes van de husky's die over de tegels krasten, het schorre geblaf, het gefluister waarmee hun baasje probeerde ze tot rust te manen. Daarna klopte een zelfverzekerde hoewel enigszins vermoeide hand drie keer op zijn deur. 'Gewoon volhouden, hij is thuis,' hoorde hij de buurman zeggen, terwijl de honden de deuren van de lift aanvielen. Hij hoorde ook een dankbetuiging en daarna vijf zwakke, dit keer licht onregelmatige klopjes op de deur. De lift ging naar beneden, met de verrader en zijn bloedhonden. Rímini's benen deden pijn; een begin van kramp deed de wreef van een voet verstijven en zijn rug was drijfnat van het zweet. Hij moest naar de fles whisky kijken die hij nog altijd vasthield om zich te herinneren dat hij een hand had. Hij zou gaan kijken wie er was, dacht hij. Hij zou de deur opendoen, en klaar. Hij deed een paar aarzelende stappen, de eerste in jaren had hij het gevoel, en verliet de keuken. Hij legde een hand op de deurklink en stond net op het punt open te doen, toen de vloer kraakte onder een van zijn stappen. Hij bleef doodstil staan; hij had de indruk dat de persoon aan de andere kant van de deur hetzelfde deed. Maar even later hoorde hij het geluid van kleren, dat ruisende geluid dat een bukkend lichaam begeleidt, en toen hij naar beneden keek zag hij de punt van een kleine lavendelkleurige envelop zich onder de deur door een weg naar binnen banen.

15

Ja, ik haat je. Ja, ik vergeef je.

De liefde is een voortdurende stroom.

Omdat ik weet dat je niet in staat zult zijn in je eentje naar de over-zichtstentoonstelling van Riltse te gaan (ik hoor het je al zeggen: te veel 'herinneringen' – de aanhalingstekens zijn van jou –), zal ik donderdag om zeven uur voor de ingang van het museum staan.

Ik ben het kleine meisje met wallen onder haar ogen in een gele regen-jas (als het regent), of het meisje dat net buiten adem van haar groene fiets is gestapt (als het mooi weer is).

Je kunt je niet vergissen.

Ik vind het vervelend het te moeten zeggen, maar het is je laatste kans.

16

Het regende twintig uur ononderbroken, van 's morgens vroeg tot diep in de nacht, en wel zo hard, met zo'n intens en gelijkmatig geweld dat een oorverdovend geraas als van een eskader vliegtuigen de hele dag de lucht vulde. De laagste delen van de stad kwamen helemaal onder water te staan; ware natuurlijke rivieren die de straten als bedding gebruikten sleurden auto's honderden meters met zich mee en smeten ze tegen een of ander monument of duwden ze rechtstreeks de recepties van de meest luxueuze gebouwen binnen. Rímini had het begin van het noodweer meegemaakt. Hij kon niet slapen en zat te lezen in de woonkamer, met de muziek heel zacht op de achtergrond om Vera niet te wekken, toen hij zag hoe twee of drie dozen met langspeelplaten die opgestapeld op tafel stonden begonnen te trillen en over elkaar heen schoven, totdat de doos het dichtst bij de rand van de tafel ten slotte op de grond viel. Toen pas hoorde hij, ver weg maar overweldigend, de naderende ondergrondse beving. Hij keek uit het raam en binnen twee minuten, niet langer, zag hij de hemel van het egaal pikzwart van de nacht verkleuren naar een roodachtig grijs, en vandaar, in minder dan een halve minuut, naar een ongezond geel, als de huid van een zieke, doorkliefd door korte, felle elektrische ontladingen. Hij deed het raam open: een hete wind omhulde zijn gezicht. Hij zag mensen hun balkon op gaan, mannen verdwaasd luiken sluiten, vrouwen peignoirs dichtslaan of baby's sussen in hun armen, en die momenten van wederzijdse betrokkenheid en anonimiteit, op een vreemde manier gevangen midden in de nacht, deden hem denken aan de gemeenschapszin die hij als kind zo graag herkende in rampenfilms. Pas op dat moment, toen hij begreep dat wat hij voor een aardbeving had gehouden de weerkaatsing van een trilling van de hemel was, kreeg Rímini een idee van de omvang van de onweersbui. Er volgde een geweldige donderslag, een van die knetterende klappen die de wereld aan stukken lijken te scheuren, en hij voelde hoe de eerste druppels in zijn gezicht sloegen. Binnen een paar minuten veranderde dat onregelmatige, enigszins aarzelende druppelen in een woest gordijn van regen dat het zicht beperkte tot hoogstens twee meter. Rímini ging slapen met het beeld van een zwevende gele vlek in zijn hoofd – niet de door Sofía beloofde regenjas maar een van die rubberjassen die de bezorgers op hun brommer dragen als het regent.

Toen hij wakker werd, laat, waren de waterzuilen zo dicht en vielen met zo'n regelmaat dat het bijna stil leek. Vera was al weg. Hij sleepte zich naar de badkamer, waarbij hij met zijn hakken de rand van de pantoffels plattrapte, en bleef voor de wastafel staan. Toen hij zijn ogen opsloeg maakte hij bijna een luchtsprongetje: in plaats van zijn gezicht zag hij op de spiegel van het medicijnkastje een met plakband bevestigd afscheidsbriefje. Hij herkende het handschrift van Vera, schools, vol krullen, en rukte het papier eraf zonder het te lezen. Hij haatte verrassingen bij het opstaan, wanneer alleen de eentonigste routine een goede overgang naar het ontwaken garandeerde. Maar bovendien was er het ongelukkige en onmogelijk op te biechten feit dat de boodschappen van Vera, jonge, romantische en weldadige verwanten, maar hoe dan ook verwanten, onherroepelijk gezien moesten worden in het licht van de reeks geschriften van Sofía, wier stelregel – *op schrift stellen wat door de liefde niet kan worden gezegd* – ze leken te delen, en Rímini, die uit principe een hekel had aan vergelijkingen, kon niet vermijden dat hij ze zag als tot mislukken gedoemde imitaties. Vandaar dat hij de badkamer uitging en voortijdig begon te snuiven, zonder te hebben ontbeten en zelfs zonder zijn tanden te hebben gepoetst, een volkomen werktuiglijke handeling die hij als de werkelijke scheiding tussen de nacht en de dag beschouwde. Vóór twee uur 's middags, het tijdstip waarop hij zoals gewoonlijk van plan was te gaan vertalen, had hij het papiertje waar hij de hele dag mee had moeten doen al opgebruikt. Hij belde de dealer, liet weten dat hij over een kwartier bij hem langs zou komen en hing op voordat hij had kunnen antwoorden. Hij verliet het gebouw, buiten zichzelf, in een verregaande staat van ongeduld, en toen pas, met het water tot aan zijn enkels, herinnerde hij zich het noodweer dat de stad al bijna acht uur lang teisterde. Er reden alleen vrachtwagens, en dan nog zo langzaam dat Rímini, gelijk oplopend, binnen de afstand van één enkel huizenblok al duidelijk sneller was. Om vier minuten voor vier kwam hij doorweekt en verkleumd van de kou bij het appartement aan op de hoek van Bulnes en Rivadavia. Een groot stuk metselwerk, ongetwijfeld losgeraakt door het voortdurend stromende water, stortte naast hem neer en miste hem op een haar na toen hij de lange binnengalerij door liep naar de tweede vleugel van het gebouw.

De deur werd opengedaan. Het brandende licht in alle vertrekken, de gaskachel met zijn zoete, geurende warmte, het glimlachende gezicht van de dealer, de twee andere aanwezigen in het appartement, die hun gesprek heel even onderbraken om naar hem te kijken en het daarna, bij het zien van de glimlach van de dealer, weer hervatten, dat alles had een verzoenende uitwerking op hem, alsof het tafereel, bestaande uit elementen waar Rímini onder elke andere omstandigheid ernstig bezwaar tegen zou hebben gehad – in de eerste plaats de gaskachel, die geen afvoer naar buiten had en door een rubberslang met de gaskraan verbonden was, daarna de oudste van de twee mannen die geanimeerd rond de tafel zaten te praten, een tamelijk beroemde zanger met heel sluik opgeknipt haar, wiens naam Rímini zich niet herinnerde maar wiens gezicht hij verschillende keren op zaterdagavond in een televisieprogramma had gezien, waar hij steeds hetzelfde repertoire van romantische liedjes vertolkte en zijn bewonderaars, dicht opeengepakt op de eerste rijen van de studiotribune, met zijn blinkende tanden bedankte voor hun geloei, en waar Rímini hem meer dan eens had horen verklaren wat voor diepgewortelde afkeer hij had van de gesel van de drugs, waarna hij zich beroemde op de benefietconcerten die hij gaf ten bate van instellingen die, net als hij, hun uiterste best deden om dat kwaad met wortel en tak uit te roeien – alsof dat tafereel, voor de bleke getuige waarin Rímini door het noodweer was veranderd, restanten bevatte van een beschaving die daarbuiten nog maar net was uitgestorven. Hij kreeg een droge handdoek en een kop koffie aangereikt en ze nodigden hem uit deel te nemen aan het gesprek rond de haard, zoals de zanger het uitdrukte, een gesprek dat ze regelmatig nieuw leven inbliezen door zich eensgezind over de lijntjes te buigen die op een doorzichtig plastic dienblad lagen uitgespreid, attentie van de zaak, aldus de dealer. Zodra Rímini was gaan zitten, schoof de zanger zonder hem aan te kijken of zijn verhaal te onderbreken, een gedetailleerd verslag van de seksuele uitspattingen van een collega met wie hij vaak op tournee ging, het dienblad in zijn richting. Twee lijntjes, dacht Rímini, twee lijntjes, dan ga ik. Hij kon de weerzin die de zanger bij hem opwekte niet van zich afzetten, een gevoel dat nog werd versterkt door de verbetenheid waarmee hij hem de obscene intimiteit van zijn collega openbaar zag maken, en door de huid van zijn gezicht die van zo dichtbij, verlicht door de lamp die als in een speelhol boven de tafel hing, de stugge glans van het vel van een hagedis had en bezaaid was met kleine putjes, maar hij wilde ook niet onbeleefd zijn, zodat hij de eerste twee lijntjes snoof en wachtte. Hij zou een paar minuten laten verstrijken, zijn dosis kopen en afscheid nemen. Maar de minuten dijden uit en de onaangename indruk die de zanger op hem had gemaakt, maakte plaats voor nieuwsgierigheid, daarna voor belangstelling en ten slotte voor een zekere vorm van vertrouwelijkheid, die ogenblikkelijk het soort intimiteit bezegelde waar elke vriendschappelijke relatie pas na jaren aan toe is. Al snel gingen ze met elkaar om als jeugdvrienden. De zanger vertelde anekdotes van lang geleden uit zijn professionele carrière en Rímini, die geen van die verhalen kende, had steeds het juiste weerwoord paraat, een vruchtbare voedingsbodem waarop de anekdote zich splitste in duizend geestdriftige vertakkingen. Ze waren het over alles eens; ze haalden elkaar, zoals dat heet, de woorden uit de mond, en elke overeenstemming werd toegejuicht als teken van iets diepers, dat ze misschien ooit, later, nog eens zouden ontsluieren. Rímini leek plotseling alle liedjes te kennen die de ander ter sprake bracht, meestal om uit te weiden over de platina platen die hij had gekregen, de festivals waar hij prijzen had gewonnen, de bewonderaarsters met wie hij, profiterend van de betovering die zijn melodieën op ze uitoefende, neukte in zijn kleedkamer, in de combi waarin hij werd vervoerd of in de suites van de hotels waar hij na afloop van zijn tournee verbleef. Ze schaterden het uit. De zanger schudde met zijn hele lichaam; Rímini sloeg met zijn vlakke hand op tafel en stampte met zijn voet op de grond. Het was een soort koorts. Om halfzes, toen hij wilde ophouden, had Rímini het gevoel dat hij zich moest losmaken uit een katoenen cocon die hem van top tot teen omhulde. Was dat zijn lichaam of de uitstraling van de kachel? 'Ik ga even pissen,' zei hij hardop. Hij moest achter de zanger langs, die met twee vingers zijn haar achter zijn oren streek, en toen hij op hem neerkeek zag hij de littekens die als mierenpaadjes langs de haarlijn liepen. Op de wc was hij een tijdje bezig met het zoeken naar zijn lul, die door de coke tot een minimum ineengeschrompeld was, en met het bekijken van de ongelooflijke verscheidenheid van schone handdoeken en de verzameling haarverstevigers, haarcrèmes, haarkleurmiddelen en haarsprays die op de twee plankjes onder de spiegel stonden. Hij ging overhaast weer naar buiten, als wilde hij het oponthoud compenseren; in zijn haast deed hij de deur niet helemaal open en stootte zijn voorhoofd tegen de zijkant. De dealer noch de zanger zag hem; ze waren in de keuken en spraken op fluistertoon met elkaar. Rímini liep langs hen heen en mompelde een verwarde groet. De dealer hield hem tegen toen hij bij de voordeur stond. 'Je gaat toch niet met lege handjes weg?' hoorde hij hem achter zijn rug zeggen. Rímini lachte om zijn eigen onhandigheid. Hij zou twee gram kopen. De dealer ging aan tafel zitten, tilde een rood kluisje van de grond, ter grootte van een beautycase, deed het open en haalde er twee turkooizen zilverpapiertjes uit. Rímini kwam tot de ontdekking dat hij niet genoeg geld bij zich had. Hij staarde met de twee biljetten in zijn hand in het niets. 'Dan neem je er toch één,' stelde de dealer voor, terwijl hij een van de papiertjes teruglegde. 'Wees niet zo'n proleet,' bemoeide de zanger zich ermee, die van het aantrekken van zijn regenjas gebruikmaakte om een stapel bankbiljetten uit zijn zak te halen. 'Je gaat toch niet moeilijk doen om een papiertje?' Rímini reageerde niet. De dealer liet het andere papiertje in zijn handpalm vallen. 'Ik trakteer, je bent me niets schuldig,' zei de zanger, terwijl hij Rímini's vingers om het papiertje sloot. Waarna hij vroeg: 'Kan ik je ergens afzetten?'

Het regende nog steeds, de hemel was een zwart gewelf, de verlaten straten glommen. Ze reden een paar minuten zonder iets te zeggen, in een Japanse auto die alleen maar zachtjes zoemde. 'Wil je muziek horen?' vroeg de zanger, terwijl hij twee vingers in een asbak vol peuken stopte. 'Nee,' zei Rímini, en hij zag hem er het restant van een joint uit halen. Het aroma van de drug vermengde zich al snel met de geur van ontsmettingsmiddel die in de auto hing. Rímini voelde een lichte duizeligheid. De zanger, die de rook vasthield in zijn longen, bood hem de brandende peuk aan. Rímini schudde zijn hoofd; hij keek naar het medaillon van de Maagd dat heen en weer schommelde aan de achteruitkijkspiegel. Ze reden door Billinghurst, de trottoirs in het voorbijgaan overspoelend met water, en sloegen Las Heras in. Naarmate ze dichter bij Rímini's huis kwamen, begon de zanger, die de snelheid bijna had teruggebracht tot wandelpas en geconcentreerd maar zonder enige emotie, eerder met spottende nieuwsgierigheid, naar de zwarte leegte keek die aan de auto voorbijtrok, de overstroming, de vloedgolf, zoals hij zei, in herinnering te roepen die vijfendertig jaar eerder Fortín Tiburcio, de plaats in de provincie Buenos Aires waar hij geboren was, letterlijk van de kaart had geveegd. Dat gat in de reet van Buenos Aires, zoals hij het noemde, waar hij zei zich dood te hebben verveeld en dat hij op zijn vijftiende ontvlucht was, had de zanger, die toen twaalf was, in drie dagen van hevige regenval ten onder zien gaan en zien veranderen in een stinkende lagune, waarin dode koeien en schapen, matrassen, door de wind ontwortelde bomen en zelfs menselijke lichamen in cirkels ronddreven, aangetrokken door een denkbeeldige afvoer, en die hun stank verspreidden tot twintig kilometer in de omtrek. Als het aan hem, de zanger, had gelegen, had Fortín Tiburcio voor altijd onder water mogen verdwijnen. Vergeleken met die varkensstal waar elke godganse dag, in alle seizoenen, tussen vijf en zeven uur 's avonds een walgelijk stinkende wolk, een mengeling van mest, rottende dieren, stilstaand water en kippenhokken, neerdaalde op het dorp en als een vloek bleef hangen, was Junín, de stad waar hij samen met alle evacués was terechtgekomen, hem voorgekomen als het toppunt van beschaving en welvaart. Net als alle evacués was de zanger, zodra het water gedaald was, echter teruggekeerd naar Tiburcio om het, vanzelfsprekend tegen zijn wil, weer op te bouwen. Maar twee dagen later, zijn hoofd vergiftigd door het gezang dat de voormannen van de wederopbouw, onder wie zijn eigen vader, aanhieven om zichzelf moed in te zingen, was de zanger uit Tiburcio gevlucht en er nooit meer teruggekeerd.

Ze waren er. Het appartementencomplex waar Rímini woonde was net als de rest van de straat in duisternis gehuld. De zanger boog zich over Rímini heen om door het raampje te kijken. 'Op welke verdieping woon je?' vroeg hij. 'De zesde,' zei Rímini. 'Arme jongen,' zei de zanger. 'Wil je de nacht niet bij mij doorbrengen? Ik heb een aggregaat.' Ze zaten heel dicht bij elkaar. De zanger keek hem van onderaf aan, in een vreemde, onderdanige houding, en Rímini kon de kleine schilfertjes roos onregelmatig zien glinsteren op de schoudervullingen van zijn colbert. 'Nee, dank je,' zei Rímini. 'Wat een ge-nee, schatje: zeg je nooit eens ja?' Rímini wilde een hand bewegen om het portier open te doen. Het lukte niet. Een enorm gewicht drukte hem plat. 'Mmmm. Ik heb een droge mond,' mompelde de zanger, en hij boog zich nog verder over hem heen. Zijn stem leek nu tussen Rímini's benen uit te komen, vanwaar hij oprees als een smeekbede. 'Zeg nou ja, doctor No. Zeg ja,' fluisterde hij. 'Ja,' zei Rímini. Hij voelde hoe de gulp van zijn broek werd opengeritst en hoe een vrouwelijk, trillend en vochtig diertje wroetend zijn onderbroek binnendrong. 'Wat is er, heeft-ie geen zin?' zei de zanger met een kinderstemmetje. 'We zullen eens kijken.' Hij deed het dashboardkastje open. Het lampje verlichtte het interieur van de auto. Rímini keek omlaag, naar zijn lul, die slap en angstig tussen de vingers van de zanger hing, en hij kon het niet laten een blik te werpen op diens gevijlde, glimmende en onberispelijk verzorgde nagels. De zanger haalde een stapel cassettebandjes uit het dashboardkastje totdat hij op een papiertje cocaïne stuitte dat helemaal achterin lag. Hij vouwde het snel met één hand open en strooide het beetje coke dat er nog in zat op Rímini's eikel. 'Nu komt hij wel weer tot leven, dat zul je zien.' Hij likte er een tijdje aan, wreef ermee langs zijn tandvlees en stopte de hele lul ten slotte in zijn mond. Rímini bleef stil zitten, kaarsrecht in zijn stoel, en staarde naar de tunnel van de avenida, waar af en toe het zwaailicht van een ambulance over veegde, of las de titels van de cassettes, allemaal albums van de zanger, die in het dashboardkastje hadden gelegen: *Sólo tú, Algo que decirte, Un amor, un adiós, Remedio para melancólicos.* Hij voelde geen grenzen meer: zijn hele lichaam dreef in een soort reusachtig aquarium. Hij dreef en draaide rond, dreef en draaide rond, waarschijnlijk net als de dode dieren bij de overstroming van Fortín Tiburcio, eerst langzaam, meegevoerd op de stroom, daarna steeds sneller, naarmate ze aangetrokken werden door de kracht in de diepte. Hij kwam maar tot een paar omwentelingen, want de zanger richtte zich plotseling op, stopte in allerijl de cassettes weer in het dashboardkastje en zei: 'Heb ik daarvoor mijn hart voor je geopend?' Rímini keek hem beteuterd aan. 'Hier heb ik niks aan; ik ga dat ding niet zitten oppompen.' Rímini zag zijn vuurrode wangen, het felrood van zijn lippen, als uitgelopen lippenstift, de glans van zijn huid van was, de golven sluik haar die als in slow motion terugvielen op zijn hoofd. Hij glimlachte stompzinnig. De zanger boog zich over hem heen, deed met een minachtende blik het portier open en begon hem te trappen, als wilde hij hem op straat smijten, terwijl hij trillend van emotie zei: 'Stap uit, stumper. Stuk ongeluk. Flikker zonder lul. Waardeloze neukbeer. Stap meteen uit, of ik verkracht je, castreer je, sla je op je bek en op je reet.'

Tegen halftwaalf 's avonds, toen het licht weer aanging in het appartement, leek het gebouw, de straat, de hele stad opnieuw tot leven te komen. Rímini bleef onderuitgezakt in de fauteuil in de woonkamer zitten, bewegingloos, met zijn ogen wijdopen, wachtend tot de hartkloppingen die hem kwelden minder werden. De telefoon ging een paar keer. Hij nam niet op. Vera kwam niet en Rímini, die vermoedde dat zij het was die had gebeld, deed niets om dat bevestigd te krijgen. Om twaalf uur, toen hij opstond uit de stoel om naar bed te gaan, zonder zelfs maar de moeite te nemen de lampen in huis uit te doen, was het al opgehouden met regenen, de roestbruine hemel begon open te scheuren en de mensen in de belendende appartementen gingen hun balkon weer op, dit keer om het voorrecht te delen dat ze het overleefd hadden. Hij bleef nog een tijdje tv kijken. Het hele nieuws van middernacht was gewijd aan de meteorologische ramp die het openbare leven van Buenos Aires had lamgelegd. Rímini zag evacués die met wollen dekens werden opgevangen in hospitaaltenten, huizen in de buitenwijken die vrijwel helemaal onder water stonden, door bomen verpletterde auto's, scholen die gesloten waren of gebruikt werden als opvangcentra, helikopters, de redding van een familie die door de stroom werd meegesleurd. Tussen al die noodsituaties door meende hij het frivole oudroze van de muren van het Museo de Bellas Artes te herkennen en hij ging wat rechterop in bed zitten. Evenwicht zoekend op de trappen zoomde een camera met waterdruppels op de lens in op de bewakers die gehuld in donkere regenjassen in allerijl de glazen deuren van het museum sloten. Rímini zag ze worstelen met de wind en de sloten, totdat de camera een stukje opzij ging, langs een reusachtig affiche in rood en zwart, de lievelingskleurencombinatie van Riltse, gleed en toen een seconde stilhield bij de ingang, waar een vrouw in een gele regenjas, volledig doorweekt ondanks de paraplu die ze in haar hand hield, met een verkrampte glimlach op haar lippen hoopvol naar links en rechts keek.

17

Werd hij gevolgd? Op een middag had hij net een vertaling afgegeven bij een uitgeverij aan de avenida Congreso toen hij op straat hetzelfde ongure, baardloze gezicht zag dat hem 's morgens bij het instappen in de metro op station Carranza ook al was opgevallen, en twee dagen later, in een hevige stortbui, die echter van te korte duur was om de verder onbewolkte ochtend te bederven, was hij plotseling in een gevecht gewikkeld om het portier van een taxi met een vrouw die veel leek op de vrouw die hem de vorige middag had aangesproken, en die, beladen met verbazingwekkend lichte pakjes, ontredderd had gevraagd naar de calle Paunero, waar ze, zo zei ze, al uren naar op zoek was, hoewel ze op dat moment precies onder het straatnaambordje stond.

Niet in staat nog langer een oude uitnodiging van de familie af te slaan, was Vera voor vier dagen naar de watervallen van Iguazú, diep beledigd omdat Rímini niet met haar mee had willen gaan. Hoe had hij zo stom kunnen zijn? Hij miste niet zozeer haar aanwezigheid als wel de bescherming van haar jaloezie, de onvoorwaardelijke manier waarop die de altijd meedogenloze trucjes die de wereld aanwendde om hem te verleiden of aan te vallen als hij alleen was, in het gareel hield. Vera hoefde maar weg te gaan of alles werd penibel en bedreigend. Alsof ze het hadden afgesproken, begonnen een paar vrienden die hij met Sofía gedeeld had en die min of meer ongeschonden de breuk hadden overleefd, plotseling moeite te krijgen hem op te zoeken of zelfs maar telefonisch contact met hem te hebben of zijn berichten te beantwoorden, en wanneer Rímini ze eindelijk te pakken wist te krijgen, kwamen de verklaringen die ze gaven hem verdachter voor dan hun stilzwijgen of afstandelijkheid.

Op een uitzonderlijk koude middag liet zijn vader hem tevergeefs wachten voor de deur van een Scandinavisch restaurant in de calle Paraguay. Veertig minuten later belde hij naar zijn kantoor. Zijn vader nam zelf op; hij praatte op de enthousiaste toon die hij altijd aansloeg als ze elkaar weer spraken na wekenlang niets van elkaar te hebben gehoord. Natuurlijk ontkende hij de afspraak waarop hij niet was komen opdagen te hebben gemaakt, maar omdat hij niet in discussie wilde gaan, liet hij het werk waar hij mee bezig was liggen en arriveerde twee minuten eerder bij het restaurant dan Rímini, die net terugkwam van de telefooncel aan de overkant. Ze gingen aan een tafeltje tegen de muur zitten, op de tocht, en toen zijn vader opstond om de tafel met warme gerechten te bestuderen, erop vertrouwend de schotel te vinden die zijn zoon ervan zou overtuigen dat ze op de juiste plek waren, keek Rímini ineens tegen het profiel aan van een jonge, vroegtijdig kale man die alleen zat te eten, een hap soep afwisselend met een alinea van het boek dat hij geopend vasthield met de hand die naast zijn bord lag. Iets aan hem – zijn onaanzienlijke postuur, de schichtige bewegingen als van een voortvluchtige, of het gevoel voor afstand waarmee hij de omtrek van de tafel bestreek – kwam hem vertrouwd voor, vertrouwd en tegelijk onaangenaam. Hij dacht aan een heimelijke bewoner van Las Heras, aan een medewerker van de schrijfmachinewinkel waar hij altijd zijn linten kocht, maar hij vond geen aanknopingspunt. Om hem te identificeren nam hij hem nog één keer aandachtig op, bereid het risico te lopen zichzelf te verraden, en op dat moment onderdrukte de man, die de lepel in zijn mond had, een hoestbui, bolde zijn wangen en wierp zich voorover alsof iemand hem op zijn rug had geklopt, en na twee of drie korte schokken, als hikaanvallen, waarbij de lepel vol soep ter hoogte van zijn neus trilde, hield hij het niet meer uit en begon ongeremd te hoesten, de hele tafel besproeiend met druppeltjes tomatensoep. Hij boog zijn hoofd, keek snel om zich heen en verborg zijn gezicht al achter het servet, nog altijd hoestend, toen zijn blik kort langs Rímini scheerde, hem achterliet en ergens in het niets bleef zweven. Hoewel hij niet langer naar hem keek, zag Rímini hem nog steeds; hij voelde intuïtief dat hij zich bedacht, terugweek en tersluiks naar hem

143

op zoek was, maar zijn vader, die net met lege handen terugkeerde, ging tussen hen in staan en belemmerde hem daarmee het zicht. Tien minuten later merkte Rímini dat de onbekende zijn boek dichtsloeg, om de rekening vroeg, betaalde en opstond om weg te gaan. Hij wilde nog een laatste blik op hem werpen, maar een stuk of vijfendertig Japanners stonden eensgezind op van hun aan elkaar geschoven tafels, die als een bevlogen scrabblewoord door het midden van de zaal zigzagden, waarna de onbekende zich onder hen mengde en verdween.

Rímini zag hem drie dagen later terug, op een feest waar hij besloten had heen te gaan in de hoop zijn dealer te treffen, die hij al anderhalve dag telefonisch had proberen te bereiken. Maar hij was er niet: iemand zei dat hij langs was geweest en weer vertrokken en dat hij misschien nog terug zou komen. Rímini besloot op hem te wachten. Hij werd heel snel dronken, waarbij hij uit glazen dronk die hij op de meest uiteenlopende plekken liet staan, zodat hij als hij zin had om iets te drinken altijd wel ergens een glas aantrof dat het zijne kon zijn en dat zonder nadenken leegdronk. Hij had net een cocktail van punch en as uitgespuugd toen hij hem zag: hij stond in het midden van de dansvloer, traag bewegend onder het flikkerende licht. Iets aan zijn lichaam, misschien de ronding van zijn gebogen rug, die door de dans gestileerd werd tot een lichte bochel, trok zijn aandacht. En terwijl de muziek, de dansende mensen, de flessen en de in fauteuils onderuitgezakte lichamen traag maar onverbiddelijk krompen, ten prooi aan dat verkleinings- en verwijderingseffect dat zijn dronken buien uitoefenden op het heden, rees de ware identiteit van de onbekende langzaam op uit de donkere diepte waarin zij lag te sluimeren.

Het was de man die op de eindejaarsbijeenkomsten van Frida Breitenbach en haar leerlingen en patiënten altijd achter de tafel met hapjes stond. Hij had de indruk dat hij aanwezig was bij de restauratie van een oude verzonken wereld: de kapstok beladen met jassen, de opstapeling van tapijten, de kleine woonkamer boordevol rustige mensen die op fluistertoon met elkaar spraken om minder ruimte in te nemen – en Frida, klein en gedrongen, op haar individuele troon, het enige punt in de woonkamer dat men bereikte door middel van een *besluit,* niet door gebrek aan ruimte, en de leerlingen die zich verdrongen op de divan en, daartegenover, dicht op elkaar in de grote fauteuil of verspreid over de rest van het appartement, de spastici, de hyperkinetici, de parkinsonpatiënten, de lijders aan ruggengraatsverkromming of krampaanvallen, de slapelozen, de zwaarlijvigen, de pianisten, de danseressen: het hele schilderachtige en omvangrijke gevolg van Breitenbach-patiënten. Rímini zag de met pasteitjes en taarten bedekte tafel, het arsenaal van pretzels en volkorenbroden, de kannen met bosbessensap, en hij voelde weer de verstikkende warmte die hem één keer per jaar, in de loop van bijna twaalf jaar, altijd vreselijk suf en loom maakte. Toen zag hij de scène voor zich die hij zocht: Sofía hield de onbekende een bord voor, die er vervolgens het stuk taart op legde dat Frida, heerszuchtig met haar stok op de grond tikkend, zojuist had opgeëist. En Sofía zei, op de enigszins didactische toon die de stemmen die in het geheugen weerklinken ontsiert: 'Dank je, Javier.' De associatie van de onbekende met Sofía verontrustte hem. Maar Rímini was dronken, en de context waarin hij Javier nu zag was zo anders dan de context waarin hij gewend was hem te zien, zo anders vooral dan de contexten waarin hij zich Sofía, nu hij van haar gescheiden was, kon voorstellen, dat hij zich al snel gerustgesteld voelde.

Plotseling hield de muziek op. Twee personen stonden te discussiëren over het verdere verloop van het feest, terwijl de mensen op de dansvloer protesteerden. In een opwelling van hulpvaardigheid stortte Rímini zich op de stereo-installatie en stuitte op een harde, knokige, met leer bedekte materie die zich omdraaide om hem terecht te wijzen, maar die toen hij hem zag tegen hem glimlachte. 'Javier,' zei Rímini – en hij besefte dat hij dat alleen maar zei om het genoegen te smaken zichzelf die naam hier, nu, in het heden te horen uitspreken. Ze keken elkaar een tijdje aan, knikkend en elkaar op de schouder kloppend, breeduit glimlachend, niet zozeer tevreden over het feit dat ze elkaar herkend hadden als wel over de veranderingen die de ander ondergaan had in de tijd dat ze elkaar niet hadden gezien. Ze begonnen samen platen uit te zoeken, namen te noemen, er de spot mee te drijven en nummers te verwerpen, totdat ze op een gegeven moment iets zeiden over het verleden en aan de praat raakten, en iemand die nog geïnteresseerd was in het feest hen hardhandig opzij moest duwen om de muziek weer aan te zetten.

Nee, zei Javier, met dat gespeelde schaamtegevoel dat je voorwendt als je je iets pijnlijks herinnert, hij was niet meer verantwoordelijk voor de tafel met hapjes op de bijeenkomsten van Frida. Hij was zelfs geen leerling meer van haar. Hij had een crisis doorgemaakt. Plotseling was hij om zich heen gaan kijken en had vastgesteld in hoeverre zijn leven – en niet alleen de problemen met zijn wervelkolom, die door alle specialisten die hij had geraadpleegd als hopeloos waren omschreven, maar alles, van het merk tandpasta dat hij gebruikte tot de redenen die hij had aangevoerd om zijn laatste liefdesrelatie te beëindigen, van de boeken die hij wel of niet moest lezen tot de landen die je hoorde te leren kennen, de vervoermiddelen waarmee hij reisde, zijn seksuele voorkeuren, de relatie die hij met zijn ouders had – in hoeverre alles in zijn leven onder controle stond van Frida. Hevig geschrokken had hij besloten afstand te nemen om na te denken. Maar die onderbreking, die hij als tijdelijk beschouwde, bedoeld om zijn gedachten op een rijtje te zetten, niet als een definitieve breuk, wat overigens niet verhinderde dat Frida, die vermoedelijk geraden had wat zich achter zijn besluit verborg, besloot zich hier vanaf het begin tegen te verzetten, had al snel plaatsgemaakt voor een andere, minder vage maar ook radicalere behoefte. Na twee moeilijke maanden, waarin de oefeningen en de tijd die hij besteedde aan de behandeling van de pijn in zijn rug steeds minder werden, en na een eindeloze discussie over een besluit dat volgens Frida eerder was ingegeven door angst dan door wilskracht, had Javier, geschokt door de verbetenheid van de vrouw die hij, net als alle leerlingen, inclusief Sofía – en bij het uitspreken van de naam Sofía liet hij zijn stem dalen, alsof hij bang was een geestverschijning op te roepen, of om Rímini duidelijk te maken dat Sofía wat hem betrof best een gespreksonderwerp kon zijn –, steeds had beschouwd als zijn enige lerares, besloten dan maar kwaadschiks te vertrekken, met een flinke klap van de deur, gewoon uit zelfbescherming, en met achterlating van een schuld van twee maanden die hij nooit had betaald. En de vrijheid die hij nog diezelfde avond had gevoeld, had hij voor een groot deel aan hém te danken. 'Aan mij?' vroeg Rímini. Aan hem en aan Sofía, of beter gezegd aan hun scheiding, die weliswaar niet samenviel met zijn persoonlijke crisis maar er wel de aanleiding voor vormde, omdat daarmee bewezen werd dat zelfs de meest hechte en best ontworpen constructies kunnen instorten en dat er, tegen alles wat hij tot dat moment had geloofd in, ook leven was na de instorting. Rímini bloosde. Hij vond het beschamend dat een gebeurtenis uit zijn persoonlijke leven dit soort pedagogische dimensies aannam. 'Nee, serieus,' hield Javier vol, hem als teken van dankbaarheid op zijn schouder kloppend, 'jullie scheiding betekende de val van mijn Berlijnse muur!' Rímini lachte. Vervolgens maakte hij een schatting, en met een huivering drong het tot hem door dat terwijl hij in Belgrano, Buenos Aires, zijn koffers pakte, in Berlijn een meute uitzinnige Duitsers inderdaad was begonnen om met houwelen het belangrijkste politieke metselwerk van de twintigste eeuw te slopen. Maar toen keek hij uit een ooghoek naar de gebogen rug van Javier en begon hij zich enigszins onrustig te voelen. Hij stelde zich vrienden, bekenden en zelfs volkomen onbekenden voor die, op de hoogte gebracht van de breuk tussen Sofía en hem, dat hadden opgevat als een leerproces, een levensles, en daaraan een voorbeeld hadden genomen, met de meest rampzalige gevolgen van dien – in het geval van Javier, jarenlang gekweld door die hernia in zijn rugwervels, betekende dat het van het ene moment op het andere opgeven van de Breitenbach-methode, de enige die hem na jaren zoeken en proberen, toen hij zich er al bij had neergelegd dat hij onder het mes moest, enige verlichting had geboden. Javier stelde hem gerust: zijn rug kwelde hem weliswaar nog steeds, maar het was niet erger geworden, en het idee dat de preek van Frida een belangrijk aandeel in zijn pijn had gehad, niet meer in het verlichten maar in het opwekken ervan, vond hij nog altijd verleidelijk. Hij had nergens spijt van. Aanvankelijk had hij zich stuurloos gevoeld, alleen met zijn kwaal, die, of het nu suggestie was of fysieke realiteit, van de ene dag op de andere was verergerd. Een soort paria, die zichzelf verbannen had uit een gemeenschap die hem asiel had verleend, en die daarom geen enkele kans had terug te keren als hij spijt mocht krijgen, veroordeeld tot rondzwerven, met de last van zijn kwaal, over een wereld die hem al een hele tijd niet meer tot de haren rekende. Dat de Breitenbach-kring iets had van een geheim genootschap was hem pas geopenbaard op het moment dat hij zijn besluit had meegedeeld die te verlaten, toen Frida en haar gevolg, als een immunologisch systeem dat in werking treedt bij de aanwezigheid van een virus en alle wapens inzet om het te verdrijven, de rijen sloten en hem het doelwit maakten van een eendrachtige verstoting. Hij had Frida afgewezen en met haar, zonder het te weten, alle relaties die hij in de loop van die tien jaar was aangegaan, Sofía incluis, zei Javier, en hij liet opnieuw zijn stem dalen. Ze beantwoordden zijn telefoontjes niet, gingen hem uit de weg, stuurden de platen of boeken terug die hij hun ooit had geleend, deden net of ze hem niet zagen als ze hem in een of andere openbare gelegenheid tegenkwamen, en als ze het achter gesloten deuren, in de beslotenheid van de woonkamer in de calle Vidt, eens een enkele keer over hem en zijn geval hadden, noemden ze hem niet bij zijn naam maar werd hij aangeduid met de door Frida verzonnen uitdrukking 'de verrader'. Verrader – híj, die al op heel jeugdige leeftijd was ontvoerd door de veiligheidstroepen, twee maanden van ondervragingen en martelingen had doorstaan zonder zijn mond open te doen, zonder ook maar één van de namen te noemen die zijn beulen van hem eisten, namen die alleen al door de ophanden zijnde foltering, aangekondigd door het lawaai van de traliedeuren die geopend werden en de naderende voetstappen, op het puntje van zijn tong lagen. Hem noemden ze een verrader, dat handjevol lichamelijk maar vooral geestelijk gehandicapten dat – als het toppunt van autosuggestie, zich volledig vereenzelvigend met de rol van schildwachten van het diepe emotionele evenwicht die Frida hun had toebedeeld – de dwaasheden van een despotische oude vrouw voor heilige existentiële axioma's en haar buitensporigste theorieën voor ware therapeutische ontdekkingen hield en, wat nog erger was, dat schandalige misverstand voorstelde en verdedigde alsof het god mocht weten wat voor moderne vorm van kennis was. Javier zweeg om weer op adem te komen. Zijn gezicht was purperrood aangelopen, de aderen bij zijn slapen waren opgezwollen.

'Goed, geeft niks,' kalmeerde Rímini hem, 'het is voorbij.' Hij bood aan een drankje te gaan halen, maar Javier antwoordde niet. Hij keek hem niet eens aan; zijn ogen waren gericht op een vast punt ergens ver weg in de ruimte en de feestscènes weerkaatsten in zijn pupillen als in een beslagen spiegel. Schijnbaar was het de korpsgeest waarmee ze hem veroordeeld hadden die hem het meest had aangegrepen. De stalinistische zuiveringen mochten willen dat ze een dergelijke eensgezindheid hadden genoten. Of Jim Jones. Of David Koresh, zei Rímini, erop vertrouwend dat de opsomming, door haar natuurlijke neiging tot grappigheid, het gesprek uit de afgrond van verbittering zou halen waarin het dreigde weg te zinken. Precies, zei Javier, plotseling oplevend: vergeleken met Vidt moest Waco wel mei 1968 zijn geweest! En zijn schaterlachen weergalmde als donderslagen boven de muziek uit. Een paar hoofden werden in hun richting gedraaid en Rímini, gebruikmakend van de onderbreking, wees met een vaag gebaar naar een aangrenzende kamer, mompelde 'drinken' en beloofde meteen terug te komen. Maar een hand dook op zijn onderarm en hield hem met kracht tegen. 'Jij hebt jezelf gered,' zei Javier, 'je bent op tijd ontsnapt.' 'Nou ja,' zei Rímini, 'ik ging alleen maar mee. Ik heb er nooit iets mee te maken gehad.' 'Je weet wel wat ik bedoel,' onderbrak Javier hem. Rímini bespeurde in zijn stem een dreigende ondertoon. 'Je ziet er fantastisch uit,' zei Javier. Rímini knikte zonder al te veel overtuiging. En toch, zodra hij begon uiteen te zetten hoe goed het eigenlijk met hem ging, niet zozeer omdat hij er zelf in geloofde als wel om tegemoet te komen aan de vage verwachting die hij bij Javier bespeurde, werd hij door een vreemde geestdrift bevangen. Hij had het over de jeugdigheid van Vera en het weer opleven van zijn begeerte, over Vera's jaloezie en de husky's van de buurman, over Vera's enkels en over het alleen wonen, over Vera's ondraaglijke lange reis naar Iguazú, over de roes van het vertalen en over de geweldige levenslust die Vera in zijn leven had gebracht. En toen hij uitgepraat was, toen hij het gewicht van zijn lichaam van het ene naar het andere been had verplaatst en zich opnieuw opmaakte om drankjes te gaan halen, ging Javier weer aan zijn onderarm hangen, keek in zijn ogen en zei met zwakke stem: 'Allemaal, begrijp je? *Allemaal.* Sofia incluis, Rímini. *Sofía*. Jij weet wat voor relatie ik met Sofía had. Hoe kon ze, mijn god? Hoe kon ze me zoiets aandoen?' Daarop zweeg Javier – zijn stem, niet in staat uiting te geven aan het leed dat hem kwelde, leek een ander register aan te nemen en veranderde in een zachte, zware trilling, die honderd punten van zijn lichaam tegelijk omvatte of daaruit leek op te wellen. 'Nou ja,' bracht Rímini moeizaam uit, 'zo erg is het nu ook weer niet. Het is verleden tijd. Het belangrijkste is dat je erbuiten staat, toch?' Heel langzaam, alsof het simpele opslaan van zijn ogen een onvoorstelbare inspanning vergde, keek Javier hem aan en Rímini kon zien hoe de trilling zich nu verplaatste naar zijn gezicht en zich met grote snelheid onder zijn huid verspreidde, en hij besefte dat Javier zich niet meer vastklemde aan zijn arm om hem tegen te houden: het was het enige in de wereld dat hem scheidde van de totale instorting. Rímini begon een voor een zijn verkrampte, stijve vingers los te maken, die naarmate ze zich terugtrokken de kleine kraters zichtbaar maakten die ze op zijn mouw hadden achtergelaten. 'Erbuiten?' zei Javier met een dun stemmetje. 'Wie wil er nu buiten staan? Ik krijg geen lucht meer. Er komen vlekken op mijn huid. Ik pis bloed. Mijn haar valt uit. Ik kan soms dagenlang niet slapen. Het is mijn leven, Rímini. Ik wil *erbinnen* staan. Dat is de enige plek waar ik kán zijn.' Hij begon te huilen. Hij zag bleek en huilde met opengesperde ogen, jammerend als een dier. 'Help me, Rímini. Alsjeblieft, ik smeek het je.' 'Wat kan ik doen,' zei hij, Javiers ringvinger lostrekkend. 'Met Sofía praten. Doe het voor mij. Zeg tegen haar dat ik terug wil in de groep.' 'Maar... we zijn uit elkaar.' 'Dat maakt niet uit.' 'Ik heb haar al een hele tijd niet gezien.' 'Dat maakt niet uit. Ze luistert wel naar je.' Rímini bevrijdde zich van de pink. 'Ik denk niet dat ze dat wil. Ik beantwoord haar telefoontjes niet eens. Ik heb haar laten zitten.' Javier hield niet zomaar op met huilen: hij verliet zijn gesnotter zoals je een kamer verlaat, gewoon door een deur te openen. Al zijn hulpeloosheid was op slag verdwenen, opgeslokt door die onzichtbare dimensie waar de alchemie van de gevoelens wordt geproduceerd, en toen hij weer tevoorschijn kwam, was hij pure vijandigheid. 'Sofía is dol op je, Rímini,' zei hij, hem met geweld door elkaar schuddend. 'Ze zou alles doen wat je haar vraagt.' Rímini keek hem ongelovig aan, alsof dezelfde reden die hij zichzelf gaf om elk contact met Sofía uit de weg te gaan, uit de mond van een ander op een vreemde manier beledigend klonk. In elk geval school er iets obsceens in de hooghartigheid waarmee die bijna onbekende die niet aarzelde om zichzelf tegenover hem te vernederen, zich er tegelijk op liet voorstaan toegang te hebben tot de meest verborgen achterkamertjes van zijn gevoelsleven. 'Laat me met rust,' zei Rímini snel, en hij draaide zich om en liep weg. Javier kwam achter hem aan. Meer dan eens, als hij werd afgeremd door een opeenhoping van mensen, voelde Rímini zijn trillende maar volhardende vingers in een mouw, een schouder, een hand knijpen en schudde hij ze af als insecten. Gelukkig werd zijn geschreeuw overstemd door de muziek en de stemmen. Op een gegeven moment, toen hij de grote zaal door liep waar de mensen badend in zwart licht aan het dansen waren, draaide Rímini zich om om de afstand die hen scheidde te schatten en werd hij geconfronteerd met het groteske beeld van een wijdopen muil, als in een tekenfilm, waarin twee rijen fluorescerende tanden blikkerden. Vlak bij de ingang, half op de tast, want alles was in duisternis gehuld, stuitte hij op de garderobe. Hij wilde de deur openen, maar Javier hield hem tegen. 'Wat is dat nou voor moeite,' smeekte hij hijgend, 'jij bent sterk, jij bent al gered. Je hebt niets te verliezen.' 'Je begrijpt het niet,' antwoordde Rímini, 'ik wíl haar niets vragen.' Javier bleef als verlamd staan, alsof hij een stomp in zijn maag had gekregen. Daarna, terwijl er een blinde woede in hem begon op te wellen, keek hij hem aan en zei: 'Waarom niet?' Niet zozeer tegen Rímini, want hij wist dat hij van hem niets meer te verwachten had, maar tegen iets of iemand in het algemeen, een onbestemde kosmische verantwoordelijke voor zijn lijdensweg. 'Ik wil niet bij Sofía in het krijt staan,' zei Rímini. 'En mag ik er nu langs. Ik wil weg.' Javier leek weer tot zichzelf te komen en deed een stapje opzij, net genoeg om Rímini de deur te laten openen, maar die moest hem wegduwen om erlangs te kunnen. Het vertrek was zwak verlicht, met een nachtlampje, zodat de jassen, willekeurig op bed gesmeten, een ongeordende berg vormden waarin niets viel te onderscheiden. Rímini, met Javiers ogen in zijn rug, begroef zijn handen in de stapel en zocht op de tast naar zijn windjack. Hij voelde leer, grove wol, iets van metaal, een opengewerkte stof waarin zijn vingers verstrikt raakten, totdat iets warms en zachts, bewegingloos maar levend, hem vol afschuw zijn handen deed terugtrekken. Hij deinsde een paar passen terug. Javier stond naast hem, met een spottende glimlach op zijn lippen. 'Ik wist dat je naïef was,' zei hij, 'maar niet zo erg. Denk je dat het voldoende is haar niets te vragen? Arme jongen. Arme, domme jongen. Je moet wel heel stom zijn om het niet in de gaten te hebben.' Rímini richtte zich langzaam op en wachtte even voordat hij hem aankeek. Hij was bang, bang om te ontdekken hoe dicht die kleinhartige gebochelde bij een waarheid kon zijn die hemzelf volledig onbekend was. 'Wat in de gaten hebben?' vroeg hij. 'Je zit er nog tot je nek aan toe in, Rímini. Hoe lang zijn jullie samen geweest? Acht, tien jaar?' 'Twaalf,' zei Rímini. 'Maakt niet uit. Sofía is de Grote Schuldeiseres. En jij, Rímini, luister goed, jij bent niet eens de schuldenaar. Jij bent de gegijzelde. Jij bent de garantie dat iemand haar ooit zal betalen wat zij eist.' Rímini keek hem nu met halfopen mond aan, als verdwaasd door zijn wreedheid. Javier begon te lachen. 'Als ik naar je kijk komen er allemaal oeroude woorden in mijn hoofd op: *uilskuiken, oen, jandoedel, minkukel...* En dan te bedenken dat ik je op die eindejaarsbijeenkomsten altijd benijdde!' Hij verslikte zich in zijn eigen lach en moest ophouden met praten. Rímini maakte van de gelegenheid gebruik om op hem in te slaan, eerst zonder erbij na te denken of te richten, alsof hij blindelings in alle richtingen een regen van preventieve slagen losliet, minder om schade toe te brengen dan om een onzichtbare vijand op afstand te houden, maar toen hij hem ineengedoken op de grond zag liggen, met zijn armen over zijn gezicht, en hem hoorde kreunen, kreeg hij zin hem echt pijn te doen, en na hem aandachtig te hebben bekeken om zijn zwakke punten te ontdekken, begon hij hem tegen zijn borst, maag en ribben te schoppen, alle delen van zijn lichaam die zijn armen, druk bezig met het beschermen van zijn gezicht, onbedekt hadden gelaten, en daarna, toen Javier ze in een poging de ergste klappen af te weren, door een simpele reflex liet zakken, trapte hij hem vol tegen zijn hoofd, en toen hij hem weerloos op de grond zag liggen, begon hij opnieuw te schoppen, steeds weer, met de regelmaat van een trapmachine, totdat hij ophield met schokken en Rímini zag dat de jassen in beweging kwamen, weggleden en op de grond vielen, waarbij ook de onderste werden meegesleept, en dat een jongetje van een jaar of vier, vijf met een moedervlek in zijn hals rechtop ging staan in bed, heel stijf op zijn kromme beentjes, en hem met een slaperige ergernis aankeek, zoals de despoot die zich afvraagt welke onbenulligheid uit de wereld van de stervelingen het heeft kunnen wagen hem los te rukken uit de volmaakte sfeer van de slaap.

18

Maar Vera kwam terug, en toen Rímini haar ontdekte op het vliegveld, zigzaggend tussen haar medepassagiers om haar koffers op te halen, en zag hoe haar schoonheid en gratie toenamen met haar zorgeloosheid, zich totaal niet bekommerend om hem, die ze van een afstand bewonderde, had het voorval op het feest al de zwakke samenhang van een droom. Wat er gebeurd was leek plotseling uiterst twijfelachtig, als de beelden die we nog vaag op het televisiescherm zien vlak voordat we in slaap vallen en die voor altijd in het ongewisse blijven. De ouders van Vera verschenen als eerste, zij rokend uit een van die ranke, gekleurde sigarettenpijpjes die ze altijd mee liet brengen uit het buitenland, hij daarachter, omvangrijk en hijgend, met een gezicht of hij dringend toe was aan vakantie van zijn vakantie. Ze bleven staan in de aankomsthal, keken zoekend om zich heen, totdat Vera's moeder hem herkende en glimlachend op hem toe begon te lopen. Maar Rímini ontweek haar gepoederde wang, ontweek de hand waarmee Vera's vader hem de weg wilde versperren, liet hen achter en ontweek terloops een politieagente om zich op Vera te storten, die worstelde met haar koffer op wieltjes – een van de wieltjes was vastgelopen –, haar te kussen en tot verstikkens toe te omhelzen, totdat de andere passagiers, opgesteld in een lange rij, hen aanspoorden de uitgang vrij te maken en Vera, haar hoofd tussen Rímini's armen door stekend, hem voor het eerst, een beetje verdwaasd, aankeek en met gefronste lippen zei dat ze het goed had gehad, dat alles volmaakt was geweest op een paar tegenslagen na, die zich vast niet zouden hebben voorgedaan als hij, Rímini, gewoon met ze was meegegaan. Nog altijd in een innige omhelzing vroeg Rímini haar om vergiffenis, bekende schuld aan alles, eiste voor zichzelf de ergst denkbare straffen en maakte zich op, zo goed en zo kwaad als het ging, verdiept als hij was in het bewonderen van zijn herwonnen schatten, de v van het haar op haar voorhoofd, de rode vlekjes rond haar lippen, de lippen zelf, zo rood dat het was alsof iemand er zojuist een heftige kus op had gedrukt, om te luisteren naar de lijdensweg die de reizigster had doorgemaakt. Het meeste was irrelevant, vermoedelijk verzonnen: turbulentie op de heenvlucht, ontmoeting met een of ander giftig reptiel midden in het oerwoud. Rímini koos er twee uit: een allergische verkoudheid – gevolg van te veel exotisch fruit – die een paar allercharmantste kloofjes op de rand van haar neusgaten had achtergelaten; de 'vreselijke wond' aan haar dij, die ze had opgelopen door een buitengewoon agressief exemplaar van een cactus, terwijl ze, nota bene, duizelig over een hangbrug boven het water liep, en die elke weldenkende arts – niet de kluns in het hotel, die blijkbaar minder geïnteresseerd was in de verwonding dan in de benen van de patiënte – met een paar hechtingen zou hebben gedicht maar die haar een hele nacht in een wolk van koorts had gehuld – de cactus was giftig, hoewel 'als door een wonder' niet dodelijk – en die Vera hem niet in de taxi wilde laten zien, ook al bood de safaribroek die ze droeg ruimschoots de gelegenheid voor een eerste visuele indruk en was Rímini's klinische begerigheid op een hoogtepunt, maar pas toen ze in Las Heras aankwamen, struikelend over koffers en tassen naar binnen gingen en zich zonder de voordeur te sluiten op Rímini's bed lieten vallen, dat hij drie uur eerder, toen hij naar het vliegveld was vertrokken, besloten had niet op te maken, en waar hij na een korte worsteling met haar broek van dichtbij de 'vreselijke wond' – een bleke schram, niet veel groter dan een nagel en vrijwel onzichtbaar, die elke toevallige waarnemer, vanzelfsprekend niet Rímini, voor een uitschieter van een rode balpen zou hebben gehouden – kon bekijken en ontroerd met zijn lippen beroeren.

Rímini bood haar onmiddellijk, zonder erbij na te denken, onderdak aan. Hij accepteerde een voor een de eisen die Vera met een kinderlijke verblindheid, rechtop in bed gezeten, formuleerde, terwijl hij de tv aandeed, een ketel water opzette, de luiken sloot, de stekker van de telefoon eruit trok, de deur uitging om broodjes of sigaretten te halen,

haar voetzolen masseerde, weer de deur uitging, dit keer naar de apotheek om een zalfje te kopen voor de kloofjes op haar neus, een extra
kussen bracht, dekens weghaalde, het raam een stukje openzette en
weer sloot, haar alleen liet slapen, toesnelde op haar roepen, zich uitkleedde, zich tussen de lakens liet glijden, haar warm wreef, tegen haar
aan kroop, met haar handen tussen zijn benen en zijn handen onder
haar oksels, hun benen ineengestrengeld, waarna ze, zonder de geringste inspanning, zelfs zonder zich te bewegen, alsof het verlangen zo hevig was dat er geen organen aan te pas hoefden te komen, een drempel
overgingen, zich lieten meevoeren door miljoenen piepkleine stuiptrekkingen en in slaap vielen zonder zich van elkaar los te maken.

Het onderdak duurde acht dagen: precies twee keer zo lang als de
verkoudheid en de tijd – onvergeeflijk – die Rímini haar overgeleverd
had gelaten aan de subtropische bezoeking. Na twee vurige dagen, die
hij gebruikte om zich los te maken, onderbrak Rímini zonder de minste wroeging het werk aan zijn vertalingen: zijn bureau bleef onaangeroerd, als bevroren in de tijd, met de woordenboeken en boeken opengeslagen, de papieren chaotisch door elkaar, een voor de helft getypt
velletje in de wagen van de schrijfmachine, en telkens wanneer hij erlangs liep keek Rímini er afstandelijk naar, precies zoals hij gekeken
zou hebben als hij diezelfde scène in de vorm van een gereconstrueerde
opstelling in een museum had gezien. Hij bracht het grootste deel van
de dag door op straat om de opdrachten uit te voeren en de instructies
op te volgen die Vera hem 's morgens vanuit bed, haar ware hoofdkwartier, tot aan haar kin toegedekt met een laken bestrooid met de
suiker en de kruimels van het ontbijt, had gegeven. Vera was de roerloze stuwende kracht, Rímini de repercussie. Of Vera was de stralingsbron, een absoluut en wispelturig centrum, die met soevereine
schaamteloosheid haar primitiefste zwakheden deed gelden – vers sinaasappelsap in de ochtend, vraatzucht bij het eten, witte sokjes, aard-
appelpuree met een korstje, enkelbandjes, Patrick Süskind, veel suiker
in alles, afgekloven nagelriemen, mannenschoenen zonder sokken –,
en Rímini, de meest nabije en daardoor helderste planeet, een onvoorwaardelijke, onvermoeibare boodschapper, belast met het transporte-

ren en verspreiden van zijn licht over alle uithoeken van de melkweg. Op een middag, nadat hij drie achterstallige termijnen bij de Alliance Française voor haar had voldaan, stond Rímini in een metrowagon na te genieten van het gevoel van trots dat hij had ervaren tegenover de caissière die het geld in ontvangst had genomen: de trots van het *vertegenwoordigen* van Vera tegenover de onbekende vertegenwoordigers van de wereld van Vera. Hij bekeek zichzelf vanuit een ooghoek in de ruit van de deur en ontdekte op zijn gezicht een stompzinnige, volkomen verrukte glimlach, die hij nooit had gedacht te kunnen hebben. De metro stopte in Tribunales; er stapten mensen in. Een onbesuisde roodharige jongen in schooluniform schampte met een hoek van zijn tekenmap Rímini's wang en hij voelde de vluchtige maar hevige opwelling, zelfs zo sterk dat hij zijn agressor de rug moest toekeren om er niet aan te gehoorzamen, hem met zijn rossige hoofd tegen de deur te slaan.

Dat was niet meer dan logisch: hij had al vier dagen geen drugs gebruikt – vier dagen waarin de cocaïne letterlijk uit zijn leven was gewist. Maar dit afkicken, dat zich ongemerkt had voltrokken, zoals alleen gebeurt dankzij de genezende werking van de liefde, was niet het enige duidelijke teken dat zijn periode van toewijding hem verschafte. Meer dan eens, als hij terugkwam van de 'missies' – zoals hij ze in zijn privé-taal noemde – die Vera hem opdroeg, ging hij Las Heras binnen en werd hij overvallen door een verontrustend gevoel, de bevreemding die zich meester maakt van iemand die zijn huis uitgaat en bij terugkomst merkt dat er op een mysterieuze manier iets veranderd is. Het kostte hem een paar dagen om te ontdekken hoe en wat er precies was veranderd. Maar hij was zich ervan bewust dat het kleine veranderingen waren, die een minder argwanende blik gemakkelijk had kunnen toeschrijven aan verstrooidheid of een tochtvlaag. Later, achteraf, begonnen de sporen zich op te stapelen: zijn agenda lag niet op de plek waar hij hem had achtergelaten; de laden die hij dicht had gedaan stonden halfopen; het antwoordapparaat had geen berichten opgenomen; sommige boeken stonden ogenschijnlijk niet langer op alfabetische volgorde en waren onverwacht van plaats veranderd in de boekenkast

– vooral de grote boeken, ideaal om geheimen, boekenleggers, servetjes, stukjes papier, brieven, ansichtkaarten, foto's of telefoonnummers in op te bergen...

Vera maakte van zijn afwezigheid gebruik om zijn gangen na te gaan. Hij voelde zich een beetje onnozel. Hoe had hij niet kunnen denken aan de golf van jaloezie die hij zou ontketenen toen hij weigerde mee te gaan naar Iguazú? Hij dacht aan haar. Hij zag haar rechtop in bed zitten, afscheid van hem nemen met dat overdreven ongeduld dat hij steeds aan de liefde had toegeschreven, aan de altijd onbevredigende relatie die de liefde onderhoudt met afscheid nemen, en daarna, zodra ze zeker wist dat ze alleen in huis was, zag hij hoe ze zich op zijn agenda stortte en die vertwijfeld begon door te bladeren, in een poging een naam, een afspraak, een cruciaal spoor te ontdekken. Hij vond haar breekbaar, eenzaam, als verteerd door de vruchteloosheid van haar ijver, en de ontdekking vertederde hem, gaf hem het gevoel machtiger te zijn dan ooit. Op een avond stelde hij haar voor om bij hem te komen wonen. Vera's ogen lichtten op, maar ze had zichzelf meteen weer onder controle; ze keek hem langdurig, onderzoekend aan, alsof ze hém de kans wilde geven er nog eens goed over na te denken. Rímini liet zich niet afschrikken, en Vera vroeg hem duizend keer of hij het zeker wist, of hij het meende, of dat echt was wat hij wilde, of hij er goed over had nagedacht, of hij het haar voorstelde omdat hij het wilde of omdat... En hij zei ja, ja, ja, en zij begon op heldere, ernstige toon, alsof ze een juridisch document voorlas, alle tekortkomingen op te sommen die hij op de koop toe zou moeten nemen als hij met haar samenleefde, waarbij ze onderscheid maakte tussen de gebreken waar een oplossing voor was en de onomkeerbare, de lichtzinnige en de onontbeerlijke, en hij omhelsde haar dankbaar, stemde overal mee in en voegde er zelfs nog een paar aan toe die zij had weggelaten, en terwijl hij haar in haar hals kuste, zei hij dat hij niet geloofde dat er tekortkomingen met een oplossing bestonden. Ze lachte. Hij duwde haar een beetje van zich af om haar te zien lachen en op dat moment zag hij hoe een snelle schaduw van angst over haar gezicht trok en haar lach een grimas van ontzetting werd. Ze begon te huilen, smeekte hem haar niet los te laten. 'Ik kan er niets aan doen,' zei ze. 'Als alles goed gaat, denk ik altijd dat er een tragedie staat te gebeuren.'

Ze aten in het Chinese restaurant in Paunero, een ruime, overbelichte gelegenheid met massa's varens die stonden weg te kwijnen op de lege tafels en een al even groot aantal obers, verveeld starend naar de straat. Dat ze aten was meer bij wijze van spreken. Na hun worsteling met het brabbeltaaltje van het menu was het te voorzien dat ze niet kregen wat ze hadden besteld, en ze hoefden maar een vluchtige blik op de rest van het restaurant te werpen, waar behalve een man die met zijn rug naar hen toe afwezig zat te eten, en van wie ze onmogelijk konden vaststellen of het een klant was of dat hij tot het personeel behoorde, al uren- of dagenlang niemand anders was geweest dan zij, om te vermoeden dat het voedsel dat ze kregen voorgezet niet te eten was. En dus beperkten ze zich tot wat kleine hapjes van een paar dingen met tentakels die in een glinsterende saus lagen te spetteren en tot drinken en schaamteloos genieten van de onkwetsbaarheid die hen leek te beschermen tegen alles wat onwenselijk was, de bedreigende gerechten, de vijandigheid van de obers, de inrichting – draken, portretten van boksers, papieren kamerschermen met uit tijdschriften geknipte foto's van televisiesterren – en zelfs de prikkelbaarheid van de andere gast, die zich meer dan eens, opgeschrikt door hun gelach, had omgedraaid en hen met zijn bloeddoorlopen ogen verwijtend had aangekeken. Toen ze buiten kwamen waren ze dronken. Vera deed drie stappen en struikelde. Rímini moest zijn armen om haar heen slaan om te voorkomen dat ze viel. Ze bleven een tijdje zo staan, met hun armen om elkaar heen, geleund tegen een boomstam, totdat Vera antwoordde op een van de simpele vragen waarmee Rímini haar tegenwoordigheid van geest testte en ze samen hun tocht naar Las Heras vervolgden.

Ze sloegen de calle Cabello in, verblind door de kwartslamp die de hele straat verlichtte. Vera, die de gedachte niet kon bevatten dat ze beter van punt naar punt konden lopen in plaats van te discussiëren over alle mogelijke wegen die ze zouden kunnen nemen, maakte bezwaar tegen de route en wilde teruggaan. 'Via Canning. Via Canning,' stamelde ze. 'Maar we gáán via Canning,' zei Rímini, terwijl hij haar bij haar schouders pakte en dwong om te keren. 'Ik ben ontzettend misselijk,' zei Vera, 'ik denk dat ik maar hier blijf.' 'Het zijn maar twee straten,' zei Rímini. 'Hier, hier is prima,' zei ze, wijzend op een donker portiek. 'Nee, nee,' zei hij, 'steun maar op mij, ik breng je wel.' Ze deden nog een paar stappen, totdat Vera met wijdopen ogen bleef staan, alsof ze zich iets belangrijks herinnerde. 'Ik geloof dat ik moet kotsen,' zei ze. 'Diep doorademen,' zei Rímini. Vera haalde kort en snel adem, sloot haar ogen en struikelde opnieuw. Rímini hield haar stevig vast. 'Doe je ogen open,' zei hij; haar wimpers veegden hooghartig door de lucht en de enorme groene ogen van Vera keken bewonderend naar de enorme lichtvlek. Er knetterde iets in Rímini's geheugen, een van die automatische, indirecte herinneringen die plotseling boven komen, de puinhopen in beroering brengen en een vonk doen overspringen. 'Zeg me na,' fluisterde hij in haar oor: 'Ik ontspan mijn tong onder mijn tong.' 'Wat?' 'Dat is om je te ontspannen. Zeg me na: "Ik ontspan mijn tong onder mijn tong."' 'Hoezo "mijn tong ónder mijn tong". Wat zeg je nou?' Dat was de vraag die Rímini altijd al aan Frida Breitenbach had willen stellen – *altijd*, dat wil zeggen, vanaf de ochtend op het schoolplein dat hij die mantra voor het eerst uit de mond van Sofía had gehoord, vlak nadat Sofía had ingestemd met zijn voorstel om samen uit te gaan en Rímini, met bonzend hart, bijna flauwviel onder de trap van de lagere school, tot aan de laatste keer, de ochtend waarop Rímini, die toen net het appartement in Las Heras had gehuurd, in bed vocht tegen de slapeloosheid, op enkele centimeters van de vrouw bij wie hij besloten had voorgoed weg te gaan. 'Sst, mond dicht en zeg me na: "Ik ontspan mijn tong onder mijn tong,"' drong hij aan. 'Nee, serieus,' zei ze, een arm over zijn borst leggend alsof ze hem op een paar centimeter van een afgrond tegenhield. 'Ik ga nú kotsen.' Ze bleven roerloos als een standbeeld staan, in het meedogenloze licht van de kwartslamp. Op een gegeven moment moet er iets voor de schijnwerper langs zijn gegaan, want er was een korte eclips en Rímini en Vera voelden hoe een balsem van duisternis hun ogen verlichting gaf. Het was maar even – daarna sloeg de felle bundel weer genadeloos toe –, maar het was genoeg om de misselijkheid te verdrijven. Vera begon weer te lopen. 'Wat een afgang, mijn god,' zei ze, 'we gaan samenwonen en ik begin met op straat je schoenen onder te kotsen.' Rímini lachte en keek voor zich uit. Hij zag iets uit het licht op ze af komen: een menselijke gedaante. 'Ik geloof dat ik nog nooit in aanwezigheid van een man heb gekotst,' zei Vera, terwijl ze haar ogen half dichtkneep. 'Het zou een eer zijn geweest,' zei Rímini. Hij hield zijn hand voor zijn ogen tegen het licht om beter te kunnen zien: het was het silhouet van een vrouw. Te laat herkende hij de halo van haar die als een krans van vuur het hoofd omhulde, de licht gekromde benen: Sofía. 'Ik wil niet. Als ik kots schaam ik me zo dat ik bij je weg zal moeten,' zei Vera. Rímini begon te zweten. Hij overwoog heel even of hij de straat zou oversteken, maar het idee ook maar enige beweging te maken schrok hem meer af dan te blijven staan en af te wachten. 'Heb je het koud, liefste?' hoorde hij Vera zeggen. Het drong tot hem door dat hij, bevangen door paniek, eerder bezig was haar te smoren dan dat hij haar omhelsde. Hij had de illusie dat het silhouet niet dichterbij kwam maar zich verwijderde, een illusie die hij koesterde en waarop hij vertrouwde met een wilskracht die hij nooit eerder had gebruikt, maar hij moest de gedachte meteen weer verwerpen toen hij begreep dat het toenemende bonzen in zijn hoofd niet zijn hartslag was maar een noodlottig aftellen. 'Liefste, liefste.' Nu omhelsde Vera hém, duwde hem tegen een metalen rolluik. 'Vind je het fijn als ik *liefste* tegen je zeg?' Hij was verloren. Hij begon een inwendige smeekbede die hij steeds weer bij zichzelf herhaalde, op dezelfde monotone en bijgelovige toon waarop in zijn herinnering Sofía en Frida en alle leerlingen de formule uitspraken, en naarmate Sofía dichterbij kwam, nam het innerlijke volume van zijn smeekbeden toe, werd oorverdovend, jammerlijker dan huilen, en hij vouwde zijn handen, zakte door zijn knieën – alsjeblieft, spaar me, alsjeblieft, alsjeblieft, doe het voor mij, spaar me nu, nu, nu – drie, twee, één – Nú. Toen pas kon hij haar goed zien, op het moment dat Sofía's kleine lichaam, gehuld in een soort poncho, al dicht genoeg genaderd was om zich los te maken uit het tegenlicht. 'Ben je al eens *liefste* genoemd, liefste?' herhaalde Vera, terwijl ze met gesloten ogen haar hoofd in haar nek wierp en onhandig met haar vingers over zijn gezicht ging. Sofía was er al, op een halve meter afstand, ze keek echter niet naar Rímini maar naar Vera, ze nam haar van boven tot onder op, alsof ze haar taxeerde, glimlachte en liep langs hem heen zonder te blijven staan, zelfs zonder haar pas in te houden, ze raakte hem alleen even heel licht aan met haar gehandschoende hand, alsof ze twee spionnen waren die een geheime code uitwisselden onder de neus van de vijand – en alles voltrok zich zo snel, zo geweldloos, dat Rímini over zijn schouder moest kijken om zich ervan te overtuigen dat hij het niet had gedroomd.

19

Hij stond bij haar in het krijt. En zoals elke brave schuldenaar was hij maar voor één ding bang: dat ze opnieuw zou verschijnen om de schuld te innen. Rímini wist dat hij haar nooit terug zou kunnen betalen, maar dat onvermogen, dat hem in zekere zin gerust had kunnen stellen, leek hem eerder op weg te helpen naar een vreemd schavot. Hij dacht aan de alternatieven die Sofía beslist zou overwegen om hem *in staat te stellen* te betalen: samenkomen om de stapel foto's te verdelen bijvoorbeeld, één keer per week door de telefoon met elkaar praten, of elkaar ontmoeten, gewoon zomaar, als vrienden, waarbij ze het de eerste vijftien minuten over allerlei onbenulligheden zouden hebben en zich vervolgens, na de aanvankelijke ongemakkelijke stilte, zouden bezighouden met het oprakelen van het verleden; maar nee, Sofía liet zich niet meer zien. En met het verstrijken van de dagen ging Rímini's houding van kwetsbaar over in een waardig en aangenaam stoïcisme, waarin hij zichzelf niet langer zag als een lam dat zijn nek aanbiedt voor de genadeslag, maar redenen bedacht en aanvoerde om gunstige betalingsvoorwaarden te bedingen. En later, toen hij voelde dat de gevaren die zijn nieuwe leven bedreigden geweken waren en zag dat hij weer sterk was, sterk genoeg in elk geval om een ongedwongen bestaan te leiden, zonder bang te hoeven zijn het met een of andere schuldbewuste onhandigheid kapot te maken, net toen hij begon te merken dat hij ernaar *verlangde* Sofía tegen te komen om zichzelf te bewijzen dat hij het aankon, besefte hij dat dit niet zou gebeuren, dat Sofía opnieuw verdwenen was, en raakte hij gedemoraliseerd, alsof hij een zeer veeleisende wedstrijd gewonnen had en nu, met de beker in zijn bezit, tot de ontdekking kwam dat zijn tegenstanders nooit waren komen opdagen.

Een week later kwam Rímini onder de douche vandaan, zette zijn voet op de rand van de wastafel om hem af te drogen en zag dat de helft van de nagel van zijn grote teen geel was. Hij zette de voet op de grond en vergeleek hem met de andere; de andere nagel zag er precies zo uit. 'Een schimmelinfectie,' zei zijn homeopaat, 'komt vaak voor.' Het was een man met een enigszins Japans uiterlijk, die soms de Latijns-Amerikaanse achternaam van zijn vrouw gebruikte, met gelaatstrekken die op tamelijk onvoorspelbare momenten oosters dan wel westers werden. Rímini's vertrouwen was zo groot in hem dat dit, ondanks het feit dat hij altijd de huisarts van hen beiden, van hem en Sofía, was geweest, door de scheiding, die de gemeenschappelijke zaken zozeer had beïnvloed, in dit geval niet eens een deukje scheen te hebben opgelopen. 'Kijkt u niet naar mijn nagels?' vroeg Rímini. Hij had meteen spijt van zijn woorden: hij wist dat voor een homeopaat de iris zo ongeveer het uiterste was bij het bekijken van zijn patiënten. 'Niet nodig,' zei de dokter, 'tenzij u graag wilt dat ik ernaar kijk.' 'Nee, nee,' zei hij, bijna verontschuldigend, 'en wat moet ik doen?' 'Voorlopig, niets,' zei de dokter. 'Niets?' Er was iets in de homeopathische omgang met de tijd – een onvoorwaardelijk gokken op de toekomst – wat hem altijd opstandig maakte. 'Antibiotica,' zei de homeopaat, 'dat is het enige. Maar die zijn giftig, en bovendien zouden ze de behandeling nadelig beïnvloeden, dus daar wachten we nog even mee.' 'Welke behandeling?' vroeg Rímini. 'Gebruikt u medicijnen?' 'Nee,' zei Rímini, 'ik heb al maanden niets gebruikt.' 'Laten we dan beginnen,' zei de dokter in een vlaag van enthousiasme, terwijl hij zijn lichaam vooroverwierp en met zijn ellebogen op het bureau steunde. 'Wat nog meer?' vroeg hij, bijna uitdagend. Rímini doorwroette de laatste maanden van zijn leven. 'Ik weet het niet. Er schiet me niets te binnen,' zei hij, en hij ging weer tot de aanval over: 'Het kan toch niet erger worden, hè?' De dokter sloeg zijn ogen op van de gelinieerde behandelingskaart. 'Pardon?' 'De nagels.' De dokter antwoordde niet; hij glimlachte, raadpleegde opnieuw de behandelingskaart, keek dan weer plotseling op, alsof hij hem ergens op probeerde te betrappen, en vroeg: 'Hoe gaat het met de transpiratie?' 'Ik heb geen verandering gemerkt.' 'Slaapt u goed?' 'Ja.' 'Geen last van slapeloosheid?' vroeg de dokter. 'Ik heb nooit last van slapeloosheid,' zei Rímini. Hij begon zich ongemakkelijk te voelen. Hij had de indruk dat de chaotische ondervraging, typerend voor de zwevende aandacht van homeopaten, dit keer alleen maar de dekmantel was voor een of andere boze opzet. 'Ziet u nog altijd zilverkleurige vliegjes in de lucht?' 'Ik geloof het wel. Soms. Ik weet het niet, ik heb er niet zo op gelet.' De dokter zuchtte en legde de behandelingskaart op het bureau, met de beschreven kant naar onderen. 'En uw levenslust?' vroeg hij. 'Goed,' zei Rímini. Hij besloot er niets meer aan toe te voegen. Maar de dokter bleef hem zo lang en onbewogen aankijken dat Rímini wel moest zwichten. 'Alles begint weer op zijn plaats te vallen,' zei hij. 'Ik begrijp het,' zei de dokter. En daarna vroeg hij, bijna terloops: 'Excessen?' Rímini was op zijn hoede. 'Hoezo?' Hij wilde sarcastisch zijn, maar het lachje dat aan zijn lippen ontsnapte was eerder van de zenuwen. 'De laatste keer dat we elkaar zagen was u getrouwd,' zei de dokter. Hij keek hem niet aan, en dat detail gaf zijn stem om een of andere reden een buitengewone ernst. Rímini had het gevoel dat hem een verschrikkelijke diagnose wachtte. 'Men kiest niet altijd de beste manier om zijn evenwicht te hervinden,' zei de homeopaat zachtjes, als dreunde hij een stelregel op uit zijn persoonlijke geloofsleer. En daarna voegde hij er onverwacht aan toe: 'Zijn er nog veranderingen in uw gewoontes? Drugs? Wat kunt u mij vertellen over uw seksleven?' Rímini liet zijn spiedende blik door de spreekkamer dwalen, op zoek naar de deur van de geheime kamer waardoor Sofía, en waarschijnlijk ook Javier, haar in elkaar geslagen informant, moesten zijn weggeglipt vlak voordat hij binnenkwam. 'Zie ik eruit als een losbol?' vroeg hij, enig zelfvertrouwen hervindend. Maar de dokter negeerde de spottende toon en zei: 'Heeft u zich de laatste tijd gewogen?' 'Nee,' zei hij, 'vindt u dat ik er magerder uitzie?' 'Een beetje. Ik schat zo'n drie of vier kilo,' zei de dokter. Hij draaide de behandelingskaart om en schreef er snel een paar woorden op, terwijl hij met zijn andere hand naar zijn receptenboekje tastte. 'Gaat u me niet wegen?' vroeg Rímini. 'Nee,' zei de dokter, die nu overging op het uitschrijven van het recept, 'tenzij u graag wilt dat ik u weeg.' Rímini aarzelde. De dokter scheurde het eerste blaadje uit het receptenboek en hield het met een overdreven nadrukkelijk gebaar voor Rímini's ogen. 'Lycopodium tien...' begon hij, maar Rímini viel hem in de rede: 'Ja, als ik er goed over nadenk, zou ik me graag wegen.' De dokter glimlachte opnieuw. 'Dat zullen we voor een volgende keer moeten bewaren,' zei hij, terwijl hij opstond en het recept tussen zijn vingers heen en weer liet glijden. 'Lycopodium tienduizend, één...' hij aarzelde en ging toen snel verder, '... poedertje. U neemt het voor het slapengaan. U weet wel hoe, nietwaar?' Hij drukte Rímini de hand en duwde hem zacht maar gedecideerd naar de deur. 'Leeggooien onder uw tong en dan laten oplossen. En belt u me maar over twee weken.'

Toen hij in de gang bij de lift stond, die net was gearriveerd, werd Rímini overmand door een gevoel van kille verslagenheid, alsof het complot waarvan hij zojuist het slachtoffer was geworden een paria van hem had gemaakt en hij aan zijn lot werd overgelaten. Hij liep terug naar de deur van de praktijk en belde aan. De dokter deed de deur een stukje open en stak een geërgerd gezicht naar buiten. 'Ik geloof niet dat ik nog langer van uw diensten gebruik wil maken,' zei Rímini en gaf hem het recept terug. De dokter nam het niet aan maar deed de deur nog wat verder open en verzocht hem met een vaderlijk gebaar binnen te komen. Rímini draaide zich om en liep naar de lift; op dat moment drukte iemand beneden op de knop. Rímini hield hem tegen door de deur met een ruk open te trekken. 'Het lijkt me niet het moment voor zo'n belangrijke beslissing,' zei de dokter. Rímini antwoordde niet. Hij deed de deur verder open. 'U bent wel snel op uw teentjes getrapt,' zei de dokter. Rímini stapte in de lift; beneden begon iemand ongeduldig te worden. De lift zette zich in beweging; hij sloeg zijn ogen op en zag alleen nog de roodachtige schoenen van de dokter, die het kader van zijn gezichtsveld binnenstapte. 'U heeft hulp nodig, Rímini.'

Hij was verbaasd dat het al donker was. Hij voelde zich hulpeloos, traag, ontstemd. Zonder erbij na te denken bleef hij staan bij de eerste telefooncel die hij tegenkwam en draaide het nummer van Sofía. Hij had geen idee wat hij tegen haar zou zeggen – hij handelde met een vertwijfelde vastberadenheid. De telefoon werd opgenomen door een man met een enigszins schelle stem, alsof hij al een hele tijd met niemand gesproken had. Het duurde even voordat Rímini Rodi herkende, de vader van Sofía. 'Is Sofía thuis?' vroeg hij snel, de woorden bijna als één woord uitsprekend, alsof hij daarmee zijn identiteit kon verbergen. 'Rímini, ben jij het?' vroeg de vader met hoopvolle verbazing. Rímini zweeg. 'Hallo?' 'Ja, ik ben het,' zei Rímini. 'Met Rodi, Rímini. Wat fijn.' Hij verslikte zich, haalde diep adem en ging verder, 'wat fijn je te horen na zo'n lange tijd.' Rodi verdween even van de lijn en fluisterde iets op de achtergrond, alsof hij met iemand anders praatte. 'Ik wilde Sofía graag spreken.' 'Ja, natuurlijk,' zei Rodi, maar zijn stem klonk zwak of geschrokken, en de stilte die daarop volgde duurde te lang om Rímini niet ongerust te maken. 'Is ze thuis?' vroeg hij. 'Eh, nee. Op dit moment niet. Weet je, ze ligt in het ziekenhuis.' Rímini hoorde een enorm lawaai, alsof Sofía's vader in de hoorn had geniesd, en daarna, een hele tijd, een regelmatig gekreun. Het duurde lang. Rímini moest steun zoeken tegen de wand van de telefooncel. 'In het ziekenhuis?' Stilte. 'Ja,' zei Sofía's vader, weer tot leven komend, 'ze is vanmorgen geopereerd.' Rímini voelde een huivering: hij wilde dat hij alles kon terugdraaien, hij wilde dat hij die hele dag weer van vooraf aan kon laten beginnen. 'Ach, ik dacht dat je dat wist,' zei Sofía's vader. 'Nee, nee.' 'Hoe kan dat, Rímini, praten jullie niet meer met elkaar?' 'Nee...' 'Wat vervelend nou. Wij houden zoveel van je. Sofía houdt zoveel van je...' De andere persoon praatte tegen hem, waardoor hij gedwongen was de hoorn van zich af te houden. Rodi discussieerde en snoot zijn neus. 'En waarom zou ik het niet tegen hem zeggen? Het is toch waar. Waarom zou ik dat voor hem achterhouden?' Daarna kwam hij weer aan de telefoon en zei: 'Ze zeggen hier dat...' Hij klakte met zijn tong ten teken dat hij het er niet mee eens was. 'Maar gaat het goed?' vroeg Rímini. 'Goed, ja, uitstekend. Een beetje ouder, hè. En teleurgesteld. Wat lullig allemaal, Rímini. Twaalf jaar. Wat kost het mensen toch een moeite bij elkaar te blijven. Zeg eens, bestaat er geen enkele kans dat...' 'Ik vroeg naar Sofía,' viel Rímini hem in de rede, 'gaat het goed met haar? Waar is ze aan geopereerd?' Rodi raakte opnieuw verwikkeld in zijn parallelle discussie. 'Ik nodig hem uit,' zei hij, 'dan moet hij maar zien wat hij doet.' 'Hallo!' schreeuwde Rímini in de leegte. 'Hallo, Rodi!' Rodi kwam weer aan de telefoon. 'Zeg,' zei hij snotterend, meegesleept door een vurig enthousiasme, 'de twaalfde heb ik een expositie. In Balderston, dezelfde galerie als altijd. Een paar olieverfdoeken. Strandlandschappen op bewolkte dagen. Daar hou ik me tegenwoordig mee bezig. Ik zou het fijn vinden als je komt. Serieus: het zou voor mij, voor ons allemaal, een...' Er klonk een korte, wrede pieptoon – zijn laatste vijf centavo waren zojuist verdwenen – en Rodi's stem werd onmiddellijk opgeslokt door de telefoon.

Hij durfde niet opnieuw te bellen. Die avond, terwijl Vera onder de douche stond, schreeuwde Rímini tegen haar dat hij even de deur uitging om iets te kopen voor het avondeten en liep hij naar de telefooncel op de hoek. Hij bleef een tijdje staan kijken naar de weerkaatsing van het licht op het vochtige wegdek, naar het gemak waarmee de auto's over de avenida gleden en naar het regelmatige knipperen van de stoplichten, en die logica van de wereld, zo overgeleverd aan haar eigen mechanisme, vervulde hem met kinderlijke droefheid. Hij belde Víctor en kreeg zijn antwoordapparaat. Mijn god, dacht hij. Víctor is in het ziekenhuis. Ze zijn allemaal in het ziekenhuis. Maar hij begon toch te praten: 'Víctor, met mij, Rímini. Als je thuis bent, neem dan alsjeblieft op. Het is belangrijk. Het is héél belangrijk. Víctor...' 'Meneer!' schreeuwde Víctor aan de andere kant. Hij verontschuldigde zich: hij was aan het koken. *Orechiette* met preisaus. Had Rímini al gegeten? 'Wat is er met Sofía, Víctor?' Víctor gaf geen antwoord. 'Spaar me niet, alsjeblieft: zeg alles, zeg de waarheid.' Hij vertelde hem over zijn gesprek met Rodi. Hij sprak het woord 'ziekenhuis' uit tussen twee onheilspellende stiltes, en Víctor barstte vertederd in schaterlachen uit. 'Arme schat.' Hij zweeg even en proefde iets. 'Te veel room. Ze is aan haar neus geopereerd, Rímini. Zo erg is het allemaal niet. Ik heb een halfuur geleden nog met haar gesproken. "Een nieuw leven, een nieuwe neus," zei ze. Ze klonk heel tevreden. Weet je zeker dat je niet wilt komen eten. *Mademoiselle* Vera is ook uitgenodigd, nou?'

Mademoiselle Vera had al een hele tijd niet van dit soort sociale voorstellen gekregen. Rímini trof haar aan terwijl ze in een wolk van waterdamp haar teennagels zat te lakken, de handdoek als een tulband om haar hoofd en een sigaret tussen haar lippen. Hij ging op zijn knieën naast haar zitten en begon zacht haar kuiten te kussen, waarbij hij af en toe stilhield om op de rode plekken te blazen die ontstaan waren nadat ze die middag haar benen onthaard had. Vera inhaleerde diep en wierp haar hoofd in haar nek om te voorkomen dat er rook in haar ogen kwam. Rímini haalde de sigaret uit haar mond. 'Dank je,' zei ze, en ze blies de rook met kracht uit, en terwijl ze haar voeten naast elkaar zette om de rij nagels te inspecteren, voegde ze eraan toe: 'Een heel vriendelijke meneer heeft me zojuist uitgenodigd voor een expositie.' Ze zweeg even, hield haar hoofd een beetje scheef, haar blik strak gericht op haar tenen, en ontdekte een ooghaar die in de nagellak was blijven kleven. 'De twaalfde, geloof ik dat hij zei. Galerie Badmington of Masterton, dat weet ik niet meer. Ik heb het genoteerd.' Ze probeerde de haar weg te vegen met de nagel van haar pink. 'O ja,' herinnerde ze zich, 'hij zei dat hij je niet ongerust had willen maken. Dat het niets is: ze is niet eens onder algehele narcose geweest.' Vera liet haar blik ronddwalen en als bij toeval op Rímini rusten, terwijl ze haar mond vertrok tot een minzame grimas. 'Ze hebben alleen haar neus een beetje rechter gezet.'

Rímini was stomverbaasd. Vera was zonder te aarzelen, zonder zich te vergissen en zonder te lijden het mijnenveld overgestoken en keek hem nu vanaf de andere kant ongedeerd aan, onbereikbaar, zoals mensen kijken die een verschrikkelijke ervaring hebben overleefd. Daarop stelde hij haar voor samen een appartement te gaan zoeken en te verhuizen. Toen hij de volgende dag wakker werd was Vera al weg: ze had ontbijt klaargemaakt, koffie gezet en de krant opengeslagen laten liggen bij de rubriek appartementen te huur, met een fluorescerende markeerstift erbovenop, zodat de wind die door het open raam van de woonkamer naar binnen kwam de pagina's niet zou verwaaien. De koffie was een beetje aangebrand, op het lepeltje dat hij uitkoos zat een korst opgedroogde suiker en de boter, hoewel gesmolten, vertoonde nog sporen van verwoed geschraap met een mes, maar er waren acht appartementen – Rímini telde geschrokken verscheidene tweede en derde verdiepingen zonder lift, allemaal nadrukkelijk aangeprezen met grote uitroeptekens – die al in hun respectieve fluorescerende ballonnetjes rondzweefden.

Twee weken later parkeerde een vrachtwagen in een verlaten straat van El Abasto, en na een poging tot opstand die Rímini in de kiem smoorde met de belofte ze wat extra geld te geven, sjouwden twee verhuizers met bloeddoorlopen ogen het gevarieerde resultaat van twee verhuizingen in één de drie eindeloze marmeren trappen op: de meubels die Rímini in Las Heras had en de fetisjen die Vera had besloten uit het huis van haar ouders mee te nemen: het poppenhuis, de roze kast, het schoenenopbergsysteem – een reusachtige houten kubus vol plakplaatjes die met het naar boven brengen steeds verder uit elkaar viel –, het met wit pluche beklede krukje, de badkamerspiegel met ingelegde witte lampjes, een herinnering, zoals Vera hem toevertrouwde, aan een bepaald eindejaarsschoolfeest waarbij ze de rol van een gevierde danseres had gespeeld die voorgoed afscheid nam van haar publiek. 'En waar was de spiegel voor?' vroeg Rímini, in de hoop dat er door een of andere autobiografische lacune geen verklaring voor dat attribuut was, zodat het niet mee naar binnen hoefde. 'Die maakte deel uit van het decor van de kleedkamer,' zei Vera. 'Het hele nummer bestond uit de danseres die voor de spiegel met zichzelf praatte.'

Er gingen twee, drie maanden voorbij en Sofía – wier neus Rímini een paar maal kort in zijn dromen meende te hebben zien optreden, één keer opgesloten in een glazen vitrine, naast een rode roos, een andere keer druipend, en profil en in tegenlicht – Sofía liet nog altijd niets van zich horen. En de schuld die Rímini bij haar had, verloor geleidelijk aan betekenis en kwijnde weg, zoals verloren voorwerpen wegkwijnen die door niemand worden opgeëist, totdat ze verjaard zijn. Op een middag zat Rímini in de wachtkamer van de tandarts een tijdschrift over zorgverzekeringen door te bladeren toen zijn oog viel op een foto in de societyrubriek: Sofía en haar vader stonden, allebei heel stijf, met een plastic bekertje in hun hand, als grenadiers naast een groot schilderij dat een overstroomd stuk land, een strand of een zee met hoge golven voorstelde waarin dieren of schepen ronddreven, en dat de schilder volgens het bijschrift, waarin Sofía verward werd met de vrouw die verantwoordelijk was voor de promotie, genaamd Starosta, *Emotioneel landschap* had genoemd. Er viel hem niets bijzonders op aan Sofía's neus, hoewel de foto, vermoedelijk gemaakt door een amateur of door een van die aasgieren die mensen op vernissages overdonderen, enigszins onscherp was en een groenig waas had. Toen hij een paar dagen later bij thuiskomst op het schrijfblok naast de telefoon keek wie er die dag gebeld hadden, was hij meteen op zijn hoede bij het zien van een onbekende naam: Sonia. Het pseudoniem was zo in het oog springend, de verwijzing zo nadrukkelijk – Sonia, de jongere zus van Riltse, op zestienjarige leeftijd omgekomen bij een schipbreuk – dat het minder zou zijn opgevallen als ze haar echte naam had gebruikt. Hij bedacht dat als het voor hem al overduidelijk was, dit dubbel zou gelden voor Vera en hij bereidde zich voor op het trotseren van de storm. 'Een vriendin van Víctor,' was het enige dat ze zei, zonder achterdocht of dubbelzinnigheden. 'Wat wilde ze?' vroeg Rímini. 'Ik weet het niet. Ze vroeg hoe lang het al geleden was dat je Víctor gesproken had.' 'Wat vreemd,' zei hij. 'Als ik jou was zou ik maar bellen,' zei Vera. 'Heeft ze een telefoonnummer achtergelaten?' 'Hem, bedoel ik, ik zou Víctor maar eens bellen. Ze klonk een beetje raar, alsof ze je iets belangrijks te vertellen had.' 'Waarom heeft ze het niet tegen jou gezegd?' zei hij, en hij schrok van de manier waarop de rollen ineens omgedraaid leken. Vera die – voor één keer – vertrouwen had en Rímini die haar vertrouwen ondermijnde met verdenkingen die alleen maar nadelig voor hem konden zijn. 'Juist daarom, omdat het belangrijk is,' zei ze, waarbij ze hem met wijdopen ogen aankeek, alsof ze nu pas het schichtige wezentje herkende dat haar jaloezie haar verhinderd had te zien. En ze gaf hem de telefoon aan. Rímini ging zitten en nam de hoorn van de haak, alles in onheilspellende slow motion, en het drong tot hem door dat het zweet in zijn handen stond. Hij was verloren. Sofía was zijn vesting binnengedrongen. Niet alleen had ze Vera misleid, ze had haar *geronseld*. Vera vormde de garantie dat haar bericht op zijn bestemming zou komen, en het was door haar, door Vera, dat Rímini zich nu meer dan ooit gedwongen zag haar te antwoorden. De dreiging kwam niet van buiten maar van binnen, en het was geen vijandige macht maar eentje die Rímini boven alles in de wereld liefhad, de enige die hem in staat stelde zijn hoofd boven water te houden. Verloren was nog zwak uitgedrukt. Plotseling zag hij in Vera een instrument van het kwaad, een argeloze huurmoordenaar, met een beangstigende doeltreffendheid. Terwijl hij het nummer van Víctor draaide, had hij de indruk dat hij een nieuwe fase inging, waar de wapens en de regels die hij kende niet van kracht zouden zijn. Maar Víctor bleek opgenomen in het ziekenhuis. 'Tuberculose,' zei het meisje dat opnam, en dat even daarvoor zijn naam had gevraagd, alsof ze een lijst met personen voor zich had liggen die toestemming hadden het medisch bulletin te vernemen. 'Met wie spreek ik?' vroeg hij. 'Met Sonia,' zei het meisje, een nichtje van Víctor. Ze woonde in Entre Ríos, was voor twee weken in Buenos Aires – een workshop van het een of ander, cosmetologie, kosmologie, klimatologie – en Víctor had haar gevraagd de planten in zijn huis water te geven en de berichten op zijn antwoordapparaat af te luisteren. 'Ja, ja, natuurlijk,' stamelde Rímini beschaamd, terwijl een sarcastisch koor de vloer aanveegde met al zijn sombere vermoedens.

Zonder tijd te verliezen ging hij hem opzoeken, popelend van ongeduld om zijn schuldgevoel kwijt te raken. Dat hij zich bezighield met achterdocht koesteren, terwijl Víctor verzwakt in bed bloed lag te spuwen. Hoe kon hij zo'n ellendeling zijn? Hij kwam aan bij het Hospital Alemán, ging naar binnen en vermeed een blik op de receptie. Telkens wanneer hij een ziekenhuis betrad had hij, net als wanneer hij bij een grens werd aangehouden, het gevoel dat het duidelijk zichtbaar was dat hij niet over de vereiste papieren beschikte om verder te mogen. 'Kamer 404,' had Sonia gezegd, die dus werkelijk bestond en echt was, veel echter dan die ziekenhuishal of de receptioniste die op dat moment aanstalten maakte op te staan om hem tegen te houden. Hij ging rechtstreeks door naar de vierde verdieping. In de lift, onder het licht van een tl-buis, liet hij zijn ogen langs het aluminium van de wanden dwalen en hij voelde zich licht draaierig worden, alsof er iets verslapte in zijn knieholten. Hij zocht afleiding door zijn liftgenoot te observeren, een kleine, slecht geschoren man die met zijn vingers op de knopjes roffelde en elke keer als de lift stopte en de deuren opengingen zijn hoofd naar buiten stak. Op de vierde verdieping, waar Rímini uitstapte, glom de vloer zo dat hij verblind werd. Het was alsof hij op een spiegel liep. Een oudere man lag met zijn hoofd achterover te snurken op een lange bank, terwijl een jongetje dat op de grond bij zijn voeten zat de veters van zijn schoenen aan elkaar knoopte.

Rímini ging zonder kloppen de kamer binnen. Wat hem meteen opviel was de temperatuur in de kamer, kouder dan hij verwacht had, en de snijdende lucht, alsof er te veel geventileerd was, te veeleisend, dacht hij, voor een zieke. Hij liep op zijn tenen verder tot aan de deur van de badkamer, waar het geluid van stromend water vandaan kwam. Hij keek voorzichtig om de hoek en voelde zich plotseling verlegen, en voordat hij zijn blik op het bed richtte, bleven zijn ogen even rusten op de bezoekersbank, met daarop een jas van zwart corduroy, een baret en een gebreide tas die nog aan de schouder van de jas hing, alsof de vrouw die ze droeg ze tegelijk had uitgetrokken. Afzonderlijk zeiden de drie dingen hem niets. Maar zodra hij zijn blik afwendde was er iets wat ze automatisch met elkaar verbond als waren het kwikdruppels, en nadat ze zich hadden samengevoegd kregen ze een onmiskenbaar vertrouwde schittering. Rímini keek naar het bed en zag een verpleegster, die zich naar hem toe draaide en hem terwijl ze opstond iets aangaf. 'Hier. Warmt u dit even op.' zei ze. Rímini zag Víctor op zijn rug, met gesloten ogen, in bed liggen en vlakbij, heel vlakbij, in de hand van de verpleegster, de zuiger van een injectiespuit vol bloed. 'Kom,' herhaalde de verpleegster, met een watje over Víctors ader wrijvend, 'warmt u dit even op.' Rímini gehoorzaamde, maar intussen dacht hij: waarvoor eigenlijk, het is toch bloed, het is al warm. Hij voelde zijn knieën knikken en een ijskoude leegte in zijn maag. Hij kreeg een waas voor zijn ogen. Het laatste wat hij waarnam voordat hij flauwviel was het geluid van de deur van de badkamer die openging, voetstappen die achter zijn rug ophielden en de open mond van de verpleegster die hem op iets attent wilde maken wat hij niet meer kon horen.

Een stem en een paar onzichtbare handen trokken hem uit een diepe kelder omhoog. Hij lag languit op de vloer, op zijn rug, en zag een schaduw met een stralende, helblonde halo zijn gezicht naderen en zich weer verwijderen. Heel snel, alsof iemand in dezelfde controlekamer als van waaruit ze hem hadden uitgeschakeld zijn zintuigen weer in werking stelde, namen de geluiden in de kamer opnieuw hun plaats in: boven werd weer boven en onder onder, en zijn lichaam herkreeg geleidelijk een zwakke driedimensionaliteit. Hij herkende de stem van de verpleegster die protesteerde – 'Een buisje bloed. Wie had kunnen denken...' – terwijl ze, dicht bij een van zijn handen, met iets over de vloer wreef, en langzaam rees het hoofd dat hem overschaduwde op uit de anonimiteit: dichte, warrige wenkbrauwen, wallen onder de ogen, restanten van een zwelling langs de randen van de neus, de lichtende stralenkrans van het haar. Hij voelde een zachte, tere muzikale motregen op zich neerdalen. Sofía zong. Ze zong voor hém. Haar lippen bewogen bijna niet, zodat het geluid dat uit haar mond kwam nauwelijks meer dan gemurmel was, dat zich niet door de lucht voortplantte maar door nabijheid, door fysieke besmetting. 'Arme jongen,' zei Sofía, en ze glimlachte toen ze zag dat hij haar herkende. Rímini bewoog zijn hoofd en het drong tot hem door dat het in haar schoot rustte. Hij wilde opstaan maar voelde een onaangename tinteling in de palm van zijn hand, waaruit de verpleegster met een pincet een paar glassplinters verwijderde. Rímini zag het plasje bloed en keek naar de verpleegster. 'Het is niet van u, schrikt u maar niet,' zei ze. Rímini ging op zijn zij liggen. Víctor begroette hem vanaf het bed, met zijn onbehaarde benen bungelend over de rand. Rímini steunde met een hand op de grond, daarna met een knie, totdat hij op handen en voeten stond, terwijl hij voelde hoe de handen van Sofía hem begeleiden zonder hem aan te raken. 'Rustig maar, beetje bij beetje,' zei Sofía. Rímini zag het bed en schatte de afstand; hij tastte naar de metalen reling maar greep mis, en op hetzelfde moment gleed hij uit over een restje bloed dat de verpleegster over het hoofd had gezien. Víctor barstte in schaterlachen uit. 'Die jongen is een gevaar voor zichzelf,' zei de verpleegster tegen Sofía. 'Waarom neemt u hem niet even mee naar de bar op de hoek?'

Ze staken de avenida Pueyrredón over, Rímini voorop, met licht overhellend lichaam, alsof hij al bij voorbaat elk aanbod hem te helpen afwees. Hij duwde de deur van de bar al open, een typisch ziekenhuis-café met artsen die op een ongelegen tijdstip zaten te eten, badend in fel wit licht, toen Sofía hem voorstelde ergens anders heen te gaan. Ze kende een plek vlakbij, minder kaal, zei ze, met tafels waar tenminste tafelkleden op lagen. 'We zijn hier nu toch al,' protesteerde Rímini. Comfort kon hem minder schelen dan drastische oplossingen. Ze gingen naar binnen. Er volgde een korte tijdspanne om te beslissen waar ze zouden gaan zitten. Ze hadden ieder voor zich al een tafeltje uitgekozen – Sofía dat voor vier personen, net schoongemaakt, aan het raam; Rímini dat voor twee, in de doorgang naar de toiletten, vol vuile borden en kopjes –, en ze wisten allebei dat het niet hetzelfde was. Ze keken elkaar aan en maakten vage handgebaren, wijzend in een bepaalde richting, totdat Rímini, wiens keuze louter werd ingegeven door lamlendigheid, zich gewonnen gaf en bij het raam ging zitten. Hij had vreselijke honger, alsof hij dagen niet gegeten had. Ze werden bediend door een lange, vermoeid ogende ober met vuile vingers, die zwijgend bij hun tafel bleef staan en intussen naar iets heel anders keek. Rímini koos de Super Pueyrredón, met komkommer en gebakken ei, de laatste keuze in een lange rij van belegde warme broodjes. 'Weet je het zeker?' vroeg Sofía. Rímini keek naar de straat. Sofía sloeg haar ogen op naar de ober: 'Breng hem maar een tosti met ham en kaas en een pure whisky en mij een koffie verkeerd.' De ober liep weg en Rímini maakte van de gelegenheid gebruik om zijn opstandigheid te tonen. 'Waarom...?' begon hij. 'Je zou er spijt van hebben gekregen,' onderbrak Sofía hem, 'ik weet wat ik zeg.' Er volgde een verbitterde, onaangename stilte, totdat Sofía plotseling onbevreesd een hand uitstak, wachtte tot Rímini zijn verdedigingsritueel had voltooid door eerst terug te deinzen en dan weer met zijn ellebogen op tafel te steunen, en hem dwong de hand te openen die hij verwond had toen hij flauwviel. 'Wat een afgang,' zei hij, terwijl Sofía de schade opnam. Hij realiseerde zich dat hij niets over de gezondheidstoestand van Víctor gevraagd had en voelde zich dubbel beschaamd. Sofía deed gedetailleerd verslag. En dus spraken ze een tijdje over Víctor, niet erg lang, hoewel met een verdachte hartstochtelijkheid, alsof Víctor neutraal terrein was waarop ze zich enigszins soepel konden bewegen, zonder zich opgejaagd te voelen of op zoek te moeten naar verontrustende onuitgesproken gedachten. De ober bracht de bestelling en Rímini stortte zich op zijn tosti. 'Neem eerst even een slok,' zei Sofía, de whisky naar hem toe schuivend. Rímini aarzelde. 'Om je bloeddruk op peil te brengen.' Rímini bracht het geroosterde brood naar zijn mond en raakte het even aan, zodat toen hij het weer op zijn bord legde een paar kruimels aan zijn lippen waren blijven kleven. Hij nam snel een slok, alsof hij een vervelende formaliteit van zich af schudde, en bijna op hetzelfde moment stopte hij een stuk brood in zijn mond. Sofía keek toe hoe hij at, terwijl in haar ogen een paar vonkjes begonnen schitteren. 'Je ziet er leuk uit, weet je dat?' zei ze met een droevige glimlach. 'Dat zou ik eigenlijk niet moeten zeggen, je hebt al iemand die zich daarmee bezighoudt. Maar ik zeg het toch: je ziet er leuk uit. Het is gewoon zo,' verzuchtte ze. 'We zijn uit elkaar, jij hebt een jonge, mooie vriendin en kunt niet tegen bloed, samen hebben we een zieke vriend en jij weet nog altijd niet waar je moet gaan zitten in een bar of wat je moet bestellen. En je ziet er leuk uit. Leuk en opstandig.' Ze legde een hand op zijn hand. 'Je hoeft niet meer opstandig te zijn, leuke jongen. Ik zal je niets doen.' Rímini lachte. Maar hij voelde zich ongemakkelijk, niet tevreden over de rolverdeling. Sofía – met haar paarse neus, haar nerveus loensende ogen, een haardos alsof ze net was opgestaan – handelde met een onverstoorbare zelfverzekerdheid, alsof alles haar werd voorgezegd, terwijl hij vluchtte in stilzwijgen om zijn onvermogen te verhullen. Hij keek in haar ogen, maar alleen terloops, om te voorkomen dat ze zijn blik zou opvatten als een betekenisvol gebaar, en in de vonkjes die hij zag, zo rustig dat ze wel leken te zijn ingelegd in haar pupillen, meende hij het geheim van die ongelijke rolverdeling te ontdekken. Sofía had een motief; hij was niet meer dan een deserteur. Voor haar maakten de ontmoeting in het ziekenhuis, de snijwonden die Rímini had opgelopen aan zijn hand, de bar, de tegenzin van de ober, de broodkruimels op Rímini's lippen, deel uit van een plan. Voor Rímini was het een toevallige samenloop van omstandigheden, een weliswaar onaangename of hoogstens kwaadaardige vorm van toeval, maar net zo gespeend van betekenis als elke samenloop van omstandigheden, zoals de verdwaalde kogel die de soldaat verwondt op het moment dat hij zegevierend het slagveld verlaat.

Rímini lachte. 'Opstandig?' zei hij. 'Ik ben niet opstandig. Waarom zeg je dat?' 'Je werkt zo hard. Je doet zo je best,' zei ze, bijna vertederd. 'Kijk, je doet je best om me niet op te bellen, om jouw deel van de foto's niet uit te hoeven zoeken, om mijn berichten niet te beantwoorden, om niet te komen opdagen bij de overzichtstentoonstelling van Riltse. Je rust nooit, Rímini. Je laat je haar heel kort knippen, omdat je weet dat ik dat niet leuk vind. Je gebruikt cocaïne. Je draagt een trainingspak met capuchon (tussen haakjes, de Heks is uitgenodigd een workshop te geven op de universiteit die jij op je borst hebt staan). Je gaat uit met heel jonge meisjes (ik heb van Javier gehoord dat ze vreselijk jaloers is, is dat waar?). Je gaat weg bij de homeopaat die je psoriasis genezen heeft...' Rímini wilde haar aankijken maar kon het niet. Hij veegde met zijn vinger over de kruimels op zijn bord en verdeelde ze in kleine hoopjes. Hij haalde zijn schouders op. 'Je bent net een politiek activist. Is dat niet te veel? Genoeg, hou eens op met al dat vechten,' zei Sofía. 'Ontspan je. Je hoeft niet de héle tijd je leven te veranderen. Doe waar je zin in hebt. En wees maar niet bang: niemand zal je dwingen op je schreden terug te keren.' Toen richtte Rímini zijn hoofd op en keek strak naar het bovenste deel van haar jukbeenderen, waar de bloeduitstortingen een bleekgele kleur hadden, als van oud papier. 'Wat?' zei ze verrast, terwijl ze een hand naar haar gezicht bracht. 'Wat vind je ervan? Toe dan, lul, je hebt er nog helemaal niets van gezegd. Wat vind je? Het is allemaal nog... Je kunt het niet goed zien... Als de zwelling wat minder is... Inderdaad. Ik heb me laten opereren. Ik heb het gedaan. Jij bent verhuisd, ik heb een andere neus genomen. Wat vind je? Ziet het er goed uit?' 'Ja, ik geloof van wel.' Rímini keek opnieuw naar haar, dit keer openlijk, riep zich haar oorspronkelijke gezicht voor de geest, vergeleek de twee neuzen en probeerde een verschil te ontdekken. 'Het is een heel bijzondere chirurg,' zei Sofía, alsof ze zijn gedachten had gelezen, terwijl haar handen om haar neus heen fladderden. 'Een fel tegenstander van de industrie van de neuscorrectie. Voor hem heeft elk gezicht zijn eigen neus en elke neus zijn eigen gezicht. Hij zegt dat alle goede plastisch chirurgen (de echte, niet die slagers die gezichten in serie produceren) op die basis werken. Wat vind je ervan? Zie je het verschil? Want er zíjn verschillen. Kijk, hier, dit, dit gedeelte. Nee, je ziet helemaal geen zak. Je moet nog een tijdje wachten, het duurt nog even... maar zeg eens wat, alsjeblieft. Als je me niet zou kennen, als je me vandaag voor het eerst zou zien (nou ja, dat bedoel ik niet precies, stel je mijn gezicht eens helemaal heel voor, zonder die zwelling, zonder dit hier, die gele vlek), zou je dan niet meteen hopeloos verliefd op me worden?' Rímini deed zijn mond een stukje open, eerder van verbijstering dan om antwoord te geven. 'Het is maar een grapje, suffie. Een retorische vraag.' Ze lachte hooghartig, als een koningin die een ter dood veroordeelde twee seconden genade schenkt alvorens hem te executeren. Maar ze nam hem van terzijde op, overmoedig geworden door een vlaag van verlangen, en zei: 'Hoewel, je zou ook kunnen antwoorden. Zou je weer verliefd op me worden? Je mag liegen, als je wilt. Maar dat merk ik meteen. Je hebt gezien hoe ik ben...' Rímini stak een hand in zijn zak, haalde er een paar bankbiljetten uit en legde ze op tafel. 'Ik moet weg,' zei hij. Hij zou hebben gewild dat zijn stem krachtig en vast klonk – de stem van iemand die het heel druk heeft en heel grootmoedig is en die, na een deel van zijn buitengewoon kostbare tijd ter beschikking te hebben gesteld, gewaarschuwd door een discreet alarm, terug moet naar de onontkoombare routine van zijn zaken –, maar hij klonk bevend, bijna vragend. Hij was behoedzaam de zee ingegaan en had tussen de slagen door een paar vluchtige blikken op de oever geworpen, maar nu was hij omgedraaid en het enige wat hij zag was het golvende oppervlak van het water, de zee die hem omringde, en pas ver weg, op de achtergrond, oplossend in de lucht, de tekening van de inmiddels onbereikbare kust. 'Wat!' zei Sofía. 'Nu heb je ineens haast?' Haar mond vertrok tot een bittere grimas. 'Ja,' zei hij. Hij wenkte de ober. 'Laat maar eens horen, wat moet je zo nodig doen. Wat is er zó belangrijk, vertel op.' 'Niets. Dingen,' zei Rímini. Hij bekeek de rekening, stelde vast dat hij niet genoeg geld had neergelegd en begon in zijn zakken te zoeken, terwijl Sofía met medelijdende minachting al zijn bewegingen volgde. 'Je bent net als Assepoester. Moest je daarvoor bij me weg? Om de prikklok in te voeren? Om je aan een dienstrooster te houden?' 'Sofía, alsjeblieft...' zei hij, terwijl hij zijn sleutels, een oude rekening van het Kantoor van het Franse Boek – het *Dictionnaire des injures* van Tchou –, de achterkant volgekrabbeld met telefoonnummers, twee bioscoopkaartjes en een lege doordrukstrip aspirine, waarvan de venstertjes van elk vakje openstonden als wimpers, op tafel legde, maar van het geld dat hij nodig had geen spoor, nog geen cent. De ober kwam naar hem toe en Rímini keek hem met smekende ogen aan, terwijl hij opnieuw in zijn zakken groef: 'Ik weet zeker dat ik nog ergens...' 'Ik betaal wel,' viel Sofía hem in de rede. En daarna zei ze, kijkend naar Rímini maar pratend tegen de ober: 'Maar straks. Breng me eerst nog maar een koffie verkeerd.' Rímini keek toe hoe de witte rug van de ober zich verwijderde, zijn enige mogelijkheid om te overleven met zich meenemend. 'Vijf minuten, meer niet,' zei Sofía. 'Vijf minuten heb ik toch zeker wel verdiend?' 'Doe niet zo gek,' zei hij, terwijl hij om zich heen keek als zocht hij de nooduitgang. Iets in de lucht ontroerde hem plotseling en overspoelde hem met een oeroud verdriet. 'Wat is er?' vroeg Sofía. 'Niets,' zei hij. 'Niets? Je zit bijna te huilen, Rímini.' Die mengeling van geuren – pasgemalen koffie, luchtverfrisser, parfum. Waar had hij die geur eerder geroken? Hij wreef met zijn knokkels in zijn ogen; toen hij ze weer opendeed zag hij alles zwart, daarna een regen van glinsterende naalden en het gezicht van Sofía. 'Die geur. Ruik je dat?' 'Ja,' zei ze. Rímini aarzelde. Hij wilde ontboezemingen tegen elke prijs vermijden, maar het kwam bij hem op dat als hij haar iets persoonlijks zou geven, een bescheiden maar oprecht deel van zijn innerlijk, dit Sofía milder zou stemmen. 'Het is alsof ik het al eerder geroken heb,' zei hij. 'Ach. Je hebt het al eerder geroken,' herhaalde Sofía. De toon waarop ze sprak was zo ondoorgrondelijk dat Rímini zijn ogen tot spleetjes moest knijpen om haar aan te kijken. 'Hou je me voor de gek?' zei ze. 'Nee. Waarom?' Sofía boog voorover en plantte haar ellebogen op tafel. 'Rímini, we hebben in deze bar gezeten toen je grootmoeder stierf. Daar, aan dat tafeltje. Je vader kwam uit het ziekenhuis hiernaartoe om het te vertellen.' Rímini keek weinig overtuigd om zich heen. Hij wist dat hij niets zou vinden en glimlachte moedeloos. 'We hadden de hele nacht niet geslapen,' zei Sofía. Ze begon te glimlachen; ze nestelde zich in de herinnering als in een pas opgemaakt bed met schone lakens. 'Nou ja, jij wél.' Haar stem trilde een beetje. 'Op een gegeven moment ben je op mijn schouder in slaap gevallen. Daar, aan dat tafeltje. En later heb ik een paar stoelen tegen elkaar aan geschoven en ben je verder gaan slapen, met je hoofd hier, op mijn schoot. Als een jongetje dat uit eten gaat met zijn ouders en in het restaurant in slaap valt.' Sofía zweeg en keek hem aan. Ze wachtte op iets; ze wachtte tot hij de draad van het verhaal die zij hem had toegeworpen zou opnemen en verder zou gaan. 'Niets. Ik herinner me er niets van,' zei hij. Hij sloeg zijn ogen neer en deed net of hij zich schaamde, totdat hij hoorde hoe de ober Sofía's koffie neerzette, en toen pas durfde hij haar weer aan te kijken, alsof die getuige van aardewerk instond voor zijn onschendbaarheid, en wat hij op haar gezicht zag was niet zozeer ongeloof als wel afwijzing, het soort van verdrietige afkeer dat engelachtige wezens oproepen die van de ene dag op de andere, zonder aanwijsbare reden en ook zonder iets van hun normaal zijn te verliezen, volledig onmenselijk worden. 'Ik zie het al,' zei Sofía. 'Dat betekent vooruitgang voor jou. Elke uitgewiste herinnering een stap voorwaarts, toch? En zo reinig je jezelf, ontdoe je je van alles wat je niet kunt gebruiken. Waarvoor al die ballast, nietwaar? Dat stoft maar onder, dat neemt maar ruimte in, altijd maar bezig met opruimen. Dan kun je het beter van je af schudden. "Jezelf bevrijden." Daarom heb je dat meisje toch uitgezocht? Ze is jong... Ze heeft geen verleden. (Vera heet ze toch? Vera. Mooie naam.) Perfect. Er ligt niets meer achter je. Nu heb je alles nog voor je.' Ze zweeg even; de afwijzing had nu plaatsgemaakt voor ergernis, die sombere weemoedigheid waarmee objectieve constateringen gewoonlijk gepaard gaan. 'Zie je wel?' zei Rímini, 'zie je nou waarom ik het zo moeilijk vind je te ontmoeten?' 'Dat zie ik, ja,' zei ze, op meelevende toon, 'ik heb nog nooit zo'n levenloos mens gezien.' Ze haalde een verkreukeld bankbiljet uit haar zak en legde dat naast het onaangeroerde kopje. 'Ik ken je niet meer,' zei ze, terwijl ze opstond, 'ik heb met je te doen.'

20

Pas die avond in het restaurant, de avond van zijn verjaardag, hoorde hij weer iets van Sofía, toen Víctor, wiens longen geen spoor meer van de bacil en steeds minder gezond weefsel bevatten, zozeer rukte het leger kwaadaardige cellen op dat begonnen was ze te bevolken, hem onder de tafel het bericht toestopte waarin ze zich erover beklaagde dat hij jarig bleef worden zonder haar. Voor Rímini was het een opluchting. Terwijl hij het las kon hij haar zien zoals ze zichzelf beschreef, in nachthemd en op pantoffels midden op straat, op dat vroege tijdstip dat gekken gebruiken om in het openbaar hun wartaal uit te slaan. In plaats van hem af te schrikken, vrolijkte het beeld hem juist op; het was te grappig, te schilderachtig om echt en te echt om hinderlijk te zijn. Dat had ze beslist van Fellini gepikt, of eerder nog van Giulietta Masina, die na Frida Breitenbach voor Sofía de hoogste autoriteit op aarde was als het ging om emotionele kwesties.

Maar een tijdje later ging hij Víctor opzoeken, die door een terugval veroordeeld was tot zijn huis, zijn kamer, zijn ochtendjas met Schotse ruit, en het gezelschap van enkele zwijgzame, schuwe jongens die altijd net gedoucht hadden of op het punt stonden te gaan douchen, en Víctor droeg hem op, als iemand die een oude last van zijn schouders schudt, om het cadeau dat Sofía hem in haar brief beloofd had uit de la van de commode te halen en het eindelijk mee te nemen. Hij vond het meteen – een langwerpig pakje in luxueus zilverfolie –, woog het enigszins nerveus in zijn hand en besloot het te openen ten overstaan van Víctor, alsof de aanwezigheid van een derde de situatie minder compromitterend maakte.

Het was een vulpen: een van die zwarte, sierlijke pennen die het pompeuze bestaan van het woord *stylograaf* rechtvaardigen – het soort pen waarmee artsen hun vluchtige recepten uitschreven, bij het vallen van de avond de stilte van de spreekkamer verstorend met het gekras uit een andere tijd dat Rímini deed rillen van genot. 'Goed zo, goed zo,' zei Víctor, geïmponeerd door de glimlach van voldoening waarmee Rímini het cadeau bekeek. 'Blijkbaar heeft *Madame* dit keer in de roos geschoten.' Rímini keek hem vijandig aan, als verweet hij hem een onbeschoftheid. In werkelijkheid was hij bang; hij wist maar al te goed welk gebruik Sofía van die glimlach zou kunnen maken als Víctor, in een onbewaakt ogenblik of verleid door een ziekelijk genot in het overbrengen van informatie, die haar zou schenken. 'Sorry,' zei Víctor, 'maak je geen zorgen, dit blijft onder ons. Ze zal er nooit achter komen. Ik zal zeggen dat ik hem je nooit gegeven heb.' Rímini draaide de vulpen rond tussen zijn vingers. Hij was inderdaad in vervoering, maar het was een nuchtere vervoering, zonder liefde. Rímini ontdekte hoezeer een moment als dit, ontdaan van de amoureuze voedingsbodem die het tot leven zou hebben moeten wekken, iets duidelijk maakte wat voor Rímini alleen leek te bestaan in een of andere vage metaforische dimensie: het idee dat de liefde, de echte liefde, die vorm van liefde die boven elke stijl verheven was, niets te maken had met uitbundigheid, sensibiliteit of het omhullende karakter van gevoelens, en daarentegen alles met precisie, economie en een ouderwetse, ten onrechte in diskrediet geraakte vaardigheid, genaamd *scherpschutterskunst*. De liefde omhelst niet, dacht Rímini, maar verwondt. Ze stroomt niet over, maar stoot toe. Hoe was het mogelijk dat Sofía nog altijd raak bleef schieten?

Hij schroefde de dop los, bracht de vulpen naar zijn ogen en bestudeerde de pen, twee verenigde pootjes die als een metalen nagel uit de punt staken. Hoe noemde je dat: precies het midden van een *afwezige* schietschijf treffen? Hij draaide de pen rond om dat donkere, tegelijk verborgen en zichtbare deel te onderzoeken waar de inkt door moest stromen alvorens op het papier te vloeien, en dat in Rímini's herinnering licht uitpuilde, als de buik van een insect, ondoorzichtig als het droog was, fel glanzend als de inkt het vochtig maakte. Daarna bracht hij de pen naar de top van zijn wijsvinger en drukte hem er langzaam, voorzichtig in, zodat de inkt, als die naar buiten kwam, de tekening van de vingerafdruk zou volgen. De vingertop bleef onaangetast. Hij herhaalde de operatie een paar keer, waarbij hij de druk opvoerde en de pen een beetje scheef hield, maar zonder resultaat. Hij bekeek de pen weer van dichtbij. Hij was nog steeds droog. Hij had zo'n voorgevoel dat niemand de moeite genomen had hem te vullen. Víctor gaf hem de sportbijlage van de krant aan en Rímini schudde de vulpen boven twee zwarte voetballers in groene shirts, die hun benen verstrengeld hadden in een onwaarschijnlijke choreografie, en toen dit mislukte, probeerde hij het nog een keer, nu met meer kracht, waarbij hij met de zijkant van zijn hand op de tafel sloeg. 'Volgens mij zit er geen inkt in,' waagde Víctor het op te merken. De mogelijkheid lag zo voor de hand en het feit dat Rímini er niet bij had stilgestaan was zo onvoorstelbaar, dat hij die meteen verwierp. En toch, nadat hij de vulpen bij het licht had gehouden, begon Rímini hem los te schroeven, waarbij het gouden ringetje dat de kop van de vulpen scheidde van de romp halverwege bleef hangen aan het rubberen reservoir. Rímini kreeg een vaag vermoeden. Hij legde de vulpen op de krant, boog zich over het ringetje en draaide het langzaam rond, steeds langzamer naarmate zijn voorgevoel bevestigd werd. Toen ontdekte hij de letter. Hij zag de piepkleine, gegraveerde *R* in het goud en had het gevoel dat de grond onder zijn voeten beefde. Hij zocht steun; zonder op te staan van het bed duwde Víctor een stoel naar hem toe. 'Wat is er?' vroeg hij. 'Ze heeft de beginletter van mijn naam erin laten graveren,' zei Rímini, hem de pen aangevend. 'Ze is gek.' 'Waar?' 'In het gouden ringetje.' Víctor bracht de pen naar zijn ogen en hield hem meteen weer van zich af. 'Ik heb een bril nodig. Dringend. Welke beginletter. Weet je het zeker?' 'Wat moet ik doen?' zei Rímini. Het was niet zozeer een vraag als wel een van die innerlijke, ongegeneerde verzuchtingen van moedeloosheid waarmee monologen in toneelstukken vaak beginnen, als het hoofdpersonage, alleen op het toneel, hardop zijn tragedie samenvat. 'Hem teruggeven? Als ik hem hou, accepteer ik alles. De vulpen is nog het minste. Dan accepteer ik de gedachte achter het cadeau; dan accepteer ik dat het, ook al ben je gescheiden, normaal is dat je elkaar bijzondere cadeautjes geeft, dezelf-de cadeautjes die je zou hebben gegeven als je nog samen was geweest. Dan accepteer ik niet alleen de moeite en toewijding die ze heeft ge-stopt in het vinden van de vulpen – die ik trouwens prachtig vind, zoals zij maar al te goed weet, ook al hou ik me er eigenlijk niet meer zo mee bezig – maar vooral de bedoeling die ze had toen ze opdracht gaf er de beginletter van mijn naam in te laten graveren. Dan accepteer ik alles wat er tussen ons zou moeten zijn om zo'n cadeau als iets normaals te beschouwen en niet dat wat het is, namelijk een volledig misplaatst ge-baar, gemaakt door iemand die zichzelf iets voorspiegelt, zich laat meeslepen door een waanzinnige fantasie of gewoon knettergek is.' 'Wil je me de dop even aangeven?' vroeg Víctor. Rímini deed wat hem gevraagd werd. Het ging allemaal heel snel, alsof het zich ergens op de achtergrond voltrok. 'Maar als ik hem niet accepteer,' ging Rímini ver-der, 'als ik op zo veel met zo weinig reageer, door nee te zeggen, geef ik dan geen voeding aan de strijd?'

'Het is het merk,' zei Víctor. Er viel abrupt een stilte, alsof zich een scheur had geopend in de lucht. 'Reform, zie je?' Víctor gaf hem de dop aan. 'Het is de R van Reform, het merk van de vulpen.' Rímini nam de dop knarsetandend aan. 'Kijk dan, het staat ook op de clip. Dezelfde R.' Rímini herkende de hoofdletter – zo ijdel, zo verongelijkt door de ge-ringe ruimte die de clip bood om uit te dijen – en de andere vijf kleine letters, in elegant maar bescheiden cursief, en hij voelde in zichzelf iets vallen en heel diep tegen een roerloos kristalhelder oppervlak te pletter slaan, als een muntstuk op de bodem van een put. Toen, alsof er door een windvlaag een raam werd geopend, zag Rímini weer de oorspron-kelijke scène waarin die R en dat merk, Reform, zijn leven waren bin-nengedrongen en kreeg hij een idee van de omvang van de fout die hij die middag, op het station in Wenen, gemaakt had, toen Sofía, met on-verwachte initiatieven gretig op zoek naar compensatie voor de tijd en de kilo's die ze door de griep had verloren, op het perron bleef staan, precies op het moment dat Rímini probeerde de koffers in de wagon te krijgen, en hem dwong zijn pogingen te staken, haar aan te kijken en het etui van zwart fluweel aan te nemen met daarin het cadeau dat ze twee dagen eerder had gekocht in de winkel met pennen, pijpen en tabak van het hotel. Hij zag de scène opnieuw voor zich; hij zag zichzelf, jong, enigszins vrouwelijk met zijn lange, sluike haar, zijn blanke huid en zijn schrale lippen door de kou, het etui openen – een luxueuze miniatuurdoodkist – en de Reform ontdekken, rustend in een rood bedje, ter hoogte van het midden vastgezet met een zwart plastic ringetje, terwijl hij dacht – en, dwangmatig verzamelaar als hij was, die gedachte koesterde – dat wat er ook mocht gebeuren, of ze nu nog duizend jaar, tien dagen of één enkele dag samen zouden zijn, hij dat moment nooit in zijn leven zou vergeten.

Maar hij was het wél vergeten, en nu *diezelfde* vulpen opnieuw in zijn handen lag, zoals voorwerpen in sprookjes die na een lange reeks beproevingen, onveranderd maar doorleefd, weer in het bezit komen van hun oorspronkelijke eigenaar, en Rímini er met van angst vervulde verwondering naar keek, begreep hij in hoeverre het onvergetelijke van de dingen, of van dat gelede complex van gebeurtenissen, personen, dingen, plaats en tijd dat we moment noemen, veel minder een eigenschap van de dingen zelf is, veel minder een gevolg van de manier waarop de dingen ons bereiken, in ons doordringen en ons raken, dan het resultaat van de wens om te behouden, een verlangen waarvan we dan al, op het moment dat we het onder woorden brengen, weten dat het gedoemd is te mislukken. We zeggen niet alleen dat iets onvergetelijk is om de intensiteit waarmee we een voorval nu, in het heden ervaren te versterken en het op die manier al een beetje te veranderen in verleden, maar vooral om het te beschermen, het met alle inzet en zorg die we nodig achten te behouden, om zo te garanderen dat over enige tijd, als de wereld maar ook wij niet meer dezelfde zijn, dat stukje ervaring er nog steeds is, op ons wacht en ons bewijst dat er ten minste één ding is dat tegen alles bestand was. Maar niets is onvergetelijk. Er bestaat geen immuniteit tegen de vergetelheid. Rímini keek weer naar dat verticale, in rouw geklede lichaampje zonder armen. Als hij er nog twee minuten zo naar keek, zou hij het niet meer herkennen. Hoe was het mogelijk dat Sofía hem twee keer hetzelfde cadeau gaf? En hoe kon ze hem iets geven wat al van hem was? 'Als ik jou was zou ik er niet te zwaar aan tillen,' onderbrak Víctor zijn gedachten. 'Ze heeft een vriend.' Rímini keek hem met een glazige blik aan. 'Sofía,' zei Víctor, 'heeft een vriend. Hij heet Cyril, of zoiets. Een naam als van een slechterik in een film uit de jaren zeventig. Een mooie rol voor Pierre Clementi. Hij is drummer, geloof ik. Een Duitser. Hij woont in Hamburg. Daar moet Sofía op dit moment ook zijn. Ze is op reis, wist je dat niet? Het schijnt dat ze elkaar hebben leren kennen op een van die workshops van de Heks Breitenbach.'

Rímini kon opgelucht ademhalen. Het was alsof iemand met een toverspreuk een kamer boordevol meubels had leeggemaakt. Hij vulde de Reform met zwarte inkt en borg hem met de punt naar beneden – een teken dat hij van plan was hem te gebruiken – op bij de andere vulpennen van zijn verzameling. Maar hij gebruikte hem niet. Hij kwam hem af en toe tegen als hij een andere uitkoos en keek er dan onverschillig naar.

Op een dag, toen hij bezig was met het opruimen van zijn werkkamer, die hij in de dienstbodenkamer had ingericht, haalde hij het glas leeg waarin de vulpennen woonden en onderwierp ze aan een routinecontrole. De Reform deed wat hij kon: hij maakte een verbazingwekkend debuut – de lijn was zo vol en vloeiend dat het net leek of hij tien minuten daarvoor nog was gebruikt –, maar de pen zat meteen hierna zonder inkt, haperde, leefde weer even op – voor Rímini nauwelijks genoeg om de helft van zijn naam te schrijven –, worstelde met het papier en hield er voorgoed mee op. Rímini bond de afgekeurde vulpennen bij elkaar met een elastiekje – het waren er zes, allemaal treurige relikwieën, en de Reform zat ingeklemd tussen een Pelikan waarvan de schroefdraad van de dop kapot was en een Tintenkuli waarvan de punt, verbogen door een val, de vorm had van een vraagteken – en gooide ze in de prullenbak. Hij voelde er niets bij. Het was geen morele maar een reinigende daad. De geschreven vertalingen – boeken, artikelen, documenten – waren al zes maanden sterk teruggelopen en vervangen door steeds vaker voorkomende verzoeken om simultaan te tolken, en Rímini, van streek door een overgang die hij niet had voorzien, begon zich overbodig en nutteloos te voelen. Zijn bureau was daarvoor het meest in het oog springende bewijs. De verscheidenheid van papieren, de overvloed van nietjes en paperclips, het ruime assortiment schrijfmappen, van de klassieke, met harde zwarte omslag en grote ringen die met een afschuwelijke klik sloten, tot aan de lichte, transparante modernere, het scala aan vulpennen, vulpotloden – het enige instrument waarmee hij bereid was de originelen die hij moest vertalen te onderstrepen – en markeerstiften: al die tekenen van overvloed die hem eerst zo gesterkt hadden, en waarvan hij steeds had gedacht dat hij niet zonder zou kunnen bij het uitvoeren van zijn werk, werden plotseling onbelangrijk en zwaar, waardoor dat wat hij altijd voor een gezellige werkomgeving had gehouden nu was veranderd in een barok, met onnodige dingen bezaaid landschap, waarin je je maar moeilijk kon bewegen zonder rampzalige ongelukken te veroorzaken, zoals een inktpot omstoten over een pas uitgetypt velletje, met een elleboog een vouw maken in twintig bladzijden van de doordruk die hij een halfuur later moest inleveren, een penhouder met vulpennen boordevol inkt op de grond gooien.

Hij ruimde alles in één middag op. Vera verraste hem halfnaakt en op sandalen, als een Romeinse worstelaar, terwijl hij de steile trap op en af liep die naar zijn werkkamer voerde, sjouwend met kartonnen dozen en grote vuilniszakken die door de hoek van een schrijfmap, de scherpe rand van een liniaal of de punt van een balpen elk moment konden scheuren. Hij liep onafgebroken heen en weer, met de volharding en de bezetenheid van iemand die bang is dat elke aarzeling ervoor kan zorgen dat hij van gedachten verandert en spijt krijgt. Gevoelig, als iedere ziekelijk jaloerse persoon, voor elke opwelling van Rímini om schoon te maken, sloot Vera zich zonder vragen te stellen bij hem aan. Ze hielp hem de zakken drie trappen naar beneden te dragen en aarzelde alleen even toen ze op het trottoir, waar Rímini, die alweer naar boven ging om de laatste serie op te halen, zojuist de zak met vulpennen had neergezet, het piepkleine gaatje ontdekte dat de Reform vanuit zijn gevangenschap in de huid van polyethyleen had gemaakt.

21

Poussière arriveerde de week daarop. Voor het zover was konden ze nog genieten van de preventieve balsem van een lang weekeinde. Omdat ze voorzagen dat het bezoek van de taalkundige Rímini volledig in beslag zou nemen, besloten ze te profiteren van die drie ledige dagen en trokken ze zich terug in het huis dat Vera's ouders bezaten in Valeria del Mar. Ze reisden per bus, 's nachts, dicht tegen elkaar aan gekropen, zich vrolijk makend over de poolkou die er heerste, genietend, als waren het luxe privileges, van de kurkdroge *alfajores*,* de waterige maar gloeiend hete koffie die door een machine met een reeks hoestaanvallen werd uitgespuugd – wat kuste hij de kleine roze blaren die het brouwsel op de rug van haar hand veroorzaakte –, de ruwe, te korte wollen dekens die de reservechauffeur, met een ceremonieel dat vaag deed denken aan dat van een gevangenis, een paar minuten voordat het licht uitging had verdeeld onder de passagiers. Terwijl hij op het punt stond in slaap te vallen keek Rímini, gezeten aan het gangpad, naar de verlaten weg, luisterde naar het geluid van de motor, zag twee rijen verder naar voren een voet met een losse schoen die elk moment op de grond kon vallen, rook en onderscheidde de mengeling van geuren die in de bus hing – vochtige vloerbedekking, pisstank, de verbintenis van tabak en goedkoop parfum, luchtverfrisser met dennengeur – en kreeg het bewijs, niet alleen maar de indruk, dat liefde inderdaad de meest buitengewone alchemistische kracht was, de enige die de armoede van de wereld kon veranderen in schitterende rijkdom. En toen zakte hij weg, in slaap gewiegd door het snorrende geluid van Vera's ademhaling tegen zijn nek.

* *Alfajores*: dubbel koekje met zoetigheid ertussen voor bij de koffie of thee.

Een tijdje later schrok hij wakker door een plotseling voorgevoel van gevaar. Hij deed zijn ogen open en werd verblind door een fel wit schijnsel. Hij stond op het punt te schreeuwen, maar de grote lichtvlek leek zich te verdichten en scherper te worden en splitste zich ten slotte in de twee evenwijdige bundels van de koplampen van een tegemoet-komende bus. Daarna werd alles weer donker. Op de monitor die aan het dak hing probeerde een dikke komiek, gekleed in een namaakdok-tersjas, een injectie te geven aan een roodharige die in bh en slipje door een kleine, uit wankele schotjes opgetrokken spreekkamer rende. Rí-mini wist niet of hij droomde, maar het beeld wond hem op. Hij draai-de opzij, omhelsde Vera, die met haar rug naar hem toe zat te slapen, en begon heel zachtjes tegen haar lichaam aan te schurken, waarbij hij zich liet leiden door de trillingen van de bus, totdat hij klaarkwam. Het was een onschuldige ejaculatie, die door de slaap met schaamte bedekt werd en waarvan Rímini pas de volgende dag, toen hij het zich herin-nerde, en de rest van het weekeinde kon genieten, tijdens het zestal keer dat ze, steeds op een andere plek in het huis, met elkaar vrijden, volgens een programma van activiteiten dat het midden hield tussen atletisch en toeristisch waar Vera buitengewoon trots op was.

Het was in feite het enige wat ze deden, behalve het terras van het huis gebruiken om wedstrijden, geen spelletjes, strandtennis te spelen, die Rímini steevast uitgeput beëindigde, niet zozeer door het fanatis-me waarmee zij elk punt bevocht als wel door de keren dat hij de met dennenbomen begroeide heuvel, die de overgang vormde tussen het terras en het bos en waar de ballen de vervelende gewoonte hadden te-recht te komen, af en weer op moest lopen. Dát, en blootsvoets over onverharde paden wandelen, en zich volproppen met chocolaatjes in een theehuis à la Hans en Grietje dat geleid werd door een stel strenge Hongaarse vrouwen, en 's avonds eten in een grillroom met doorzich-tige plastic wanden en lusteloze, als gaucho's vermomde obers, die na elf uur hun dienbladen verruilden voor rijzwepen en *boleadoras** en de

---

* *Boleadoras:* vangslinger in de vorm van een touw, aan het eind verzwaard met drie ijzeren ballen. Typisch instrument van de gaucho.

eetzaal veranderden in het vurige toneel van folkloristische vaardigheden. Het waren drie dagen van krankzinnig lichamelijk genot, zonder ongerechtigheden, van gedeeld Siamees geluk. Zelfs zozeer dat Rímini, verbaasd als hij even alleen was, met een bijna boosaardige geestdrift op zoek ging naar scheurtjes die de voldoening hem vermoedelijk verhinderde te zien. Hij wilde ontnuchterd worden. Maar alles wat hij vond was van een onberispelijke zuiverheid, zoals zo'n turkooizen hemel die een hele dag duurt en onschendbaar en eeuwig lijkt. Niets kon hen deren. Ze waren zelfs immuun voor voorgevoelens.

Rímini raakte niet eens van de wijs toen Vera bij het tekenen van een bonnetje van de creditcard, alsof het de gewoonste zaak van de wereld was, de Reform tevoorschijn haalde die hij een paar dagen eerder had weggegooid en er tot zijn niet geringe verbazing en ergernis nog in slaagde er probleemloos mee te schrijven ook. 'Ik vond het zonde en heb hem gehouden,' zei ze, glimlachend om hem vergevingsgezind te stemmen. 'Je vindt het toch niet erg, hè?' Nee, hij vond het niet erg. Hij vond niets erg. De wereld was ver weg en Rímini voelde zich onzichtbaar. Hij zou er alles voor over hebben gehad als hij de portie tegenspoed, verdriet en teleurstelling waarvan hij wist dat die ergens in een verborgen hoekje van zijn lot op de loer lag, had kunnen bezweren. Hij dacht dat hij nooit meer zoveel kracht zou hebben om die het hoofd te bieden. Hij wilde er profijt van trekken. En dat hij dat uiteindelijk niet deed kwam omdat geluk van nature afkerig is van elke administratieve speculatie. Geluk is verlies, verspilling, verkwisting – en vermoeidheid.

Rímini had nog nooit zulke zware benen gehad als toen hij in de bus terug stapte. Het waren niet alleen de strandwandelingen, of de verbeten strandtenniswedstrijden op het terras, noch de vreemde, ongemakkelijke maar opwindende gymnastische uitdagingen die hem genoopt hadden tot een paar liefdessessies onder de blote hemel. Het was de vermoeidheid van het zuivere, het egale, het homogene van het geluk – niet de vermoeidheid van het zwemmen maar van het beweginloos drijven in een element dat altijd onveranderlijk is. En dus stapte hij in en viel al in slaap voordat de bus vertrok, vrijwel op het moment dat hij ging zitten, de enige onbeleefde misstap in een verder onberispelijk optreden, en het eerste wat hij hierna weer voelde was een plotseling remmen, waardoor hij wakker schrok, en daarna nog twee of drie keer, minder hevig en korter, als het laatste gereutel van een stervende, totdat de bus helemaal stilstond en met een luidruchtige zucht hoogte leek te verliezen, alsof alle banden tegelijk waren leeggelopen.

Terwijl de plafondverlichting aanging, stak Rímini zijn hoofd boven de rugleuning van de stoel voor hem uit en zag de chauffeur zich in tegenlicht uitrekken. De beelden keerden sneller terug dan de geluiden. De reservechauffeur stond midden in het gangpad, met zijn handen steunend tegen de bagagerekken, maar zijn stem drong pas een paar seconden later tot hem door, haperend en als in watten gehuld, toen hij hem zijn windjack zag dichtknopen en de ochtendkou in zag stappen. De deur stond open, maar het langdurige gesis waarmee het openen gepaard ging hoorde hij pas toen de schimmen van de passagiers zich tussen de stoelen door begonnen te bewegen. De brandende lichten, de ijskoude tochtvlagen die de bedompte lucht doorsneden, de geluiden van buiten die als vonken schitterden tegen de gewatteerde achtergrond van de slaap – dat alles was hinderlijk en vijandig. Maar hoe aangenaam was tegelijk de ruwe en bruuske manier waarop die verplichtingen – stoppen, de lichten die aangingen, wakker worden, in beweging komen, uitstappen – de cocon van rust openscheurden, hoe opwindend de dosis waakzaamheid die hun daardoor midden in de nacht werd opgelegd, in een verlaten restaurant aan een verlaten weg... Rímini zag de eerste passagiers achter elkaar uitstappen, traag, alsof ze de ketenen van de slaap nog achter zich aan sleepten, en hij draaide zich naar Vera om haar zachtjes wakker te schudden.

Ze gingen aan een tafeltje achterin zitten, het verst verwijderd van de deur, vlak bij de chauffeurs, die zich al op twee reusachtige stokbroden stortten, en bij een tafeltje waar een oudere vrouw, met een versleten bontmantel over haar schouders, een *factura** in stukjes verdeelde

* *Factura*: soort koffiebroodje.

voor een klein meisje dat tegenover haar zat en het werk van haar vingers volgde met de concentratie van een slaapwandelaarster. Ze bestelden koffie en croissants. Met Rímini's arm als kussen liet Vera haar hoofd op tafel rusten, gaapte, een gapen dat meer leek op zingen, en begon een lange droom te vertellen, vol onvoorziene gebeurtenissen en misverstanden die wel verzonnen leken. En terwijl een jongere en blekere versie van haarzelf, met een wijnvlek die de helft van haar gezicht besloeg – een van de vele schoonheidsfoutjes waarmee ze zichzelf in haar dromen minder mooi probeerde te maken –, een wenteltrap afdaalde, waarbij ze de zoom van haar nachthemd met een hand vasthield, en zich zorgen maakte dat ze niet op tijd zou zijn voor een van die abstracte afspraken die ons in onze dromen kwellen, zocht Rímini, die haar hoofd streelde, naar afleiding en liet langzaam een afwezige blik door de ruimte dwalen, de blik waarmee mensen kijken die net wakker zijn en weten dat ze binnenkort weer zullen gaan slapen. Zijn ogen gleden langs de vitrine met alfajores, langs het boekenstalletje, waar een roman met een bloederig omslag vermetel boven zijn metalen balkonnetje uitkeek, langs de tijdschriftenhouder, waar de kranten van de vorige dag lagen weg te kwijnen; ze vlogen over de onregelmatige contouren van de hoofden van zijn medereizigers, en toen ze via het dambordpatroon van de vloer terugkeerden naar zijn eigen tafel stuitten ze, precies op het moment dat de Vera uit de droom, die iets belangrijks vergeten was, de trap die ze net was afgedaald weer op liep en een oude telefoon ergens in het kasteel begon te rinkelen, op een enorm, heel ernstig gezicht dat zijn hele blikveld in beslag nam. De omvang was een effect van de nabijheid: het meisje stond naast hem. Ze had een snor van bruine suiker op haar bovenlip en bood hem een stukje van de factura aan. Rímini nam het glimlachend aan. Het meisje bleef hem aankijken, roerloos, bijna zonder met haar ogen te knipperen, alsof ze zich ervan wilde vergewissen dat Rímini zich niet zou ontdoen van haar geschenk, en ze ging pas weer naar haar tafel terug, een kussentje achter zich aan slepend, toen ze zag dat hij het in zijn mond stopte en erop begon te kauwen. Ze maakte gebruik van een moment van onoplettendheid van haar oma, pikte nog een stukje van het schoteltje en liep met korte pasjes, zonder de zolen van haar orthopedische schoenen van de grond te tillen, naar Rímini en bood het hem aan. 'Dank je wel,' zei hij. Ze was blond, had schrale wangen en zag er een beetje verwaarloosd uit, alsof ze al dagen dezelfde kleren aanhad. 'Opeten,' zei het meisje. Haar stem, verbazingwekkend laag, leek ergens anders vandaan te komen, alsof iemand ver weg door háár keel sprak. Rímini begon op het stukje te kauwen. 'Lekker,' zei hij, het malen van zijn kaken overdrijvend. Hij keek hoe ze wegliep, met dat loopje van een kapotte pop en haar knuffelkussentje, dat alles wat het op de vloer tegenkwam meesleepte, en hij kreeg tranen in zijn ogen. Het meisje nam nog een restje factura, draaide zich om, knikte zonder te kijken naar haar tautologische oma – 'Geef je die meneer te eten?' – en ging met uitgestrekte arm weer op weg naar de tafel van Rímini, waarbij ze hem strak aankeek. Terwijl zich een glimlach op zijn lippen vormde, kreeg Rímini een licht onbehaaglijk gevoel, alsof iets aan het tafereel niet helemaal echt was, of was ingestudeerd, of voor iemand werd opgevoerd, een onzichtbaar oog dat de scène heimelijk gadesloeg. Het meisje legde het stukje op zijn bord en bleef rustig staan, waarbij ze eerst naar hem, dan naar het bord en dan weer naar hem keek, en plotseling trok ze, als een bloem die verwelkt, een ontroostbaar pruilmondje. Het was het laatste stuk; het was tot haar doorgedrongen dat het spelletje een einde had. Ontroerd stond Rímini op het punt zijn rol te spelen toen een vork als een bliksemschicht uit de lucht neerdaalde en het stukje factura dat op het bord lag aan zijn tanden reeg, op vijf centimeter afstand van zijn vingers, dezelfde plek waar even daarvoor de bevende vuile vingertjes van het meisje zich hadden bevonden. Het was alsof zich een tweede stilte, ernstig en onheilspellend, bij de stille atmosfeer van het wegrestaurant had gevoegd. Rímini draaide zich om naar Vera, die de vork in haar trillende hand geklemd hield. 'Wat nog meer,' lispelde ze, 'waarom lik je niet meteen haar kutje.' Haar gezicht was wit weggetrokken en haar ogen bloeddoorlopen; Rímini meende het knarsen van haar tanden te horen en een glinstering van schuim in haar mondhoek te zien. Het duurde allemaal maar een paar seconden. Daarna, alsof dezelfde overgevoelige geest die de vork in haar hand had gelegd haar nu opdracht gaf zich terug te trekken, stond ze op, verliet de tafel, waarbij ze met haar heup tegen een van de hoeken stootte, liep het hele restaurant door, sloeg de deur met een klap achter zich dicht en verdween in de bus, waar ze een spreekstaking begon die ze in de daaropvolgende achtenveertig uur volhield.

22

Het was onaanvaardbaar. En toch... Die twee dagen van afstand – en de vijf die daarop volgden, toen, nadat ze zich inmiddels hadden verzoend, de verplichtingen die de komst van Poussière met zich meebracht hem van Vera begonnen te verwijderen – besteedde Rímini bijna uitsluitend aan nadenken over dat *toch*. Misschien lag daar het geheim van de kracht van jaloezie. Want was dat absolute verbrandingspunt, dat hém volkomen verbijsterde en háár letterlijk levend vilde, niet ook de grootste liefdesgarantie die Vera hem kon bieden? Mogelijk kwam het door beroepsdeformatie, nog versterkt door de marathon waar hij binnenkort in verwikkeld zou zijn dankzij de volle agenda van de Belg in Buenos Aires, dat Rímini ertoe neigde zich jaloezie voor te stellen als een eigenmachtige maar onverbiddelijke machine, gespecialiseerd in het vertalen van de zuivere taal van de liefde in een nachtmerrieachtig jargon: de liefde stroomde probleemloos totdat ze op een ongerechtigheid stuitte, de ongerechtigheid een plooi vormde, de plooi een vernauwingseffect teweegbracht, de liefdesstroom dunner werd en alles op zijn kop stond en van signatuur veranderde, zodat Rímini, die een minuut tevoren nog een veelbelovende vaderfiguur belichaamde, plotseling een schaamteloze, woeste pedofiel was geworden.

Wat kon hij doen? Hij had alles al geprobeerd. Rímini, die zoals ieder monogaam mens, de gevoelens die hij voor iemand had koesterde, had het cliché waarmee Vera haar aanvallen probeerde te rechtvaardigen – 'Verplaats je eens in mijn positie!' – letterlijk opgevolgd en de proef op de som genomen door zichzelf en de wereld door de ogen van de jaloezie te bekijken. Hij had niet aan zichzelf getwijfeld; er was niets wat zijn geloof in die enige liefde ondermijnde. Maar de wereld, dat onophoudelijke gemurmel waarvoor de enige liefde hem behoedde, begon zich geleidelijk kenbaar te maken, haar bedoelingen te onthullen en berichten uit te zenden. Rímini begon zich onbeschermd te voelen, blootgesteld aan de elementen, als een ongewapende soldaat midden op het slagveld, en hij had geen andere keus dan terug te vallen op het eerste wat binnen handbereik kwam: de achterdocht. Hij ging op onderzoek uit, werd wantrouwig, leerde tussen de regels door te lezen. Hij ontdekte de wellustige werking van het interpreteren en deduceren. Hij, een vermeende beul, omhelsde de zaak van de jaloezie met een overgave waar Vera, een beproefd slachtoffer, nooit toe in staat zou zijn. Hij ontwikkelde een verbazingwekkende verbeeldingskracht. Hij meende in alles de verborgen aanwezigheid van de begeerte te zien – alsof in het onschuldige schuim van het dagelijks leven voortdurend haast onmerkbare, bruisende hartstochten opwelden, verbonden door één enkele gemeenschappelijke noemer: hem, Rímini, tot hun doelwit maken.

Waarom waren de vrouwen ineens in hem geïnteresseerd? Er schoot hem een uitspraak te binnen: 'Getrouwd maar niet getemd.' Die had hij tijden geleden in een buitenhuis in Témperley gehoord uit de mond van een studiegenoot, een lange kerel met O-benen, baard en abnormaal kleine handen, die na te hebben zitten opscheppen over de spannende parallelle levens die hij naast zijn huwelijk leidde, hem enigszins verbitterd had gevraagd waarom Sofía eigenlijk niet was meegekomen naar de barbecue. In Rímini's geval was het echter omgekeerd. Dat vrouwen plotseling aandacht aan hem begonnen te besteden, kwam juist omdat ze Rímini als een verloren zaak beschouwden. Door hem van de liefdesmarkt te halen, had Vera hem aanzien gegeven, zijn koers verhoogd en een unicum van hem gemaakt. (Het drama van iedere ziekelijk jaloerse partner: ze gijzelt het voorwerp van haar liefde en ontneemt hem zijn vrijheid, maar in de eenzaamheid van de gevangenschap maakt ze hem, als een krankzinnige verzamelaarster en met de nauwgezetheid en het geduld van een taxidermiste, steeds mooier, zodat ten slotte, als het werk klaar is en het voorwerp van haar liefde eindelijk de oogverblindende en volmaakte pop is geworden die de jaloerse partner altijd voor ogen heeft gestaan, het voorwerp van haar liefde zijn tanden poetst, de veters van zijn schoenen strikt, zijn kop koffie opdrinkt, de jaloerse partner een kus geeft en, tot haar verbijstering, de wereld in trekt – mooi, onweerstaanbaar, verjongd, alsof de toewijding, de maniakale zorg en alles waar de jaloerse partner op vertrouwde om haar exclusieve bezit veilig te stellen, nu alleen maar de garantie biedt dat ze het snel, heel snel, zal verliezen.) Zodra hij de geur van begeerte van een vrouw herkende – een willekeurige vrouw, die hij waarschijnlijk nooit in zijn leven meer zou zien – sloeg Rímini op de vlucht, als de misdadiger in een menigte, of als de ontdekkingsreiziger die al veilig uit het oerwoud is gekomen maar nog altijd met zijn machete de lucht blijft doorklieven, en zodra hij dan naar Vera terugkeerde, naar de siddering van haar blanke fantoomarmen, werd hij door een immens geluksgevoel overstroomd: het geluksgevoel een soldaat van de liefde te zijn.

Daarna kwam de tweede fase: al die hinderlagen van de wereld veranderen in onschuldige toevalligheden. Met enige opluchting hield Rímini op met argwaan koesteren en beperkte zich tot de rol van een slaperige toeschouwer die naar het vuurwerk staat te kijken zonder iets te zien. De wereld bleef vervuld van verdorven bedoelingen en Rímini bleef het bevoorrechte doelwit, maar wat kon hem dat schelen. De epische periode van belegering en verzet was voorbij. Hij ontdekte dat hij de koppigheid en opofferingsgezindheid niet langer nodig had om te weten dat zijn liefde veilig was. Hij was een oorlogsveteraan die nooit gevochten had. En zo, ondergedompeld in een zee van onverschilligheid, veroorloofde Rímini zich voor het eerst in zijn leven de luxe om te dromen, *alleen maar* te dromen – zoals de invalide droomt dat hij doet wat het leven hem nooit zal kunnen bieden –, van de verrukkingen van een heimelijk avontuur, in gang gezet door een van de vele bedekte toespelingen waar hij vroeger naar had uitgekeken en die hij nu volkomen negeerde: een vrouw die hem aansprak en net iets te dichtbij kwam; een vrouw die hij van een afstand naar hem zag kijken; een vrouw die hem om een vuurtje vroeg en als hij de aansteker bij haar sigaret hield, haar hand overdreven lang op de zijne legde; een onbeduidend gesprek

dat plotseling, als een vliegtuig dat hoogte verliest, een adembenemend intiem gebied binnendrong; en ook het sterrenbeeld, de naam,
de titel van een favoriete film of boek – al die kinderachtige coïnciden-
ties die uit het niets opdoken en de belofte inhielden hem van het ene
moment op het andere te binden aan het leven van de onbekende
vrouw die zojuist aan hem was voorgesteld.

23

Jeremy Riltse pleegde op een ochtend in 1995 in Londen zelfmoord. Eerste doodde hij Gombrich in de badkuip, met een schot in zijn kop. Daarna zette hij de loop van de revolver een centimeter onder zijn linkertepel en drukte af. Hoewel hij op slag dood was, bereikte de kogel het hart pas na zigzaggend tegen een paar botten te zijn afgeketst en via onverklaarbare omwegen van richting te zijn veranderd. Hij was achtenzeventig en had geen erfgenamen. Afgezien van een paar minder ernstige kwalen – psoriasis, artritis, duizeligheid, nasleep van de infecties die hij had opgelopen bij zijn experimenten met de Sick Art – was er in zijn ziektegeschiedenis niets te vinden wat een overtuigende verklaring zou kunnen geven voor zijn besluit. De nomadenjaren waren achtergebleven in die verafgelegen provincie waarvan we niet door de tijd maar door berouw worden gescheiden en waarvan de vage geluiden alleen biografen en afpersers aantrekken. Hij leefde met zijn hond en ging maar zelden uit. Verzoend met zijn eigen roem verkeerde hij in de kleinburgerlijke fase waarin kunstenaars hun recht op immobiliteit opeisen en zich er, als goeroes, toe beperken te *ontvangen*, iets wat Riltse, die nooit de moeite had genomen zijn deurbel te repareren, niet eens deed. Af en toe bereidde hij patrijs, zijn specialiteit, voor een handjevol trouwe vrienden. Riltse had hun telefoonnummer, zij niet dat van hem. Na Pierre-Gilles (alias Albert Alley, alias Bart Bold, alias Chris Cavenport...), die hem, na de breuk en de befaamde zelfverminking in het zuiden van Frankrijk, voortdurend was blijven lastigvallen, zelfs zo erg dat alleen een gerechtelijk bevel hem wist in te tomen, en dat niet met de beste gevolgen voor zijn geestelijk evenwicht, had Riltse niet meer wat hij zelf noemde 'de verschrikking van de liefde' leren kennen. Een paar beschermelingen, over het algemeen jong en arm, die hij wierf bij de poorten van kazernes, op bouwplaatsen of via de kleine advertenties in de kranten, en die hij als model gebruikte voor zijn schilderijen, waarop ze later als belachelijke, beestachtig misvormde gedaanten stonden afgebeeld, veraangenaamden zijn bestaan met het verlenen van doortastende erotische diensten – Riltse had een hekel aan dingen die voortduurden – en met diefstallen die hij zelf in een toestand van de hoogste opwinding in scène zette en later ook daadwerkelijk ten uitvoer wist te brengen door de bundel bankbiljetten, de sieraden, de zilveren sigarettenkoker of de fles Pomerol die hij dolgraag wilde opofferen, in het zicht van de desbetreffende dief te laten liggen of staan. Die sporadische genoegens bezorgden hem nooit problemen; integendeel, misschien liggen ze wel ten grondslag aan de belangrijkste werken van de laatste jaren dat hij nog productief was; de belangrijkste, niet de beste. Want als er iets is wat de moderne kunst te danken heeft aan de 'zoo-kitsch', zoals de eindfase van zijn carrière bekendstaat, dan zijn het niet de meesterwerken – voor de moderne kunst was de meester al dood en begraven na de Sick Art –, maar is het de vernietiging van de smaak als variabele van de artistieke waarneming.

Op het moment van zijn biologische dood, die nadat de eerste commotie was weggeëbd, met een eigenaardige natuurlijkheid werd opgenomen in de legende Riltse, alsof elke andere manier van sterven het toppunt van onsamenhangendheid zou zijn geweest, werden er noch op zijn bankrekeningen noch met betrekking tot zijn persoonlijke bezittingen onrechtmatigheden geconstateerd, en niets in de omgeving waar hij werd gevonden – het oude huis met drie verdiepingen in Notting Hill, met zijn voorgevel van baksteen en zijn ommuurde achtertuin, dezelfde tuin waar hij een keer op oudejaarsavond opgesloten had gezeten (een windvlaag had de deur dichtgeslagen en aan de buitenkant zat geen klink), slechts gekleed in een dun wollen hemd en de mosterdkleurige spencer waar hij voor niets ter wereld afstand van deed (hij had twaalf precies dezelfde), volledig verkleumd, terwijl in de aangrenzende huizen kalkoenen werden aangesneden en mousserende wijnen ontkurkt, totdat hij er ten slotte in was geslaagd om via de klimop de hoge muur over te klimmen en te ontsnappen – deed vermoeden dat aan de zelfmoord een ander motief ten grondslag lag dan zijn eigen wil. Er werden geen vingerafdrukken aangetroffen, behalve die van het Indiase dienstmeisje, maar die had ze achtergelaten ná de ontdekking van het lijk; er waren geen kapotte ruiten of geforceerde deuren, geen bedreigingen op het antwoordapparaat – Riltse had gezworen dat hij dat soort apparaten nooit in zijn huis zou toelaten –, geen nog dampende tweede koffiekopjes, geen half opgerookte sigaretten van een ander merk dan Riltse rookte, geen inderhaast uitgewiste sporen van geweld, geen enkele aanwijzing die een duistere drijfveer, een dreigende aanwezigheid of een criminele tussenkomst van buitenaf verried.

Op de bodem van de vuilnisemmer in de keuken, tussen de doos van een diepvriespizza en een oud deel van de telefoongids van Londen, werd een flinke bundel brieven gevonden, allemaal met de bijbehorende envelop, gewikkeld in een afvalzak. De brieven waren verdeeld in talrijke kleine stapeltjes, elk voorzien van een etiket. Het classificatiecriterium was niet duidelijk: *Hotels*, stond op een van de etiketten; *Voorzetsels*, op een ander; *Negers*, op een derde; een vierde: *Organen*. Op een van de stapeltjes – het eerste dat geveild werd, het goedkoopste en het enige waarvoor geen koper gevonden werd – stond *Argentinië*. De drie brieven erin waren ondertekend door de directeur van het Museo Nacional de Bellas Artes in Buenos Aires, en twee van de drie waren geschreven op briefpapier met het briefhoofd van het museum. In de eerste, gestuurd kort nadat Riltse gerechtelijke stappen had ondernomen tegen de Argentijnse Staat, het museum en de directeur persoonlijk, vanwege de schade aan zijn werk die door een hele reeks lekkages was aangericht tijdens de eerste drie dagen van de overzichtstentoonstelling in Buenos Aires, werden excuses aangeboden, verzachtende omstandigheden aangevoerd – van de veertig regels die de brief telde, waren er twintig gereserveerd voor een weerbericht dat het bewuste onweer voor diezelfde dag aankondigde maar dan wel in het noordwesten van het land – en allerlei compensaties in het vooruitzicht gesteld – alleen was het Engels in de brief zo armetierig dat ze eerder klonken als dreigementen – als de kunstenaar zijn besluit opnieuw in overweging zou nemen. De tweede kwam een week later, nadat de directeur van het museum had geprobeerd Riltse persoonlijk te overtuigen van de voordelen van het aanbod dat hij hem in de eerste gedaan had. Riltse heeft hem naar het schijnt nooit binnengelaten. Hij beperkte zich ertoe hem vanuit het raam op de tweede verdieping gade te slaan, terwijl de Argentijn geleund tegen het hek van de ingang stond te wachten. 'Je zou hem eens moeten zien,' zei de schilder tegen een vriend aan de telefoon, 'hij staat daar al twee dagen. Ik geloof dat hij er gisteravond zelfs heeft gekampeerd. Hij verlangt niet eens meer dat ik mijn aanklacht intrek. Nu wil hij me alleen maar leren kennen! Ik geloof dat het dezelfde sul is die Rolandine terloops noemt in het dagboek over haar pathetische nachtelijke avonturen!' In de brief, dit keer in het Spaans, had de museumdirecteur zijn strategie gewijzigd en bood hij aan zélf – 'een lam van de Kunst', zoals hij zichzelf definieerde – de geleden schade te vergoeden. Hij had een landhuis in Punta del Este, de beste collectie Tehuelche-tapijten ter wereld, een zeventienjarige dochter bij het modellenbureau Ford. De derde brief kwam twee maanden later, toen de museumdirecteur in Ascochinga in de provincie Córdoba genoot van het verlof om gezondheidsredenen dat hem was toegekend door een commissie van psychiaters na een verwarrende periode van weerstand en verzet tegen de autoriteiten in zijn werkkamer van het museum. Onregelmatig als een elektrocardiogram was hij met de hand geschreven op de bevlekte achterkant – '*mate*', aldus een van Riltses beschermelingen, zich bedienend van het rudimentaire Spaans dat hij had geleerd in zijn twee seizoenen als sterschaatser van Holiday On Ice in Buenos Aires – van de reclamefolders van het museum. Riltse aarzelde. Weggooien of weggeven? Het hoofd van het archief van het Ziekenhuis voor Zenuwpatiënten in Londen zou het wel weten te waarderen. Het was niet eens een brief. In een twaalftal besmeurde pagina's verenigde dat *ashy monster*, na een 'essay over Riltses wereld' te hebben aangekondigd, zonder enige logica een aaneenschakeling van uitvallen en obsceniteiten, de typische grofheden die mensen die in tongen spreken zich verplicht voelen op te schrijven, met een reeks oordelen over zijn werk, allemaal minder bewonderend dan Riltse had gehoopt en overgenomen uit een oude catalogus van de Tate Gallery voor een expositie van Lucien Freud.

Behalve dat het dodelijke schot zijn ochtendtoilet onderbrak – Riltses gezicht was maar voor de helft geschoren toen ze hem vonden, en de tandenborstel was droog –, zorgde het er ook voor dat het schilderij waar hij aan werkte, *Icy Silence*, onvoltooid bleef; het was een langwerpig monumentaal doek – zes bij drie meter – waarop, te oordelen naar de potloodschetsen die later werden aangetroffen, de schilder van plan was een schilderachtige *gang-bang*-sessie van honden af te beelden, onder aanvoering van Gombrich, zijn trouwe pup uit Weimar.

24

Rímini keek naar de kaart, de liggende roos, het witte plaatje. 'Riltse,' las hij. Hij las het en dacht het, met de tijd die het denken in beslag neemt als het tegelijk bezig is met herinneren, en daarna zei hij het een paar keer hardop, als om vast te stellen dat hij nog wist hoe hij het moest uitspreken. Maar het lichaam is bij het herinneren niet als het geheugen: zijn wil om te vergeten is honderd keer verbetener. Rímini – of liever gezegd, zijn tong, gehinderd door die kinderlijke uitdaging waar Rímini hem aan onderwierp – nam een aanloop, zocht steun bij de 'i', botste op de drie medeklinkers in het midden, deinsde terug, probeerde het opnieuw, faalde, stormde er nogmaals woedend op af en werd teruggedreven. De mislukking bracht een glimlach op zijn lippen. Terwijl hij een plek zocht waar hij de kaart kon verstoppen, vroeg hij zich af of er nog iets anders uit het verleden zou zijn wat zijn lichaam, niet hij, zou weigeren te accepteren. *Riltse.* Hij spelde het in stilte, met de verbijstering en de tederheid van iemand die, eenmaal volwassen, naar de karige wonderen kijkt die zijn jeugd hebben betoverd. Hij werd overmand door een vreemd gevoel van hardvochtigheid. Als het mogelijk was geweest, zou hij zijn hele adolescentie aan stukken hebben gescheurd. Hij zag alles met de onverschilligheid van een chirurg die naar het orgaan kijkt dat hij moet wegsnijden, en tegelijk kon hij het niet helpen dat hij in de lach schoot. Het was nu zo duidelijk dat het raadsel Riltse niet gelegen was in zijn schilderijen – hij probeerde er zich een te herinneren, maar het enige wat hij zag was de roos en het gedenkplaatje – maar in het vreemde effect van die drie naast elkaar geplaatste medeklinkers. *Riltse.* Hij maakte vorderingen met zijn uitspraak.

Maar Riltse was dood en Rímini proefde iets bitters in zijn mond, als een kapotte citroenpit, en hij dacht dat hij moest kokhalzen. Was die dan niet al dood? Hij stelde zijn ogen een beetje onscherp en herkende opnieuw de gelige vlek die Sofía's haar op de foto had achtergelaten. Hij dacht aan vaag bovennatuurlijke dingen: verschijningen, de heilige zweetdoek, gevallen van catalepsie, een vrouw die midden in de nacht bij maanlicht blootsvoets op een eiland loopt, begeleid door de echo van trommels. Kon je dood terugkeren uit de dood? Hij hoorde voet-stappen op de trap, de stem van Vera die zong, haar voeten dansend op het ritme van de melodie, en hij schoof de kaart van Sofía tussen de bladzijden van de Petit Robert op de salontafel, naast het origineel van de lezing waarmee Poussière de cyclus zou openen. Met zijn hart bon-zend in zijn keel sloeg hij het woordenboek dicht, precies op het mo-ment dat Vera de sleutel in het slot stak. Hij had niets te vrezen, dacht hij. Dat de kaart zojuist was aangekomen en daar voor hem lag, bete-kende dat Sofía, die hem had gestuurd, heel ver weg moest zijn.

TWEEDE DEEL

1

Vanuit de tolkcabine hoorde Rímini, terwijl hij zijn gezicht afveegde met de zakdoek die Carmen zojuist in zijn hand had gelegd, Poussière de laatste woorden van een lange zin uitspuwen, bezaaid met klemtonen en onzichtbare cursieven, en hij drukte de koptelefoon tegen zijn oren en dreunde voor zichzelf de wanhopige mantra van de simultaantolk op: 'Laat hij de zin alsjeblieft herhalen. Laat hij de zin alsjeblieft herhalen.' Maar Poussière ging volledig op in zijn verhaal en herhaalde niets – en Rímini vertaalde uit zijn hoofd, slecht, en wachtte met zijn ogen dicht op de volgende zin, alsof hij krachten verzamelde om een ramp het hoofd te bieden. Toen, plotseling, zweeg Poussière: niet alleen hield hij op met praten, hij leek ook alle geluiden van het theater en van de wereld mee te nemen in de stilte. Misschien was het alleen maar een onderbreking, een van die onderbrekingen die Rímini altijd dankbaar verwelkomde, als een door de voorzienigheid gezonden rustpauze, en die hij gebruikte om weer wat op adem te komen of een opgelopen achterstand in te halen. Het podium was daar beneden; hij hoefde maar een blik door het raam van de cabine te werpen om het te zien, maar hij had niet meer de moed om te kijken. Hij was bang. Verstommen was de dreigende versie van zwijgen; des te meer wanneer er een duizelingwekkende monoloog voortijdig werd afgebroken zoals die van Poussière, die meer dan veertig minuten de ene zin aan de andere had geregen. Nee, zei Rímini bij zichzelf, het was geen adempauze: het was een ongeluk. *Iemand raakte het spoor bijster.* Hij verzamelde moed, sloeg zijn ogen op en zag Poussière zitten, roerloos, enigszins over zijn papieren gebogen, maar hij keek langs hem heen en zijn blik bleef rusten op de kan water die naast de microfoon stond. Het was de vierde keer in een week dat hij in het openbaar sprak, maar het was voor het eerst dat hij die kan halverwege een lezing nog niet had aangeraakt.

De kan was van glas, met een lichte bolling en een smalle, gebogen hals, als van een zwaan. Poussière sleepte hem overal mee naartoe. Het was het eerste dat hij uit zijn koffer haalde toen hij zijn intrek nam in zijn hotelkamer, een uur na in Buenos Aires te zijn geland. De bijzonderheden van de vlucht, de veeltaligheid waarmee de douanebeambte wilde pronken toen hij *linguïst* in zijn paspoort zag staan, het affiche voor lingerie waar Poussière naar probeerde te blijven kijken terwijl de auto voorbijreed, een poging waar hij uiteindelijk een stijve nek aan overhield, de geheimen van het klimaat van de Río de la Plata: Rímini deed zijn best een banaal gesprek gaande te houden om wakker te blijven, toen Poussière hem de rug toekeerde, zijn koffer opende, zijn handen begroef tussen lagen overhemden en truien – zoals elk teken van couleur locale boezemde de Zuid-Amerikaanse zomer hem alleen maar wantrouwen in – en, eenmaal op de bodem aangekomen, verwoed begon rond te tasten, daarbij de orde waarmee zijn bagage de oceaan was overgestoken volledig verstorend. Toen hij zijn handen even later terugtrok, hielden ze een zorgvuldig verpakt voorwerp omhoog. 'Ik pak hem altijd zelf in. Ik heb geen vertrouwen in het personeel op vliegvelden,' zei Poussière, en hij begon het pakje genietend open te maken door het plakband los te trekken en de eerste laag pakpapier kapot te scheuren. Bij de tweede laag, van vetvrij papier, ging hij rustiger te werk en werden zijn bewegingen verfijnder. Langzaam pakte hij de kan uit; elke laag verwijderde hij met zijn vingertoppen en streek hij op het bed aan één kant glad alvorens over te gaan naar de volgende, en daarbij begeleidde hij het ritselen van het papier met een uiterst behoedzame ademhaling, alsof hij een bom onschadelijk maakte. Rímini voelde een golf bloed naar zijn hoofd stijgen en zag in een spiegel zijn rood aangelopen gezicht. Hij kreeg de aanvechting hem alleen te laten, alsof de scène te intiem was voor zijn opdringerige ogen. Dat hij toch bleef, pogend zijn blik af te wenden, op een halve meter van het bed waar Poussière zijn schat bijna had ontbladerd, had voor een deel te maken met nieuwsgierigheid en voor een ander deel met beleefdheid: tenslotte was Rímini van de vier leden van het ontvangstcomité – onder wie de verraadster Carmen – de enige die zich aan zijn woord had gehouden en op het vliegveld was verschenen. Poussière maakte de laatste laagjes los. Het papier bleef heel even aan het glas plakken, weemoedig, alsof het moeite kostte afstand te doen. Poussière bewonderde glimlachend dat wonder van de statica; Rímini, met een bijna onthutsende teleurstelling, de kan. 'Het is een beroepsdeformatie,' schreeuwde de linguïst vanuit de badkamer, terwijl hij de kraan opendraaide om de kan af te spoelen. 'Van in het openbaar spreken krijg ik een droge mond.'

De stilte was zo dicht dat de hele atmosfeer erdoor veranderde. Carmen hield haar adem in. Heel langzaam keerde Rímini's blik terug naar de spreker. Hij was het, *nog altijd* Poussière, maar er was iets kunstmatigs in zijn stijfheid, iets in de spanning van zijn lichaam dat te lang duurde. Zijn billen hingen boven de rand van de stoel, alsof een stroom lava hem had versteend toen hij op het punt stond tussen de voorste rijen te duiken. Het enige wat hem nog met de wereld verbond was zijn hand, die de voet van de microfoon omklemd hield, en zijn ogen, waarin een krankzinnige schittering lag en die strak naar iets in het midden van de zaal keken. Een hartaanval, dacht Rímini. Hij gaat midden onder de lezing de pijp uit! Hij draaide zich naar Carmen en in haar verschrikte ogen ontdekte hij dezelfde starre glinstering die hij zojuist in die van de linguïst had gezien, alsof ze allebei op hetzelfde moment ten prooi waren gevallen aan dezelfde betovering, en zijn hand bleef in de lucht zweven, op enkele centimeters van de naakte schouder van Carmen – een door de zon gebruinde schouder, met een dunne witte lijn die hem in twee koperkleurige helften verdeelde. Rímini aarzelde; hij voelde zich hulpeloos, alsof het detail hem verrast had op een moment van zwakte; hij wilde zijn hand terugtrekken, zocht in het donker naar een denkbeeldige reling maar gleed door, of stuitte op iets, en plotseling merkte hij dat hij heel snel op weg was naar het geheime middelpunt van Carmens schouders. Was dat de afdruk van een bh-bandje? Een oud, door de tijd gepolijst litteken? Een Japanse penseelstreek? Het spoor dat een stroom mieren trekt in de schors van een boom? Hij huiverde. En toen verdween Poussière, de verbouwereerde Poussière, en het hele legioen collega's en leerlingen dat de zaal vulde, en de ondraaglijke hitte, en het theater van de universiteit, met zijn versleten toneelgordijnen en zijn krakende stoelen, dat alles spatte uiteen in een geluidloze ontbranding en smolt samen in één punt, één enkel stralend deeltje dat zich met de snelheid van het licht verwijderde totdat het bleef hangen tegen de donkere achtergrond van de ruimte, weerloos maar twinkelend, als het vonkje dat heel even achterblijft op het televisiescherm vlak nadat we het toestel hebben uitgezet. Alles was verdwenen – alles, behalve de schouder van Carmen en die nonchalante witte afdruk.

2

Zoals vaak gebeurt met verliefdheden, die in een seconde een erosie-
proces van dagen of jaren versnellen, onderging Rímini een dubbele
schok: alles kwam hem tegelijk duizelingwekkend snel en traag voor.
Als verliefdheid een onverwacht optredende inzinking is, een gebeurtenis die net zo door tijd en ruimte wordt bepaald als een verkeersongeluk, waarvan tijdstip en plaats afhankelijk zijn van het toeval en
nooit van de wil van de betrokkenen, dan had Rímini bij Carmen de
indruk dat hij niet punctueel was geweest: hij was zowel te vroeg als te
laat gekomen. Hij dacht terug aan de vijf dagen die ze samen hadden
doorgebracht, en waarbij ze elkaar hadden afgelost als tolk voor Poussière. En hij dacht terug aan de vele momenten die ze met elkaar hadden gedeeld – late diners in felverlichte restaurants; werkoverleg in de
lobby van Hotel Crillon, dat Poussière gebruikte om te gapen of de liftbedienden in uniform te beoordelen; leessessies van de teksten van de
verschillende voordrachten, waarin Rímini aantekeningen maakte
met een vulpotlood en Carmen met een markeerstift, en die ze veraangenaamden met idiote grappen; het wachten op het begin van een lezing, waarbij ze, hun toevlucht zoekend in een kleedkamer, hun bescheiden persoonlijke angsten overdreven, Rímini's koortsaanvallen,
die geen thermometer ooit zou kunnen staven, Carmens slapeloosheid, met als enige doel het medelijden of de troost van de ander op te
wekken; de kwaadwillige commentaren over Poussière, over de glazen
kan, over de Schotse stropdas die hij als broekriem gebruikte, over de
bosjes haar die uit zijn oren en neusgaten groeiden, over de te korte
broekspijpen... en de schouder, de naakte schouder van Carmen die in
elke scène opdook, soms op de voorgrond, als ze naast elkaar zaten te

eten, soms meer op de achtergrond, vaag en onscherp, maar altijd, in alle gevallen, met de ingetogenheid en de hoogmoed waarmee bepaalde bekoorlijkheden die meestal onopgemerkt blijven plotseling aan het licht treden – die hem nu, losgerukt uit de kleurloze omgeving waarin ze lagen te sluimeren, met bijna fysiek geweld troffen, zoals de voetganger ineens getroffen wordt door het rode licht dat hij wel gezien maar genegeerd had, en dat hij zich pas weer herinnert als hij de straat op stapt en, te laat, het gevaar ontdekt dat al op hem komt afgestormd.

Rímini besefte dat hij al vijf dagen verliefd was op Carmen, en de zekerheid dat alleen domheid en angst konden verklaren dat hij dit niet had gemerkt, verhoogde de snelheid waarmee het zoete gif door zijn bloed werd opgenomen. Nu er geen tijd meer was om zich terug te trekken, ontdekte Rímini dat die zachtaardige vrouw, met haar geprononceerde beenderen en te kleine mond, die alles bekeek met half toegeknepen ogen, alsof ze altijd tegenwind had, specialiste in vreemde talen en nog altijd opgesloten in het huis van haar ouders, precies het type vrouw was waarvan hij vijf dagen eerder zou hebben gezworen dat hij er nooit verliefd op zou kunnen worden. Het was alsof een ander in zijn plaats uiterst nauwkeurig alles had geregistreerd wat hij vijf dagen lang hoogmoedig had kunnen negeren en dit hem in onmerkbare doses, zonder op te vallen, had geïnjecteerd, zodat hoe onverschilliger en zelfverzekerder Rímini meende te zijn, hoe meer hij door de ziekte was aangetast en in haar ban was geraakt. En dus, omdat de mate van verliefdheid niet wordt bepaald door de intensiteit van het proces maar door de onzichtbaarheid ervan, moest Rímini vaststellen dat hij verloren was.

Elke liefde heeft haar inwijdingsmoment, haar eigen persoonlijke *big bang*, maar dat is per definitie een verloren begin, waarvan de verliefden, hoe scherpzinnig ook, zich nooit bewust zijn. Er is in feite geen verliefde die niet de late erfgenaam is van een liefdesmoment dat hij nooit zal zien, gevangen als hij voor altijd zal blijven in de duisternis van zijn verschijning. Alleen kon Rímini nu, met het hartstochtelijke inzicht van hen die weten dat ze al veroordeeld zijn, achteromkijken en op zoek gaan naar dat oorspronkelijke signaal, proberen het te herkennen of zich zelfs de luxe veroorloven het te kiezen. Hij kon bijvoorbeeld een ogenblik stil blijven staan bij een beeld – Carmen die met de rug van haar hand een haarlok wegstreek om haar mond af te vegen met een servetje –, maar het dan meteen weer verwerpen om zich te laten betoveren door een ander – Carmen op het podium van het theater, met haar platte schoenen en haar kinderhieltjes, die de zoom van haar jurk nauwelijks merkbaar lieten zwieren, als aan het begin van een dans –, totdat hij het hele album afwees en op zijn knieën viel voor een geluid, één enkel geluid, dat van Carmens stem aan de telefoon, verlegen maar altijd ongelegen, die de alinea uit de lezing van Poussière opzei die haar uit haar slaap hield. En zelfs dat niet. Want al die vensters op het verleden waren niets vergeleken met de herinnering die Rímini had aan zijn eigen gezicht op de avond van de eerste lezing, toen hij, vijf minuten voor het begin, met Poussière al op het toneel en een volle zaal, in de tolkcabine het voorgevoel had dat Carmen niet zou komen. Het was een persoonlijke verslagenheid, zonder getuigen, die echter met een buitengewone, hyperrealistische kracht in zijn geheugen was gegrift. In feite was hij bang geweest, een onverklaarbare angst die hij met een suïcidale gretigheid in zijn maag voelde groeien, als een grote muil die zichzelf verslond. En nu, gedwongen de afgelopen dagen terug te lezen, stuitte Rímini op bladzijden die hij nooit had gezien, hele zinnen die iemand – ongetwijfeld dezelfde die hem het liefdesgif had ingespoten – in de kantlijn moest hebben toegevoegd, duivelse kanttekeningen die alles veranderden. Elke dolksteek van liefde was in hem binnengedrongen, had hem dodelijk verwond en was meteen weer verdwenen, alsof het litteken onmiddellijk was weggebrand.

3

Als expert in dat soort genezingen had Rímini dit keer een goede reden om die toe te passen: Vera, de jaloezie van Vera. Had hij niet al lang voor het incident in het wegrestaurant, zo onrechtvaardig en buitensporig dat het wel verzonnen leek, een waarschuwing gekregen op de ochtend dat Bonet hem opbelde? Vera zat in kleermakerszit in een rechthoekig stuk zon op de grond te ontbijten, terwijl ze een met koffievlekken besmeurde krant las. Toen de telefoon voor de tweede keer overging glimlachte ze verbitterd, alsof ze onheil voorzag maar genoot van haar vermogen om het aan te zien komen. (Niets gaf beter de dreigende dimensie van Rímini's verleden weer dan het overgaan van de telefoon.) Vera liet hem rinkelen, erop speculerend dat de indringer of indringster zich uiteindelijk zou bedenken, totdat ze ten slotte opstond, met een air van zelfgenoegzaamheid naar de telefoon liep en opnam. Het geslacht, de stem, de leeftijd, het buitenlandse accent van Bonet, dat alles verraste haar. Rímini, die uit de keuken kwam met twee glazen sinaasappelsap, zag haar ernstig worden en vreesde het ergste. 'Ja, ja,' herhaalde ze op automatische toon, terwijl ze haar ogen neersloeg, 'u spreekt met zijn vrouw. Vera. Hij is hier. Ik zal hem u even geven. Een momentje.' Ze legde de hoorn op tafel en liet zich in de fauteuil zakken, alsof het feit dat ze zoveel energie in een loos alarm had gestoken haar volledig had uitgeput. Rímini zette de glazen op de krant en pakte met ingehouden adem de hoorn op. 'Mag ik u feliciteren,' zei Bonet, 'ik wist niet dat u getrouwd was.' Rímini stamelde een bedankje en de gedachte kwam bij hem op om de burgerlijke staat die zijn vroegere docent taalwetenschap hem zojuist had toegeschreven enigszins te bagatelliseren, maar hij verwierp die meteen weer toen hij naar Vera keek. Marcel

Poussière zou over twee weken, op uitnodiging van de universiteit, een aantal lezingen voor academici komen geven. Zou hij op hem kunnen rekenen als tolk? Rímini stemde onmiddellijk toe, zonder zelfs maar te hebben gesproken over werktijden en honorarium, alsof het simpele feit dat degene die belde Bonet was, een onschuldige ex-filoloog van vijfenzeventig, en niet de eerste de beste vrouw die niets anders te doen had dan uit de schaduw opduiken om zijn fragiele huwelijksevenwicht te verstoren, al genoeg was om een soort begenadigde van hem te maken, iemand die geen rechten meer had maar slechts één verplichting: dankbaarheid. 'Ik had aan u en Carmen gedacht,' zei Bonet. Rímini aarzelde. 'Carmen Bosch. Ik heb begrepen dat u met haar heeft gestudeerd.' 'Carmen, natuurlijk,' herhaalde hij, en hij hoefde niet opnieuw naar Vera te kijken om te weten dat ze, gerustgesteld, nogmaals glimlachte. 'Een heel bekwaam meisje. Ik begeleid haar bij haar promotie,' voegde Bonet eraan toe. 'Ik denk dat u goed bij elkaar zult passen.'

Carmen Bosch. Zoals al zijn studiegenoten was Rímini ook haar vergeten. Hij hing op. Heel even bleef hij roerloos bij de telefoon staan en begon toen met de la te worstelen waar hij ooit al die gezichten en namen meende te hebben opgeborgen, in de heimelijke hoop ze kwijt te raken. Wat hij aantrof en meteen weer verwierp waren lange gangen, betegelde wanden, flikkerende tl-buizen, volgeschreven muren van ondergelopen toiletten, het tandeloze gezicht van een conciërge, leunend op een bezem als op een golfclub, de ochtendmisselijkheid, verdreven door de eerste sigaret van de dag, het gevoel – een minuut voordat je voor de examentafel verscheen – dat je hoofd helemaal leeg was, alsof een bende dieven het had geplunderd terwijl je lag te slapen. Een paar silhouetten trokken voorbij en vervaagden weer. Hij hoorde stemmen die hij niet herkende en die hem verwarden. Hij zag geen gezichten; hoogstens twee of drie bewogen foto's die onder een wolk van stof begraven werden. Geen spoor van Carmen Bosch.

Maar Vera wachtte. Hoewel ze zich goed hield, was ze door het noemen van een onbekende vrouwennaam op haar hoede. Rímini probeerde tijd te winnen en sprak over Bonet, over zijn warrige wenkbrauwen en zijn overhemden waaraan altijd een paar knopen ontbraken, en in een ongewone opwelling van acteurkunst ging hij zelfs zover dat hij zijn typische manier van lopen nadeed – een volkomen bedrieglijke imitatie, omdat Rímini bij het uitvoeren ervan niet aan Bonet dacht, die liep als iedere zeventigjarige, maar aan een karikatuur die hij, uit nood geboren, ter plekke samenstelde uit delen van een stuk of zes zonderlinge voetgangers. Daarna gaf Rímini, zonder onderbreking, alsof hij alleen maar praatte om Vera's wantrouwen in de kiem te smoren, nadere details over de opdracht die hij zojuist had gekregen. Hij voegde er tijdstippen, vergoedingen, plaatsen aan toe – alles wat hij Bonet niet aan de telefoon had gevraagd – en zelfs een biografie van Bonet, die al even vals was als zijn manier van lopen. Vera luisterde geduldig en knikte af en toe, als iemand die een hekel heeft aan al die uitweidingen maar beleefd genoeg is om ze te respecteren. Tot slot, met het vluchtige en terloopse gebaar waarmee een smokkelaar een diamant tussen allerlei prullaria verbergt, liet Rímini ergens midden in een zin Carmens naam vallen. Het was niet meer dan een uitwaseming, de vier medeklinkers waren nauwelijks te horen, maar Vera hief langzaam haar hoofd, keek hem aan en glimlachte, en Rímini herkende diep in haar ogen een schittering, de triomfantelijke flits die vrouwen alleen laten zien als ze het verraad bevestigd weten en zo een eind maken aan de kwelling waarmee ze erop hadden gewacht. 'Wie is dat?' vroeg ze. Rímini hoorde in haar stem een doorwrochte, breekbare naïviteit, als van een ex-pornoster die ineens een kinderprogramma op televisie gaat presenteren. 'Iemand van de faculteit, vermoed ik,' zei hij. '*Vermoed ik*,' herhaalde Vera, met een heel licht vragende ondertoon, 'ken je haar dan niet?'

Wat is een grotere kwelling voor het hart: de scherpte van de herinnering of die van het geheugenverlies? Rímini wist dat de waarheid – 'Nee, ik ken haar niet, of in elk geval kan ik me haar absoluut niet herinneren' –, vanuit het oogpunt van Vera, geprogrammeerd door de jaloezie om geen enkel *rechtstreeks* ontkennend antwoord als waar te erkennen, even verdacht zou klinken als alles wat hij verzon om een geheim te verhullen, en daarom zou neerkomen op zichzelf beschuldigen van een verraad dat hij niet had gepleegd. En hij wist ook dat als hij loog – 'Ja, ik ken haar, we hebben samen een college sociolinguïstiek gevolgd, zij was de enige op de hele faculteit die de laatste Chomsky écht gelezen had' – zijn bekentenis Vera's wantrouwen weliswaar enigszins zou verzachten, omdat het daarmee bevestigd werd, maar dat hij tegelijk het verlangen om meer te weten zou aanwakkeren en de weg vrij zou maken voor een verhoor dat hem, vanwege het gevaar zichzelf tegen te spreken – Rímini's leugen had niet tot doel iets te verheimelijken, maar wilde alleen vermijden dat Vera's achterdocht werd gewekt: zo, zonder misdrijf, had Rímini ook geen tekst om te liegen en was hij overgeleverd aan alle incongruenties die op de loer liggen voor degene die improviseert –, onvermijdelijk in de positie van schuldige zou brengen. Als hij de waarheid sprak, ontketende hij een ramp; als hij loog gaf hem dat een beetje lucht en tijd, maar vroeg of laat zou hij, gedwongen eraan vast te houden, de slaaf van zijn leugen worden en dan was een simpele aaneenschakeling van onnauwkeurigheden genoeg om de aanvankelijke lauwe erkenning in de koortsige geest van Vera plaats te laten maken voor de bekentenis die ze vanaf het begin had gevreesd en gezocht.

Toch begon Rímini, aangemoedigd door het succes van zijn portret van Bonet, opnieuw te snuffelen in zijn universitaire kaartenbak en kon hij met de gegevens die hij vond, allemaal afkomstig van verschillende kaarten, een noodcurriculum samenstellen waaruit bleek dat Carmen in de loop van haar studentenleven maar in één ding had uitgeblonken: zichzelf tegenspreken. In die paar levendige minuten waarin hij zich haar in herinnering riep veranderde Carmen drie keer van achternaam – Bosch, Boch, Bohm –, begon ze in hetzelfde jaar met haar studie als Rímini én twee jaar later, specialiseerde ze zich in taalkunde én in klassieke en middeleeuwse filosofie, werd ze dik én viel ze af, was ze actief in het Frente Santiago Pampillón én kaderlid van Franja Morada,* was ze rijk én arm, opgewekt én depressief, een lichtende belofte én een fletse kandidaat voor het onderwijs. Toen hij uitgespro-

---

* Frente Santiago Pampillón: progressieve studentenbeweging.
Franja Morada: conservatieve studentenbeweging.

ken was, voelde Rímini zich uitgeput – uitgeput en verbijsterd, als iemand die een kuil graaft om te ontsnappen en tot de ontdekking komt, nietig tussen hoge wanden van aarde, dat hij te diep heeft gegraven om er nog uit te kunnen klimmen. Vera zei niets; ze praatte nooit als ze glimlachte. Ze bukte zich, en na de glazen sinaasappelsap te hebben opgepakt, gaf ze Rímini het zijne aan. 'Geweldig,' zei ze ten slotte, de glazen tegen elkaar stotend en daarbij een paar druppels uit het glas van Rímini morsend, 'dus we hebben werk.'

De schaduw van dat meervoud kwelde hem dagenlang. Hij stelde zich voor dat hij zich met Poussière en Carmen Bosch in de aankomsthal van Ezeiza een weg baande tussen massa's taxichauffeurs, en dat iets in de slinkse manier van lopen van een stewardess die daar in de buurt rondhing, misschien te warm gekleed, hem deed denken aan het gejaagde gedrag van Vera als haar iets dwarszat. Hij zag zichzelf in een bar de ideeën van Poussière vertalen voor een cassetterecorder van een journalist, of zich vervelen tijdens een cocktailparty op de Belgische ambassade, of langdurig natafelen met academici in een restaurant, met Bonet aan het hoofd van de tafel en een gekwelde Poussière overgeleverd aan een horde taaldocenten – en in al die scènes meende hij op de achtergrond Vera te ontdekken, die hen volgde met de vasthoudendheid en schuchterheid van bewonderaars die hun idool niet durven aan te spreken maar ook niet van plan zijn op te geven. Op een bepaald moment zag hij zelfs hoe ze haar vermomde gezicht verborg achter een zuil, als een geheim agente die was gestuurd door een groep anti-Poussièristen, op drie of vier tafels afstand van waar Rímini en Carmen probeerden de laatste bijdragen van de taalkundige aan een zieltogende discipline te ontcijferen. Maar het was uiteindelijk Vera zelf die hem geruststelde. Ze deed een stap opzij, vermeed het vragen te stellen, maakte zichzelf licht, bijna onzichtbaar. Een paar dagen voor de komst van Poussière, toen de vergaderingen in intensiteit toenamen en Rímini steeds heel laat thuiskwam, met doorrookte kleren en rode ogen, zat Vera wakker en glimlachend op hem te wachten, met het nog warme eten in de oven, heel geïnteresseerd in zijn keel- en rugpijn en zijn hoest, klaar om zijn stinkende kleren te vervangen door een schone badjas, en volkomen onverschillig voor de valse universitaire piet-luttigheden die hem de hele dag van haar vandaan hadden gehouden. Rímini, verward en gelukkig, voelde zijn liefde weer opbloeien.

Maar Poussière kwam, het symposium begon en Rímini bracht amper een paar uur in huis door. Als hij thuiskwam sliep ze al – hoewel Vera hem duidelijk maakte dat ze dat deed om hem niet te verplichten zijn schaarse vrije tijd aan haar te verspillen –, maar elke keer dat hij de deur opende, werd hij zich bewust van haar toewijding in de duizend welkomsttekens die ze door het hele huis had achtergelaten. Ze liet twee of drie zwakke lampjes branden, net genoeg om het huis door te lopen zonder dat de hoeken van de meubels in zijn liezen prikten. De tafel was gedekt; een rij fluorescerende pijlen verbond zijn lege bord met de schotel die nog in de oven stond te dampen. Elke avond was er een nieuwe liefdesboodschap op de spiegel in de badkamer geschreven, en naast de telefoon lag de lijst met telefoontjes van die dag op hem te wachten, die Vera bijna achteloos op losse papiertjes noteerde en voordat ze naar bed ging in het net overschreef op een schrijfblok met ruitjespapier, waarvan de velletjes zich vulden met haar als miniatuur-Eiffeltorens oprijzende t's, en een kritisch notenapparaat dat als bloembladeren rond namen en achternamen was gedrapeerd. 'Van de videoclub: ze hebben dringend *Het Duitse wonder* nodig. Waarom blijf je zwartwitfilms huren, terwijl je weet dat ik die toch nooit uitkijk? Iván: halfdrie: iets over een woordenboek. Tot zes uur is hij thuis. Ik weet dat het niet aardig was, maar ik heb tegen hem gezegd dat ik niet doof ben. Van de gemeente: wanneer we van plan zijn ons in te schrijven. Ik heb een Paraguayaans accent opgezet en net gedaan of ik het dienstmeisje was.' En wanneer Rímini, al uitgekleed, op zijn tenen, de krakende planken vermijdend, de slaapkamer binnenging, werd hij tot in het diepst van zijn ziel geroerd door het schouwspel dat Vera voor hem had voorbereid. Het nachtlampje brandde, het raam was open, een nieuwe fles mineraalwater stond op het nachtkastje op hem te wachten. Zijn lievelingskussen – dat zij altijd in haar slaap van hem afpikte – lag naast haar, onaangeroerd, als beschermd door een heilig aureool, en zijn deel van het bed wasemde de geur uit van frisse lakens.

Vera, die het zelfs voor elkaar had gekregen om niet te snurken, lag ineengerold aan de andere kant, met haar rug naar hem toe, een detail dat Rímini vroeger zou hebben geïnterpreteerd als een teken van onverschilligheid maar dat hem nu voorkwam als het toppunt van consideratie: Vera draaide hem haar rug toe om hem te ontlasten, om hem te bevrijden van de wroeging die hij zou hebben gevoeld als hij haar bij het tussen de lakens glijden per ongeluk wakker had gemaakt. Rímini bewoog zich dan ook overdreven behoedzaam, bijna verkrampt, stapte in bed als iemand die een breekbaar papieren heiligdom binnengaat, en keek toe hoe ze lag te slapen. Hij kon nauwelijks geloven dat Vera zelfs dan, een prooi in de grot van de slaap, waarvan de wetten over het algemeen de meest ongevoelige daden toestaan, de invloed van haar amoureuze toewijding bleef uitstralen. Het was alsof ze dood was, of alsof ze voordat ze hem voor altijd verliet, door het hele huis de postume liefdessporen had verspreid die hem aan haar moesten herinneren.

Dat ging zo door tot de laatste dag van de conferentie. Om zes uur 's middags, tien minuten voor zijn afspraak met Carmen in een bar vlak bij het universiteitstheater, was Rímini nog druk doende het gebrek aan verstandhouding op te lossen tussen zijn riem en de lusjes van zijn broek. Het zweet brak hem uit. Op bed, gehuld in haar witte badstoffen ochtendjas, was Vera net klaar met het lakken van haar teennagels, terwijl op de tv waarvan ze het geluid had uitgezet een man met uitpuilende ogen drukke gebaren maakte. Ze bracht de finishing touch aan, veegde met de punt van een watje een uitschieter weg en verwijderde de witte propjes die haar tenen uit elkaar hielden. Rímini begon te briesen: de lusjes waren te nauw, de riem was te breed, en hij kon geen besluit nemen welke van de twee hinderlijke problemen hij moest elimineren. 'Hoe laat is het?' vroeg hij wanhopig. 'Laat die riem nou maar. Die heb je niet nodig,' zei Vera zonder zich om te draaien, terwijl ze de dop op het flesje nagellak schroefde. Rímini gehoorzaamde meteen. Nu hij aangekleed was rende hij naar de woonkamer om de tekst van de lezing te gaan zoeken. Op de salontafel lag een ontmoedigende orgie van papieren op hem te wachten: fotokopieën, aantekeningen, vertaalvarianten... Hij ging op zijn knieën zitten en woelde blindelings met zijn handen tussen de velletjes papier, alsof hij de kopie van de lezing alleen maar hoefde aan te raken om haar te herkennen. Hij stuitte op een handvol aan elkaar geniete papieren. *Activiteitenprogramma van Prof. Marcel Poussière in Buenos Aires*, stond erop. Hij zocht nogmaals, tastte rond in cirkels: de uitdijende golf gooide een leeg glas, een volle asbak en een aansteker om. Vera's stem kwam zacht en zelfverzekerd tot hem: 'In de groene map op de eettafel!' Twee minuten later, toen Rímini weer in de slaapkamer verscheen om afscheid te nemen, lag Vera met toegeknepen ogen te lezen, gehuld in de rook van een sigaret, en bewoog soepel haar tenen heen en weer voor de televisie, heel dicht bij het scherm, alsof de nagellak sneller droogde bij het licht van de beelden. Rímini plantte zijn knie op het bed. Vera keek hem glimlachend aan en ging met een hand langs zijn voorhoofd om een denkbeeldige lok weg te vegen. Rímini deed zijn ogen dicht. Het was geen liefkozing, haar vingertoppen raakten hem niet, maar hij voelde op zijn gezicht een haast onmerkbaar, vederlicht contact, vergelijkbaar met het plotselinge verschil in warmte dat je ervaart als er een schaduw over je lichaam valt. Toen hij zijn ogen opendeed en zag dat ze alweer verdiept was in haar bezigheden, alsof er niets was gebeurd, kreeg hij het vermoeden dat het gebaar nooit had plaatsgevonden, dat het inbeelding, een voorgevoel of een herinnering was geweest. Nee, Vera nam geen afscheid van hem: ze stelde hem in vrijheid. Weer had ze zich voor hem opgeofferd. Nu hoefde hij alleen maar te verdwijnen, voor haar ogen op te lossen als een wezen uit een fabel. Hij werd door een geweldige droefheid overmand. 'Heb je geen zin om mee te gaan?' vroeg hij zonder hoop. 'Zou je dat willen?' zei ze. 'Het is de laatste lezing,' zei hij, 'ik zou het heel fijn vinden als je er was.' 'Maak ik je dan niet nerveus?' vroeg ze. 'Dat kan me niet schelen,' zei Rímini. 'Ik zal me waarschijnlijk alleen maar vervelen, omdat ik er toch niets van begrijp,' protesteerde ze. 'Doe het dan voor mij,' drong hij aan. Vera stond op en deed de televisie uit. 'Ik moet me nog wel aankleden,' verzuchtte ze, 'ben je al niet veel te laat?' 'Carmen komt nooit op tijd,' zei hij, terwijl hij naar de kast liep. Vera was hem voor; ze deed de kastdeur open, schoof een massa jassen opzij en vond meteen, met een ingestudeerde

kreet van verbazing, wat ze zocht: een hangertje met kleren die klaar-
hingen om in actie te komen. 'Maar naar de bar ga je alleen, hè?' waarschuwde ze hem, terwijl ze zich uitkleedde. 'Ik wacht wel op je in het
theater. Denk je dat ik me hierin kan vertonen?'

4

Alles was ineens weer terug, als na het uitvallen van het licht. Poussière bevond zich nog altijd op de rand van een inzinking. Er kraakten een paar stoelen, iemand schraapte zijn keel, twee hoofden zochten naar elkaar om in het donker fluisterend te overleggen. De metro kwam voorbij en de hele zaal trilde. Rímini boog zich over Carmen heen en drong binnen in de geparfumeerde invloedssfeer van haar gezicht. Vanille of amandelen, dacht hij. Maar hij zei: 'Wat is er aan de hand?' Zonder hem aan te kijken wees Carmen met haar kin naar het publiek. 'Daar, op de vijfde rij,' fluisterde ze in zijn oor, hem kietelend met haar ademhaling. Rímini telde, liet zijn ogen over de rij glijden en stuitte op Vera, die onderuitgezakt op de laatste stoel, aan het gangpad, zat te gapen. 'Hoe heeft ze het in haar hoofd kunnen halen om te komen?' zei Carmen geschokt. 'Ze moet wel gek zijn. Kijk eens hoe ze gekleed is.' 'Wat bedoel je?' vroeg Rímini. 'Kijk dan: ze ziet eruit of ze hem wil verleiden!' Rímini keek strak naar Vera, die nu op een weerspannig velletje zat te bijten, en hij inspecteerde verward haar kleding. 'Vera? Wie verleiden?' Carmen keek hem verbaasd aan: 'Heet ze Vera? Net als je vrouw?' 'Dat ís mijn vrouw,' zei Rímini. Carmen keek naar het publiek en onderdrukte een schaterlach: 'Jouw vrouw was de minnares van Poussière?' 'Wat zeg je nou?' zei Rímini. Hij kreeg zin om haar te slaan – haar te slaan en te kussen en met zijn lippen over haar wangen te gaan en met haar te verdwijnen in een weelderig tropisch paradijs vol vlees-etende planten en reusachtige mieren. 'Neem me niet kwalijk, die vrouw in die wit-met-groengeruite jurk is jouw vrouw?' Rímini corrigeerde de richting van zijn blik en ontdekte naast Vera een gezette, geblondeerde vrouw die in haar geheel leek op te rijzen uit het decolleté van haar harlekijnjurk. 'Nee, die vrouw die naast haar zit. Heeft Poussière een minnares in Buenos Aires?' 'Hád. Wist je dat niet? Ze hebben twee dagen geleden ruzie gekregen. Het was een heus schandaal: ze zijn bijna het hotel uitgezet,' zei Carmen, en ze wierp hem een meelijdende blik toe. 'Wat ben je toch een warhoofd. Je hebt er helemaal niets van gemerkt, hè?' 'Nee,' zei hij, haar blik ontwijkend, 'ik ben altijd overal te laat mee.' 'Als een echte Stier,' glimlachte ze, en iets – een uitgekiende mengeling van nieuwsgierigheid en ergernis – dwong haar opnieuw naar de vijfde rij te kijken en droevig te glimlachen. 'Ze is mooi, je vrouw,' zei ze. Ze zwegen allebei een fractie van een seconde, alsof eenzelfde kracht ze naar twee verschillende planeten had getransporteerd. 'Ja,' zei hij. En zonder haar aan te kijken voegde hij eraan toe: 'Ik geloof dat ik verliefd op je ben.' Carmen schoof zwijgend haar stoel een stukje terug. Toen hij weer naar haar durfde te kijken, zag Rímini aan het nagloeien van haar gezicht dat ze hevig gebloosd had. Hij wilde nog iets zeggen, iets wat zijn woorden zou corrigeren, afzwakken of versterken, wat dan ook, zolang de dingen maar niet bleven zoals ze waren, en hij stond op het punt te gaan praten, toen Poussière weer tot zichzelf leek te komen, zijn mond opende en de stilte verbrak door in de microfoon te kreunen. Er klonk een oorverdovend rondzingen. Poussière sprong achteruit, ging weer in de aanval en worstelde met de microfoon alsof hij die wilde temmen, maar de kan water stond in de weg en hij slaakte een kreet. De klap ging gepaard met het vaag muzikale geluid van glas: de kan aarzelde, wiegde even met zijn gezwollen buik en viel toen in stukken uiteen op de toneelvloer.

De chaos zal een minuut of vijf geduurd hebben. Poussière verdween achter de coulissen. Carmen vluchtte de cabine uit, iemand kwam het toneel op met veger en blik en begon de scherven op te vegen, terwijl de mensen op de eerste rij de schade opnamen aan hun schoenen en schriften. Het licht in de zaal flikkerde, doofde en ging weer aan. Een opgewonden geroezemoes zweefde boven de toehoorders. Een groep in het midden van de zaal maakte aanstalten om op te staan maar bedacht zich, afgeschrikt door de vijandige blikken van de mensen daaromheen. Rímini keek naar de vijfde rij: Vera, met haar ellebogen steunend op haar knieën, smoorde haar lachen tussen haar handen, en de ex-minnares van Poussière maakte van de verwarring gebruik om haar make-up bij te werken. Totdat een assistent door het gangpad naderbij kwam, aan het eind van de rij bleef staan en haar beduidde mee te komen. De vrouw stond op, liet de beautycase open op de stoel staan en stapte over de benen van Vera heen. Rímini zag de twee kort onderhandelen, híj te breed glimlachend, zíj te redelijk. Daarna pakte de assistent haar bij een elleboog en leidde haar, met de energieke fijngevoeligheid waarmee men iemand die verdwaald is weer op het goede spoor brengt, naar de uitgang. Halverwege wilde de vrouw omkeren, maar de assistent hield haar tegen; woedend wees ze van verre naar haar stoel. Vera, die de hele scène gevolgd had, pakte de beautycase en hield hem in de lucht. De assistent liep naar haar toe om hem aan te pakken, maar de vrouw rukte hem meteen uit zijn handen; ze draaiden zich om en verdwenen achter de nog natrillende klapdeuren.

Poussière stak zijn hoofd om de hoek van het toneel, wierp een angstige blik op het publiek en liep naar voren tot in het licht. Carmen volgde hem op een paar passen afstand, om hem te beschermen en de terugweg te blokkeren, met een plastic bekertje en een fles water in haar hand. Ze gingen samen zitten. De taalkundige hield zijn hand voor de microfoon en fluisterde iets in haar oor. Carmen glimlachte, schonk water in het bekertje en hield dit praktisch onder zijn neus. Poussière dronk het in één teug leeg. Daarna verkreukelde hij het tussen zijn vingers, wierp een blik op zijn papieren en liet zijn ogen verdwaasd over de regels dwalen. Carmen keek met een schuin oog naar de tekst en legde haar vinger behulpzaam op een bepaald punt. Poussière schraapte zijn keel. Toen keek Carmen op, betoverde Rímini met haar smekende ogen en knikte, alsof ze hem een teken gaf.

Een halfuur later eindigde de lezing in alle rust. Vera liet van een afstand in gebarentaal weten dat ze de zaal uitging om een sigaret te roken, een trotse Poussière, als elke overlevende belust op het aangaan van nieuwe uitdagingen, wilde zonder tolk de vragen van het publiek beantwoorden, en Rímini en Carmen kusten elkaar in het donker van de kleedkamer, geleund tegen een indiaanse tipi die al snel instortte, omdat hij voor de toneelwestern waarvoor hij was gekocht louter diende ter decoratie. Ze wankelden, vielen, maar maakten zich geen moment los uit hun omhelzing. Een stapel kussens en koeienhuiden brak hun val. Toen ze weer overeind kwamen, duizelig door de roes van de opwinding, zat Carmens hoofd onder de veren en had Rímini een ketting met klauwen van een wilde kat aan een van zijn schouders hangen. Ze schoten tegelijk in de lach. Carmen, die allergisch was voor veren, liet het lachen volgen door een langdurige niesbui. Rímini omhelsde haar weer. Hij had de indruk dat haar lichaam volledig in zijn armen paste. En terwijl hij haar op haar rug klopte – een plotselinge klinische intuïtie zei hem dat allergie en hoest nauw met elkaar verwant waren – begon hij te huilen, dronken van geluk en verbazing.

Plotseling hoorden ze lawaai. 'Carmen! Rímini!' schreeuwde de assistent vanaf de trap. 'Poussière komt er niet uit en heeft al meer dan tien vragen genoteerd. Kom naar boven! We hebben jullie nodig in de cabine!' Carmen trok zo hard aan de ketting met klauwen dat hij brak. Rímini blies op Carmens hoofd: de veren zweefden als één geheel door de lucht, totdat er zich eentje losmaakte en aan Rímini's vochtige wang bleef plakken. 'Mijn indiaantje, mijn treurende indiaantje,' zei Carmen, het veertje met twee angstige vingers vastpakkend, als waren het vlindervleugeltjes, en ergens wegstoppend. 'Wat heb je met ons leven gedaan?' Onderweg naar de zaal bleef Carmen plotseling staan. 'Nee, we kunnen beter niet samen naar boven; ik zou het niet uithouden als ik naast je moest zitten zonder je te kunnen kussen,' zei ze, en haar hand klapwiekte even ten afscheid, voordat ze achter de deur van het toilet verdween. En dus ging Rímini, noch steeds bevend, alleen naar boven, zette zijn koptelefoon op en keek naar de schemerige zaal, de rustige mensen en de stoel waar Vera ooit, tweehonderdvijftigmiljoen jaar geleden, had gezeten, toen iets wat op een wereld leek vorm aannam en omwentelingen maakte rond zijn lichaam. Steunend op de rugleuning van de stoel voor hem, stamelde een student met afhangende schouders een vraag. Poussière, schuin naar het publiek, verzocht hem kalm maar dringend niet te zeer uit te weiden, een restant van het bekertje in kleine stukjes scheurend. Alles is nog hetzelfde, dacht Rímini verbaasd,

228

terwijl hij de monoloog van de student vertaalde. Er was iets onverschilligs en wreeds aan het contrast tussen de emotionele verandering die hij had ondergaan en de identiteit die hij nog altijd in de wereld herkende. Alles was gelijk, alleen helderder: Rímini zag alles en heel gedetailleerd, zoals je een landschap ziet na de regen. Hij dacht dat als hij buiten geweest was, in een park of op het platteland, hij de nerven van elk blad zou hebben kunnen tellen zonder zich te vergissen. En tegelijk had hij, betoverd door de schittering van wat hij zag, het idee dat in de wereld om hem heen alleen de tijd veranderd was. Hij nam een soort algehele uitdijing waar. Klonken de stem van Poussière – die nu bezig was de vraag te beantwoorden – en zijn eigen stem, die hem als een echo volgde, niet alsof ze niet bewogen? En het meest verbazingwekkende: hoe kon er uitdijing zijn zonder veroudering? In zijn geval begreep hij dat: hij was verliefd. Maar het verschijnsel leek uit het hart van de wereld zelf te ontstaan, alsof dat buitengewone uitrekken de laatste consequentie was van een uiterste poging dezelfde wereld te blijven. Of misschien duurde alles gewoon langer omdat Carmen er niet was. Misschien bracht Carmen op datzelfde moment haar gezicht naar de spiegel op het toilet en zou ze er, in de greep van dezelfde lethargische traagheid, nooit in slagen het daarin te zien...

'... door middel van de formule,' vertaalde hij, 'volgens welke elk gebrek aan betekenis noodgedwongen wordt opgeheven.' Rímini zweeg. Maar in zijn koptelefoon bleef de stem van Poussière nog een paar seconden doorpraten. Het origineel kwam later dan de vertaling. Rímini was met stomheid geslagen. Hij had het gevoel dat de tijd nog nooit zo compact was geweest. En wat nu? Wat past er nog meer in? vroeg hij zich af, met de verontwaardiging van iemand die net is verhuisd en toekijkt hoe een stelletje verhuizers met meubels en dozen de overzichtelijke leegte van een kamer verwoesten. Beneden, staande bij de voorste rij, bestudeerde de assistent een lijst, keek op zijn horloge en drong aan op de volgende vraag. Rímini kon nog net iets zien bewegen in het halfduister achter in de zaal: de grote witte vlek van een mouw, een arm die, verlegen maar ontspannen, van achter een betonnen zuil tevoorschijn kwam. De assistent liep naar de achterste rijen en overhandigde iemand de microfoon, die van hand tot hand ging en de hele rij stoelen passeerde alvorens achter de zuil te verdwijnen. Er viel een stilte. Daarna schraapte iemand zijn keel, tikte een dwingende vinger tegen de kop van de microfoon en kondigde de ruime mouw zijn val in de lucht aan. 'Ik ben geen taalkundige,' waarschuwde de vrouw in een onberispelijk Frans, op een tegelijk omzichtige en vijandige toon, 'en afgezien van het ongelukje met de kan water, weet ik niet zeker of ik alles wat hier vanavond gebeurd is heb begrepen. Ik beheers het vakjargon niet, dus ik hoop dat u mij wilt vergeven als dat wat ik wil vragen toevallig al beantwoord is in de loop van...' 'De vraag alstublieft,' drong de assistent aan. Rímini voelde een plotselinge leegte in zijn borst, alsof zijn hart een slag had overgeslagen. 'Dit is toch een interdisciplinaire bijeenkomst?' ging de vrouw tot de tegenaanval over, nu in het Spaans. 'Ik mag toch aannemen dat er ook bijdragen uit andere disciplines worden geaccepteerd?' Een onbehaaglijk gelach verspreidde zich over de toehoorders. Rímini isoleerde en herkende de rancuneuze ondertoon die in die stem doorklonk. Hij keek naar de zuil waar de mouw nu alleen tegen hem leek te spreken, in een privé-taal waarvan de resten, ergens diep in zijn herinnering verborgen, zich begonnen te roeren. 'Vanzelfsprekend,' zei de assistent, 'maar het is al laat en er is nog een hele lijst met mensen...' 'Ik heb ook niet de hele avond, dus als u me toestaat, ga ik verder,' zei de vrouw, en ze haalde kort adem – de ademstoot, versterkt door de microfoon, weergalmde in het theater als de voorbode van een onweer uit een toneelstuk voor kinderen – en terwijl ze opnieuw op het Frans overschakelde, vervolgde ze: 'Ik werk met het lichaam,' en Rímini had het gevoel dat hij ontdekt was, alsof de schijnwerper van een maximaal beveiligde gevangenis hem uitlichtte tegen de donkere achtergrond die hem juist aan het oog had moeten onttrekken. Hij kon nergens heen. Hij keek naar de plek achter in de zaal, waar twee of drie hoofden zich omdraaiden naar de zuil, hij zag de zuil, de arm met de mouw – een 'hindoegewaad' – en de hand die de microfoon vasthield, en daarna, als de laatste dominosteen die valt, meegenomen in de val van alle vorige dominostenen, de oplichtende steekvlam van helblond haar: 'Ik weet niet of de professor (en zijn Europese collega's of, laten we zeggen, de taalkundigen in het algemeen) op de hoogte zijn van de Breitenbach-school, van de school of de methode (daar wordt nog over getwist) van Frida Breitenbach...'

5

Hij hoorde opgewonden stemmen om zich heen en werd wakker. Hij zag de ruwe muren, een kleine ronde lamp die boven zijn hoofd heen en weer wiegde, de in een rij opgestelde metalen kasten, als soldaten in het gelid. Iets heel lichts streek langs zijn neus en deed hem niezen. Een veertje. Hij wilde opstaan, een schaduw kwam dichterbij om hem te helpen en zijn handen die steun zochten op de vloer raakten een vertrouwde, vochtige en kille structuur. Het plastic van de indiaanse tipi! Hij werd overspoeld door een golf van opluchting, de meest intense die hij in zijn leven had ervaren, maar zijn benen werden weer slap en Rímini viel als in slow motion op zijn rug, terwijl hij met een gelukzalige glimlach naar de gezichten keek die zich over hem heen bogen om hem bij te staan. Een seconde eerder had hij ze niet herkend, beneveld door de zwarte put waaruit hij naar boven klauterde; nu ook niet, maar dat kwam omdat hij verbijsterd was door de gelukkige vaststelling dat het allemaal een droom was geweest. Terwijl hij overeind werd geholpen door een paar armen analyseerde hij de restjes realiteit die waren overgebleven na de stroomuitval: hij was met Carmen naar de kleedkamer gegaan, ze hadden elkaar gekust in het donker, ze waren, in innige omhelzing, gestruikeld, en hij – dat kon niet anders – moest met zijn hoofd ergens tegenaan gevallen zijn en had het bewustzijn verloren. De rest – een opeenvolging van gebeurtenissen en details van minder belang, die als door een magneet werden aangetrokken door de verschijning van Sofía – leek stuurloos rond te drijven in zijn hoofd en traag uiteen te vallen, zoals het geleidelijke vervagen van schimmen uit een nachtmerrie. 'Je bent flauwgevallen,' zei iemand. Rímini herkende de stem van de assistent en glimlachte. 'Het gaat alweer,' zei hij, op een schouder kloppend, die van een ander bleek te zijn. Hij wilde naar Carmen vragen, maar toen hij zijn mond opende werd er een suikerzakje onder zijn tong leeggegoten. Hij liep moeiteloos de trap op, waarbij hij zelfs de hulp die de assistent hem aanbood afsloeg, maar toen hij op het toneel aankwam voelde hij in zijn borst een zwarte, ijskoude leegte die hem dwong te blijven staan. Het was alsof de flauwte, toen die in hem, in het diepst verborgene van hem, binnendrong, een deel van de adem had weggenomen die niet zijn lichaam of zijn organisme maar zijn leven zelf bezielde, niet het huidige leven, in het heden, waar zijn lichaam en zijn organisme onafscheidelijk mee verbonden waren, maar dat wat hem nog aan leven restte. Wat hij nu miste, was geen kracht maar *tijd*. En dat hij zich moe voelde, kwam niet omdat hij zich te buiten was gegaan; hij was iets – een seconde, een uur, een jaar – kwijtgeraakt wat hij niet meer terug zou krijgen.

Hij liep langzaam het toneel over, als een oude man, en zag hoe een paar mannen in werkkleding de tafel, de stoelen, het pluchen tafelkleed en de microfoon weghaalden, al die treurige rekwisieten van de lezing. Het was allemaal al een tijdje afgelopen. Hoe lang was hij bewusteloos geweest? Hij wilde het aan de assistent vragen, maar toen hij zich omdraaide zag hij alleen hoe zijn rug zich verwijderde naar de andere kant van het toneel. Hij hoorde de klik van een schakelaar, een lamp ging uit en het duurde even voordat het licht helemaal gedoofd was. Verrast door het schemerdonker zocht Rímini steun bij een muur. Na een paar seconden, toen hij de omtrekken van de dingen weer kon onderscheiden, daalde hij een zijtrapje af en liep met gebogen hoofd naar de uitgang. Op een gegeven moment werd hij bang dat hij ergens tegenaan zou botsen en tilde zijn hoofd op; een paar meter verderop zag hij de schaduw van twee mensen die met elkaar stonden te praten. Dat wil zeggen, een van hen praatte; de ander, de langste, stond, als in het nauw gedreven, met zijn rug tegen de bakstenen muur. Op dat ogenblik ging de deur van de zaal open om een werknemer van het theater door te laten en heel even viel er een strook licht de gang in. Toen, mogelijk gebruikmakend van dat korte ogenblik van verwarring, draaide het lange silhouet zich naar Rímini, en Rímini zag dat het

Poussière was, een verwilderde versie van Poussière, die hem herkende, een 'Ah!' van opluchting liet ontsnappen en, zich bevrijdend van de belegering door de andere gestalte, naar hem toe liep, een werveling van zinnen en overdreven gebaren over hem uitstortte, hem één, twee, drie keer omhelsde, met de euforie van een toneelspeler, en ijlings wegvluchtte in de richting van het toneel. Rímini, verdwaasd door de windhoos die hem zojuist door elkaar geschud had, bleef roerloos in de gang staan, totdat een barmhartige reflex hem dwong naar het silhouet te kijken dat Poussière even tevoren achter zich had gelaten: Sofía. Sofía, die al naast hem stond, haar hand al op zijn onderarm legde, hem al kuste, hem in een wolk van exotische geuren hulde en vroeg: 'Heb je mijn kaart gekregen?'

Ze stonden bijna in het donker, maar Rímini keek haar lang en strak aan, alsof hij een oneindige afstand moest overbruggen om haar te bereiken. Hij voelde iets heel vreemds, iets wat hem als hij erover nadacht altijd het toppunt van het onpersoonlijke had geleken, op hetzelfde niveau als een wiskundige stelling bijvoorbeeld, of een natuurkundige wet, of een van die processen die zich alleen voltrekken in de loop van zo'n lange periode dat ze het menselijke begrip te boven gaan, hij voelde dat hij in verschillende werelden tegelijk leefde. In een van die werelden viel hij flauw; in een andere kreeg hij een kaart van een ex-vrouw; in weer een andere ontmoette hij de ex-vrouw die hem de kaart had gestuurd; in nog een andere was hij gelukkig met een jaloerse vrouw; in een volgende werd hij verliefd op een vrouw die zijn type niet was. 'Je kijkt me aan alsof je een geestverschijning ziet,' zei Sofía. Rímini glimlachte, besefte terdege hoe zwak zijn glimlach was en keek onrustig naar de deur. 'Over Vera hoef je je geen zorgen te maken,' zei ze, 'die is weggegaan.' En ze haakte een arm in de zijne en voerde hem mee naar de uitgang. 'Ik heb haar buiten gezien, in de hal, (nee, ze heeft me niet herkend, dat weet ik zeker) en haar horen zeggen dat ze wegging. Ligt het aan mij of ziet ze er wat geciviliseerder uit?' 'Hoezo?' Rímini sprak als iemand die zijn lichaam betast en moet vaststellen dat alles echt is. 'Iemand vroeg haar of ze wilde blijven, omdat ze gezamenlijk zouden gaan eten. Híj.' Sofía wees op de assistent, die tussen twee

234

rijen stoelen door naar hen toekwam en toen hij Rímini zag vroeg of hij zich al beter voelde. 'Ja,' zei Rímini, 'is Vera buiten?' 'Ik geloof dat ze is weggegaan,' zei de assistent, en op het moment dat hij langs hem heen liep, vermeed hij zijn blik en fluisterde: 'Carmen heeft naar je gevraagd.' Het leek hem onbeleefd hem niet te bedanken voor deze blijk van betrokkenheid, maar de assistent liep het trapje naar het toneel al op. En meteen daarop veroorzaakte het feit dat iets zo prils als dat wat er net tussen Carmen en hem was gebeurd nú al een geheim was, en bovendien een geheim dat gedeeld werd met iemand die er zo weinig mee te maken had als de assistent – iets wat de eenzaamheid waarop zijn emotionele offer gebaseerd was, zou hebben kunnen verlichten, niet alleen de *coup de foudre* met Carmen, wier smaak hij af en toe weer in zijn mond proefde, maar ook de bovennatuurlijke verschijning van Sofía –, een geweldig gevoel van hulpeloosheid. Er werd aan zijn arm getrokken. 'Waarom ben je flauwgevallen?' Sofía sleepte hem mee naar de uitgang. 'Hé,' protesteerde Rímini, 'mijn bloeddruk is een beetje te laag.' 'Het is niet de eerste keer, alleen kwam er nu geen bloed aan te pas. Zou je niet eens naar een neuroloog moeten? Of heb ik je met mijn vraag in verlegenheid gebracht?' Rímini keek naar de verticale strook licht die de deur in tweeën deelde en versnelde zijn pas. 'Je hebt nog geen antwoord gegeven, Rímini. Heb je mijn kaart gekregen of niet?' 'Wanneer ben je aangekomen?' vroeg hij, in de hoop door te veranderen van onderwerp het initiatief te kunnen nemen. 'Vanmorgen. Ik kocht op Ezeiza een krant, zag een aankondiging van de lezing en besloot erheen te gaan. Je denkt toch niet dat ik dit voor veel mensen zou doen, hè? Ik val om van vermoeidheid, Rímini. Hoe lang hebben we elkaar al niet gezien? Waarom geven buitenlanders die lezingen komen geven nooit antwoord op wat ze gevraagd wordt?'

De deurpanelen gingen uiteen: Rímini duwde tegen het linker, Sofía tegen het rechter. Ze liepen de hal in, waar Rímini een teleurstelling wachtte: hij had gehoopt gezichten, mensen, lawaai aan te treffen, die overdreven levendigheid waarmee het gedwongen stilzwijgen in theaters wordt gecompenseerd, maar er waren alleen nog twee of drie studenten, die verveeld naar het programmaoverzicht op het mededelingenbord stonden te kijken, een oude mankepoot met een pet, die bezig was de deuren met kettingen te sluiten, en een genadeloos fel wit licht dat alles leek te verzengen. 'Zullen we iets gaan drinken?' zei Sofía. Rímini bekeek haar – eerst haar gezicht, daarna helemaal, van top tot teen: de broek zag er nieuw uit, maar de rand van een van de pijpen was versleten en een groot, donker ovaal – olie of vet – hing als een traan uit een van de broekzakken; ze droeg drie of vier ringen aan elke hand, geen juwelen, maar van die stukjes handwerk die ze altijd droeg, nobel en bescheiden, maar elke nagel werd gekroond door een smalle halve- maan van vuil en haar nagelriemen waren tot bloedens toe afgekloven. Dat was geen slordigheid of nalatigheid; integendeel: het was het ge- volg van de extreem hoge eisen die ze aan zichzelf stelde, alleen een beetje uit de hand gelopen. Het duurde even voordat het tot Rímini doordrong dat de geur die hij rook, een zwaar, vleesachtig mengsel van kauwgom en alcohol, afkomstig was van haar make-up, en dat hij dui- zelig begon te worden van het verschil in grootte van haar ogen, het rechter was veel meer dichtgeknepen dan het linker, terwijl het ooglid bovendien bezaaid was met zwarte puntjes mascara. 'Nee,' zei Rímini, 'ik kan niet. Het is de afsluiting van de lezingencyclus: ik moet met ie- dereen uit eten.' De deuren van het theater gingen open en Carmen verscheen in de hal, met een gekwelde uitdrukking op haar gezicht en een bos bloemen in haar hand, gevolgd door een man van middelbare leeftijd met een gebruinde huid en in een pak à la de prins van Wales, die een niesbui smoorde in een zakdoek. Carmen zag Rímini en bleef als verlamd staan, haar rechtervoet naar voren gestoken maar nog al- tijd in de lucht zwevend, op zoek naar de volgende stap, de linker naar achteren, steunend op de grond, met strak gespannen enkelbanden, en Rímini voelde zich als een van die ondergeschikte goden die verteerd door wellust, afgunst en de laagste hartstochten, midden in het bos de schone jaagster verrassen die ze gek maakt van verlangen, en die aan- gezien ze haar niet kunnen bezitten omdat hun povere goddelijke rang ze dat verbiedt of omdat een of andere hogere god de prooi al voor zichzelf heeft gereserveerd, besluiten haar in een standbeeld te veran- deren. Maar de voet van Carmen landde ten slotte toch op de grond, het cellofaan van de bloemen knisperde en een laatste nies weergalmde in de hal van het theater, en toen ze langs hem heen liepen meende Rímini in Carmens hals, een paar centimeter onder haar oorlelletje, een paarse vlek te zien, de signatuur van een paar vampierlippen, en het feit dat hij niet wist wie die afdruk daar had achtergelaten deed een golf van blinde woede in hem opstijgen. Hun blikken kruisten elkaar en ze glimlachten, de eerste stap van een pathetisch afscheidsritueel: ze staken hun handen uit die halverwege in de lucht bleven hangen, knikten instemmend bij alle zinnen die ze niet uitspraken, maakten aanstalten onbekenden aan elkaar voor te stellen hoewel niemand dat verwachtte, en overdachten in een paar seconden een verscheidenheid van gemoedsgesteldheden en emoties waarvoor een leven vermoedelijk niet toereikend zou zijn geweest om ze te ervaren. Ten slotte vatte Carmen moed. 'Ga jij?' vroeg ze, met een vinger wijzend naar een denkbeeldig restaurant waar Poussière en de anderen intussen al de broodmandjes aan het plunderen moesten zijn. 'Jij?' vroeg Rímini. 'Nee,' zei ze, en ze vertrok haar mond tot een treurige of vermoeide grimas, en nadat ze haar blik even over Sofía had laten glijden, alsof ze niet weg wilde gaan zonder iets van haar mee te nemen, een beeld waarop ze later, in alle rust en alleen, alle vragen zou kunnen afvuren die zich in haar hoofd verdrongen maar die ze niet kon formuleren, keek ze weer naar Rímini, sloeg onweerstaanbaar verlegen haar ogen neer en zei: 'Goed, we zien elkaar nog wel.' En ze liep weg. De heer met de zakdoek maakte een enigszins misplaatste indruk, alsof hij de scène slechts tot dat punt had gerepeteerd en nu, zonder tekst, zonder aanwijzingen, niet meer goed wist welke rol hij moest spelen. Maar hij hervond zich, schraapte zijn keel en terwijl hij de zakdoek in zijn zak stopte declameerde hij een 'Goedenavond', als in een oude Argentijnse film. Met een onderdrukt lachje riep Sofía luidkeels: 'Vaarwel! Vaarwel!', alsof ze iemand uitzwaaide vanaf de kade. En plotseling, alsof ze een masker afrukte en alles aan haar van het ene moment op het andere veranderde, vroeg ze: 'Is dat Carmen?' 'Ja,' zei Rímini, 'waarom?' 'Vind je haar leuk?' 'Sofía...' 'Ze ziet er niet slecht uit. Jouw leeftijd. Dat alleen al is een vooruitgang. Mooie enkels. Heel verfijnd. Litteken van pokkeninenting op haar schouder. Een goede partij.' Rímini had het gevoel dat de uitdrukking meer reliëf kreeg dan de rest, alsof zij deel uitmaakte van een systeem van wetenschappelijke classificatie. 'Lief, gevoelig, héél vrouwelijk.' 'Genoeg, Sofía. Wat heb je toch?' 'Ik weet het niet. Ik voel me net een slaapwandelaarster. Het zal de jetlag wel zijn. Maar hoe dan ook: een prima transactie. Je verliest aan hartstocht maar wint aan volwassenheid. Daar ben je je zeker wel van bewust. Slechter af ben je in elk geval niet. Vera is fini. Van haar heb je al geprofiteerd. Je hebt je voorraad rode bloedlichaampjes nu wel. Uiteindelijk ben je net een beursagent: je haalt hier wat jeugd vandaan, investeert het daar...'

Ze stonden al op straat. De lichten van het theater gingen een voor een uit. Een windvlaag sloeg in hun gezicht. Sofía zag er plotseling hulpeloos uit. 'Ik heb het koud. Gisteren om deze tijd zat ik... Zullen we een kop koffie gaan drinken?' 'Nee, Sofía. Ik heb toch gezegd, ik ga eten met...' 'Waarom?' onderbrak ze hem, 'als Carmen niet gaat.' 'Wat heeft dat er nu mee te maken?' 'Rímini, maak het me nu niet zo moeilijk. We hoeven niet vanaf nul te beginnen, wij, zie je. En dat is een voordeel. Een gróót voordeel. Daar op de hoek is een bar.' Sofía nestelde zich tegen zijn lichaam om zich te beschutten tegen de wind en dwong hem de straat op te stappen. 'Ik kan niet, Sofía. Serieus,' zei hij, zich van haar losmakend, 'ze wachten op me.' Heel even zeiden ze geen van beiden iets. Een nieuwe windvlaag, die ze dwong hun ogen dicht te knijpen, veroorzaakte een treurig opdwarrelen van papier op de avenida. Sofía hoestte; ze wilde dieper in haar jas wegduiken, zocht naar een kraag die er niet was en liet haar hand op haar borst rusten, terwijl ze met de andere de haren wegstreek die de wind in haar gezicht blies. 'Loop je dan tenminste even mee naar de auto?' 'Waar staat ie?' 'Waar zijn we hier?' 'Uriburu.' Sofía keek volkomen verloren om zich heen. Ze haalde een sleutelbos uit haar zak, deed een paar aarzelende stappen en bleef staan bij een Renault 12 die naast Rímini geparkeerd stond. Ze stak de sleutel in het slot, concentreerde zich, deed het portier open en zei: 'Heb je dan tenminste mijn kaart gekregen?' Rímini knikte zwijgend. Sofía glimlachte en stapte in de auto.

Rímini liep weg voordat ze startte. Sofía zat in de auto; hij stond op straat: het was een miniem voordeel, maar hij had er alles voor overgehad om dat niet kwijt te raken. Hij begon met grote, energieke stappen in de richting van de avenida Callao te lopen, aangespoord door een gevoel van absolutie, maar naarmate hij zich lichamelijk van Sofía verwijderde, naarmate hij haar achterliet en zichzelf in veiligheid bracht, net toen hij begon te genieten van de kracht die hij voelde zodra hij weer een ontmoeting met haar had overleefd, kwam alles wat zij gezegd en gedaan had in de tien of vijftien minuten die ze samen waren geweest – gebaren, voorstellen, klachten, onuitgesproken gedachten, de straling waaraan ze hem had blootgesteld, de valstrikken die ze voor hem had gespannen, en die hij had weten te omzeilen, heel die *invloed* die Rímini meende te hebben weggestopt in een gepantserd deel van zijn ziel – weer terug en belaagde hem opnieuw. Sofía was dan wel uitgewist, maar wat overbleef – als de noot die door gebruik van het pedaal nog in de lucht blijft hangen nadat de vinger de toets heeft losgelaten – waren haar daden, haar uitwerking, de vreemde resonantie die het voortbestaan van haar woorden verlengde wanneer ze, losgemaakt van de situatie waarin ze waren uitgesproken, onheilspellend werden als orakels. Ja, Rímini was in veiligheid, maar de dreiging had, als een virus, een andere vorm aangenomen: die had Sofía verlaten zoals je een vervoermiddel verlaat dat je niet meer nodig hebt, en vermenigvuldigde zich in een oneindig aantal vluchtige, razendsnelle deeltjes die hem van dichtbij volgden, in zijn oren gonsden en hem al begonnen te verwonden met hun piepkleine scherpe tandjes. Hij had het overleefd maar was zonder verdediging achtergebleven. Sofía's invloed vrat aan het vlies dat hem van de wereld scheidde, maakte hem doorzichtig, poreus, zelfs zo erg dat Rímini terwijl hij liep de windvlagen al niet meer buiten zich, rond zijn lichaam voelde, maar in zijn maag en longen, ijzig waaiend in zijn hart. Hij bleef staan, balancerend op de rand van het trottoir. Hij voelde de ontroostbare neerslachtigheid van de man die geen geheimen heeft. Sofía had hem leeggezogen en als een handschoen binnenstebuiten gekeerd. Het is waar: Rímini was verliefd geworden op Carmen. Hij voelde zijn benen nog licht trillen, een indirect gevolg van de gedeelde gevoelsuitbarsting in de kleedkamer van het theater. Maar wat had hij haar te bieden? Niets. Die schakel die hem verbond met de andere wereld van het verleden – en Vera. Erger dan niets. Hij zag – als in de trailer van een film – de teleurstelling al op Carmens gezicht gegrift, haar oogleden die zich weer sloten, niet meer om hem te betoveren maar om hem te veroordelen, hém, Rímini, die net in haar leven was verschenen en zich al niet meer kon voorstellen te leven zonder de warmte waarmee zij hem had besmet. Hij voelde zich zo beschaamd dat hij met zijn ogen dicht de straat op stapte en overstak. Een donkere auto, zonder licht, scheurde met gierende banden de bocht om en reed hem klem. Het ging allemaal zo snel dat hij geen tijd had om te schrikken. Sofía was al vlak bij hem. Ze schreeuwde tegen hem. Aanvankelijk zag hij alleen haar mond bewegen, het enige levende deel van het bleke masker dat haar gezicht was. Daarna drong langzaam het geluid tot hem door: '... vieze, vuile hufter, wie denk je verdomme wel dat je bent? Twaalf jaar zijn we samen geweest en nu heb je geen tijd voor me? Hoe kun je zo'n smeerlap, zo'n klootzak zijn? Denk je dat je hier zomaar mee wegkomt? Dat je gewoon door kunt gaan met je leven, alsof er niets gebeurd is? Je zult hiervoor boeten, Rímini! Met mij kun je alles doen wat je wilt, maar jij... Jij bent het probleem! Jij, jouw verdomde innerlijk, jouw ziel! Die doodsbange klotesteen die je daar hebt zitten in plaats van een hart! Rotzak, stuk ongeluk! Zeg eens wat. Je bent ziek! Je zult wegrotten! Je bent al bezig weg te rotten! Allemaal gisting, snap je? Allemaal. Kijk me aan! Kijk me aan als ik tegen je spreek, schijtlaars! Ik ben het, Sofía! Doe je mond open, zeg iets. En wel nu, want als het tot je doordringt zal het te laat zijn. Ik weet dat je zult komen. Op je knieën zul je naar me toe kruipen en om hulp vragen. En ik... Ik, weet je wat, Rímini? Ik zal dood zijn. En wat ga je doen als ik dood ben? Wie zal er dan nog naar je omkijken? Wie zal er nog aan je denken als ik dood ben? Wie zal er nog willen...' Ze kuste hem. Ze sprong boven op hem, pakte hem bij zijn oren, in elke hand een, alsof ze ze af wilde rukken, en duwde met haar lippen en tong tegen zijn mond, totdat hij die opendeed, en toen de dubbele versperring van tanden eenmaal was omzeild, voelde Rímini hoe een koude, vochtige luchtstroom, zo onaangenaam dat hij uit de diepten van de aarde leek te komen, zijn mond en keel vulde met ijs. Hij was doodsbang maar liet haar begaan, terwijl hij de protesten van de automobilisten hoorde die hun weg geblokkeerd zagen door de auto van Sofía. Waarschijnlijk zou hij het ongeluk nooit hebben gezien als hij even daarvoor, tussen het getoeter en geschreeuw door, wonderbaarlijk duidelijk, niet de zwakke stem van een man had gehoord die vroeg: 'Voelt u zich wel goed, juffrouw?' Maar hij hoorde hem wel, en de verbaasde, zorgzame toon, de onverschilligheid voor het schouwspel dat Rímini, Sofía en de Renault van Sofía midden op straat boden, maakte dat Rímini opkeek, de man herkende die zojuist had gesproken, een lange, heel magere oude man, gehuld in een wollen deken en leunend op een metalen looprek, en na een snelle panoramische blik langs een paar afgebladderde gevels, op de hoek Vera ontdekte, die met een huiveringwekkende uitdrukkingloosheid over het dak van een auto heen, waarop ze een van haar kleine witte handen liet rusten, naar hen stond te kijken. Toen kwam Rímini weer tot zichzelf, maakte zich los van Sofía's kus, en terwijl zij haar verwensingen hervatte, draaide hij zich om en schreeuwde Vera's naam. Maar Vera was verdwenen. Rímini zag als in een kader hoe de oude man met halfopen mond en opengesperde ogen zijn pas versnelde, en hij bleef heel even besluiteloos staan, zich afvragend of hij haar werkelijk gezien had, totdat hij, eerder uit lusteloosheid dan iets anders, met de geringe belangstelling waarmee we besluiten om dat wat het toeval op onze weg heeft gebracht niet onbenut te laten, ook al is het niet wat we verwacht hadden, de richting van de blik van de oude man volgde en naar de avenida keek, naar het kruispunt van de avenida en de zijstraat, en Vera schuin het kruispunt over zag rennen, waarbij ze niet alleen hem en de oude man en de opstopping die de Renault van Sofía nog altijd veroorzaakte de rug toekeerde, maar ook de auto's die, aangemoedigd door het weinige verkeer op dat tijdstip, met grote snelheid naderden over de avenida, en Vera's koers kwam hem zo grillig voor dat hij haar zijns ondanks met een glimlach volgde, alsof dat wat hij zag niet echt was, niet iets wat in het heden gebeurde maar een soort ongegronde hypothese, die alleen werd gesteund door de verbeelding die haar zojuist had verzonnen, totdat hij opnieuw het gieren van banden hoorde, de geur van verbrand rubber rook, een doffe klap waarnam en na een kort moment van verwarring Vera door de lucht zag vliegen, dezelfde baan beschrijvend die hij even tevoren het door de wind opgewaaide papiertje had zien doen, en daarna, terwijl Vera in de nacht leek te zweven, hoorde hij het knarsen van blik en brekend glas, en toen Rímini weer omlaag keek was alles al voorbij: Vera lag op haar rug op het wegdek, bewegingloos, met een haarlok over haar voorhoofd, naast het wiel van een vrachtwagen dat ronddraaide in de lucht.

6

Hij raakte alles kwijt. Dat gebeurde heel geleidelijk, stukje bij beetje, zonder volgorde of logica. Op een middag kon hij een hele Franse vervoeging kwijt zijn, en twee of drie dagen later de klemtoontekens, en weer een week later de betekenis van het woord *blotti*, en dan ineens de fonetische nuance die het vooruitzicht op voedsel – *poisson* – onderscheidde van dat op de dood – *poison*. Het was als een kankergezwel: het begon zomaar ergens, hield zich niet aan enige rangorde, maakte geen onderscheid tussen het eenvoudige en het complexe, het wezenlijke en het bijkomstige, het archaïsche en het nieuwe. De schade was, tenminste tot dat moment, onomkeerbaar: de verloren gebieden waren voor altijd verloren, en telkens wanneer Rímini, aangemoedigd door enige hoop of door het grillige karakter van de kwaal, de moeite nam naar een van die gebieden terug te keren om te zien of er iets veranderd was, trof hij alleen dezelfde dorre vlakte aan die het bloed in zijn aderen had doen stollen toen hij voor het eerst ontdekte dat het geplunderd was. Het slijtageproces was niet eens selectief in wat het aantastte. Het was uniform noch homogeen, maar om een of andere reden hadden de vier talen die Rímini beheerste er op dezelfde manier onder te lijden. Soms verloor er een wat meer, maar na een tijdje trokken de andere dat weer recht. Het enige voordeel van de kwaal was ook zijn grootste onrechtvaardigheid: het verloop was onvoorspelbaar.

De eerste klappen kwamen dubbel hard aan, door de verwarring die ze met zich meebrachten, vanzelfsprekend, en door de onmiddellijke consequenties, maar vooral door het verrassingseffect, dat de omvang van de schade nog leek te vergroten. Ze waren heftig, onverwacht, van een ondraaglijke wreedheid, zoals elke klap wreed is die ons verrast wanneer we door een donkere gang lopen die ons vertrouwd is: we vorderen blindelings maar zelfverzekerd, dat wil zeggen dubbel blind, en als we dan tegen het raam opbotsen en de ijzeren punt zich in ons voorhoofd boort, zijn we niet zozeer ontdaan door de verwonding op zich, hoe diep die ook mag zijn, als wel door de morele deuk die ons vertrouwen door het ongeluk heeft opgelopen, omdat we uitgingen van één bestemming – een vlotte doortocht, zonder tegenslagen – en alle andere resoluut uitsloten. De eerste keer dat het verschijnsel optrad was in het Teatro Coliseo, ten overstaan van zeshonderd mensen: na de Italiaanse minister van Buitenlandse Zaken veertig minuten als een schaduw te hebben gevolgd, voelde Rímini een dof gekraak, vergelijkbaar met wat hij bij het kauwen soms onder zijn oor voelde, en meteen schoof er een pikdonkere, ondoordringbare wolk zoals zich soms aan de hemel vormt bij een onweer, tussen de stem van de spreker en hemzelf en bleef daar twee, drie lange minuten hangen, terwijl Rímini, stilgevallen, met zijn ogen rolde, de minister net deed of hij de verheven soberheid van het theater bewonderde en het publiek – de meest fantastische verzameling donkere pakken die Rímini ooit had gezien – van een eerbiedige verwarring overging op een formeel protest. Het was niet aangenaam, maar al te veel reden om zich ongerust te maken was er nu ook weer niet: dergelijke leemten kwamen bij tolken even vaak voor als verstuikte enkels bij voetballers.

Door steeds zachtjes in zichzelf te herhalen wist hij via de analogie over de tegenslag heen te komen en nam hij drie weken later de opdracht aan om als tolk op te treden bij de eerste publieke voordracht van Derrida in Buenos Aires. Alles liep op rolletjes. De filosoof, die net deed of hij improviseerde, sprak overdreven afgemeten, eerder voor een publiek van doofstommen dan van Spaanstaligen. Rímini voelde zich ontspannen, alert, flexibel. Hij was lichtelijk opgewonden door de geur van vochtig leer in het theater, die herinneringen opriep aan de ranzige geuren van het universitaire theater waar hij zich had overgeven aan de charmes van Carmen, en Carmen beurde hem vanuit de zaal op door bemoedigende en liefdevolle tekens te geven. Alles ging goed, geen spoor van het incident in het Coliseo, totdat de filosoof, halverwege een uitweiding over wat hij de Praagse affaire noemde – zijn arrestatie, op beschuldiging van handel in cocaïne, door de Tsjecho-Slowaakse politie, die hem was komen ophalen op het vliegveld, waar hij, na afloop van een clandestien werkcollege voor de studentenvereniging Jan Hus, op het punt stond aan boord te gaan van het vliegtuig terug naar Parijs, dezelfde geheime politie die hem daarna aan allerlei opeenvolgende en voor hem onbegrijpelijke fotosessies zou onderwerpen, waarbij ze hem niet alleen afbeeldden in zijn klassieke uitmonstering van een Franse denker maar tot zijn grote vernedering ook naakt, en zelfs in het typische gestreepte gevangenispak – totdat Derrida, met een bitter sarcastische glimlach, een van de bladzijden omsloeg waarvan hij las zonder te verraden dat hij las, voorwendend dat hij ze alleen als leidraad gebruikte, om op die manier de illusie in stand te houden – zo cruciaal voor degenen die dat soort publieke bijeenkomsten bijwonen – dat alles wat er gebeurt, op dat moment, ter plekke en in hun aanwezigheid gebeurt, zijn bril afzette, eerst de ene poot en daarna de andere, en in herinnering riep dat hij in de loop van die verhoren waaraan hij door de geheime politie was onderworpen vaak de naam Kafka had genoemd – hij werkte op dat moment aan een kort commentaar op het verhaal 'Voor de Wet' – en dat degenen die hem gearresteerd hadden, door een ironische speling van het lot waarvoor ze ongetwijfeld niet verantwoordelijk waren, uitgerekend van zijn bezoek aan het graf van Kafka gebruik moesten hebben gemaakt om zich bij het hotel te vervoegen, zijn kamer binnen te gaan en de cocaïne in zijn koffer te stoppen, en bij het horen van het woord *valise* voelde Rímini opnieuw het kraken van het Coliseo, had hij de indruk dat een vreemde kracht hem van alles wegtrok en werd de stem van de filosoof, tot dan toe glashelder, volkomen ondoorgrondelijk. Hij kon niet verder. Hij worstelde eindeloos lang met de filosoof, in een poging hem toe te laten geven dat *valise* tot de vele geïnspireerde neologismen behoorde waarin hij gespecialiseerd was, en toen de filosoof besloot de onderbreking te negeren en zijn lezing te vervolgen, voelde Rímini zich plotseling verdwaald in een bos van mysterieuze geluiden en slaakte hij een zwakke kreet van paniek. Het was een geluk dat Carmen daar aanwezig was om naar hem te luisteren, om hem op zijn lippen te kussen terwijl hij werd weggebracht en ook om hem te vervangen, zoals het pech was dat ze zich de daaropvolgende maand voor haar werk in Rosario bevond, net toen Rímini in Buenos Aires, gesteund door een nieuwe lijfspreuk – 'Driemaal is scheepsrecht' –, zijn debuut én afscheid beleefde in zijn hoedanigheid van hoofd van de tolkafdeling van de Alliance Française tijdens het vertalen van de inleidende alinea van de redevoering van een ex-minister van Cultuur van de regering-Mitterrand in de geheimtaal, geheim zelfs voor hem, van zijn verbijstering.

Binnen een paar maanden werd Rímini van een opzienbarende polyglot een klinisch geval, bijna een beroepscuriositeit waarover zijn collega's, als was hij een martelaar van het gilde, in de wandelgangen van uitgeverijen en universiteit hartstochtelijk discussieerden. Tegen zijn eigen verwachtingen in bracht het syndroom, zoals hij het graag noemde, verder geen ongemakken met zich mee; eerder het tegendeel: behalve dat de verliezen zich beperkten tot zijn taalvermogen, waren ze ook pijnloos en zelfs aangenaam, op dezelfde manier als waarop het voor Rímini bijvoorbeeld aangenaam was om 's zomers te lang in de zon te liggen zodat hij daarna uren bezig kon zijn met het lostrekken van velletjes dode huid. Maar op verzoek van Carmen en zijn vader raadpleegde hij toch een neuroloog. De arts, een gezette man die elke minuut op zijn horloge keek, alsof hij een tijdbom in de spreekkamer van een concurrent had geplaatst, legde hem op een onderzoektafel, smeerde zijn hoofd in met gel, plaatste er een tiental elektroden op en stuurde hem, na een oppervlakkige blik op de lange strook papier, bijna geërgerd weg met een paar schouderklopjes, een diagnose van stress en een recept voor anxiolitica.

Rímini wilde een second opinion en maakte van de gelegenheid gebruik om een nieuwe homeopaat te nemen. Víctor had hem verteld dat Vázquez Holmberg weer patiënten aannam. Dat was zijn kans: Vázquez, zoals zijn volgelingen hem noemden, had zijn vorige homeopaat opgeleid, genoot een verontrustende reputatie, gelijkelijk opgebouwd uit wijsheid en extravagantie, en had zoveel patiënten dat de doodenkele keer dat hij nieuwe aannam als een wonder werd gevierd. Rímini wachtte vierenhalf uur in het schemerdonker van een met golfplaten overdekte binnenplaats, waarbij hij wegdoezelde en weer wakker schrok en vaststelde dat de patiënten die de wachtkamer met hem gedeeld hadden voordat hij in slaap viel inmiddels waren vervangen door andere en dat de doktersassistente, een lange, energieke vrouw van een jaar of veertig met lippenstift op haar tanden en een algehele indruk van slonzigheid die hem onmiddellijk opwond, hen de spreekkamer in liet volgens een volgorde die minder conventioneel, geheimer en ongetwijfeld therapeutischer was dan de prozaïsche volgorde van binnenkomst. Ten slotte mocht hij, voorafgegaan door de lichaamsgeuren van de vrouw, naar binnen en liep hij bijna op de tast in het halfduister verder, totdat hij, terwijl hij een geweldige erectie probeerde te verbergen, het zwakke schijnsel van een lamp onderscheidde en plaatsnam tegenover een stokoude gnoom zonder haar of tanden, die met de seconde kleiner leek te worden in zijn smetteloos witte doktersjas. 'Uw hart is kerngezond,' zei Vázquez, na verstrikt te zijn geraakt in het elektro-encefalogram. Vervolgens dicteerde hij een paar homeopathische middelen aan zijn assistente en adviseerde hem bij wijze van afscheid, in dat brabbeltaaltje van een tandeloze – dat Rímini ironisch genoeg uitstekend verstond –, aan sport te gaan doen, veel sport, vooral rugby.

Rímini verwierp de sportieve suggestie – ondanks de protesten van Carmen, die hem dolgraag in een korte broek en met modderige knieën zou hebben gezien – maar hij bestelde de korreltjes en homeopathische middelen – tot ongerustheid van Carmen, die de glazen buisjes tegen het licht hield, naar het vreemde corpusculaire ballet keek dat zich op de bodem afspeelde en op het punt stond ze in de vuilnisbak te gooien. Daarna trok hij zich min of meer terug. Hij verliet de publieke arena, de levendige nabijheid van mensen, theatrale en elektriserende verslavingen, en keerde terug naar het papier, naar de geschreven vertalingen, die niet gevrijwaard waren tegen de crises maar wel de mogelijkheid boden deze naar believen te beheren, ze rustig en in zijn eentje op te lossen, ver weg van de druk van een anonieme massa toeschouwers. Hij dacht, met een weemoed die hij misschien niet ver-

diende, dat zijn gemoedsgesteldheid, met die combinatie van voldoening en angst, niet veel moest verschillen van wat sporters doormaak-
ten die besloten zich terug te trekken op het hoogtepunt van hun carrière, na alle kampioenschappen, prijzen en geld van de wereld te hebben gewonnen. Rímini was niet rijk en ook zijn vertalerscarrière, hoewel intens, had hem niet al te veel erkenning opgeleverd. Maar hij had
Carmen, een onbetaalbare schat; ze bezat de juiste dosis hartstocht,
luchtigheid, doortastendheid, de innerlijke drang alles waar ze van
hield te bagatelliseren, die merkwaardige, opgewekte manier zich een
weg te banen in de wereld en hem bij de hand te nemen, niet alsof ze
hem hielp, maar eerder om hem duidelijk te maken, en hem dat ook
werkelijk te laten geloven, dat hij, Rímini, de echte drijvende kracht
was en zij alleen de materiële belichaming van de beweging.

Rímini begon thuis te vertalen en Carmen ging vaker de deur uit. De
verandering, hoewel veroorzaakt door Rímini's crisis, was voor hen
niet zozeer een reactie op de tegenslag als wel de keuze voor een andere
manier van leven, meer in overeenstemming misschien met de nieuwe
behoeften die door het samenwonen begonnen te ontstaan. Toen
kwam de uitnodiging voor het vertalerscongres in São Paulo. Carmen
ging er vanaf het begin van uit dat ze samen zouden gaan. Ze besefte
pas dat Rímini daar anders over dacht toen ze, een week voor vertrek,
na de twee tickets te hebben opgehaald – het hare en dat van haar begeleider, een voorrecht dat ze na tactvolle maar hardnekkige onderhandelingen had weten te bereiken – thuiskwam en Rímini zittend op de
grond aantrof, schuivend met de weinige foto's die ze sinds hun trouwen van elkaar genomen hadden. De scène ontroerde haar: Rímini
had geen schoenen aan en droeg witte katoenen sokken, waardoor zijn
voeten eruitzagen als kindervoetjes. 'Wat ben je aan het doen?' vroeg
ze. 'Ik zoek een foto van mij uit waarvan ik wil dat je die meeneemt,' zei
hij. Hem overhalen was niet moeilijk; ze hoefde geen strijd te leveren of
te onderhandelen. Voor Carmen was samen reizen geen mogelijkheid
maar een gegeven, een voldongen feit, en het ticket dat ze voor Rímini's
neus heen en weer wapperde was geen argument om hem te overreden
maar een onomkeerbaar getuigschrift. Rímini las zijn naam op de eer-

ste bladzijde; hij zag dat ze – voor de zoveelste keer – het accent hadden weggelaten, maar toch vulden zijn ogen zich met tranen.

Wat hem vertederde was niet zozeer het idee om voor het eerst samen te reizen; het was eerder de heimelijke manier waarop Carmen in haar eentje het complot had beraamd en uitgevoerd, en de passieve en wellustige rol die daarbij voor hem was weggelegd. En toch was die asymmetrie, die op een of andere manier vorm gaf aan zijn meest extreme opvatting van de liefde, ook het teken, nog onzichtbaar maar al wel actief, van een verraderlijk mechanisme dat ergens in een uithoek van zijn ziel in werking was gesteld. Het woord begeleider begon, hinderlijk als een bromvlieg, in zijn hoofd rond te zoemen. Voor het eerst voelde hij zich echt ziek. Zelfs nog voordat die goed en wel begonnen was, had de reis naar São Paulo al bereikt waar de taalkundige handicap, de uitvallen van zijn geheugen, de afgang in het openbaar, het oordeel van zijn collega's en het besluit om zich terug te trekken, niet in waren geslaagd. De avond voor vertrek, de koffers waren gepakt, zijn reiskleren uitgezocht en Carmen lag naast hem te slapen, ontdekte Rímini op een kabelkanaal de originele versie van *A star is born*, en hij bleef meer dan twee uur, poedelnaakt, aan het scherm gekluisterd liggen kijken. Hij viel pas in slaap bij het eerste licht van de dageraad.

7

De reis duurde een uur en een kwartier, slechts een kwartier langer dan ze hem in het hotel hadden verteld en drie kwartier korter dan het hem met de auto zou hebben gekost, maar Rímini had het gevoel dat er geen eind aan kwam. Hij bleef de hele tijd staan, dicht tegen de deur aan gedrukt, voor het geval hij te laat, net voordat het signaal weerklonk, zou ontdekken dat dát het station was waar hij uit moest stappen, zwetend, heen en weer geslingerd tussen de kaart die hij in het voorbijgaan had meegepikt van de receptie en die een eigen leven leek te leiden door voortdurend uit zichzelf open te vouwen, en een overzichtskaart met een lange aaneenschakeling van stations aan de bovenkant van de wanden van de wagon, terwijl opeenvolgende groepen plaatselijke reizigers zijn tragedie onverschillig gadesloegen en bij het uitstappen zonder hem aan te kijken langs hem heen liepen, hun mond vertrokken tot een grimas van leedvermaak.

Hij had al spijt gekregen bij het verlaten van het hotel, toen hij het verkeerde metrostation in liep en de stroom tegemoetkomende passagiers hem zonder pardon weer meevoerde naar de straat. En hij had nog steeds spijt toen de deuren van de wagon dichtgingen en hij al was ingestapt en op de metrokaart ontdekte dat alle lijnen – inclusief die hij net had genomen, ook al wist hij nog niet precies welke dat was – een min of meer recht en voorspelbaar leven leidden, totdat ze op een punt kwamen, een mysterieuze ondergrondse maalstroom, vanaf waar ze doldraaiden, zich vertakten in een delta van kleine zijlijnen, afbogen en verwarrende routes volgden. Hij had spijt bij elk station waar hij langskwam – negenentwintig in totaal –, telkens wanneer de trein remde en hij, ingeklemd tussen lichamen, tassen, kapsels en plunjezakken, probeerde naar buiten te kijken om het bord te lezen en vast te stellen of de naam van het station samenviel met de kandidaat die hij zich voorzichtig in gedachten had voorgesteld. En hij had spijt toen hij na te zijn uitgestapt, blij om het simpele feit dat hij er was, eindelijk de straat op ging en een fel witte hemel hem verblindde, een geur van frituurvet en bedorven vis om hem heen wervelde en het landschap waarin hij van plan was de volgende uren van zijn leven door te brengen zich voor zijn ogen ontvouwde: een verlaten avenida, honden, een benzinestation, sloopauto's, armoedige, lage huizen, werkplaatsen, braakliggende terreinen vol oudroest. En op de achtergrond, zinderend in een wolk van stoom en benzine, de twee reusachtige loodsen waar de gemeente van São Paulo had besloten de boekenbeurs heen te verplaatsen.

Wat een vergissing, dacht Rímini. Hij begon in de richting van de loodsen te lopen, op het oog de afstand schattend en die vermenigvuldigend met de kracht van de zon, de vochtigheid, de dieseldampen, de ongastvrije armoede van de buurt, de bendes toeristenkillers die hij aan de andere kant van de lange muur van ongepleisterde bakstenen gevels vermoedde. Er was niets op de boekenbeurs wat hem in het bijzonder interesseerde. Maar wat had hij voor keuze? In het hotel blijven, waar de kamermeisjes en de piccolo's al met een schuin oog naar hem begonnen te kijken, als was hij een kruising tussen een uitvreter en een invalide? Met Carmen meegaan naar het congres? Dat had hij al gedaan. De eerste dag was hij met haar in de minibus gestapt, had het officiële deelnamebewijs gekregen dat de joviale coördinatrice, slachtoffer van Carmens vasthoudendheid, wel voor hem had moeten regelen – het was van een zekere Idelber Avelar, een vertaler uit Porto Alegre die niet was komen opdagen –, had alle sessies bijgewoond, met Carmen en de andere collega's geluncht in het café en, enigszins soezerig door een vroegtijdige caipirinha, onder begeleiding van een gids een bezoek gebracht aan het complex, stap voor stap de avondsessie gevolgd, soms in gezelschap van Carmen, die dan even haar plaats verliet voor een paar vluchtige liefkozingen, maar meestal alleen, steeds meer alleen naarmate de avond vorderde en het publiek – vertalers, taaldocenten, studenten, een dikke, sjofele dichter, zo tomeloos vitaal dat Picasso vergeleken met hem wel een aan tbc lijdende bibliothecaris leek, die regelmatig opstond, altijd met een glas in zijn hand, en grimmige verzen voordroeg in verschillende talen – schaarser werd, en zich pas tegen het eind gewonnen gegeven, toen hij, praktisch als enige overgeblevene in de zaal, kort was weggedoezeld in een droomloze slaap, waaruit hij werd gewekt door het rondzingen van de microfoon. De tweede dag was een treurige kopie van de eerste geweest. In de minibus had een snelle en schijnbaar toevallige schaarbeweging van drie Canadese vertalers hem van Carmen gescheiden en verbannen naar de meest oncomfortabele zitplaats achterin, overgeleverd aan de lichaamsgeur van een Dominicaanse uitgever en de naar knoflook stinkende adem van een Spaanse literair agent. Een zeldzaam beest, dat iets had van een tor en een schorpioen en zelfs voor de genodigden met ervaring in het Amazonegebied onbekend was, had van de lusteloosheid van de eerste forumdiscussie na de lunch – 'Op weg naar een cybervertaling' – gebruikgemaakt om een onzichtbare maar uiterst pijnlijke angel in zijn kuit te prikken; en iedereen, werkelijk iedereen, alsof ze het tijdens een geheime bijeenkomst hadden afgesproken, had hem bij de naam genoemd die op zijn deelnamebewijs stond, een vrijgeleide waarvan hij echt niet hoefde te denken dat hij erbuiten kon, zo belangrijk was het om ergens toegang te krijgen, rond te lopen, te eten en zelfs om gebruik te maken van de toiletten van het complex: 'Idelber zus', 'Idelber zo', een flagrant misbruik waarvan de Braziliaanse deelnemers profiteerden om hem rechtstreeks in het Portugees aan te spreken, alsof dat onbeduidende geplastificeerde rechthoekje genoeg was om hem te naturaliseren.

Ja, de voorstedelijke excursie was een vergissing geweest, maar eenmaal op dat punt aangekomen zag Rímini liever alle mogelijke tegenslagen die hem nog te wachten stonden onder ogen dan dat hij telkens wanneer hij een naam hoorde die niet de zijne was moest omkijken, of dat hij de obers van het hotelrestaurant moest uitleggen dat hij niet voorkwam op de lijst van mensen die daar mochten lunchen omdat hij in de hoedanigheid van begeleider deel uitmaakte van het vertalerscongres, of zich gedwongen te zien de naam van Carmen, de werkelijke rechthebbende van de kamer, zoals bleek uit het hotelregister, uit te spreken om de receptionisten, toch al niet erg genegen welke behoefte dan ook te bevredigen, ertoe te bewegen de berichten en telefoontjes aan hem door te geven. Een vergissing die Rímini bereid was tot de ultieme consequenties te aanvaarden. Hij liep tien, vijftien minuten in een soort gloeiend hete wolk en kwam toen bij een volledig verlaten betonnen verhoging, waar nationale vlaggen en het officiële vaandel van de boekenbeurs wapperden in de wind. Nog eens tien minuten later stond Rímini voor een van de loodsen en zocht tevergeefs naar een deur in de lange blikken wand. Hij worstelde een tijdje met een wankel poortje, vastgemaakt met ijzerdraad, deed vervolgens een paar stappen terug, zette zijn handen in zijn zij en nam de loods van onder tot boven op, en net toen hij zich begon af te vragen hoe het mogelijk was dat de ingang van de boekenbeurs van São Paulo zo onopgemerkt kon blijven, verscheen er een beveiligingsbeambte op een geruisloze elektrische eenzitter, die hem in een mengeling van Portugees en gebarentaal, zonder ook maar een seconde op te houden met om hem heen te cirkelen, alsof hij bang was dat als hij stil zou blijven staan het wagentje voorgoed de geest zou geven, een verklaring gaf die Rímini op zijn manier vertaalde in een handvol min of meer beschamende vanzelfsprekendheden. Hij bevond zich inderdaad op de boekenbeurs, maar aan de achterkant; de ingang was op dezelfde hoogte, aan de andere kant, hoogstens een paar meter van het metrostation waar hij was uitgestapt.

Hij ging naar binnen en genoot van het tapijt onder zijn voeten, alsof die versleten rode tong een compensatie vormde voor de geleden ontberingen, en hij was nog maar net het loket gepasseerd en had het vruchtensap dat hem door twee als oerwoudbewoonsters vermomde meisjes in plastic bekertjes werd aangeboden afgeslagen, of hij voelde een plotselinge kou op zijn maag, iets wat het midden hield tussen misselijkheid en duizeligheid, en hij moest even rustig blijven staan, zijn ogen strak gericht op het hoge plafond van de loods, waarvan hij zelfs de onbeduidendste details kon onderscheiden, totdat zijn lichaam eindelijk begreep dat de zon en de warmte waren achtergebleven en hij

langzaam begon te wennen aan de abstracte atmosfeer van de airconditioning. Hij dwaalde door de gangen, liet zich meevoeren door de
stroom mensen – weinig, gegeven het tijdstip – en bleef twee of drie
keer staan om te luisteren naar wat nu eens een mannenstem en dan
weer een vrouwenstem, allebei sterk vervormd, via de luidsprekers
omriepen. Hij at een hotdog, twee gevulde maïsbroodjes, raakte ver-
slingerd aan maracujasap en veegde bij de stand van Zuid-Afrika in het
voorbijgaan zijn vingers af aan een luxueus tijdschrift over internationale betrekkingen. Op een gegeven moment liet hij zich meeslepen
door een groep pelgrims en kwam terecht in een rij voor een lege zaal,
omringd door mensen die het laatste boek van Paulo Coelho tegen
hun borst geklemd hielden. Rímini, die net zo de pest had aan Paulo
Coelho als aan alle ex-verslaafden, ex-misdadigers, ex-terroristen, ex-
prostituees, ex-zakenmannen, ex-vrouwenmishandelaars, ex-ver-
krachters, ex-politici en ex-artiesten die zich bezighielden met rehabi-
litatieliteratuur, dat subgenre van de catechismus, bleef een tijdje in de
rij staan, en terwijl hij die met een verbazingwekkend tempo zag groei-
en, werd hij gesterkt door een vreemd gevoel van welbehagen, alsof,
ondanks de verontwaardiging die zijn principes hem voorschreven, in
dit geval nog verergerd door de bijzondere aard van Paulo Coelho,
door de massale en onvoorwaardelijke verering die hij opriep en vooral door het feit dat terwijl de rij bekeerlingen die stond te wachten om
de opperpriester te zien, te horen en aan te raken alleen maar groeide
en groeide, in de belendende zaal een jonge, slecht geschoren schrijver
aan een tafeltje de tekst zat door te nemen van een lezing die nooit gegeven zou worden, en wel om een eenvoudige reden, namelijk het ontbreken van publiek, het *volledig* ontbreken van publiek – tenzij onder
publiek verstaan werd: zijn vertaalster, de geluidstechnicus, twee vrouwen van de beveiliging die op de achterste rij zaten te gapen en het stel
warhoofden dat op het laatste moment binnenkwam en vroeg of dit de
zaal was waar Paulo Coelho exemplaren van zijn laatste boek zou sig-
neren – alsof, ondanks alles, het contact met die menigte onbekenden
hem op een of andere manier warmte en beschutting bood. En dus
bleef hij staan, en toen de rij in beweging kwam – Coelho moest het tu-

mult hebben voorzien en was via een achterdeur naar binnen gegaan, waarschijnlijk dezelfde deur waar Rímini kort daarvoor tevergeefs mee had staan worstelen – en het zijn beurt was om de zaal binnen te gaan, deed hij zonder iets te zeggen een stap opzij en verliet de lange karavaan volgelingen.

Later, gekweld door de pijn in zijn voeten en de toenemende mensenstroom die de beurs overspoelde, zocht Rímini zijn toevlucht in een vertrek dat leek op een wachtkamer, lelijk gemeubileerd met tuinstoelen en een tafel, en nadat hij zich had ontdaan van de stapel folders, katernen, brochures en stickers die hij het afgelopen halfuur had meegezeuld, door ze heimelijk onder het grote kussen van de stoel naast hem te schuiven, niet meer in staat ook maar een zin in het Portugees uit te brengen en alleen nog reagerend met een simpel nee of door met zijn hoofd te schudden, liet hij zich hypnotiseren door een televisie die een oude documentaire uitzond, in het Portugees en zonder ondertitels, over een beroemde schilder zonder handen. Hij had nog geen tien minuten zo, in die staat van idiote verdwazing, gezeten toen boven zijn hoofd een zwaar, meervoudig en gelijkmatig geroffel, als van de hoeven van een troep galopperende paarden, op het dak van de loods losbarstte en snel in kracht toenam. Het regende – een van die hevige stortbuien die plotseling het einde van de wereld aankondigen en na een tijdje even onverwacht weer ophouden, alsof een god ze het zwijgen heeft opgelegd. Maar het lawaai had hem weer tot zichzelf gebracht, zodat hij zich opnieuw aansloot bij de mierenhoop en zag dat de mensen die een paar minuten eerder ononderbroken heen en weer renden door gangen en paden, zalen in en uit liepen, dingen kochten, zich op de etens- en boekenstands stortten, in die strikte volgorde, zich nu in een slakkengang voortbewogen of helemaal stilstonden, zodat dat wat Rímini vóór de onderbreking, die hij behalve om uit te rusten had gebruikt om zich te verdiepen in leven en werk van de schilder zonder handen, wiens schilderijen van na de verminking, gemaakt met zijn voeten, in niets, ten goede noch ten kwade, werkelijk in niets verschilden van de schilderijen die hij daarvoor met zijn handen had gemaakt, behalve misschien in de prijs, had waargenomen als een voortdurend op en neer gaande stroom van lichamen, kleuren en stemmen, nu, na het losbarsten van de stortbui, die nog altijd met onverminderde hevigheid het dak van de loods geselde, veranderd was in een statisch schouwspel waarin de mensen in plaats van rond te lopen, bewegingloze trosjes vormden, op gelijke afstanden van elkaar, alsof ze op bevel van een reusachtige schilder poseerden voor een reusachtig schilderij.

Rímini nam een afslag die links van hem ontstond, deed een paar passen, voelde een aangename zwaarte in zijn voeten – de vloer liep licht omhoog – en stond ineens voor de verlaten stand van een Braziliaanse uitgeverij. Het licht was overdreven fel en de drie meisjes achter de tafel glimlachten gelijktijdig. Rímini wilde ze niet voor het hoofd stoten door meteen weer weg te gaan en besloot even rond te kijken, op voorwaarde dat geen van de meisjes hem zou aanspreken. Hij liet zijn blik over de tafels dwalen: de zacht glanzende omslagen weerkaatsten het licht zo sterk dat het pijn deed aan zijn ogen. Rímini, die wat de taal betreft alle hoop al had laten varen, beperkte zich tot het bekijken van de portretten op de omslagen van de boeken, blozende en helder ogende gezichten die glimlachten tegen een eindeloos zwarte achtergrond en de lezer aankeken met een onwankelbaar vertrouwen. Het was alsof ze allemaal – mannen en vrouwen, ouderen en jongeren, blanken, negers en Aziaten, dikken en dunnen: die berekenende diversiteit die alle gelaatscategorieën leek te omvatten, moest wel een van de charmes van het uitgeversfonds zijn – hun lot in handen hadden gelegd van hetzelfde team van dermatologen, kappers, visagisten en tandheelkundigen en zich aan hetzelfde schoonheidsprogramma hadden onderworpen. En toch, naarmate ze aan zijn ogen voorbijtrokken, allemaal aan elkaar gelijk maar net een beetje anders, als verschillende incarnaties – de succesvolle ondernemer, de zendelinge, het schaakwonder, de filmster, de berouwvolle misdadiger, de voetballer, de bleke vooraanstaande boeddhist – van een oorspronkelijk model, begon het Rímini op te vallen dat iets vreemds en min of meer hardnekkigs het schijnbaar onaangedane oppervlak van die gezichten verstoorde – een onbeduidend detail, dat zijdelings en als terloops opdook, bracht de toeschouwer een fractie van een seconde in verwarring en werd dan weer onzichtbaar. Onder de oorlel van de vroegrijpe schaker groeide een wrat; een zwarte of afwezige tand bracht een nuance aan in de glimlach van de ondernemer, een vuurrode vlek lichtte op in het rechteroog van de zendelinge... Het was alsof al die onregelmatigheden, onwetend van het idee van volmaaktheid en harmonie dat de foto's probeerden uit te dragen, uit zichzelf het verband herstelden tussen het blozende gezicht waarop ze voorkwamen en een verleden, een vroegere toestand die werd beheerst door duistere krachten en vormen, waar de stralende vitaliteit die de fotograaf voor de boekomslagen vereeuwigd had, onthulde uit welke mengelmoes van pijn, bloed en schande die was voortgekomen. Maar net toen Rímini achter de magiër van het gambiet de mishandelde jongen begon te ontdekken, achter de zendelinge de alcoholiste, achter de multimiljonair de ongeneeslijke cocaïneverslaafde, was er iets wat hem plotseling op zijn hoede deed zijn en tegenhield. Hij keek opnieuw naar de omslagen, die uitputtende portfolio van levensgeschiedenissen, en hij besefte dat er in die onvolkomenheden evenveel regelmatigheid en berekening school als in de middelen waarmee de foto's de vitale voldoening afbeeldden, en dat alles wat hij in zijn naïviteit meende te kunnen aanvoeren tégen die door de professionals van de cosmetica vervaardigde weerzinwekkende gelukzaligheid, in feite óók het werk was, en ongetwijfeld een meesterwerk, van diezelfde professionals, die even deskundig waren in het vervaardigen van schoonheid als van wanstaltigheid. Hij glimlachte en gaf zich gewonnen. Hij stond net op het punt weg te gaan toen een gezicht, het laatste op de tafel, zijn aandacht trok: het gezicht van een jonge, blonde man met dromerige, bijna doorzichtig heldere ogen en gladde, onbehaarde babywangen, waarop zich een vage blos aftekende die de schmink niet had kunnen of willen verdoezelen. Hij glimlachte, net als alle anderen, maar zijn glimlach had iets bleeks, als van een grote afstand in de tijd, wat hem een beetje vaag, beverig en huiverig maakte. Het was zo'n vreemd effect dat Rímini een tijdje naar het omslag bleef kijken vanuit een bijna zenitaal perspectief, hopend dat het wonder zich zou voltrekken.

De regen hamerde nog altijd op het dak van de loods. Misschien kende hij dat gezicht. In elk geval kende hij de andere gezichten of meende die te kennen – het waren publieke personages, velen beroemd, zodat er niet zoveel verschil was tussen ze kennen en ze menen te kennen. Maar Rímini had kunnen zweren dat dat laatste gezicht, dat hij, ook al maakte het boek deel uit van dezelfde collectie, in een andere dimensie van tijd en ruimte had geplaatst, het enige was dat hij echt níet kende. Misschien was die buitengewone aard de verklaring voor het feit dat het zijn aandacht had getrokken en dat hij nu in plaats van weg te gaan, het boek oppakte van de tafel, waar de weerkaatsing van het licht hem verhinderde het gezicht van de auteur nader te bestuderen, en naar zijn ogen bracht. Hij keek nogmaals naar die gladde, opvallend strakke huid, als van een gebalsemde, en daarna, aangetrokken door een of ander inwendig mysterie van het gezicht – op dezelfde manier als waarop hij soms tijdens het lezen werd verrast door een zin, een wending, een onverwachte stijlfiguur in de tekst, die hem dwong het lezen te onderbreken om de foto van de auteur op het omslag te bestuderen, alsof het gezicht de plek was waar de mysteries van de taal werden onthuld –, las hij de naam die boven de foto stond: Caique de Souza Dantas. Toen hij die naam zachtjes uitsprak, werd het mysterie van het gezicht evenwel nog dieper, en alsof hij een spoor volgde, draaide Rímini het boek om en vond op de achterkant, onder een verkleinde kopie van de foto van het omslag, twee of drie regels die in eenvoudig te volgen Portugees het leven van Caique de Souza Dantas samenvatten: geboren in 1957 in Rio de Janeiro, acteur, soapster, kort voor zijn achtendertigste verjaardag gestorven aan aids.

Hij moest ergens steun zoeken, en snel. Hij gooide met zijn hand een stapel boeken om en hoorde hoe de ruggen, ver weg, tegen de grond sloegen. Terwijl een van de meisjes zich bukte om ze op te rapen, zag Rímini vanuit de duistere diepte van zijn geheugen een beeld opdoemen en duidelijker worden naarmate het dichterbij kwam. Hij zag opnieuw het gezicht van de dode, nu zonder ernaar te hoeven kijken, en meteen daarop dingen in de directe omgeving van het gezicht; hij zag een askegel die elk moment kon vallen aan het uiteinde van een rokende sigaret tussen twee heel slanke vingers; hij zag de tak van een boom, een voet met een sandaal die ook elk moment kon vallen, een overhemd met opgerolde mouwen, het stralende profiel van Sofía, de helft van een bewerkte ijzeren stoel, het spel van de zonnestralen in het gebladerte van de bomen, een stuk grond met kiezelstenen, de rand van een lichte hoed, de gekruiste punten van twee halfhoge schoenen – de zijne – en ten slotte, alsof iemand heel langzaam een ventiel opendraaide, drong het bijbehorende geluid tot hem door, het ruisen van bomen en water, vogels, achtergrondstemmen van een groep toeristen die uit een bus stapte – de stem van Caique die Spaans sprak, het sissende Spaans dat hij uit Buenos Aires had meegebracht. En de lach van Sofía: een toegeeflijke, onbedwingbare, argeloze lach – de lach van het geluk. Een stoel kraakte en Sofía, dubbel van het lachen, liet een hand op de blote onderarm van Caique vallen. Dezelfde lach die voor Rímini, die hem twee, hoogstens drie keer in twaalf jaar aan haar had weten te ontlokken, het enige zekere bewijs was – zekerder nog dan elke emotionele of seksuele evidentie – van amoureuze bezetenheid.

Er werd iets tegen hem gezegd. Rímini sloeg zijn ogen op en zag het bezorgde gezicht van het meisje van de stand, heel dichtbij maar onscherp, alsof het zich achter beslagen glas bevond. Hij merkte dat hij huilde. 'Het is niets, het is niets,' zei hij. Het meisje deed een stap opzij om hem te laten passeren, glimlachte tegen hem en toen Rímini, gekweld door verdriet, langs haar heen liep, stak ze een verlegen hand uit om het boek terug te krijgen, maar in de veronderstelling dat ze hem nogmaals wilde helpen, ontweek hij haar met een snelle lichaamsbeweging, liep door en verdween tussen de mensen.

Bij de uitgang van de boekenbeurs kocht hij voor een paar centavo een zonnebril van plastic, en zo, gecamoufleerd als vlieg, legde hij de hele terugweg huilend af. Hij ontdekte pas dat hij het boek nog had toen hij opkeek om de naam van een station te lezen en verrast werd door het scheve hoofd van de man naast hem, die probeerde te lezen wat er geschreven stond op wat Rímini dacht dat de zijkant van zijn hand was. Toen, als iemand die eindelijk het voorwerp durft aan te raken dat door een toverspreuk uit het niets is gematerialiseerd, sloeg hij het boek open en bladerde het langzaam door, zich erover verbazend letters aan te treffen, totdat hij in een vlaag van ongeduld rechtstreeks overging naar het middelste katern, het gedeelte met de foto's. Hij besteedde aan elke foto evenveel tijd, alsof hij zich aan een gewijd en streng begrafenisceremonieel hield. *Rio, 1959: Caique – vroegrijp acteur – met snor van verschroeide kurk. São Paulo, 1967: Caique als vaandeldrager. São Paulo, 1974: Caique als Puck in een schoolopvoering van* Midzomernachtsdroom. *Londen, 1975: Caique in Carnaby Street. Parijs, 1975: Caique en Pascal. Vriendschap. Parijs, 1975: Caique en Pascale. Vriendschap. Rio, 1977: Caique (tweede van links, tussen Carmen Miranda en Marilyn Monroe) wordt negentien. Buenos Aires, 1980: nachten in de havenstad.* Rímini zag alles met grote helderheid, alsof de tranen zijn ogen hadden schoongewassen. Een glimlachende Caique, met satanische ogen van de flits, heft zijn glas naar de camera. Hij zit in lotushouding op een donker tapijt, blootsvoets, met een grote stapel langspeelplaten tussen zijn benen; verder naar achteren, op een grote bank met luipaardprint, zitten twee vrouwen en profil te praten en te roken, met glas en sigaret in dezelfde hand, en een jongen en een meisje, jonger dan de anderen, draaien zich, opgeschrikt door het flitslicht, met een vijandige gezichtsuitdrukking om: het meisje is blond en lijkt vlammen op haar hoofd te hebben; de jongen...

Rímini kreunde van pijn, sloeg het boek dicht en begroef zijn gezicht in zijn handen. Hij voelde zich verslagen, en de onevenredige verhouding tussen oorzaak en gevolg maakte zijn troosteloosheid alleen nog maar intenser. Tenslotte had Caique nooit al te veel voor hem betekend. Het was de foto – niet zozeer de herinnering – die bewees dat hij op een avond op minder dan een halve meter afstand van hem was geweest. Zijn herinnering richtte zich liever op de armoedige meubelen in het appartement, het hoogpolig tapijt – de enige reden die de epidemie van blote voeten kon verklaren –, de onsympathieke zwaarlijvigheid van de vrouw des huizes. En later was er de ontmoeting in het Floresta van Rio de Janeiro, helder en vredig dankzij de frisse bries, het gebladerte van de bomen en het strijdlustige enthousiasme waarmee Sofía en hij de reis bleven voeden, maar ook vol ongemakken, misverstanden, verveling – want wat ze met Caique in Buenos Aires hadden gedeeld was niet alleen heel weinig, bijna niets, maar neigde er, zoals zo vaak, ook onverbiddelijk toe om met de verandering van omgeving en de wisseling van rollen volledig te verdwijnen. En toch... Een lawine van buitensporige vermoedens ontrolde zich in zijn hoofd. Misschien was Sofía wel verliefd geweest op Caique. Misschien was Caique verliefd geweest op Sofía. Misschien hadden ze in Buenos Aires een heimelijke romance gehad, en was dat wat Rímini als helder en vredig omschreef niet te danken aan het gunstige ecosysteem van het Floresta maar aan de nostalgische, volleerde loomheid die Sofía met Caique scheen te delen, en die zo leek op wat ex-geliefden voelen zodra ze elkaar in het openbaar ontmoeten en in gezelschap van een derde die hun geschiedenis niet kent, besluiten het verleden geheim te houden. Alle hypothesen kwamen hem aannemelijk en irrelevant voor. Het oprakelen van dat virtuele verleden waarin iedereen – Caique, Sofía, hijzelf – nu een andere rol speelde dan die welke het echte verleden hun had toebedeeld, zou misschien nuttig zijn geweest als Caique de reden was voor Rímini's droefheid, of in elk geval de vreemde speling van het lot die besloten had dat Caique opnieuw in Rímini's leven verscheen op het moment dat Rímini vernam dat hij dood was. Maar voor Rímini was er iets wat tragischer was dan het kijken naar het gezicht van een jonge dode, iets troostelozers want eenzamers: de zekerheid dat hij *niet met hem, met hén, gestorven was*, met Caique, wiens geschminkte huid het omslag van het boek volledig in beslag nam, maar ook met die Rímini en die Sofía die, voor eeuwig gemummificeerd, op de foto binnenin stonden afgedrukt. Rímini begreep toen waarom hij steeds had geweigerd met Sofía de foto's te verdelen, waarom hij twee dagen na het ongeluk die van Vera had verbrand, waarom hij de middag van het burgerlijk huwelijk met Carmen geen fotografen had gewild en waarom vampierverhalen hem nooit angst hadden aangejaagd maar een soort intiem, heel vertrouwd verdriet hadden bezorgd. Nee, als hij naar een foto keek, zei hij niet: wat ik hier zie is voorbij; hij zei: wat ik hier zie is voorbij en dood en ik heb overleefd.

Hij ging terug naar het hotel met een innerlijke drang: Sofía een brief schrijven. Toen hij uit de metro kwam, viel de hemel in violette wolken en vlekken uiteen. Het begon al avond te worden; Carmen was nog niet terug. Bij de receptie overhandigde een nieuwe, jonge en vriendelijke employé hem de sleutel van de kamer en twee velletjes papier op een dienblaadje. Rímini vroeg of ze drie biertjes en een fles tequila naar zijn kamer konden brengen. De employé verontschuldigde zich: alleen degene op wiens naam de kamer stond had recht op roomservice, maar Rímini, die het bezwaar had zien aankomen, was al op weg naar de zelfbediening aan de overkant. Iets in de manier waarop hij de proviand droeg – de fles tequila onder zijn rechteroksel, de fles wodka, op het laatste moment toegevoegd, onder de linker, en de biertjes, zes in plaats van drie, hangend aan zijn tanden aan de plastic strip die de blikjes bijeenhield – moest indruk hebben gemaakt op de eigenaar van de winkel, die hem met een steels bezorgde blik aankeek toen hij afrekende. Rímini voegde er, niet zozeer uit gulzigheid als wel om hem te pesten, nog kauwgom, een reep Bounty en twee zakken chips aan toe. Hij ging het hotel weer binnen, hield de flessen uitdagend omhoog toen hij langs de receptie kwam en stapte in de lift. Hij las de berichten bij het flikkerende licht: het ene was van Carmen, die hem liet weten dat de middagsessie zou uitlopen en dat ze hem zou bellen als die afgelopen was; het andere was van Idelber Avelar: hij zat op kamer 610.

In de loop van de daaropvolgende uren deed Rímini maar drie dingen, steeds in dezelfde volgorde: drinken, schrijven, weggooien. Hij dronk: eerst twee biertjes, daarna, direct uit de fles, de helft van de tequila, vervolgens nog een biertje – hij haalde zijn bovenlip open aan het scherpe randje aluminium dat het lipje had achtergelaten – en ten slotte bijna de hele fles Stolichnaya, uit het glas van de badkamer, waardoor de wodka heel licht naar munt smaakte. Hij schreef: een soort balans van zijn relatie met Sofía, een beetje laat, verward en – in de meest bevlogen passages – bedrieglijk, aangezien het niet zijn bedoeling was licht te werpen op het verleden maar het te bezweren, waarbij hij haar eindelijk gaf wat ze vermoedelijk van hem eiste, mogelijke spookachtige flashbacks zoals hij net had meegemaakt, vermomd als souvenir uit

Rio; een uitnodiging tot reconstructie van die middag in het Floresta, die begon met volwassen zelfbewustheid, op een bepaald moment omsloeg in argwaan – '... ik weet niet hoe lang het duurde voordat jullie terugkwamen, jij en Caique, met jullie ananassap, maar ik herinner me dat het té lang duurde...' – en eindigde met een dreigend verhoor, met vragen die genummerd waren van 1 tot 25; een eveneens bedrieglijk mea culpa, waarin Rímini, met de bedoeling zich van Sofía te bevrijden, niet om haar te verzoenen met zijn overtuigingen, zich voor het eerst aan haar blootgaf, alle verantwoordelijkheid op zich nam en wegzonk in het moeras van zijn eigen beperkingen, die hem niet alleen van haar hadden gescheiden maar ook, zoals hij nu begon te vermoeden, van 'de mogelijkheid tot liefde in het algemeen'. En hij gooide weg: hij rukte los, smeet op de grond, maakte proppen en wierp die tegen het halfopen raam, hij verscheurde, liet de snippers in het toilet vallen, waar hij ze spottend onderpiste, en verbrandde hele bladzijden in de badkuip. Daar was hij net mee bezig toen hij pijnlijk verrast werd door zijn beeld in de spiegel van het medicijnkastje: hij was naakt, baadde in het zweet en zijn gezicht was vuurrood van de alcohol en zat onder de inktvlekken.

Hij zou zo uren hebben kunnen doorgaan. Zijn falen maakte hem woest en verhevigde op een duivelse manier zijn bedoelingen. Hij wilde Sofía uitdrijven, zich verontschuldigen, voor altijd verdwijnen, waarbij die handvol regels het laatste zou zijn wat er van hem overbleef, zichzelf zuiveren en tegelijk iets vernietigen, iets levends, wat dan ook. Hij wilde een brief schrijven op de maat van zijn lichaam – als een stevige, duurzame huid die hem voor altijd tegen alles zou beschermen. Maar de telefoon ging en Rímini, die hem al een paar keer eerder had horen overgaan, langdurig, als in een droom, tijgerde als een soldaat over het bed en nam op. Het was Idelber Avelar. Hij stelde zich formeel voor, de drie biografische regels herhalend die het programma van het congres aan hem wijdde, en begon vervolgens een lang, verward en omstandig verhaal, dat Rímini voordat het de vorm zou aannemen van een bezwaarschrift, bruusk onderbrak met een stortvloed van onbeschrijfelijke grofheden. Avelar hing op, Rímini was een seconde alleen met zijn eigen ademhaling en rende toen naar de badkamer om over te geven. Hij kwam niet verder dan wat vruchteloos kokhalzen, maar hevig genoeg om de waas die zijn ogen vertroebelde enigszins te verdrijven. Hij keerde terug naar de telefoon, begon zich aan te kleden en luisterde de berichten af die het rode lampje op de telefoon hem in het vooruitzicht stelde. Het waren er drie, allemaal van Carmen, allemaal gehuld in een wolk van stemmen, gelach, glasgerinkel, muziek. Met het eerste liet ze het adres achter van het restaurant waar de sluiting van het congres werd gevierd; met het tweede drong ze er met kinderlijke gilletjes op aan dat hij zou komen; met het derde herhaalde ze, ongerust of moe, het adres als iemand die om hulp vraagt. Rímini zocht iets om te schrijven, worstelde met de mouw met zijn arm halverwege, verloor tijd, en toen hij het einde van haar boodschap wilde opschrijven, het nummer in de straat, brak het bericht af. Hij wilde er nog een keer naar luisteren, drukte twee verkeerde knopjes in, kreeg eerst de wasserij aan de lijn – om onverklaarbare redenen open op dat tijdstip – en daarna de centrale van de valetparking, en ten slotte, na vergeefse pogingen verbinding te krijgen met de receptie, hield het lampje op met knipperen en doofde voorgoed, en meteen daarop werd er een stem hoorbaar op de lijn, de stem van Idelber Avelar, de stem van een fatsoenlijk mens die had besloten net te doen of dat wat er gebeurd was niet gebeurd was, of hij nooit had gehoord wat hij meende te hebben gehoord, en helemaal van vooraf aan te beginnen. Kon hij misschien zijn officiële deelnamebewijs terugkrijgen?

Rímini huilde, huilde, huilde, totdat zijn ogen zo brandden dat hij geen andere keus had dan te gaan slapen. Hij droomde van plafondventilatoren die met een zenuwslopende traagheid ronddraaiden, van as in water, van belgerinkel, van het vage geluid van een lift in beweging, van het piepen van een deur, van vingers die langs zijn heup, dijen, voeten streken, en hij deed zijn ogen een stukje open en zonder precies te weten of hij het zei in zijn droom of in de hotelkamer, slaagde hij erin 'het licht, het licht' uit te brengen, en een vrouw die veel leek op Carmen zei op medelijdende toon: 'Ja, liefste, ja, zo meteen,' en ze trok zich terug, richtte zich op – ze had zijn broek in haar handen – en deed het licht uit, en terwijl ze haar knie opnieuw op het bed liet rusten begon ze zijn overhemd los te knopen, en Rímini voelde het contact van haar vingers tegen zijn borst en huiverde, en hij hoorde dat Carmen lachend zei: 'Mm, wat een enthousiaste ontvangst,' en toen hij voelde dat ze zich op hem nestelde, kneep hij zijn ogen dicht en zonk weg in een bodemloze inktzwarte diepte. En op dat moment keerden alle dingen terug waarvan hij had gedroomd voordat Carmen binnenkwam, geprojecteerd op dat zwarte scherm, dezelfde dingen maar dan in omgekeerde volgorde, eerst de vingers, daarna het piepen van de deur, vervolgens de dalende lift et cetera, totdat Rímini zelf, en niet de bladen van de plafondventilator, in bed begon te draaien, en hij de indruk kreeg dat het licht echt uitging en hij het bewustzijn verloor, en hij kwam alleen nog even bij toen Carmen terugkeerde uit de badkamer, hem zachtjes opzijschoof om plaats te maken, zich tussen de lakens liet glijden, tegen hem aan kroop, haar lippen naar zijn oor bracht en fluisterde dat ze waarschijnlijk gek was, dat hij niet moest vragen waarom, maar dat ze het gevoel had dat ze *zojuist* zwanger was geworden.

8

Hij ging de badkamer binnen en zag haar staan, met haar rug naar hem toe, haar benen gespreid, de zoom van haar nachthemd opgetrokken tot aan haar dijen. Hij naderde behoedzaam om haar niet aan het schrikken te maken, en toen hij naast haar stond zag hij dat ze haar hoofd tussen haar schouders getrokken had en buitengewoon aandachtig keek naar iets op de vloer, iets waarvan ze nog niet wist of ze het moest bewonderen of er bang voor moest zijn. Rímini raakte haar arm aan. Carmen bewoog niet; ze had niet eens gemerkt dat hij was binnengekomen. Hij volgde haar blikrichting en stuitte op twee glinsterende plasjes op de zwarte vloertegels, naast haar blote voeten, en toen hij zijn ogen via haar wreven, haar enkels, haar gezwollen knieën omhoog liet gaan, ontdekte hij de twee waterige straaltjes die langs de binnenkant van haar dijen naar beneden stroomden.

Weer te laat – of te vroeg. De dingen verliepen niet langs de logische rails van de tijd maar in een verraderlijke plooi, als bij toeval aan de tijd toegevoegd, waar de gebeurtenissen, als gezichten die al in de prille jeugd verouderd zijn, leken te stagneren in een gebied van ondraaglijke besluiteloosheid. Het was nog maar kort na middernacht. De dikke buik van Carmen telde – ondanks de omvang, die vaderlijke berispingen ontlokte aan de verloskundige en kreuntjes van pervers genot aan Rímini – slechts tweeëndertig weken. Ze hadden niets voorbereid, geen tas, geen kleren, geen geld, geen enkele gepaste reactie om de angst te bezweren als het zover was, niets van alles wat hun, samen met een stuk of zes andere stellen, tijdens de eerste en enige sessie van de cursus 'Voorbereiding op de bevalling' waaraan ze hadden deelgenomen, was beloofd dat ze zouden leren te doen en gereed te hebben.

Maar ze zouden niets gehad hebben aan welke voorzorg dan ook: hoewel het breken van de vliezen en een voortijdige bevalling geen onberekenbare gebeurtenissen waren, leken ze zich ieder op hun eigen manier te hebben voorbereid, in een soort persoonlijke speculatieve sfeer, die verschilde van die van de ander, maar nooit in een gemeenschappelijke omloopbaan, waarbinnen ze gelijktijdig hadden kunnen optreden, zodat ze, nu Carmen als een dwaas naar haar tranende geslacht keek, Rímini haar warm inpakte met het eerste het beste wat hij kon vinden – een oude groene overjas met versleten revers, een losgetornde zak die als een tong naar buiten hing en de andere die vol zat met mottenballetjes – en probeerde een paar sandalen aan haar voeten te krijgen, niet alleen geschokt waren door hun hulpeloosheid en door het dramatische karakter van de situatie, maar ook en vooral door het geweld waarmee die twee sferen zojuist op elkaar gebotst waren en samensmolten tot één enkele horizon van angst.

Ze namen een taxi en zeiden onderweg geen woord. Carmen, met haar benen wijd uit elkaar, nam praktisch de hele achterbank in beslag. Rímini zat tegen het portier aan gedrukt en werd heen en weer geslingerd tussen een doffe, vormeloze paniek en oprechte bezorgdheid over de mogelijke uitwerking van het vruchtwater op de skaibekleding van de taxi. Ze hielden elkaars handen vast, streelden elkaar om beurten, zochten steun bij elkaar. Ze waren samen, misschien wel meer samen dan ooit, want behalve door de liefde werden ze op dat moment verbonden door dezelfde trance van ongeloof en ontzetting die twee onbekenden verbindt die tijdens een vliegreis tegelijk naar buiten kijken en ontdekken dat er een vleugel in brand staat. 'Heeft u last van de muziek?' vroeg de taxichauffeur, terwijl hij een dreigende hand naar de radio uitstak. Ze keken elkaar aan, geen van beiden antwoordde, maar een paar minuten later, toen de taxi door het derde rode stoplicht reed, fluisterde Carmen iets, en Rímini bracht zijn oor bij haar mond en vroeg: 'Wat zei je?' 'Dat is Virus, hè?' Rímini keek haar aan alsof ze ijlde. 'Op de radio,' zei Carmen. 'Ah,' zei hij, en hij luisterde aandachtiger: het was Virus. Ze bleven een tijdje zwijgend, buitengewoon geconcentreerd zitten luisteren, alsof ze hoopten in een couplet of een akkoord een gecodeerde boodschap te vinden die alleen tot hen gericht was. Carmen begon mee te neuriën. Daarop bracht ze de hand waarmee ze net haar geslacht betast had naar haar neus. 'Het is water,' zei ze teleurgesteld, en ze hield haar hand onder Rímini's neus. Rímini zag ervan af te ruiken, maar knikte, kuste haar hand en hield die de rest van de rit tegen zijn lippen, alsof het een talisman was. 'De calle Gascón of de calle Potosí?' vroeg de taxichauffeur een paar straten voor hun eindbestemming. Rímini twijfelde, in verwarring gebracht door de autoritaire ondertoon die hij in de vraag had bespeurd. Hij wendde zich tot Carmen, die met halfopen mond door het raampje naar buiten keek, en hij zag dat ze ver weg, heel ver weg was, alsof ze zich had ingescheept voor een heel eenzame reis zonder het hem te laten weten. 'Wat is het verschil?' vroeg Rímini. De taxichauffeur keek hem glimlachend aan in de achteruitkijkspiegel. 'Je gaat naar Potosí, mijn beste. De kraamkliniek is Potosí.'

Na Carmen in een oude rolstoel te hebben gezet liep de verpleger met piepende schoenen weg en verscheen in zijn plaats een jonge vrouwelijke dokter die hen verzocht haar te volgen door een gang. Rímini duwde de rolstoel. Voor hem, die dat ogenblik zag als een drempel waarvan het koortsachtige overschrijden pas zou eindigen met de bevalling, was de afstand verontrustend kort, hoogstens enkele meters van de hal, waar ze een paar minuten in versleten fauteuils hadden zitten wachten – Rímini op voet van oorlog, zelfs verontwaardigd over het verstrijken van de tijd, alsof Carmen ten overstaan van iedereen, nota bene *in een ziekenhuis*, zou doodbloeden en niemand deed wat hij moest doen; Carmen zwijgend, met slappe kaak, steeds dieper wegzinkend in de verdoving waaruit ze pas de volgende morgen, na een stille, slapeloze nacht zou bijkomen, toen de verloskundige, zijn bezorgdheid verbergend achter onverschilligheid, haast en ergernis, alsof Carmens toestand, met alle gevaren van dien, niet complex genoeg was om origineel te zijn, hun liet weten dat de bevalling, of Carmen dat nu wilde of niet, nog diezelfde nacht zou plaatsvinden –, tot aan een spreekkamer voor spoedgevallen waarin met moeite een onderzoektafel, een kapstok en een hoge kruk, zoals die in de jaren zeventig in whiskybars stonden, pasten. De rolstoel ging zwaar; de voorwielen moesten geolied worden, stonden scheef en blokkeerden voortdurend, dwars op de rijrichting, zodat Rímini om de haverklap moest blijven staan om voorzichtig met de stoel te schudden en de wielen weer in beweging te krijgen zonder Carmen al te zeer te kwellen, waarna hij een paar meter verder weer van vooraf aan kon beginnen. De dokter liet hen binnen in de spreekkamer, en terwijl ze een stethoscoop om haar nek hing verzocht ze Carmen op de onderzoektafel te gaan liggen en Rímini om buiten te wachten. Rímini aarzelde: hij wilde haar niet uit het oog verliezen. Hij hielp haar uit de rolstoel, ondersteunde haar tot aan de onderzoektafel, waar hij haar tergend langzaam op liet plaatsnemen, alsof haar lichaam van glas was, en terwijl zij zich achterover liet zakken, haar ellebogen stevig in het zwarte zeildoek plantend, tilde hij met allebei zijn handen haar benen op, als een goochelaar die zijn assistente voorbereidt op een levitatieact. Nadat hij zich ervan had overtuigd dat ze comfortabel lag, draaide Rímini zich om en stuitte op de dokter, die hem met een soort vertederde onverzettelijkheid aankeek. 'Naar buiten, alstublieft,' herhaalde ze. Rímini voelde een vlaag van steriele heldenmoed, dezelfde neiging tot zelfopoffering die hij als kind altijd voelde wanneer hij geconfronteerd werd met een drastische grens en besefte dat niets van wat hij deed ook maar iets zou veranderen, reden waarom hij het dubbel zo hard probeerde. Hij keek vertwijfeld naar Carmen, op zoek naar een of andere belangrijke, duidelijk herkenbare emotie die zijn krachtsinspanningen rechtvaardigde. 'Toe maar, toe maar,' zei ze op berustende toon.

Het onderzoek duurde minder dan tien minuten. Rímini bleef de wacht houden bij de deur. Af en toe, na zich ervan te hebben vergewist dat de gang verlaten was, legde hij een oor tegen de deur en probeerde iets te horen. Hij herkende nooit iets anders dan het bonzen van zijn eigen hart. Hij zag een verpleger met twee lege brancards voorbijkomen, een non met een bril, twee artsen met een monddoekje om hun hals en hun voeten ingepakt in steriele plastic zakken, een verpleegster achter een rolstoel met een oude man die zat te rillen in een Schotse wollen deken en die toen hij Rímini passeerde met moeite zijn hoofd in zijn richting draaide, een zieltogende hand tussen de plooien van de deken vandaan haalde en ermee zwaaide, alsof hij hem groette of om hulp vroeg; en op dat ogenblik ging de deur van de spreekkamer open en het had niet veel gescheeld of Rímini, die er heel even tegenaan leunde, was ruggelings in de armen van de dokter gevallen. 'We gaan haar opnemen,' hoorde hij haar zeggen. De dokter gaf hem een paar papieren. 'Gaat u hiermee even naar de eerste kelderverdieping zodat de opname officieel kan worden geregeld.' Zo eenvoudig? Was dat alles? Rímini wilde tegenstribbelen – een kinderlijke maar doeltreffende reactie: de aanzet tot een protest was voldoende om hem het gevoel te geven dat de situatie niet langer oncontroleerbaar was en een bepaalde richting op ging –, maar de dokter, die zich al met soepele sprongetjes verwijderde – ze droeg sportschoenen, en zodra hij het verbleekte oranje langs de randen van de rubberen zool herkende, kreeg Rímini onbedwingbaar veel zin in tennissen op een gravelbaan –, liet hem druk gebarend alleen achter in de gang.

Hij ging de spreekkamer binnen; Carmen lag nog in dezelfde positie als waarin Rímini haar had achtergelaten. Er was een grijze deken over haar heen gelegd, en haar bleke armen staken af tegen de wol alsof ze niet echt waren, breekbare stukken op een anatomische expositie. Er lag een merkwaardig kalme glimlach op haar lippen, de glimlach van iemand die gedrogeerd is en alleen niet lijdt omdat ze niets meer voelt, en ze leek uitstekend op haar gemak, alsof de bekleding van zwart zeildoek van de onderzoektafel, de dunne wandjes of de zoemende tl-buis aan het plafond geen toevallige bijkomstigheden waren maar aangename details van een landschap waarin ze een hele tijd zou doorbrengen. En hij kwam die vreemde rust verstoren met zijn opgewondenheid... Hij wilde zeggen dat het hem speet, maar het was al te laat – hij zette de kruk voor zich neer, boog zich over Carmen heen en pakte haar hand. Hij verbaasde zich erover hoe koud die aanvoelde, en over de blauwachtige tint waarmee de aderen de witte, bijna doorzichtige huid beschaduwden. Hij praatte zachtjes maar duidelijk in haar oor, alsof ze tegelijk heel dichtbij en heel ver weg was, en zwoer dat hij niet van haar zijde zou wijken, dat hij haar niet zou laten inschrijven, dat hij bij haar zou blijven tot de dokter kwam, dat hij niet zou toestaan dat... 'Ga nou maar,' zei Carmen, haar hand losmakend om hem zacht op zijn schouder te kloppen, alsof ze hem troostte. 'Serieus, ik lig hier goed. Maak je geen zorgen. Loop maar een beetje rond, dan kun je me straks vertellen hoe het ziekenhuis is, oké?' Rímini richtte zich op, beschaamd door het gemak waarmee Carmens stoïcijnse houding zijn drang tot overbescherming tenietdeed. Hij draaide zich nog een keer om om naar haar te kijken, en terwijl hij op haar gezicht de laatste restjes medelijden zag nagloeien die hij bij haar gewekt had – híj, met zijn hevige angst, zijn hulpeloosheid, zijn vertederende onvermogen –, ontvouwde zich in zijn verbeelding een waaier van verontrustende dreigingen. Hij ging weg en Carmen werd ergens anders naartoe gebracht en niemand kon hem precies vertellen waarheen, naar welke afdeling, welk kamernummer. Hij ging weg en Carmen moest een spoedoperatie ondergaan door een ziekte die op het laatste moment was ontdekt. Hij ging weg en Carmen werd ontvoerd en beviel in gevangenschap en de ontvoerders eigenden zich het kind toe om het te verkopen. Hij ging weg en Carmen beviel zonder hem en het kind was dood of misvormd of van een ander. Hij ging weg en Carmen stierf in de verloskamer, ver weg van hem, zonder te beseffen dat ze doodging of dat hij niet bij haar was... Rímini deed de deur open en zwaaide naar haar, traag en melodramatisch, zich er ten volle van bewust dat hij het gebaar overdreef om Carmen de kans te geven het in haar geheugen op te slaan als het laatste wat ze hem had zien doen en het de rest van haar leven te koesteren of te vergeten – totdat zij haar hand ophief, een lichte, bleke hand waarmee ze de lucht een klap leek te geven en hem wegstuurde.

Vlak bij de ingang zat een bode genietend een kleverig zuurtje open te peuteren. Rímini vroeg hoe hij bij het loket voor opnamen moest komen en kreeg een paar uitvoerige, vage aanwijzingen waarvan hij alleen het eerste deel onthield: hoe hij van het gebouw waar ze waren, de kraamkliniek, naar het andere moest, het oorspronkelijke gebouw, uit 1907, volgens de bode, waar de administratie gehuisvest was. Het kostte hem een kwartier om er te komen. Het ziekenhuis was enorm, maar de afmetingen namen nog in veelvoud toe dankzij een duivels systeem van bewegwijzering, gebaseerd op handgemaakte bordjes en pijlen, met bijna lege viltstiften getekende plaatjes, op de muren geplakte computeruitdraaien, enkele vrijheden in het gebruik van ruimtelijke aanduidingen (links voor rechts en omgekeerd) en rangtelwoorden (begane grond voor eerste verdieping, eerste voor tweede et cetera) en een aaneenschakeling van menselijke informatieverstrekkers langs het hele traject, gemakkelijk herkenbaar aan hun uniform – witte singlet, losgeknoopte werkkleding, slippers, een of ander schoonmaakattribuut in hun handen en een soort gemeenschappelijk dialect bestaande uit gegrom en klanknabootsingen –, die de bezoeker opvingen, vriendelijk tegen hem glimlachten en hem moed inspraken maar er vervolgens toe overgingen, alsof ze een of ander onheilspellend drankje hadden ingenomen dat nu pas begon te werken, zijn stemming met een korte en bondige diagnose te bederven ('U moet een stuk terug, door dezelfde deur als waardoor u bent binnengekomen...'), hem gek maakten met tegenstrijdige aanwijzingen, en als de bezoeker ze wees op zo'n tegenstrijdigheid, hun handen snuivend van verontwaardiging van hem aftrokken, beledigd door de algehele ondankbaarheid van de wereld, en zich weer overgaven aan de denkbeeldige bezigheid waaruit ze waren losgerukt. Bovendien was het ziekenhuis, als in oude komedies, verdeeld in twee niveaus, een hoger niveau, voor overdag, waar de vloeren glommen, de ramen uitkeken op straat, de artsen op fluistertoon spraken en de verpleegsters fier rechtop liepen, en een lager, nachtelijk niveau, met afgebladderde muren en de geur van eten, met volledig tegengestelde waarden, waar in een uitgestrekte kelderverdieping een bevolking van slaven zonder hoop was ondergebracht, verpleegsters van lagere rang, dienstmeisjes, ziekenbroeders, keukenhulpen, onderhoudsmonteurs, beveiligingspersoneel en schoonmakers, plus nog een hele populatie van marginalen, chronische of onbemiddelde patiënten, verkopers van loterijbriefjes en prullaria, daklozen, jongens van de straat, bedelaars die zich, met of zonder toestemming van de ziekenhuisdirectie, in die kelder gevestigd hadden, waar, of het nu zomer was of winter, altijd helse temperaturen heersten. Afgezien van de twee keer dat hij een kortere weg dacht te kunnen nemen – twee zeer leerzame blunders: de eerste leidde hem moeiteloos naar het mortu-arium; de tweede naar die laatste onderwereld die door een oud bordje werd aangeduid als machinekamer –, verdwaalde Rímini niet. Hij liep door gangen, stak hele afdelingen over, ging trappen op en af, nam lif-ten, kwam langs recepties en overgangsruimtes, en verbaasde zich over zijn eigen vastberadenheid om zonder vergissingen in die onbekende wereld door te dringen. Hij bleef maar één keer staan, een paar secon-den, toen hij, ondanks het feit dat ze haar witte jasschort, die ze nu over haar onderarm droeg, had verruild voor een donker mantelpak, de vrouwelijke dokter herkende die hen had opgevangen, en in een onge-wone vlaag van stoutmoedigheid, waar hij trouwens meteen spijt van had, op haar af liep om naar de wérkelijke toestand van Carmen en de baby te vragen, waarop zij geïrriteerd, ten dele omdat ze werd lastigge-vallen met vragen over haar werk terwijl ze geen dienst meer had, ten dele door de vertrouwelijke toon van Rímini, die voetstoots scheen aan te nemen dat haar diagnose louter een aaneenschakeling van bedriege-rijen was geweest, antwoordde met een waterval van technische details, die Rímini niet kon volgen, maar waaruit enkele suggestieve uitdruk-kingen – infuus, weeën, nul ontsluiting, keizersnede – in zijn hoofd rond bleven zweven toen hij doorliep naar het loket opnamen.

Het was het tijdstip van de wisseling van diensten. Naarmate hij zich een weg baande door de ingewanden van het ziekenhuis, meende Rí-mini de tekenen van een subtiele, moeilijk thuis te brengen beweging waar te nemen, die het aanzien van het landschap evenwel ingrijpend veranderde. Het was alsof hij het opkomen en terugvloeien van het tij kon zien op het moment dat het zich voltrok. Vermoeide gezichten kruisten stralende, fris geschoren gezichten. Roosters, lijsten, medi-sche rapporten gingen in andere handen over. Overbodige lampen gingen uit en hulden grote delen in het schemerdonker, en de voetstap-pen, eerder nòg opgaand in het algehele geroezemoes, weerklonken nu duidelijk, versterkt, door de lege ruimte. Deuren werden op slot ge-daan, mensen namen afscheid van elkaar, de luidsprekers kondigden het einde van het bezoekuur aan. Rímini werd bang dat hij te laat zou komen en versnelde zijn pas. Hij wist dat hij vlakbij was maar kon het toch niet laten een vrouw die een stapel papieren op orde bracht de weg te vragen. 'Daar, de trap af,' zei ze. Toen hij, bijna rennend, bij het loket aankwam, schoof een vrouw met op haar lip een enorme wrat net een langwerpig stuk karton voor de smalle opening aan de onderkant. Rímini zwaaide met de papieren voor de glazen scheidingswand. De vrouw keek er niet eens naar. Ze schudde één keer met haar hoofd, wees op iets rechts van hem en keerde hem de rug toe. Rímini draaide zich om en zag een paar meter verder twee vrouwen in de rij staan. De tweede was aan het schrijven op een dijbeen dat ze in de lucht hield. Rímini keek niet echt goed naar haar; hij registreerde alleen dat silhouet van een gebogen reiger, maar toen hij dichterbij kwam gebeurde er iets, de balpen waarmee ze het formulier invulde deed het niet meer, of het papier gleed weg, of haar burgerlijke staat was terechtgekomen in het vakje van het telefoonnummer, en de vrouw maakte geërgerd een onhandige beweging en wankelde, en de fotokopieën die ze als onderlegger voor het formulier had gebruikt gleden een voor een weg, als losse bladzijden uit een boek, en vielen op de grond. Rímini bukte zich om ze op te rapen. Op elk blaadje stond een schets van een lichaamsdeel – een gezicht, een borstkas, een paar voeten van onderaf gezien, als stonden ze op een glazen vloer –, allemaal buiten proporties en licht vervormd alsof ze getekend waren door een kinderhand, met streepjes bij bepaalde vitale delen, als opgeprikte spelden. Toen hij zich met de fotokopieën in zijn hand oprichtte, keek Rímini recht in het gezicht van Sofía, die hem met wijdopen ogen aanstaarde. 'Niet te geloven,' zei ze, en ze begon te glimlachen, terwijl ze hem steeds nadrukkelijker opnam, totdat ze hem volledig, als een röntgenapparaat, met haar blik had afgetast. 'Je bent dik geworden,' zei Sofía, en ze herhaalde: 'Dik,' alsof ze zich neerlegde bij een verbijsterende constatering. Haar verbazing was oprecht. Rímini had het gevoel dat de opmerking, in al haar banaliteit, hem met geweld losrukte uit het heden – zoals hij als kind dacht dat het de hoofdrolspelers van *The Time Tunnel*, Douglas en Tony, moest zijn vergaan als ze vanuit de controlekamer naar een ander tijdperk werden gestuurd – en hem naar die nieuwe, sobere, licht vijandige omgeving verplaatste, waar Sofía en hij elkaar weer ontmoetten als twee overlevenden, de enige, van een uitgestorven planeet. Rímini voelde zich gekwetst. 'Ik ben opgehouden met roken,' zei hij, terwijl hij de fotokopieën teruggaf. 'Ongelooflijk,' herhaalde Sofía, die haar ogen niet van hem af kon houden. 'Hoezo? Het is net als een licht-schakelaar: ik doe hem aan en uit wanneer ik wil.' 'Nee, dat bedoel ik niet. Twee minuten geleden had ik het nog over jou, met Frida. Ik ben bezig haar opname te regelen. Ze valt steeds flauw. In de metro al twee keer. Vandaag ging ik naar haar huis, ik had les, en toen deed er nie-mand open. Ik belde en belde, maar niets. Gelukkig heb ik een sleutel. (Als ze op reis gaat zorg ik altijd voor de planten en de katten. Dat zul je nog wel weten.) Ik trof haar aan op de badkamervloer, naakt (stel je voor), de douche liep nog, wie weet hoe lang al. Ze had wel een schedel-basisfractuur kunnen hebben. En misschien heeft ze die ook wel. Hier zit een wond en rond haar oog is het helemaal zwart. Ze waren bezig röntgenfoto's te maken. Ja, sorry.' Ze deed een stap naar voren, glim-lachte tegen het wachtende gezicht aan de andere kant van het loket en schoof een machtiging en een stapeltje papieren door de opening. De employé hield het eerste velletje en gaf de drie stukken anatomische kunst die hij niet nodig had terug: een mannelijk voortplantingsor-gaan, een onderbuik, een deel van de lendenen. 'Ik heb Nolting gebeld. Herinner je je Nolting nog? Want ze heeft natuurlijk geen huisarts, niets. Frida háát doktoren. Wat? Ah, ja, neemt u me niet kwalijk. Der-tien miljoen tweeëntachtigduizend... Nee, dertien miljoen tachtig... nee, achthonderd... Dat kan toch niet? Ik weet het nummer van mijn identiteitskaart niet meer. Dertien miljoen tachtig...' Ze draaide zich om naar Rímini en keek hem verschrikt aan. 'Dertien miljoen tweeën-tachtigduizend driehonderdtweeëntwintig,' zei hij, naar het loket toe lopend. De employé keek hem aan. 'U hoort bij elkaar?' zei hij, en het puntloze potlood in zijn hand ging heen en weer tussen Rímini en Sofía. 'Ja,' zei Sofía. Rímini voelde een warme druk op zijn onderarm en ging een wolk van parfum binnen. 'Wat goed, als ik jou bij me had zou ik alles gewoon kunnen vergeten.' Rímini nam haar steels vanuit een ooghoek op. Haar haar was korter, haar ogen nauwelijks opgemaakt en ze straalde iets helders en enthousiasts uit, als iemand die net heeft gesport. Op een van haar oorlelletjes was een roodachtig korstje zichtbaar dat de spot dreef met de oorring die het aan het oog moest onttrekken. 'Pas nog, vijf minuten geleden,' ging Sofía verder, 'ik weet niet meer wat ik zei, iets over de kamer (o ja, over de instructies om het bed omhoog te doen, je hebt vast wel gezien dat die in het Engels zijn), en toen noemde Frida jouw naam. Gewoon uit zichzelf. Ik had niets gezegd.' Na er een stempel op te hebben gezet stopte de employé het origineel van het formulier in een map, schoof de kopie door de opening en stond op van zijn stoel. 'Wacht even,' riep Rímini, zich op het loket stortend. De employé draaide zich om en zei: 'Hoort u dan niet bij elkaar?' 'Nee, nee,' zei Rímini, de formulieren met geweld door de opening duwend, 'ik... mijn vrouw ligt op de kraamafdeling. Haar vliezen zijn gebroken.' Rímini wierp een snelle blik op Sofía en kreeg een uitvergroot, glashelder beeld van de grimas van ongeloof die zich op haar mond begon af te tekenen. Hij had het gevoel dat er iets in zijn keel zat. En met een iel stemmetje wist hij nog net uit te brengen: 'Ik krijg een kind.' De zin welde op, maakte zich los, drong Sofía binnen en vermengde zich met haar bloed, en pas toen hij weer naar buiten kwam in de vorm van een huivering, bleekheid, verheviging van het aloude loensen, besefte Rímini dat het de eerste keer was dat hij hem uitsprak. Ik krijg een kind, dacht hij. Sofía deinsde terug. Misschien bereidde ze zich voor op een vlucht; misschien moest ze wat afstand nemen om tot zich door te laten dringen wat ze zojuist had gehoord. 'Ik kan het niet geloven,' zei ze. 'Ik ook niet,' zei hij. Sofía glimlachte flauwtjes, stormde op hem af en sloeg met haar vlakke hand op zijn borst. '*Zonder mij*. Je krijgt een kind zonder mij,' zei ze, terwijl ze hem twee, drie keer sloeg, zonder kracht, alleen maar aandringend alsof ze op zoek was naar een fysiek, materieel bewijs van de emotionele kilheid die ze hem altijd had verweten. En daarna kalmeerde ze, sloeg haar ogen naar hem op en keek hem aan. 'Klootzak,' zei ze, 'dus je hebt het toch gedaan.' En ze omhelsde hem.

Zo, met de armen om elkaar heen, liepen ze weg bij het loket. Sofía huilde; Rímini voelde een geweldige levenskracht door zijn lichaam stromen. Hij kreeg zin om met volle snelheid door de ondergrondse

276

gang van het ziekenhuis te rennen, als een krankzinnige atleet; hij dacht aan alle trappen die hij was op en af gelopen en zag zijn voeten letterlijk de treden met twee, vier, zes tegelijk verslinden. Sofía huilde en droogde haar tranen aan de mouw van Rímini's overhemd. 'Klootzak. Klootzak. Gelukkig voel ik me goed,' zei ze, 'als je het drie maanden geleden had verteld, was ik er kapot van geweest. Nu ben ik blij. Je bent een klootzak, maar ik ben blij voor je. Het geeft me... hoop. Het is allemaal zo ongelooflijk. Ik ben net twee dagen terug uit Europa, volgende week ga ik weer, vandaag gebeurt dat met Frida en nu kom ik jou tegen... Is het niet ongelooflijk? En ik ben verliefd.'

Hij heette Konrad, een Duitser uit München. Sofía liet hem een foto zien, terwijl ze hem een lift in duwde die Rímini zich niet herinnerde te hebben genomen: een gele wand met boekenkasten, boeken, maskers, en op de voorgrond, bijna overbelicht door de flits, een silhouet dat een hand naar de camera uitstrekte, groetend of als teken van protest. Hij had het idee dat hij roodharig was en dat hij een onderbroek droeg of een handdoek om zijn middel had geslagen. Het leek hem beter er niet naar te vragen. Toen de deuren van de lift opengingen, na zonder reden een paar verdiepingen omhoog en weer naar beneden te zijn gegaan, ging Konrad, die geen ouders meer had – een lawine in een wintersportplaats –, net bij Liselotte wonen, een dove en vrijgezelle tante, die een weelderig maar behoorlijk verwaarloosd herenhuis bezat, waarin ze zeven van de dertien kamers verhuurde aan studenten uit alle delen van de wereld. Sofía had deel uitgemaakt van die gemeenschap, zij het maar kort. Ze was in het huis van Liselotte – die nu, terwijl Rímini door een verlaten hal werd geduwd en Sofía familiair een heel elegante verpleegster met kapje en bril groette, niet alleen doof en vrijgezel was maar ook enkellaarsjes zonder kousen droeg, de laatste mode onder lesbiennes in het Zwarte Woud – terechtgekomen op een buitengewoon kritiek moment tijdens haar voorlaatste rondreis met Frida, na de hotelkamer die ze deelden te hebben verlaten vanwege een vreselijke discussie over de revalidatiemogelijkheden, waar zij, tegen Frida's mening in, veel vertrouwen in had, van een van de jongens van het zomerprogramma, die halfzijdig verlamd was door een zeldzame vorm van conversie-hysterie. Dat was niet de eerste keer en het zou ook wel niet de laatste zijn. Rímini wist tenslotte hoe Frida was, en hij wist ook dat niemand die een relatie had zoals Sofía en zij die al bijna twintig jaar hadden, een periode die lang genoeg was om twee vrouwen van zo uiteenlopende leeftijd vrijwel álle mogelijke vormen van emotionele uitwisseling te laten meemaken, gevrijwaard was tegen dergelijke spanningen, die, verre van een toevallige bijkomstigheid, juist de brandstof vormden voor de relatie, haar voedsel en haar kans om te ontvlammen. Sofía verbleef hoogstens een week in Pension Liselotte, zoals zij en Konrad het twee dagen na haar aankomst al vertrouwelijk onder elkaar noemden. Het was liefde op het eerste gezicht, zei Sofía, terwijl ze hem aan zijn mouw meetrok. Twee dagen in dat grote eind negentiende-eeuwse huis waren voldoende om met Konrad tot de vorm van contact te komen die de relatie tussen gastheer en gast gewoonlijk toestaat – ochtendlijke ontmoetingen in de keuken, rond het ontbijt, gezamenlijke bestudering van de plattegrond van de stad, verzoek om schone handdoeken, uitwisseling van idiomatische eigenaardigheden van de respectievelijke landen – en om te begrijpen hoezeer Konrad, die een stuk jonger was dan Sofía en de boekhouding van Pension Liselotte bijhield, door zijn tante onderworpen werd aan een waar schrikbewind, onmerkbaar of irrelevant voor iedereen behalve Sofía, die, zoals Rímini maar al te goed wist, een bijzondere neus had voor onderhuidse processen, en hoezeer het grote huis, waar op dat moment, een niet al te succesvolle periode, twaalf studenten uit de meest afgelegen streken van de planeet, van Singapore tot Quito en van Vancouver tot Athene, samenleefden, hoezeer dat grote huis met zijn goedverzorgde kamerplanten, zijn traditionele maaltijden, zijn platen met Beierse muziek die opklonk uit de in alle kamers aangebrachte kleine luidsprekers en zijn smetteloos witte, door Liselotte persoonlijk gehaakte kanten gordijntjes, in feite een compleet gekkenhuis was. De lesbische, dominante tante, de tere, ouderloze neef, het huis dat zich voordoet als een toevluchtsoord, dat met open armen ontvangt en zich daarna als een val sluit: Sofía zag de duistere logica van de situatie, terwijl ze intussen verliefd werd op Konrad, met zijn verlegenheid, zijn pokdalige gezicht, zijn oudemannenpantoffels, zijn onbehaarde borst, de lompe, dappere, ontroerende manier waarop hij woorden als *Argentinië, emotie, diepzinnigheid* en *genegenheid* uitsprak of eigenlijk meer te lijf ging. Ja, Sofía was gelukkig. Moest ze hem nog vertellen wat ze in Konrad allemaal van Rímini had aangetroffen, van de *eerste* Rímini? Nee, dat was niet nodig, zei Rímini – en hij wilde vragen waar ze waren, of ze via die gang met genummerde deuren bij de kraamkliniek kwamen, of de lichamen in bed waar hij een glimp van opving vrouwen waren die moesten bevallen... In niet meer dan één week had Sofía het gekkenhuis van Pension Liselotte volledig op zijn kop gezet. Het begon allemaal met de onschuldige vraag of de verwarming wat lager mocht. Het verzoek – dat in alle andere honderd of honderdtwintig woningen in München die kamers verhuurden aan buitenlandse studenten niet eens nodig zou zijn geweest, aangezien het midden in de zomer was met een gemiddelde temperatuur van tweeëndertig graden, een waarde waarbij tien procent van de constante hitte die de verwarming van Pension Liselotte uitstraalde al verstikkend zou zijn geweest – was de lont in het kruitvat. Hoewel het idee van Sofía kwam, was niet zij maar Konrad verantwoordelijk voor het doorgeven ervan aan de hogere kringen. Zich ten volle bewust van de explosiviteit van de situatie had Sofía hem als boodschapper uitgekozen, ten dele, zoals ze zelf toegaf, omdat ze bang was voor Liselotte, maar ook, en dat was de voornaamste reden, uit therapeutische overwegingen, om Konrad te bevrijden van het despotische pact dat zijn tante hem had opgelegd. 'Hij had haar nog nooit iets gevraagd, snap je?' zei Sofía. 'Krankzinnig gewoon, zijn tante was alles wat hij op de wereld had en hij had haar nog nooit iets gevraagd. En als hij daarmee door bleef gaan zou hij voortaan alles moeten accepteren wat zij hem gaf. En zij, wat gaf zij hem? Niets. Helemaal niets. Of toch, roodgloeiende radiatoren in de warmste zomer van de laatste vijftig jaar.'

Het was het begin van een ware revolutie. Aanvankelijk ontkende Liselotte dat de verwarming uitzonderlijk hoog stond; ze had de regelaars van de ketel die in de kelder van het huis onafgebroken brandde al twintig jaar niet aangeraakt. Later, toen Konrad bleef aandringen –

meer deed hij niet, want uiteindelijk, hoe gek en despotisch ze ook mocht zijn, hield hij van zijn tante en zou hij haar, tenzij het een kwestie was van leven of dood, voor niets ter wereld hebben willen beledigen – en haar erop wees dat het zomer was en dat ook niet mocht worden uitgesloten dat de buitentemperatuur de afgelopen twintig jaar aan enige variatie onderhevig was geweest, werd Liselotte, schijnbaar buiten zichzelf, zo woedend en agressief als Konrad haar nog nooit in zijn leven had gezien, zelfs niet toen de zoon van een van de buurtbewoners, een skinhead die volgens haar elke zaterdagavond met zijn bende leeglopers Arabische dienstmeisjes lastigviel, met een taekwondotrap de bastaardfoxterriër Kim, die al tien jaar bij haar in huis was, had doodgeschopt, en smeet ze hem praktisch de keuken uit, na hem de huid te hebben vol gescholden en hem ervan te hebben beschuldigd dat hij achter haar rug om samenspande, in haar eigen huis, in het huis waarvan hij de stand van de verwarming kritiseerde, vast en zeker opgestookt door háár, een Zuid-Amerikaanse die kennelijk alleen de bedoeling had om de enige familieband die de tragedie ongeschonden had overleefd kapot te maken en terloops haar en haar bedrijf mee te sleuren naar de ondergang. 'Samenspannen, dat is toch niet te geloven? En tot dat moment was er helemaal niets tussen ons! Nog geen kus, Rímini! Nou ja, een paar kussen zijn er wel geweest, niet in het pension maar in de bioscoop, onder *West Side Story*... Een ziek mens, een volslagen psychopate.'

Ze moesten even blijven staan. Er werd iemand vervoerd, een vrouw die zo mager was dat er in het nachthemd dat ze droeg nog wel twee vrouwen zoals zij hadden gepast, en het lukte de verpleger niet de brancard te draaien zonder af en toe tegen de muren van de gang te stoten. Rímini voelde zich duizelig worden van de spanning. 'Ik moet terug,' zei hij, of flapte hij eruit, terwijl hij zich omdraaide en naar het verre eind van de gang keek, waar een geelachtig licht – zijn laatste redmiddel – steeds zwakker leek te worden. 'Wilt u me even helpen?' vroeg de verpleger, die was opgehouden met duwen om de infuuszak die los dreigde te raken weer vast te maken. De vrouw kreunde; en meteen, zoals een gerucht zich verspreidt onder gevangenen, begon uit de kamers een aaneenschakeling van gekreun op te klinken. 'Rímini!' riep Sofía op verwijtende toon. Rímini begon tegen de brancard te duwen en dacht intussen na over manieren om te verklaren dat hij ging deserteren: 'Ik heb geen... Ik zou eigenlijk... Mijn vrouw... Kraamkliniek...' 'Dat is het andere gebouw. Het nieuwe deel,' zei de verpleger meteen, alsof hij getraind was om automatisch te reageren op alleen al het uitspreken van een woord uit het ziekenhuislexicon. Rímini duwde en kneep zijn ogen stijf dicht. Het zweet stond in zijn handen; hij liet het aluminium handvat los en zocht steun voor zijn handen op het plastic oppervlak van de brancard, waarbij hij onderweg met zijn vingers langs iets ruws, hards en volkomen doods streek. Hij deed zijn ogen open: het was een van de voeten van de vrouw, die door het schokken van de brancard bloot was komen te liggen, een voet als van steen, bekleed met een droge, korrelige huid... Rímini voelde zich misselijk worden, maar in plaats van weg te kijken stelde hij scherp op de verkrampte tenen, die allemaal tegen de dikke teen drukten, alsof ze op de vlucht waren voor een en dezelfde achtervolger, en hun toevlucht zochten bij een grote gele nagel... Hij keek op, zag het licht in de verte en kreeg weer hoop. Ze kwamen in een hal met drie liften. Terwijl de verpleger manoeuvreerde en de vrouw haar hoofd een stukje optilde, om zich heen keek en vroeg of dit de operatiezaal was, voelde Rímini hoe een sterke hand hem aan zijn kleren wegtrok van de brancard. Achter zijn rug ging een deur open en hij werd omhuld door een wolk van warme lucht. Voordat hij het goed en wel besefte rende hij op volle snelheid een trap af, achtervolgd door Sofía. 'Weet je zeker dat...?' begon hij te vragen. En zij riep: 'Kortere weg!' of iets met het woord 'korter', en toen ze op een overloop kwamen, sprong ze vijf of zes treden tegelijk af en rende hem voorbij zonder hem zelfs maar aan te raken. Ze deed een deur open – de koude lucht sloeg weer in zijn gezicht en op zijn borst – en liet hem een hal binnen die identiek was aan de hal die ze net verlaten hadden. 'Hierlangs,' zei Sofía. En toen Rímini haar volgde voegde ze er nog aan toe: 'Ze heeft hem eruit gegooid.' 'Wat?' zei Rímini. 'Ze heeft hem op straat gezet. Ik zei toch dat ze psychotisch was? We zijn naar een hotel gegaan. Arme jongen, hij kende München slechter dan ik. Een uit het nest gevallen kuikentje. Mijn Kaspar Hauser, zou jij zeggen. Lach maar, Konrad was nog maagd. Ken jij iemand die op zijn vijfentwintigste nog maagd is? 123, 125, 127, we zijn er. Ik ben verliefd geworden, Rímini. Smoorverliefd. Tegen jou kan ik niet liegen. 131... Nu weet ik niet meer of het even of oneven was. En weet je wat het geweldigste was? Dat we niet met elkaar spraken. Ik versta bijna geen Duits en hij kent geen woord Spaans. Net of we de hele tijd naakt waren. Liefde, Rímini. Jij weet wel waar ik het over heb. Pure liefde.' Sofía bleef staan bij de halfopen deur van een kamer. Ze hief met een weemoedig gebaar haar hand en streek met de rug van haar vingers over zijn gezicht. 'Zo ongeveer als wij ooit... toch?' Ze kuste hem heel snel op zijn lippen, zoals je iemand kust die slaapt en die je niet wakker wilt maken, en daarna, terwijl ze voorzichtig de deur openduwde: 'Hij is nog steeds maagd. We konden ons er niet toe zetten. En bovendien, we hebben de tijd, nietwaar? Hij neemt nu zangles. Toen ik hem leerde kennen heb ik tegen hem gezegd: "Jij zingt vast." "Nee," zei hij. Ik zei: "Dat kan niet. Jij moet zingen."' 'Sofía?' riep een stem vanuit de kamer. 'Kom, ga maar mee naar binnen,' fluisterde Sofía, terwijl ze hem de kamer introk. 'Ze vindt het vast leuk je te zien.'

Hij herinnerde zich haar in vergrotende trap: bleker, groter, bedreigender. Maar zo kwamen de meeste dingen boven in zijn herinnering, niet alleen Frida Breitenbach. En hoewel ze in bed lag – zij het niet helemaal plat, want, zich bewust van de aanblik van zwakte die ze liggend zou hebben geboden, had ze de moeite genomen eerst Sofía en daarna de verpleegster ervan te overtuigen de ruggensteun een beetje omhoog te zetten, zodat ze om te praten niet steeds als een stervende naar boven hoefde te kijken – bezat alles aan Frida, haar met de jaren gekrompen lichaam, haar door de val gehavende gezicht, en vooral haar altijd heldere en levendige ogen, als ingelegd in de plooien van het vlees, en de kwabben vet waarin haar gezicht, ter hoogte van haar kaak, op haar hals en, nu ze half zat, op het bovenste deel van haar borst leek te hangen, nog steeds dezelfde arrogantie, boosaardige scherpzinnigheid en afstandelijke, tegelijk energieke en beschouwelijke fijngevoeligheid die Rímini twaalf jaar lang in een staat van voortdurende waakzaamheid hadden gehouden, opgebouwd uit gelijke doses fascinatie, afwijzing en behoedzaamheid. Gehavend en wel, overgeleverd aan doktoren, verpleegsters en diagnoseapparaten, drie dingen waarin ze nooit had geloofd en die ze, in zekere zin, haar hele leven had bestreden, bleef ze dezelfde vrouwelijke Boeddha die jarenlang als vast middelpunt van een schijnbaar oneindig melkwegstelsel van lijdenden de bijeenkomsten in het appartement aan de calle Vidt geïnspireerd had.

Rímini keek om de hoek en zag haar eerder dan zij hem kon zien, omdat ze druk bezig was Sofía, die op het bed toe liep, te doorboren met een van haar befaamde verwijtende en minachtende blikken, onheilspellende bliksemschichten die haar leerlingen, en soms, als ze door een of andere onvergeeflijke zwakheid de principes van de discipline verraadden, zelfs haar patiënten nagenoeg verlaagden tot een staat van slavernij die maanden kon duren. 'Mag ik misschien weten wat...?' vroeg ze, zich tot Sofía richtend, en naarmate de woorden aan haar lippen ontsproten zag Rímini hoe haar hele gezicht vibreerde en begon te trillen, en ongetwijfeld zou ze haar onder beledigingen hebben bedolven als Rímini, die met zijn knie tegen de poot van het bed stootte, niet midden in de zin haar aandacht had getrokken. Een fractie van een seconde bevond Rímini zich in het blikveld van haar woede. Het was maar een ogenblik – minder nog: de tijd tussen twee ogenblikken. Want zodra ze hem herkende, maakte de grimas waarin haar mond vertrokken was plaats voor een brede, gelukzalige glimlach en spreidde Frida haar armen om hem te verwelkomen. 'Lieverd,' zei ze ontroerd, terwijl ze hem tegen zich aan drukte en Rímini op zijn beurt de zijkanten van het matras omhelsde, waarbij zijn vingertoppen pervers in de naden van de katoenen lakens bleven hangen. 'Lieverd van me,' herhaalde ze, hem van zich af duwend om hem beter op te kunnen nemen, en hij rook hetzelfde ranzige, vochtige parfum dat hij twee jaar eerder bij Sofía had geroken toen ze hem midden op straat had gekust. 'Dat je van die harpij gescheiden bent, gaf je nog niet het recht om mij te verlaten.' En meteen daarop, alsof ze weer tot zichzelf kwam en zich ineens, op hetzelfde moment, haar eigen aanblik en haar behaagzucht herinnerde: 'Ga weg, kijk niet naar me.' En ze verborg de gehavende helft van haar gezicht, die Rímini door het zwakke licht in de kamer nog niet had kunnen zien, in het kussen. 'Ik zie er beslist uit als een monster.' 'Heb je pijn?' vroeg Sofía. 'Nee,' zei Frida, 'ik voel niets. Geen pijn, niets. Zou dat het begin van de dood zijn? Kom,' zei ze, een hand naar Rímini uitstekend en hem naar zich toe trekkend, 'vertel eens, waar ben je al die tijd geweest?' Rímini ging op de rand van het bed zitten. Sofía antwoordde: 'Hij krijgt een kind.' 'Praat geen onzin,' zei Frida, terwijl ze Rímini een zacht tikje op zijn rechterwang gaf. Rímini voelde zich op een vreemde manier ongemakkelijk: het was alsof Frida hen tot één enkel wezen had samengesmeed, waarbij Sofía de stem was en Rímini het lichaam. 'Een kind? Van wie? Wat moet jij nou met een kind. Zo jong, zo intelligent, zo prachtig. Wil je alles kapotmaken voor een kind?' Ze schudde hem krachtig door elkaar; hij meende in haar ogen een felle boosaardige schittering te zien en deinsde terug. Frida liet zich achterover op bed vallen: ze ademde moeizaam. 'Ga de zuster halen,' zei ze. Sofía boog zich voorover naar het bed: 'We kunnen toch bellen.' 'Schiet op, ga de zuster halen, zeik niet zo,' schreeuwde Frida. Ze leek zich te verslikken en begon te hoesten. Zodra Sofía weg was, tilde Frida haar hoofd op en keek Rímini strak aan. 'Jullie waren zo mooi. Hoe oud waren jullie? Zeventien? Achttien? Ik weet nog dat ik de eerste keer dat Sofía je meenam naar Vidt dacht: ze zijn zo mooi dat je ze zou moeten verminken. Wat ben ik een dwaas geweest. Waarom heb ik dat niet gedaan? Dan zouden jullie vandaag nog bij elkaar zijn. Net genoeg laten bloeden op het juiste moment: dat is het geheim van de onsterfelijkheid. Jammer. Ik ben altijd te gevoelig geweest voor schoonheid: dat is mijn karma. Maar jullie, misdadigers, wat deden jullie? Jullie besloten normaal te zijn. Normaal! Jullie besloten de cel open te breken, je los te maken om te ademen, verliefd te worden op anderen... Stelletje middelmatigen. Jullie hadden het recht niet. Jullie waren werelderfgoed. Als de samenleving rechtvaardig zou zijn, of niet rechtvaardig maar, laten we zeggen, intelligent, dan zouden de jongeren allemaal slaven moeten zijn, slaven van de ouderen, en onderworpen moeten zijn aan hun blikken, hun grillen en zelfs hun geweld, totdat de eerste tekenen van bederf zich aandienen. Dan pas zouden ze vrij zijn. "Vrij."

284

Als iemand die wegrot tenminste vrij kan zijn. Hoe oud ben je nu? Dertig? Tweeëndertig? Te laat. Veel te laat,' jammerde ze, en ze begon met allebei haar handen op zijn borst te slaan. 'Wat heb je van je leven gemaakt, ellendeling? Je bent alles kwijtgeraakt! Jullie hebben alles verkwist! En nu je een kind krijgt, denk je zeker dat je weer jong wordt, hè? Dat je opnieuw kunt gaan leven. Arme dwaas. Heb je daarom alles opgegeven? Voor een kind? Er zijn geen kinderen, luister goed. *Er zijn geen kinderen.* Er zijn foetussen – als er nog tijd is om tot inzicht te komen – en er zijn parasieten – als het al te laat is. Wil je weten waar de volgende jaren van je leven beschreven staan? Op de tieten van je vrouw. Op de tepels van de tieten van je vrouw. Het vlees liegt niet. Dat vlees is je horoscoop. Onthou maar wat ik zeg. Alles droogt uit, Rímini. Heb je gezien wat er van een pruim overblijft als je hem in de zon legt? Wat eens vruchtvlees was, verwordt tot stof. Wat eens huid was, scheurt open en breekt. Er blijft niets te zuigen over, Rímini. En het leven? denk je dan. Het leven, dat is door de kleine meegenomen, stuk onbenul. Mijn god, hoe konden jullie... Je bent nog altijd prachtig. Je zou nog altijd voor jong kunnen doorgaan. Maar mij hou je niet voor de gek. Ik heb je gekend toen je echt jong was. Ik heb van je jeugd genoten, Rímini. Na afloop van de eindejaarsbijeenkomsten, als iedereen vertrokken was, bleef ik vaak doodop, onderuitgezakt in de fauteuil in de woonkamer zitten, trok mijn schoenen uit en dacht aan jullie terug: aan hoe jij binnenkwam, zo goed gekleed, zo ouderwets, altijd licht blozend, altijd een beetje verborgen achter Sofía, Sofía die erin toestemde je te verbergen zonder er iets voor terug te vragen, zonder te protesteren, met haar met waterstofperoxide gebleekte snorretje, met haar zachte huid, de mooiste huid die ik in mijn leven gezien heb, en zo, terwijl ik aan jullie terugdacht, masturbeerde ik in de fauteuil, met opgetrokken rok, omringd door borden met etensresten, asbakken vol peuken, vuile glazen, servetjes met afdrukken van chocola, koffie, lippenstift – treurige overblijfselen van een orgie die nooit had plaatsgevonden en waarvan jullie tweeën, engelen, mijn idolen, mijn beulen, mijn delicatessen waren geweest.'

285

9

Maar die nacht was er een kind, een glanzend, glibberig diertje, paars als een pruim, dat zijn hoofd tussen de benen van zijn moeder uitstak en met onderzeese soepelheid in de handen van de vroedvrouw gleed, en daarna, terwijl Carmen, nog van slag door de narcose, schreeuwend eiste dat iemand haar eindelijk vertelde of het leefde, ging het van hand tot hand als een magisch, heel broos of heel gevaarlijk voorwerp, totdat het in de armen belandde van de kleine, licht aangeschoten man die er over zou waken gedurende de vijfendertig dagen die het op de intensive care van het ziekenhuis zou doorbrengen, slapend in een tent van kunststof onder de rode, vagelijk Martiaanse straling van een lamp die twee keer zo groot was als zijn hoofd. Het huilde niet, en Rímini was te verdwaasd om te vragen waarom. Hij stelde zich ermee tevreden toe te kijken hoe het kind met de specialist verdween, alsof die handeling, ondanks het feit dat het indruiste tegen alle clichés die Rímini altijd had geassocieerd met het moment na de bevalling, deel uitmaakte van een of ander protocol dat hij niet kende – vermoedelijk het centrale thema van een van de lessen uit de cursus 'Voorbereiding op de bevalling' die door de voortijdige komst van de baby was afgebroken –, even ondoorgrondelijk en doeltreffend als een keizerlijk ceremonieel, en tien minuten later, toen hij het terugzag, inmiddels verbannen naar zijn kleine doorzichtige cel, voelde Rímini dat zijn benen trilden. Hij zocht steun bij iets stevigs en kneep er met kracht in om niet te wankelen. 'Au!' schreeuwde de anesthesiste, 'dat is mijn schouder!' Rímini trok zijn hand terug en keek naar de piepkleine monarch. Hij lag op zijn buik, op de linkerkant van zijn gezicht, zijn opvallend glinsterende ogen wijd opengesperd. Rímini liet zich opzuigen door die donkere pupillen: hij zou hebben gezworen dat de baby naar hen keek, en de diepzinnigheid en lijdzaamheid die hij in die blik meende te zien, zowel onverklaarbaar als bedreigend, maakten hem op een vreemde manier bang en gaven hem het gevoel dat datgene waarvan hij zojuist getuige was geweest geen doodnormaal ritueel was, zoals dat door de menselijke soort elke seconde, overal ter wereld wordt voltrokken, maar iets heiligs, een esoterische ceremonie die iedereen die eraan had deelgenomen ertoe verplichtte een of andere mysterieuze eed van trouw of stilzwijgen af te leggen. Ze bleven alle drie een hele tijd zo staan en keken elkaar bewegingloos aan. Zelfs de artsen dempten hun stem. Totdat de specialist zei: 'De reflex van de schermer.' Rímini keek hem verbijsterd aan; de arts wees op de houding van de baby: de rechterarm naast het hoofd en de linker tegen het lichaam gedrukt, het rechterbeen gestrekt en het linker gebogen in een hoek van negentig graden. Een volmaakt zwaardvechter. 'U heeft gelijk,' mompelde Carmen, en ze sloeg haar ogen op naar Rímini om haar bevestiging met hem te delen. Rímini keek haar niet aan: hij had zojuist ontdekt dat dit de houding was waarin hij zijn hele leven had geslapen.

Die avond was het ongewoon warm. De hemel kleurde plotseling rood en beloofde een onweer dat nooit kwam. Korte tijd later stak er een zachte, aangename bries op, de rossige laag die de nacht bedekte loste op en de sterren begonnen te fonkelen. Het was alsof de wereld zich zonder enig uiterlijk vertoon, onmerkbaar, met een verbazingwekkende voorkomendheid had vernieuwd. Het ziekenhuis was gelukkig net zo gemakkelijk met het naleven van de bezoekuren als met de bewegwijzering, zodat de kleine horde familieleden die Rímini vanuit de telefooncel op de benedenverdieping had gewaarschuwd de kamer zonder al te veel belemmeringen op stelten kon zetten. Zoals te voorzien was, stak Rímini's vader de draak met de verpleegsters, vooral met hun uniform en hun tweekleurige schoenen, en spreidde hij de grootmoedigheid, het enthousiasme en de achteloosheid tentoon waaraan zijn zoon inmiddels gewend was, al werden die dit keer nog versterkt door de dramatische nuance van de voortijdige bevalling en de zestienhonderdzeventig gram die de baby bij zijn geboorte had ge-

287

wogen. De fles champagne – van vijf liter – was lauw en bruiste niet meer, de reep pure chocolade – Duits – was reusachtig maar bij aankomst volledig gesmolten, en het twintigtal tuberozen waaronder Carmen bijna bedolven werd en die de kamer vulden met een weeë lucht, waren verwelkt en uitgedroogd, alsof ze net een lange reis door de woestijn achter de rug hadden. (Maar wat was Rímini opgelucht toen zijn vader hem, met een vertrouwelijk gebaar, als van een kleine gangster of valsspeler, apart nam, meetroonde naar de badkamer en, met zijn rug naar de deur om de doorgang te blokkeren en tegelijk de operatie met zijn eigen lichaam aan het zicht te onttrekken – een louter theatrale voorzorgsmaatregel, omdat niemand hen kon zien –, hem een envelop met geld overhandigde om de anesthesiste, de vroedvrouw en de verloskundige te betalen.) Daarna kwamen de ouders van Carmen. Ze huilden een tijdje, haalden een paar anekdotes op uit de kindertijd van hun dochter en net toen ze erover dachten het zich gemakkelijk te maken, waarbij de vader zelfs al aanstalten maakte voor een heimelijke *raid* op een aangrenzende kamer om stoelen te bemachtigen, nam het enthousiasme van Rímini's vader, altijd gevoelig voor de sportieve kant van de emotie, plotseling een hogere vlucht en veranderde in euforie, een jeugdige, ongegeneerde euforie, op het schaamteloze af, doorspekt met grapjes, ontboezemingen en gevatte opmerkingen, waarmee hij hen zo intimideerde dat ze zich gedwongen zagen te vertrekken. Korte tijd later stormden twee vriendinnen van Carmen de kamer binnen, met de dienbladen met broodjes en drankjes die Rímini hun een halfuur eerder had gevraagd te gaan halen. Ze aten, dronken, lachten ongeremd. Ze zeiden maar weinig over de baby en bijna helemaal niets over de bevalling. En in het weinige dat ze durfden te zeggen – vooral Carmen, op de top van een maniakale golf – werd de bevalling voorgesteld als een soort bovenmenselijke heldendaad. Carmen had het overleefd, de rest was van geen enkel belang. Af en toe kwam er een verpleegster binnen, niet zozeer om ze terecht te wijzen als wel om enige nuance aan te brengen, want haar aanwezigheid viel meestal samen met de momenten waarop de uitgelaten stemming moest zwichten voor uitputting, en om ze te herinneren aan bepaalde clausules uit het ziekenhuisreglement, streek de sprei glad die de bezoekers bij het gaan zitten hadden verkreukeld en vertrok weer, met medeneming van het papier van de bloem, de lege flessen en de asbakken vol peuken. Ze besloten de baby te vergeten, hem uit hun geheugen te wissen, om de illusie te hebben een avond samen te zijn, vermoedelijk de laatste. Alleen zo, door de monarch heel even uit hun gedachten te zetten, zouden ze het lange leven van ondergeschikten dat ze voor zich hadden het hoofd kunnen bieden. En toen de bezoekers weggingen, was de kamer leeg en hoorden ze hun eigen vermoeide stemmen opnieuw weergalmen tussen de vier muren. Carmen liet zich languit op bed vallen en Rímini ging, zonder zich uit te kleden, naast haar liggen, in tegengestelde richting, met zijn hoofd aan het voeteneinde en zijn voeten aan het hoofdeinde, en zo bleven ze een tijdje nagenieten van de opperste verrukkingen van de vermoeidheid, terwijl de eerste ochtendbries het gordijn voor het raam zacht deed wapperen en het vriendelijke geluid van een gesprek tussen artsen, een radio, het krakende open- en dichtgaan van kastdeuren met zich meevoerde. Ze vergaten de baby en op een gegeven moment begonnen ze allebei, zonder een woord te zeggen, volledig gelijktijdig, te huilen, met een euforische troosteloosheid, en riepen hardop, met de enigszins gemaakte geestdrift waarmee we iemand uitkiezen en zijn eerste verleden scheppen, het beeld in herinnering van de schermende prins die hen onderzoekend opnam en welkom heette vanaf zijn troon.

Het was laat, het begon al bijna licht te worden toen Rímini één oog opende en het bleke gezicht van Víctor om de hoek van de deur zag kijken. Carmen sliep nog. Rímini dacht dat hij droomde en strekte zich weer uit tegen haar benen, totdat hij voelde dat er aan zijn schouder geschud werd. 'Víctor,' zei hij, 'hoe laat is het?' 'Ik weet het niet,' zei Víctor. Ze omhelsden elkaar langdurig. Víctor rook naar sigaretten, naar afzondering, naar die onaangename mengeling van geuren die begrafenissen in je kleren achterlaten. 'Kom, dan gaan we naar buiten,' zei Rímini, terwijl hij zich oprichtte in bed en zich in allerlei bochten wrong om Carmen niet wakker te maken. In het schemerdonker van de gang meende Rímini, nog wat verdwaasd, op het gezicht van Víctor een vreemde gespannenheid te bespeuren, het soort inspanning dat slechte simulanten verraadt. Hij nam hem aandachtig op. Zijn ogen waren rood en op zijn wang zat een donkere vlek, als van inkt. 'Hoe is het gegaan?' vroeg Víctor, met een handpalm over Rímini's borst wrijvend. Rímini, uit zijn evenwicht gebracht door de aanraking, wankelde licht en kaatste met zijn rug tegen de muur alvorens terug te keren naar zijn oorspronkelijke houding. 'Goed,' zei hij. Hij dacht: goed? Hij herhaalde: 'Goed.' Zijn stem klonk mechanisch. 'Het moet al heel laat zijn. Of heel vroeg. Ik snap niet dat ze je binnengelaten hebben,' zei hij. 'Is ie daar, bij jullie?' vroeg Víctor. Rímini schudde zijn hoofd. 'Couveuse,' zei hij. Víctor hoorde het woord 'couveuse' maar reageerde niet bezorgd: hij was er met zijn gedachten niet bij. 'Hij kan nog niet zelfstandig ademen,' legde Rímini uit. 'Er is iets in zijn longen, een of ander vlies of zo, wat nog niet volgroeid is...' Ze zwegen even. Toen omhelsde Víctor hem opnieuw, met een enigszins theatrale abruptheid. Rímini werd misselijk van de geur van zijn kleren en maakte zich bruusk, bijna vijandig los uit zijn omhelzing. 'Wat is er, Víctor?' Víctor aarzelde. Het drong tot Rímini door dat hij een of andere afweging maakte. 'Víctor,' herhaalde hij, om hem onder druk te zetten. 'Sofía heeft me gebeld,' zei Víctor. 'Frida is dood. Ze heeft een hartinfarct gekregen toen ze naar de röntgenafdeling werd overgebracht. Een zwaar infarct. Zo eentje waarbij het hart scheurt, afschuwelijk. Sofía was alleen en belde me op. Ze wilde dat ik kwam. Later kwamen haar zus en een paar leerlingen en patiënten langs. En nog weer later zaten we samen in een bar koffie te drinken, en ineens slaat Sofía zich tegen het voorhoofd en zegt: "Rímini!" En ze vertelt me alles. Ze vermoedde dat tegen die tijd de baby al wel geboren zou zijn. Ze wilde je opzoeken, Rímini. Met de overlijdensverklaring van Frida in haar hand. Ik zei dat ze gek was. "Je hebt gelijk," zei ze. "Laten we samen gaan." Ik heb haar twee druppels Rivotril gegeven, in een taxi gezet en zelf een andere genomen om haar te laten geloven dat ik ook wegging. Drie straten verderop heb ik de taxichauffeur gevraagd om te keren en me weer hierheen te brengen. Omdat ze me bij de ingang al kenden hebben ze me doorgelaten. Hebben jullie al besloten hoe hij gaat heten?'

Nee, dat hadden ze nog niet besloten. En als Rímini het zich tien maanden later, in de zon op het terras van een café, kon veroorloven om met een luidkeels 'Lucio, nee!' te verhinderen dat Lucio – een schattige, aan geheugenverlies lijdende en buitengewoon stijfkoppige versie van de schermende prins, die, onder het voorwendsel van het bestrijden van geelzucht, zijn eerste levensmaand had doorgebracht met bruin worden in zijn solarium op wieltjes – een van zijn typische gecombineerde tussendoortjes in zijn mond stak, een van de grond opgeraapt sigarettenpeukje, een kapot suikerzakje – waarvan een deel al was uitgestrooid op de voorkant van zijn kruippakje –, een smakeloze fopspeen en het bonnetje, al flink doorweekt met speeksel, van de koffie die Rímini al minstens tien minuten probeerde op te drinken, dan kwam dat niet zozeer omdat ze op een bepaald moment hadden besloten een besluit te nemen, en ook niet omdat hij, de voornaamste pleitbezorger van de naam Lucio, erin geslaagd was zijn zin door te drijven en rivaliserende kandidaten als Antonio of Vicente te verslaan, maar eerder omdat de dagen begonnen te verstrijken en op het kaartje met hemelsblauwe rand dat aan de couveuse hing nog steeds alleen maar *Rímini* stond, en Rímini, die de tijd die Carmen in een kamertje op de intensive care bezig was met kolven, doodde door gesprekjes aan te knopen met de verpleegsters, de specialist en de ouders van de andere baby's die in de aangrenzende plastic tenten lagen te dommelen, van wie sommige bij hun geboorte minder dan vijfhonderd gram wogen en ternauwernood groter waren dan de teddybeertjes waarmee hun ouders het verblijf in de couveuse probeerden te veraangenamen, de naam Lucio bijna terloops begon te gebruiken, door hem midden in een willekeurige zin te laten vallen, alsof hij al die mensen, die tenslotte de meeste tijd met de baby doorbrachten, duidelijk wilde maken dat hij altijd al Lucio geheten had, zodat het na drie maanden opname, toen Rímini en Carmen zich al deel voelden uitmaken van een nieuwe gemeenschap en de rituelen van het bezoek aan de intensive care – elke ochtend op de bel drukken om binnen te mogen, wachten, handen wassen met desinfecterende zeep, schort en mondkapje voor, witte stofzakken om de schoenen – gewoon een routine waren geworden, niet meer nodig was dat Rímini opnieuw ten aanval trok om de positieve eigenschappen van de naam die hij voorstelde op te hemelen, omdat alle andere leden van de gemeenschap, volmaakte onbekenden wier gezichten en stemmen in de loop van de tijd echter bekender, vertrouwder en vriendschappelijker waren geworden dan die van hun eigen ouders of vrienden, hem inmiddels Lucio noemden, volkomen natuurlijk, alsof er in de wereld geen andere naam bestond.

Tegen al zijn angsten in, die trouwens door de voortijdige bevalling nog waren versterkt, bleek vader-zijn voor Rímini een van die verborgen vaardigheden die, zolang de ons omringende wereld ze niet van ons eist, vaak onherkenbaar zijn voor onszelf, maar die later, opgeroepen – of liever, zoals hij graag wilde geloven, *ingeroepen* – door de simpele aanwezigheid van een nieuwe uitwendige prikkel, plotseling in het oog springen en zich met een wonderbaarlijke doeltreffendheid ontplooien, pronkend met de bekwaamheid en de waaier van mogelijkheden waarvan we altijd gedacht hadden dat we die niet bezaten. Vader-zijn, dacht Rímini, was net zo willekeurig, net zo onafhankelijk van je eigen wil als in tongen spreken – wat nogal wat wilde zeggen voor iemand die met dezelfde vanzelfsprekendheid en met hetzelfde gemak waarmee hij zijn vader imponeerde door zijn kind met één hand een schone luier om te doen, geleidelijk afstand deed van de talen die tot voor kort zijn roeping, zijn voornaamste voorwerp van belangstelling en zijn bron van inkomsten waren geweest. Rímini verloor zijn talen zoals iemand zijn huid verliest: soms meer, soms minder, elke dag een beetje. Het schrijnende gevoel, in het begin nog hinderlijk, verdween al snel. De huid genas, het gebied met rauw vlees werd afgedicht door een laag dood weefsel. Het proces was weliswaar pijnloos maar ook onomkeerbaar. Hadden de zeven maanden van Carmens zwangerschap de aanwezigheid van de kwaal, die Rímini sinds de affaire São Paulo *mijn vroegtijdige taalkundige Alzheimer* was gaan noemen, verdoezeld en discreet naar de achtergrond geschoven, alles wat daarna kwam – de geboorte van Lucio, zeker, maar vooral hun onderdompeling in een proces van algehele hospitalisatie, waarvan ze de regels vanaf nul moesten leren, iets wat ze aanvankelijk ondergingen zoals gevangenen de richtlijnen van de gevangenis ondergaan waarin ze net zijn opgesloten, maar wat ze al snel dankbaar aanvaardden, aangezien Rímini en Carmen alles wat beginnende ouders gewoonlijk al doende leren, reagerend op elke noodsituatie waarmee pasgeborenen het gezinsevenwicht op de proef stellen, daarbij toevallig de juiste keuze makend of zich rampzalig vergissend, of meekrijgen van degenen die al ouders zijn, te beginnen met hun eigen ouders, in dit geval de grootouders, die, als ze al ooit iets geweten hebben van die beginfase van het nakomelingschap, inmiddels alles vergeten zijn, leerden van het leger professionals waarmee ze tijdens de hele opname van Lucio samenleefden – zorgde ervoor dat die praktisch volledig verdween, alsof het alleen maar een boze droom was geweest.

Totdat ze op een stompzinnige middag, een van die middagen die we, als we er later op terugkijken, probleemloos tussen duim en wijsvinger zouden kunnen pakken, uit ons leven verwijderen en in de prullenbak gooien, plotseling op het idee kwamen naar de bioscoop te gaan. Ze hadden net buitenshuis geluncht. De middag was niet alleen stompzinnig maar ook koud en vijandig. Lucio was uiteindelijk tegen de borst van Rímini in slaap gevallen. Ze slenterden lusteloos, alsof ze te weinig conditie hadden, door het centrum, namen besluiten die ze meteen weer bijstelden, totdat ze ongewild stuitten op de bingohallen, de kledingwinkels die uitverkoop hadden, de geur van frituurvet, de geüniformeerde reclamemeisjes en de invaliden in de calle Lavalle. Na anderhalf jaar niet naar de film te zijn geweest, was het enige wat ze zagen, tot tranen toe geroerd van verwondering, de aanplakborden van de bioscopen. Ze zouden overal naar binnen hebben kunnen gaan, ten prooi als ze waren aan de overmoed, het gebrek aan onderscheidingsvermogen en de gretigheid waardoor mensen die onder normale omstandigheden veeleisend zijn, bevangen worden als ze een eind maken aan een lange periode van onvrijwillige onthouding. Rímini wees actiefilms echter resoluut van de hand. Hij was bang dat Lucio, met zijn vier maanden, wakker zou worden uit een gelukzalige slaap en dat de tot het formaat van een donkere, vochtige doos gereduceerde wereld hem zou verwelkomen met een mitrailleursalvo of een in de lucht vliegend benzinestation. Na te zijn bezweken voor de bedrieglijke verleidingen bij de ingang ('Het meest gewaagde van de nieuwe Franse cinema' stond er op een handgeschreven plakkaat), gingen ze, voorafgegaan door de zaklamp van de ouvreuse, een aftandse zaal binnen en lieten zich onder gekraak van de oude houten vloer gelijktijdig op de piepende stoelen zakken, in een staat van buitengewone betovering, als boeren die zijn overgeplant naar de stad, en toen ze hun ogen durfden op te slaan en het reusachtige beeld van het dienstmeisje zagen, met haar korte, wit gespikkelde zwarte schortje, de plumeau onder haar oksel geklemd, neuzend in de enige verboden la van de commode in de slaapkamer van haar baas – de film was al begonnen –, zochten hun handen elkaar in het donker, glijdend over de armleuning vol splinters – Carmen onderdrukte een kreet van pijn –, en verstrengelden zich in een bewogen omhelzing, vrijwel op hetzelfde moment als waarop daar voor en boven hen, op het witte doek, dat zo nu en dan enkele knetterende geluiden van protest uitzond, de vrouw van de baas, die heimelijk de slaapkamer was binnengekomen, in de la, op een zijdezachte ondergrond van lingerie, haar vingers vervlocht met die van het dienstmeisje. Maar plotseling vulde het beeld zich met haren, wormen of strepen en verschenen er opzwellende luchtbellen, en de bewegingen van de acteurs haperden, alsof iemand de overgangen die elk gebaar met het vorige verbond had weggesneden, en toen de handeling haar hoogtepunt bereikte – het dienstmeisje duwde haar mevrouw, na het kruis dat om haar hals hing te hebben afgerukt, op het bed; de vrouw spreidde haar benen, vertrok haar mond tot een bittere grimas en stroopte met haar ene hand de zoom van haar rok op, terwijl ze met de gretige vingers van haar andere hand de gebloemde sprei verfrommelde –, leek de film te stokken en af te breken, een zwart vierkant maakte het tijdelijk onmogelijk het verhaal te volgen, nog meer strepen, nog meer wormen, nog meer haren, klappen – alsof iemand spuugde vlak bij een microfoon –, en toen zich op het doek weer bepaalde min of meer herkenbare vormen begonnen af te tekenen, enigszins versneld, alsof ze zich bewust waren van de noodtoestand die moest worden bezworen, was de tijd al verstreken en het verhaal verdergegaan – een ketel floot, een strandwacht patrouilleerde langs een strand, twee mannen brachten een toost uit in een restaurant vol plastic planten, de zon kwam op of de avond viel, een stoplicht sprong van groen op oranje, iemand haalde een grijs pak van een kleerhanger. Rímini, die in elke andere omstandigheid – en om veel minder – op de kassa zou zijn afgestormd om zijn geld terug te eisen, zakte onderuit in zijn stoel, voelde hoe het gewicht van Lucio oploste in het welbehagen van zijn eigen lichaam, genoot van de warmte, de afzondering en de muffe geur van de bioscoop alsof het privileges waren, en gaf zich over aan de wispelturige voortgang van de film, waarvan het springerige verloop hem even bekoorlijk voorkwam als de onvolkomenheden van primitieve kunst.

Hij had niet eens gemerkt dat de film in het Frans was. Dat drong pas tot hem door toen het beeld plotseling een stuk naar beneden zakte en de twee regels van de ondertiteling zich terugtrokken in de zwarte onderrand van het doek. Op dat moment realiseerde hij zich dat hij alles wat hij tot dan toe begrepen had alleen maar begrepen kon hebben dankzij de ondertiteling. Zonder die vertaling, met alleen de stemmen, die nog altijd Frans spraken, merkte Rímini dat de taal hem absoluut niets zei. 'Kader!' schreeuwde iemand twee rijen voor hen. Rímini keek naar Carmen. Haar onbewogen gezicht maakte hem radeloos. Hoe...? Het was duidelijk: Carmen begreep de woorden zonder dat ze die hoefde te lezen. Degene die overal verstoken van bleef was hij; híj, alleen híj, miste alles wat er gezegd werd. Hij stond op, ontweek een paar knieën, een open koffer en een paraplu, rende door het gangpad naar de smalle streepjes licht die tussen de deuren door sijpelden, verliet de zaal – de verkoper van snoepgoed keek hem in slow motion met een runderachtige verbazing aan – en barstte tien seconden later, met zijn armen om zijn slapende zoon, op een van de toiletten in huilen uit, starend als door de natte voorruit van een auto naar de bedenkelijk geïnspireerde rotstekening die iemand op de deur had achtergelaten: een dikke pik, van voren gezien, waar uit de op Rímini gerichte eikel een paar druppeltjes sperma opwelden die zich samenvoegden en een telefoonnummer vormden.

Het was een van die korte crises die binnen een seconde tot uitbarsting komen en weer oplossen. Lucio, in zijn slaap gestoord of misschien aangestoken door zijn vader, begon op zijn beurt te huilen, en Rímini bedwong zijn tranen, mogelijk uit schaamte of, in overeenstemming met een mysterieuze regel die niemand hem had opgelegd maar waar hij zich aan hield alsof die heilig was, omdat hij deel uitmaakte van die reeks tegelijk vage en dwingende voorschriften en verboden die hem voor ogen stonden telkens wanneer hij aan het vaderschap dacht, alsof er geen ruimte in de wereld meer was om een vader tegelijk te laten huilen met zijn zoon. Hij voelde heimwee, heimwee en angst. Wat nog meer? vroeg hij zich af. Welke andere dingen zou hij niet meer doen in aanwezigheid van zijn zoon? Tot wat voor heimelijk bestaan was hij veroordeeld? Het was de laatste crisis. Toen ze uit het toilet kwamen, glimlachte Lucio alweer. De film was afgelopen; Carmen liep rusteloos de hal op en neer – ze had pas gemerkt dat ze alleen was toen de lichten in de zaal weer aangingen –, terwijl twee of drie avondmasturbeerders als kraaien om haar heen zwermden. Rímini zag hoe het glimlachende roze tandvlees van hun zoon heel even het gezicht van de moeder deed oplichten en hij had het gevoel dat hij voor het eerst, aan den lijve zoals dat heet, de betekenis van de uitdrukking *vlees van mijn vlees* begreep, een uitdrukking die hij vroeger weliswaar aantrekkelijk had gevonden maar toch altijd met een zekere afstandelijkheid vanwege het vagelijk religieuze karakter. Maar wat hij meende te geloven was niet de gangbare betekenis van de uitdrukking – de voor de hand liggende vleselijkheid die een kind met zijn biologische ouders verbindt – maar iets geheimzinnigers en ondoorgrondelijkers, of in elk geval iets onverwachters: dat het simpele feit dat ze samen een kind hadden verwekt hen, Rímini en Carmen, veroordeelde tot het delen van hetzelfde vlees, zodat van nu af aan – Rímini voelde een korte, niet geheel onaangename duizeling – elke invloed die Lucio op Carmen uitoefende ook effect zou hebben op Rímini, en elke op Rímini uitgeoefende invloed evenzeer, en op hetzelfde moment zijn uitwerking zou hebben op Carmen.

Een heel nieuwe wereld ontvouwde zich voor zijn ogen en omhulde hem, hem dwingend een eindeloos aantal onbekende wetten te leren en zich daaraan te onderwerpen. Hoe ver weg waren de woorden, de talen, de te midden van woordenboeken doorgebrachte uren. Het was alsof alles niet zozeer toebehoorde aan een andere tijd maar aan een ander leven... Rímini besloot zich gewonnen te geven. Hij bleef vervellen, ja, maar het kon hem niet meer schelen, en de laatste taalflarden die hij achterliet verdwenen in stilte, bijna zonder dat hij het merkte, even onzichtbaar als de miljoenen cellen die het lichaam elke nacht op de lakens achterlaat, dood vlees, inderdaad, maar ook onbeduidend vlees, ten dele omdat het lichaam dat ze voorgoed achter zich laten nooit van hun bestaan heeft geweten, ten dele omdat het feit dat het lichaam bij het wakker worden volkomen normaal, ook zonder hen verder leeft, bewijst dat ze volledig overbodig waren. Vlees van mijn vlees.

Hoewel hij weer bij nul moest beginnen, voelde Rímini zich geweldig, superieur, onkwetsbaar. Vier maanden na de geboorte van Lucio kwam Víctor – die net terug was uit het ziekenhuis waar hij zich opnieuw had onderworpen aan de lange reeks van onderzoeken die hem ten minste twee keer per jaar veertien dagen in spanning lieten zitten, niet meer in staat tot wat dan ook, werken, een sociaal leven leiden of zelfs maar eten, behalve het hebben van seksuele omgang, een bezigheid die, paradoxaal genoeg, in die twee weken pieken in frequentie, variëteit en intensiteit bereikte die hoogst uitzonderlijk voor hem waren – bij hen op bezoek en liet tijdens een moment van onoplettendheid van Carmen, zonder een woord te zeggen een klein, in luxepapier gewikkeld pakje in Rímini's handen vallen, alsof het brandde. Rímini herkende onmiddellijk 'de hand van Sofía', zoals hij aanvankelijk, in het nauw gedreven door haar brieven, aantekeningen en berichtjes, het handschrift van Sofía bij zichzelf genoemd had, en zoals hij later, na verloop van tijd, Sofía's onmiskenbare manier om zich van een afstand aan zijn leven op te dringen was gaan noemen. Dit keer voelde hij, tot zijn verbazing en opluchting, niet de minste nervositeit. Hij herkende de hand van Sofía vanzelfsprekend aan Víctors bedachtzaamheid en geheimzinnigdoenerij, maar ook, expert als hij inmiddels was in de industriesector die in de gidsen onder de kop 'babyartikelen' vermeld staat, aan de opdruk van het papier waarmee het cadeau was ingepakt, het soort papier dat alleen gebruikt werd door de duurste zaak van de stad, de enige zaak trouwens waar Sofía het in haar hoofd kon hebben gehaald om iets voor de zoon van Rímini te kopen. Dit keer beefde Rímini niet, kreeg hij geen hartkloppingen en voelde hij ook zijn mond niet droog worden. Carmen kwam de kamer weer binnen en verraste hem met het pakje in zijn handen. Terwijl Víctor, om zich een houding te geven, net deed of hij verdiept was in het bestuderen van een rammelaar in de vorm van een olifant, keek Rímini haar onbevreesd aan. Hij was bereid elke tegenwerping het hoofd te bieden. Carmen keek naar het pakje. 'Heeft Sofía dat gestuurd?' 'Ja,' zei Rímini. 'Maak dan open, waar wacht je nog op.' 'Precies, maak eens open,' zei Víctor, met de hoogmoed van de vrijgesprokene. 'En bel haar alsjeblieft op om haar te bedanken,' voegde Carmen eraan toe. Rímini scheurde het papier eraf en maakte het doosje open: het waren piepkleine, blauwe linnen schoentjes, heel smaakvol. Carmen haalde Lucio op in de wandelwagen en trok ze hem aan, waarbij het ventje met een verbluffende nieuwsgierigheid naar zijn voetjes keek, alsof ze waren aangegroeid terwijl hij lag te slapen. Rímini drukte voorzichtig op de rubberen neus van de schoentjes; hij had het idee dat ze veel te groot waren. 'Perfect,' zei Carmen, 'die gaan wel een tijdje mee.' En zich tot Rímini wendend merkte ze dreigend op: 'Als jij niet belt, doe ik het zelf. Ik wil geen slechte indruk maken, afgesproken?'

Perfect. Lucio, gevangen in het tuigje van de wandelwagen, protesteerde. Hij kromde zijn lichaam, alsof er een elektrische schok door hem heen ging, sloeg achterover tegen de gewatteerde rugleuning, en zijn blauwe voetjes trappelden in de lucht. Voordat hij kon vervallen in de ernstige toestand waarmee hij gewoonlijk zijn rechten deed gelden, liet Rímini het suikerzakje, de peuk en het bonnetje verdwijnen en stopte de speen weer in zijn mond. Hij wierp een blik in het café en keek op zijn horloge: Sofía was twaalf minuten te laat. Hij kreeg twee sterke aanvechtingen: roken en de schoentjes van Lucio uittrekken en in zijn zak stoppen. Carmen had erop gestaan, met die verbluffende vriendelijkheid die vrouwen alleen tegenover vrouwen tentoonspreiden, ongeacht de mate van rivaliteit of wantrouwen die ze scheidt, de afspraak te gebruiken om ze hem voor het eerst buitenshuis te laten dragen. Ze had elk alternatief dat Rímini voorstelde verworpen zonder zich zelfs maar te verwaardigen zijn keuze te overwegen, waarbij ze vaag met haar hoofd schudde, terwijl haar vingers, met soevereine onverschilligheid, genietend de veters van de blauwe schoentjes strikten, en Rímini besefte dat die koppigheid in wezen een subtiele vorm van compensatie was, dat wil zeggen – om een of andere vreemde reden die de vrouwelijke etiquette in haar clausules moest hebben vastgelegd – een geciviliseerde manier om de schuld in te lossen waarmee het cadeau hen had opgezadeld. Maar het was warm en als Sofía niet kwam opdagen – vijftien minuten – zou het hele gedoe volkomen zinloos zijn. Een paar tafeltjes verderop bood een ober een stel buitenlanders een sigaret aan. Rímini zag het okergele bandje van de filters, de kringelende rook die oploste in de lucht, de alledaagse en tegelijk buitengewone flair die de sigaret de vingers die hem vasthielden verleende, en hij voelde een ongeneeslijke heimwee.

Hij weerstond de verleiding. Hij zocht iets om zijn gedachten te verzetten en vroeg zich af hoe teleurgesteld hij zou zijn als Sofía niet op de afspraak verscheen. Rímini had haar uiteindelijk gebeld, maar niet zozeer vanwege Carmens dreigement als wel uit een persoonlijke, veel dringender behoefte: hij wilde zijn eigen onkwetsbaarheid op de proef stellen; niet in gedachten, voor zichzelf, zoals hij al duizend en één keer gedaan had, maar ten overstaan van Sofía, de enige persoon tegenover wie het de moeite loonde ermee te pronken, omdat zij de enige was die erdoorheen zou kunnen prikken. Ze komt niet, dacht hij. Hij haatte dat café. Hij haatte de pretentie, de nephouten tafeltjes, de manier waarop de obers degenen die geen vaste klanten waren, zoals Rímini, negeerden. Sofía had het voorgesteld en Rímini had er zonder te protesteren mee ingestemd, met dezelfde luchtigheid als waarmee hij erin had toegestemd haar te bellen om haar te bedanken voor het cadeautje, en dezelfde grootmoedigheid, zo volgzaam en berekenend, waarmee hij gezegd had dat het goed was, dat hij Lucio mee zou nemen, zodat zij hem eindelijk kon leren kennen. Dat Rímini zo toegeeflijk was kwam omdat hij alles had, en omdat hij voelde dat elke concessie hem sterker maakte. Maar nu Sofía wegbleef, kreeg zijn kracht, zijn onkwetsbaarheid, zijn aanzien als vader, alles wat hem, doordat het hem, dacht hij, voorgoed van Sofía scheidde, had bevrijd van de noodzaak voor haar te vluchten, iets ingebeelds en belachelijks, zoals de spieren, het uithoudingsvermogen en zelfs de nieuwe kleren waarmee de sporter loopt te showen wanneer hem wordt verteld dat de wedstrijd waarvoor hij maanden heeft getraind is afgelast. Rímini voelde een golf van haat in zich opwellen en keek om zich heen, belust op wraak. Hij keek nogmaals op zijn horloge: tweeëntwintig minuten. Een Braziliaanse vrouw liet een langgerekte rokerslach horen en schudde met haar gouden armbanden, die klonken als koebellen; een gele cabriolet met een kapotte uitlaat reed in volle vaart voorbij; vlakbij, te vlakbij, schreeuwden twee mannen in blauw overhemd, stropdas en bretels beursorders in hun mobieltje. Rímini bracht zijn kopje koffie naar zijn lippen en wist dat die lauw zou zijn. Hij kwam er niet toe een slok te nemen; met een euforische uithaal onderschepte Lucio het kopje halverwege en gooide het over zijn broek en overhemd. Rímini bleef roerloos zitten, afwisselend kijkend naar de groeiende vlekken op zijn kleren en de extatische glimlach van Lucio, die er met glunderende verbazing naar wees. Nu is het genoeg, dacht hij, alsof hij zojuist een grens had overschreden, ik ga weer roken. Hij zag de ober die de toeristen een sigaret had aangeboden en wenkte hem. Hij had ver uit elkaar staande ogen, als bij een haai, en een wrat op zijn wang. 'De rekening?' vroeg de ober, terwijl hij vanuit een ooghoek de schade aan Rímini's kleren opnam. 'Nee,' zei Rímini, 'ik wilde een sigaret.' De ober haalde een pakje uit zijn vestzak, liet er met een lichte beweging van het pakje een sigaret uit wippen en hield het stil op het moment dat de helft naar buiten stak. Rímini pakte de sigaret en dacht na. Hij keek op zijn horloge – vijfentwintig minuten – en zei: 'Ja, doe toch maar de rekening. Hoeveel krijgt u van me?'

Hij stak de sigaret aan en blies de rook meteen uit, alsof hij het inhaleren wilde uitstellen tot het moment dat gehemelte en tong, na anderhalf jaar onthouding, weer gewend waren aan de gloeiende tinteling.

Hij nam nog twee korte trekjes, vormde met zijn mond een O en blies een lange rij kringetjes die Lucio voor zijn ogen voorbij zag komen, eerst stomverbaasd, alsof hij een nieuw soort tekenfilm ontdekte, daarna plotseling vijandig, teleurgesteld door de onverschilligheid waarmee die cirkelvormige wezentjes hem behandelden, zodat hij ze ten slotte met zijn hand wegjoeg. Rímini lachte. Hij trok nogmaals aan de sigaret en liet een nieuwe serie kringetjes ontsnappen, dit keer gericht op het gezicht van het kind. Lucio weerde het eerste contingent af met zijn handpalm, waartegen de kringen uiteenbarstten; het tweede, een beetje meer opzij, loste op tegen de gewatteerde rugleuning van de wandelwagen, maar de volgende twee raakten hem precies in zijn ogen. Lucio kneep ze snel dicht. Hij werd wanhopig: de kringetjes rook waren te snel voor hem om ze te kunnen onderscheppen. Over vijf seconden ontploft hij, dacht Rímini. Hij nam nog één trek en beloofde zichzelf dat het de laatste zou zijn, dat hij daarna, eindelijk, zou inhaleren, maar toen hij zijn mond hol maakte om het laatste salvo af te vuren, verscheen er plotseling een hand in zijn gezichtsveld, die gedecideerd voor hem langs schoot en brutaal de sigaret tussen zijn vingers uit trok. 'Wat misdadig,' zei Sofía, terwijl ze naast hem ging zitten, tussen hem en de baby in, en de sigaret met haar voet uittrapte. Rímini volgde de operatie en het viel hem op dat Sofía's rijglaars niet was vastgemaakt met een veter maar met een smerig stuk touw dat al begon te rafelen. 'Misdadig, slap en stom, Rímini. Na anderhalf jaar geen sigaret te hebben aangeraakt!' voer Sofía tegen hem uit. Ze loenste erger dan vroeger. Ze richtte haar blik op Lucio en merkte op: 'Dus dit is je schat. Zou je hem niet eens aan me voorstellen?' 'Het is vijf voor halfvier, Sofía,' zei Rímini. 'Ja,' antwoordde ze, 'ik had wat garderobeproblemen. Ik kleed me tenminste nog aan als ik een afspraak met je heb.' En als om een eind te maken aan het volwassen gedeelte wendde ze zich tot Lucio: 'Hallo, Lucio. Jij weet vast wel wie ik ben, hè? Je papa zal het wel met je over mij gehad hebben,' zei ze. Het ventje beperkte zich ertoe haar met een vaag nieuwsgierige blik aan te kijken. 'Ik ben Sofía. So-fí-a,' zei ze, terwijl ze een met inkt bevlekte vinger tussen de vingers van het jongetje stopte en hem dwong die vast te pakken. 'Ik ben de vrouw die je papa alles heeft geleerd wat hij weet.' En zich tot Rímini wendend: 'Ssst. Een grapje, dompie. Een dom grapje. Je moet hem niet te veel beschermen, hij snapt grapjes best.' Ze draaide haar hoofd weer naar Lucio, wiens ogen van haar gezicht naar haar handen gingen, naar die enorme boomstamvinger die zijn schipbreukelingenvingertjes omklemd hielden. Sofía strekte een hand uit naar zijn hoofd, de hand trilde, streek evenwijdig langs de fijne blonde haartjes, zonder ze aan te durven raken, en daalde langs een wang weer naar beneden, ook zonder die te beroeren. 'Je bent een mooie jongen,' zei ze. Lucio vierde het herwinnen van zijn vinger door ermee in zijn neus te boren. 'Mooi, blank. En terughoudend. Net als je papa. Ik kan niet geloven dat ze je Lucio genoemd hebben. Dat was zeker een idee van haar, hè? Een treurig idee van je mama, zeker? Zeg eens eerlijk, toe. Want tegen Sofía kun je niet liegen, hoor. Geloof je me niet? Vraag maar aan je papa als je me niet gelooft.'

De ober kwam naar hen toe; Sofía stuurde hem zonder iets te zeggen weg, met een hooghartig handgebaar. 'Wil je niets drinken?' vroeg Rímini. 'Ik kijk wel uit,' zei ze, 'het is pure afzetterij hier.' Ze pakte haar tas van de grond en wilde hem openmaken; de sluiting bood weerstand. 'Waarom heb je dan hier met me afgesproken?' vroeg Rímini. 'Met je afgesproken' herhaalde ze, enigszins geschokt. Ze keek hem met een laatdunkend medelijdende blik aan. 'Wie heeft wie gebeld, Rímini?' Ze worstelde een tijdje met de sluiting, slaagde erin de tas te openen en haalde er een flesje met ronde capsules uit. 'Ik,' zei hij, 'maar jij hebt deze plek uitgekozen.' 'Het was de enige die me te binnen schoot. Is dat soms een misdaad?' Er viel een korte stilte. 'Ik was nerveus. Bovendien, als jij eens een keer iets zou voorstellen had je geen reden om te klagen.' Sofía schroefde het flesje open, goot vijf capsules in het deksel – de handeling moest een geheim signaal hebben uitgezonden, alleen waarneembaar voor de kinderblik, want Lucio onderbrak waar hij mee bezig was, proberen een vinger in een van de oogjes van zijn rechterschoen te stoppen, dat al in beslag werd genomen door de veter, en keek heel geïnteresseerd toe, helemaal rechtop in zijn wandelwagentje – en liet ze, na ze te hebben geteld, onder haar tong glijden. 'Gebruik je nog steeds zwavel?' zei Rímini. Opnieuw verwonderde hij zich over de concentratie die Sofía aan de dag legde bij een proces – de capsules oplossen in speeksel – terwijl dat gezien het chemische aspect ervan helemaal niet nodig was. 'Hm, hm,' schudde ze met haar hoofd. En bij wijze van verklaring boog ze zich naar hem toe en wees op iets op haar eigen voorhoofd. Rímini zag alleen een dikke laag make-up, doorgroefd met enkele evenwijdige rimpels. 'Wat?' vroeg hij. 'Hm,' herhaalde ze, en ze krabde een stukje bloot met haar nagel – Rímini zag dat ze weer op haar nagelriemen beet –: een deel van de laag liet los en er werd een rij witte puistjes zichtbaar, gerangschikt van groot naar klein, als een ordelijke bergketen. 'En dan heb je de aften nog gemist, miljoenen. Mijn hele mond was één grote witte wond,' zei Sofía. Ze beschouwde de demonstratie als beëindigd en ging weer rechtop in haar stoel zitten. 'Maar dat is over. Wat eruit moest is eruit. Nu moet er weer *iets* in.'

Rímini voelde een korte huivering. Hij hoorde dat *iets* en een oude, vermoeide maar nog altijd waakzame alarmbel weergalmde in zijn hart, in werking gezet door de onevenredige verhouding tussen de schuchterheid van het woord en de gretigheid die daarachter op de loer lag. Vlakbij kraakte iets. Hij wilde geloven dat het de rieten zitting van zijn stoel was. Het was al te laat. Rímini ontweek de onheilspellende schaduw van Sofía en zocht Lucio met zijn ogen. Heel vaak had hij zich hem in gevaar voorgesteld, overgeleverd aan een ziekte, een duivels stopcontact of een hondsdolle hond, maar in al die scènes kwam Rímini altijd op het laatste moment, zodra de tragedie dreigde, aangestormd, als een van de superhelden uit de strips die zijn emoties in de loop van zijn kindertijd hadden gekanaliseerd. Nu, voor het eerst, dacht hij aan zijn zoon als aan iemand – de enige – die hém kon redden. Hij besefte dat hij bang was. Lucio, die alle gezichtsuitdrukkingen van zijn vader opvatte als varianten van een en dezelfde uitdrukking, die van onhandige, onschuldige tederheid, keek hem aan, blies zijn wangen op en besproeide hem met een salvo van speekseldruppeltjes. Sofía stelde voor een eindje te gaan lopen en stond meteen op, alsof het kleinste uitstel ondraaglijk voor haar was. Rímini bleef zitten, zoekend naar zijn portemonnee om te betalen, en toen hij zich naar haar toe draaide zag hij, bijna ongewild, dat de voering van haar rok loshing en dat er twee grote gaten in haar kousen zaten.

Twee straten verder liep Sofía met de zijkant van haar lichaam rakelings langs de muren van de huizen. Ze huilde. Het was een hoogst eigenaardige vorm van huilen, die Rímini nooit eerder had gezien, noch bij haar, gedurende de lange jaren die ze met elkaar hadden gedeeld, noch bij iemand anders: het ene moment was haar gezicht nog droog en het volgende, als bij een plotselinge bloeding, was het doorweekt van tranen. Ze huilde en glimlachte, zichtbaar in de war. 'Let maar niet op mij,' zei ze, haar mond verbergend achter een poppenzakdoekje, alsof er een paar tanden ontbraken. 'Ik ben een emotioneel wezen. Ik zie je dat wagentje duwen... Je hebt een kind gekregen met een ander en je bent een verrader. Een klootzak en een verrader. Maar nu weet ik tenminste dat ik me niet vergiste als ik je me als de vader van mijn kinderen voorstelde. Het staat je goed, vader-zijn.' Ze kwamen bij een zijstraat. Rímini hield het wandelwagentje stil bij de stoeprand, tilde de voorwielen een stukje op en liet het geheel langzaam naar beneden glijden op de achterwielen. Sofía applaudisseerde voor zijn vakmanschap, terwijl ze snel de straat wilde oversteken. Rímini zag uit een ooghoek de neus van een geel met zwarte auto uit de richting van Ayacucho komen, maar hij deed niets anders dan zijn mond openen. Een vrouw die tegelijk met Sofía de straat overstak pakte haar zacht bij een arm, om haar niet aan het schrikken te maken. De taxi passeerde op een halve meter, lang en luid claxonnerend ten teken van afkeuring, zonder dat Sofía merkte dat dit voor haar bedoeld was. Ze staken over. De beschermengel van Sofía liep voor hen uit, keek heimelijk achterom en wierp verwijtend een snelle beschuldigende blik op Rímini. Hij keek op zijn horloge en had het gevoel dat hij in gevaar verkeerde. Hoeveel tijd had hij nog: een kwartier? Een halfuur kwelling? Maar hij draaide zich weer naar Sofía, zag haar om de wandelwagen heen fladderen, op Lucio af gaan en weer terugwijken, uit diens gezichtsveld verdwijnen en hem plotseling verrassen door hem in een voet, zijn buik of een wang te knijpen, en hij schaamde zich ervoor dat hij bang was. Nu prikte Sofía een vinger in Lucio's navel en hij schaterde het uit.

'Misschien, dat al met al...' zei hij bij zichzelf, opgebeurd door een golf van optimisme. Hij dacht aan zijn eigen starheid, aan hoeveel moeite het hem kostte toe te geven dat het toeval deel uitmaakte van de dingen en dat hun logica bestond uit de discontinuïteit, schommeling of ritmische afwisseling van min of meer willekeurige toevallige momenten en min of meer voorspelbare bestendige momenten. Misschien dat zich al met al aan de andere kant van wat hij 'kwelling' noemde altijd wel iets anders bevond, iets wat geen kwelling meer was, zoals hij, gevangen als hij zat in het geloof dat de innerlijke beweging van de dingen uitsluitend gehoorzaamde aan twee parameters, vermeerdering en vermindering, geneigd was te denken, maar bijvoorbeeld oases van rust en geluk, herderlijke taferelen, openbaringen van een schandalig burgerlijke harmonie, zoals waar hij nu getuige van was. Hij vatte weer moed. 'Zullen we een ijsje gaan eten?' stelde hij nadrukkelijk voor, met de theatrale, enigszins misplaatste impulsiviteit waarmee hij altijd zijn gebrek aan initiatief probeerde te compenseren. Sofía schudde met een sleutelbos tussen de vertwijfeld graaiende handjes van Lucio. 'We kunnen daar gaan zitten, op die bank...' voegde hij eraan toe. Sofía fronste haar voorhoofd en keek op haar horloge. 'Of heb je iets te doen?' vroeg hij. 'Iets...' mompelde ze verdwaasd, terwijl Lucio triomfantelijk aan de sleutel trok die hij had weten te bemachtigen. Plotseling leek ze een idee te krijgen, waardoor ze opfleurde. 'Tenzij je me brengt,' zei ze, 'waar ga je hierna heen?' 'Naar huis,' zei hij. 'Neem je een taxi?' 'Ik denk van wel,' zei hij, een beetje onzeker. 'Goed dan,' zei ze, en ze glimlachte en gaf een rukje aan de sleutels, waarna Lucio met zijn handen tegen elkaar en naar haar uitgestrekt bleef zitten, in een smekende houding of vol verering, alsof hij een afwezige god aanbad.

De ijssalon was leeg. Rímini wilde trakteren. Sofía twijfelde tussen formaten en prijzen, terwijl de bediende, een begripvol man met een bescheiden muzikaal gevoel, op de toetsen van de kassa trommelde. Ze koos voor een bekertje van gemiddelde grootte, maar toen ze even later voor het bord met smaken stond, leek de variëteit, hoewel die het spook van de besluiteloosheid weer nieuw leven inblies, haar met terugwerkende kracht een moment van helderheid te geven en bedacht ze zich, waarna Rímini uiteindelijk zijn hoorn aan haar afstond. Ze waren de enige klanten, zodat ze tegelijk werden bediend. Maar toen Rímini met de rand van zijn plastic lepeltje de top van zijn citroenijsje schepte, stond Sofía nog met lege handen, verzonken in haar vierde of vijfde dilemma – Russische crème of sabayon –, en keek de bediende van de ijssalon haar met professioneel geduld aan, zijn handen steunend op de aluminium toonbank waar de bakken met ijs, die Sofía hem een voor een had laten openmaken, een palet van eetbare aquarellen vormden. 'O, ik weet het niet,' zei ze, en ze draaide zich naar Rímini en keek naar zijn ijsje. 'Wat heb jij genomen?' 'Citroen,' zei Rímini. 'Alleen citroen?' vroeg ze, van opzij langs de rand likkend die Rímini tot later had bewaard. 'Ja.' 'Je was ook altijd al veel te saai voor ijsjes,' zei ze, en ze wendde zich weer tot de bediende: 'Citroen. Alleen citroen, alstublieft.' Ze gingen buiten zitten, in de zon. Rímini had zijn ijsje als eerste op, zoals gewoonlijk. Dat was geen kwestie van gulzigheid; in feite zag niemand die samen met hem at *tijdens* het eten hoe snel hij zijn bord leeg had. Het was eerder een constatering achteraf: op een gegeven moment zagen ze hem zijn lippen aflikken, zijn servetje op tafel of zijn bestek kruiselings op het bord leggen, en dan beseften ze dat Rímini behalve gepraat ook gegeten had en dat voor elke hap die zij naar hun mond brachten hij er minstens drie moest hebben genomen. Rímini stond op om de servetjes weg te gooien waarmee hij de mond van Lucio had afgeveegd, op wiens linguïstische planeet slikken en spugen blijkbaar tot een nieuw ras van synoniemen behoorden. Hij schatte – een oude liefdesdeformatie – hoe ver Sofía al met haar ijsje zou zijn, en toen hij een vluchtige maar trefzekere blik op haar wierp om dit vast te stellen, zag hij dat het nog onaangeroerd was: het had dezelfde vorm als toen ze het kreeg, alleen was het gesmolten in de zon en kleiner geworden, waardoor het meer weg had van een lilliput-ijsje. Straaltjes citroenijs glinsterden op Sofía's hand en plakten aan de manchet van haar bloes, de mouw van haar jas, haar rok, maar dat leek zich allemaal ver buiten haar, heel ver buiten haar af te spelen. Ze zat roerloos, stijf als een invalide; de hand waarin ze het ijsje hield leek wel van steen. 'Eet je niet?' vroeg Rímini, die dacht dat hij haar door het stellen van een triviale vraag, zoals geadviseerd wordt bij slaapwandelaars, uit haar trance zou kunnen halen zonder haar geweld aan te doen. Sofía knipperde met haar ogen, schudde even met haar hoofd, keek beduusd naar het smeltende ijsje in haar hand, alsof ze het voor het eerst zag, en bracht het met een werktuiglijk gebaar naar haar mond, overblijfsel van een gewoonte die ze ooit, in een ander leven, nauwgezet had weten uit te voeren. Maar ze faalde, en het ijsje stootte tegen de zijkant van haar mond en liet een toefje achter dat even bleef zitten, onvast glinsterend in de zon, totdat het op haar kin begon te druipen. Rímini stak een hand uit en hield met een vinger het stroompje citroenijs tegen. Meteen verscheen er een gelukkige glimlach op Sofía's lippen – de glimlach van een schone slaapster die gewekt wordt door begeerte of rancune – en ze pakte zijn hand vast op het moment dat hij een poging deed die terug te trekken. 'Ik dacht...' begon ze, maar omdat ze al een tijdje niets gezegd had klonk haar stem mat en schor, onherkenbaar, en ze wachtte even om haar keel te schrapen. 'Weet je nog hoe laat Lucio geboren is?' vroeg ze. ''s Nachts,' zei Rímini. 'Maar wanneer? Hoe laat precies?' herhaalde ze ongeduldig. 'Om tien voor halfdrie.' 'Ik wist het wel,' zei ze triomfantelijk. 'Wat?' vroeg Rímini. 'Frida is op dezelfde tijd gestorven.'

Toen begon ze opnieuw te snikken en kwam het geborduurde zakdoekje weer tevoorschijn, met de resten van de tranen en het snot die ze bij de vorige inzinking had afgeveegd, en van het gesnotter kreeg ze de hik en door de hik verslikte ze zich, en ineens zat Rímini op Sofía's gebogen rug te kloppen, eerst met één hand, daarna met allebei zijn handen, niet zozeer om haar te troosten als wel om het schokken en stuiptrekken tegen te houden dat hij met rasse schreden zag naderen, terwijl hij het gevoel kreeg dat een massa dreigende wolken zich begon samen te pakken – nogal persoonlijke wolken, want de zon, hoewel enigszins afgezwakt door het late uur, scheen nog volop en de hemel was strak blauw. Lucio onthaalde de apotheose van tranen door in een mysterieuze vlaag van euforie met zijn handjes op de gewatteerde dwarsarm van de wandelwagen te timmeren. Rímini wilde haar kalmeren en probeerde haar weer tot rede te brengen. Met minutieuze koelbloedigheid, als een chirurg, ontleedde hij die samenloop van omstandigheden in een handvol banale, volstrekt onbeduidende elementen, in de overtuiging daarmee het dramatische karakter te neutraliseren, maar zijn argumenten sloegen een voor een stuk tegen het gordijn van tranen dat Sofía's ogen versluierde. Toen herinnerde hij zich een zin: *Probeer niet me ervan te overtuigen dat ik niet lijd.* Een klassieke uitspraak van Sofía: een van die splinters die door de liefde zijn uitgespuugd en zijn blijven steken in een orgaan waartoe alleen hij toegang heeft, zodat ze alles overleven, zelfs het uitdoven van de liefde, en essentieel worden voor het organisme waarin ze zich hebben genesteld, zelfs zozeer dat niemand ze zou kunnen verwijderen zonder het leven van hun drager in gevaar te brengen. Hij veranderde van tactiek en besloot haar af te leiden. Want er bestaan zulke smeulende zielsgesteldheden dat elke toenaderingspoging de gloed simpelweg nieuw leven inblaast en een voedingsbodem vormt voor hun vermogen om te branden en schade aan te richten; dan is het alleen nog mogelijk de blik af te wenden en op iets anders te richten, net te doen alsof er nog iets in de wereld bestaat wat niet door de vlammen is verteerd, totdat de tijd, de enige werkelijk onkwetsbare kracht, die in staat is te raken zonder zelf geraakt te worden, zijn werk doet en dat wat vlam of gloed was uiteindelijk terugbrengt tot de zwakke weerschijn van een vuur, tot onschadelijk smeulende asresten.

Rímini wist haar zover te krijgen dat ze verder afzag van het ijsje, van die weke kleverige massa waarin het ijsje veranderd was, en hij maakte haar bijna aan het lachen toen hij het ging weggooien en het ijsje, alsof het hem belachelijk wilde maken, onbewogen aan zijn vingers bleef plakken. Sofía ontspande zich en Rímini maakte van de gelegenheid gebruik om te zeggen dat hij het koud had en dwong haar op te staan van de bank en verder te lopen, onder het voorwendsel dat hij haar een architectonische ontdekking in de wijk wilde laten zien die hem bijzonder beviel. Sofía liet niets blijken van instemming, maar ze bood ook geen weerstand. Haar gezicht werd weer droog, met diezelfde huiveringwekkende snelheid. Totdat ze haar hand op het handvat van het wandelwagentje legde en vroeg: 'Mag ik hem een poosje duwen?' Rímini hoorde aan haar stem dat ze weer enigszins tot zichzelf kwam. 'Ja, natuurlijk,' zei hij. En na een korte stilte zei Sofía: 'Ik moet oefenen.' Ze keek hem vrijpostig aan, op zoek naar een bevestiging van het effect van de vraag op zijn gezicht. Rímini glimlachte en wendde zijn blik af, maar even later begon hij haar heimelijk te observeren, zonder dat zij het merkte. Het leek wel een wonder: ze had zich volledig hersteld en liep fier rechtop, met geheven hoofd en een uitdagende gratie. 'Het is gemakkelijk,' zei ze, 'hoe zie ik eruit?' Rímini glimlachte opnieuw maar antwoordde niet. In plaats daarvan draaide Lucio zich om, ging bijna rechtop in het wagentje staan, gevangen in de veiligheidsgordel waar hij zo graag met de rand van zijn tandvlees op knaagde, en gaf met een brede glimlach zijn goedkeuring aan zijn nieuwe chauffeur. Sofía bracht haar neus tot vlak bij die van Lucio. 'En? Baby? Hoe zie ik eruit? Goed toch zeker, hè?' zei ze, terwijl ze hem een degenstoot met haar neus toediende. Maar Lucio had serieuze problemen met wederkerigheid: op hem reageren betekende hem ontmoedigen. En dus negeerde hij het aanbod tot spel en medeplichtigheid en liet zich weer op zijn met kruimels bezaaide troon zakken. Rímini, die zich verantwoordelijk voelde voor de wederopstanding van Sofía, vatte moed om nog een stukje verder te gaan. 'Hoe gaat het dan met die Duitser van je?' vroeg hij. 'Mijn Duitser,' herhaalde ze lachend. 'Hoe heette hij ook weer? Kurt? Karl?' 'Rímini.' 'Wat?' 'Het is de eerste man met wie ik iets heb sinds we uit elkaar zijn en dan weet jij niet meer hoe hij heet.' 'Is dat slecht?' 'Slecht niet, nee,' zei Sofía, 'maar ik geloof je gewoon niet.' Er viel een stilte. Ze kwamen een andere wandelwagen tegen, en Lucio en zijn collega, een dikke baby die genietend aan het afgekloven oor van een beer met bretels zat te sabbelen, volgden elkaar aandachtig met hun blik terwijl ze zich van elkaar verwijderden, alsof ze probeerden na te gaan of de vriendschap die ze bezig waren op te geven al dan niet de moeite waard was geweest. 'Kantor?' waagde Rímini. 'Konrad,' zei Sofía. 'Nou ja, het was in elk geval met een K,' verdedigde hij zich. 'Hij is nog altijd Duitser, maar ik vrees dat hij niet langer van mij is. Vooropgesteld dat hij dat al ooit geweest is, natuurlijk.' Rímini kon zich wel voor zijn kop slaan, hij had de verkeerde deur geopend. Maar de beheerste volwassenheid waarmee Sofía over de kwestie was begonnen te praten stelde hem gerust, en in plaats van terug te deinzen ging hij nog een stap verder. 'Zijn jullie uit elkaar?' 'Niet direct. Niemand "gaat uit elkaar", Rímini. Mensen verlaten elkaar. Dat is de waarheid, de echte waarheid. De liefde kan wederzijds zijn, maar het einde van de liefde niet, nooit. Siamese tweelingen gaan uit elkaar. En die ook niet eens, omdat ze dat zelf niet kunnen. Ze moeten door een ander, een derde, uit elkaar gehaald worden: een chirurg, die het orgaan of het lichaamsdeel of het vlies dat ze verbindt met een scalpel doormidden snijdt en bloed laat vloeien en daarbij trouwens in de meeste gevallen ten minste een van beiden doodt en de ander, de overlevende, veroordeelt tot een soort eeuwige rouw, omdat het deel van het lichaam waardoor ze met elkaar verbonden waren gevoelig blijft en pijn doet, altijd pijn doet, en hem er de rest van zijn leven aan zal herinneren dat hij nooit meer compleet zal zijn, dat hij dat wat ze hebben weggehaald nooit meer terug zal krijgen.'

Ze liepen zwijgend verder. Sofía zuchtte: ze had heel snel gesproken, bijna zonder adem te halen, als iemand die een steile helling op moet lopen en in plaats van zijn energie te doseren, alles in een laatste overhaaste ren legt. Rímini durfde niet naar haar te kijken, voor de zoveelste keer in verlegenheid gebracht door de lichtzinnigheid waartoe hij zich veroordeeld voelde telkens wanneer zij haar emotionele dichtheid voor hem tentoonspreidde. 'Ik weet niet waar ik me eigenlijk over verbaas,' zei Sofía, rustiger nu, alsof een regenbui de vlammen van haar verdriet had gedoofd. 'Tenslotte heeft hij hetzelfde gedaan als jij: hij heeft geleerd wat hij moest leren, is een echte man geworden en weggegaan. Een charmante, gevoelige, leergierige, hartstochtelijke man, die inmiddels, vermoed ik, wel zal worden uitgebuit door een of andere walgelijke Duitse met bossen okselhaar en sandalen met sokken. Maar ik beklaag me niet. Zo is het nu eenmaal. Dat is mijn opdracht in de wereld: mensen verzinnen, ontdekken en mooier maken... zodat anderen ervan kunnen genieten. Dat doe ik ook met mijn patiënten. Ze komen gehandicapt, verlamd, opgegeven door hun dokter bij me, en als ze weer weggaan, op hun eigen benen, zijn ze dolgelukkig. Zelfs hun eigen familie herkent ze bijna niet meer terug. Met mannen is het net zo. Die mannen die door vrouwen worden opgespoord, verleid, opgesloten in driekamerappartementjes en veranderd in huisvaders, die mannen die later, na verloop van tijd, gaan beseffen dat de vrouwen met wie ze een leven lang hebben samengewoond volmaakte vreemden zijn en nooit ook maar iets over ze hebben geweten, nooit, niets, te beginnen met het wezenlijke, wie ze waren, zij, de mannen, wie ze écht waren, wat ze gelukkig maakte, wat ze ziek maakte, wat ze gek maakte van blijdschap, waaraan ze wilden ontsnappen, van welke paradijzen ze droomden, en dan gaan ze dood, en de dokter zegt "hartinfarct" of "aneurysma", maar in werkelijkheid gaan ze dood van verbittering... Die mannen, Rímini, die mannen zoals jij, die zíe ik. Ik zie ze, en alleen door ze te zien *open* ik ze van boven tot onder, net als zo'n Filippijn die opereert zonder de patiënt aan te raken, en ik kijk zo, van deze afstand, recht in hun hart en lees álles, snap je, alle wonden en alle littekens, een voor een, de grote, de onherstelbare en de vrijwel onzichtbare, en ik lees ook alles waartoe dat hart in staat is, alles waarvan zelfs hijzelf – hijzelf in feite nog het minst – niet weet dat hij ertoe in staat is, en dan zeg ik wat ik zie, of nee, ik laat het zien (want de arme drommels nemen meteen de benen als je de dingen recht in hun gezicht zegt) en dan, pats, worden ze verliefd op me, smoorverliefd, en ik op hen, en als ze beginnen te beseffen dat dat wat ik ze heb laten zien direct vóór ze ligt, in henzelf zit, denken ze dat ze begrijpen waarop ze echt verliefd zijn geworden, niet op mij, natuurlijk, maar op mijn macht, op mijn Filippijnse oog, op mijn vermogen ze te genezen, en dan gaan ze weg, volledig genezen en stralend, veel knapper dan toen ik ze ontmoette, verjongd, klaar om gelukkig te worden. Maar zonder mij, vanzelfsprekend.'

Ze lieten een donkere, eindeloos lange auto passeren die een parkeerterrein af reed via zo'n gordijn van lange, smalle plastic stroken terwijl de man aan het stuur het raampje omhoogdraaide. Rímini rook een mierzoete lucht, als van goedkope zeep, die uit het interieur ontsnapte. 'Zo is het,' zei Sofía, 'en misschien is het niet eens zo slecht dat het zo is. Ik weet niet of ik altijd bij Konrad had willen blijven. Zelfs niet bij jou. Ik krijg er ook wel eens genoeg van. Mensen met problemen behandelen is moeilijk. Mannen behandelen is bovenmenselijk. Dat is net als een oeroude deur schoonmaken. Je moet eerst een laag verf losweken, daarna nog een, daarna nog een, en nog een, en nog een, heel voorzichtig, want als je een beetje te ruw te werk gaat kun je alles verpesten, vooral omdat als er iets is waar mannen trots op zijn, het nu juist dát is, dat wat ze "ervaring" noemen, die lagen en lagen oude, uitgedroogde, vergane verf vol zwammen en schimmels, die je heel geduldig moet oplossen om ze ten slotte, na *jaren* werk, weer zo te krijgen als bij hun geboorte: naakt. En dan, als alles weer vanaf nul zou kunnen beginnen, en als ik eindelijk eens zou kunnen uitrusten, dan begint het ergste, het werkelijk titanische. Want naakt zijn mannen zwak, naïef, hulpeloos en onhandig. Het zijn net dieren zonder huid: het minste of geringste kan hun dood betekenen. En dus moet je ze heel behoedzaam omhelzen om ze geen pijn te doen, want hun lichaam is heel broos en ze zijn heel schrikachtig, en je moet ze geruststellen en helpen op te staan en laten zien dat ze het kunnen, dat ze echt kunnen lopen en dat...' Sofía zweeg. Ze tilde haar kin een stukje op, verstrooid of heel geconcentreerd, alsof ze probeerde iets te herkennen in de lucht of alsof er in haar hoofd geheime muziek weerklonk. Rímini keek naar haar, zag de reflectie van een groene neonreclame knipperen op haar gezicht, dat door de tranen in een ravage was veranderd, en realiseerde zich dat het donker begon te worden. De kou deed hem huiveren. Hij zag de blote beentjes van Lucio en was bang dat hij ziek zou worden. Hij wilde iets zeggen, maar Sofía strekte een hand naar hem uit, streelde hem met haar knokkels en zei: 'Wil je niet met me neuken?' Haar stem klonk bijna onmenselijk zacht. Rímini lachte. 'Neuken. Nu, hier. Kijk. Zie je? Dit is een hotel,' zei Sofía. 'Kom. Gewoon een wip, een snelle wip. We gaan naar boven, neuken en klaar. Daarna nemen we afscheid. Het heeft niets te betekenen, maak je maar geen zorgen. Ik ben zo geil. Ik heb al zo lang geen lul meer in me gevoeld. Ik ben zo geil dat mijn eierstokken pijn doen. Voel maar.' Ze pakte zijn hand en legde die tegen haar schaamheuvel. 'Voel. Voel je hoe het klopt? Een wip, meer niet. Je stopt hem erin, je komt in me klaar en dat is het. Alsjeblieft. Doe me dat plezier.' Rímini werd duizelig, geen begeerte of weerzin, maar een soort onbeweeglijke beweging bestaande uit twee tegengestelde krachten – groeien en krimpen, naar voren gaan en terugdeinzen, stijgen en dalen: hetzelfde vreemde gevoel dat hem als kind midden in de nacht soms overviel, als hij van iets wakker werd en merkte dat hij rechtop in een onmetelijk groot, oceanisch bed zat, ontworpen door een expressionistische timmerman, een fanatiek aanhanger van de zwaaihaak – die tegelijk op hem inwerkten, en hij voelde Sofía beven via zijn vingers, die ze nog altijd zacht tegen haar lichaam gedrukt hield. En plotseling kwam er een barbaarse gedachte bij hem op, zo drastisch en zo ongehoord dat die niet door hem leek te zijn gedacht maar op hem was afgevuurd vanuit een of ander ver sterrenstelsel door een monsterachtige intelligentie: *naar bed gaan met deze dode om me voorgoed van haar te bevrijden.* En toen hij weer in staat was te reageren, stond hij in een bloedhete omhooggaande lift, met Lucio in zijn armen en het inderhaast opgevouwen wandelwagentje naast zich, en toen zijn ogen gewend waren aan het schemerdonker, aan de verderfelijke rode nevel die neerdaalde uit het plafond, herkende Rímini in de spiegel het gezicht van Sofía, die heel geconcentreerd naar de vloerbedekking keek, en dat van Lucio, wit en glimlachend, als een onschuldige parel drijvend in het moeras van een nachtmerrie. De lift stopte. Sofía deed de deur open, stapte de gang op en ging op zoek naar een deur met het nummer dat op de sleutel stond die ze in haar hand hield. Rímini stak de helft van zijn lichaam tot buiten de lift, genoeg om Lucio, die Sofía terugzag maar in een andere omgeving, het weerzien te laten vieren met een salvo van mondexplosies. Hij wilde uitstappen, maar een wiel van het wagentje was blijven steken achter de deur en dwong hem nog even te wachten. Lucio schrok op van de verdwijning van Sofía en protesteerde heftig door met zijn vlakke handjes op Rímini's hoofd en ogen te slaan. Rímini moest op de tast te werk gaan, worstelend met de liftdeur, het opstandige wieltje en het ondoorgrondelijke mechanisme van het wandelwagentje, dat, heen en weer geschud door zijn ongeduldige onstuimigheid, plotseling met een hooghartige zwierigheid openklapte en de hele ruimte in beslag nam met zijn gelede skelet.

Beneden drukte iemand op de knop van de lift. Rímini stak zijn hoofd opnieuw naar buiten terwijl hij probeerde zijn enkel te bevrijden uit de klem van ijzer en plastic waarin die vast was komen te zitten. Hij zag Sofía opduiken aan het eind van de gang en wenkte haar met wanhopige gebaren. Toen ze zag wat het probleem was, barstte ze in schaterlachen uit, een langgerekte, schampere lach die nog even na bleef galmen in de gang. Ze begonnen samen aan het wagentje te trekken, hij zwetend, ervan overtuigd dat als de situatie nog een paar seconden langer duurde hij helemaal door zou draaien, zij buiten zichzelf, stikkend van de lach, totdat, verbeten worstelend met een buitengewoon weerbarstig onderdeel, haar vinger klem kwam te zitten en ze het uitschreeuwde van de pijn, waarna ze zich onder de geschrokken blik van Lucio, met een woedende trap afreageerde op een van de wielen. In de gang verscheen een kamermeisje met een stapel handdoeken, dat met stomverbaasde blik langs hen heen liep. Beneden bonsden een paar ongeduldige knokkels op de metalen deur. Rímini pakte Sofía bij haar arm, trok haar de lift in en drukte met zijn elleboog op de knop voor de begane grond. Er was zo weinig plaats dat ze elkaar bijna omhelsden. Sofía lachte en blies haar adem in zijn hals, op zijn rechterwang, in zijn mond. 'Hou op, Sofía, alsjeblieft,' smeekte hij. Nog nooit had hij zich zo vernederd gevoeld door een lach. Hij vroeg haar nog een keer of ze op wilde houden en toen dat niet hielp, gaf hij haar een doffe klap met zijn vlakke hand, een van die medelijdende oorvegen die doorgaans gebruikt worden om een einde te maken aan een zenuwtoeval of dronkenlappen weer bij te brengen. Sofía's mond viel open, niet zozeer van pijn als wel van verbazing, en toen ze beneden aankwamen en de deur openden, stortte ze als iemand die na lang onder water te zijn geweest eindelijk weer kan ademen, een laatste lach uit over het stel dat te midden van een oerwoud van groen verlichte varens op de lift stond te wachten.

Ze tuimelden de straat op, als voortvluchtigen na een overval in een komedie. Rímini verscheen als eerste: hij had het lichaam van Lucio onder zijn arm geklemd en sleepte het wandelwagentje aan een wiel achter zich aan, als een dode, waarbij het handvat over de grond schuurde. Hij stapte de straat op om een taxi aan te houden. Sofía stond nog altijd te lachen tegen de muur van het hotel, haar lichaam voorovergebogen, alsof ze moest overgeven, totdat ze plotseling, van het ene moment op het andere, tot bedaren kwam. Terwijl hij met één oog de straat in de gaten hield, zag Rímini met het andere hoe ze zich bukte, met haar rug langs de muur gleed, neerhurkte en haar benen spreidde om zich met een brede glimlach opgelucht over te geven aan het langdurig lozen van een warme straal urine, die gefilterd door haar slipje langzaam op de grond druppelde en via de smalle voegen tussen de tegels naar de straat stroomde. Een oude Peugeot 504 remde naast hem en bleef trillend staan wachten, gehuld in de geur van benzine. Op een ander moment zou hij hem hebben laten doorrijden; nu verkeerde hij niet in de omstandigheid dat hij kon kiezen. Hij opende het portier, bedwong een laatste opstandige reactie van de wandelwagen, propte hem tussen de achterbank en de rugleuning van de chauffeursstoel en dook, met Lucio tegen zijn borst gedrukt, onbeheerst de taxi in, alsof hij op de vlucht was voor een kernexplosie. Het portier bleef open-staan; Rímini was helemaal aan het andere eind van de achterbank gaan zitten, zodat hij moest wachten tot de taxichauffeur zijn arm zou uitstrekken om het dicht te doen, en op dat moment draaide hij zijn hoofd en keek naar Sofía, in de overtuiging dat het de laatste keer was, of beter gezegd, zichzelf belovend dat het de laatste keer zou zijn. Hij zag hoe ze langzaam overeind kwam, alsof de scène de volmaakte te-genpool vormde van de laatste herinnering die hij van haar had, en hoe ze toen ze eenmaal stond, een verdwaasde stap zette in de richting van de straat, van hém en vermoedelijk van Lucio, die met een blij vingertje naar haar wees en zijn vader aankeek, als wachtte hij op het uitspreken van een vonnis. Sofía glimlachte vriendelijk, de vriendelijkheid van mensen die moe zijn of op sterven liggen, met spieren die verstrakken tot een uitdrukking die ze niet meer kwijtraken, niet meer in staat de inspanning te leveren die nodig is om die door een andere uitdrukking te vervangen. Ze liep naar de auto, en terwijl de taxichauffeur naar de klink van het portier tastte om het dicht te trekken, zag Rímini haar een misstap maken, wankelen en *hem aankijken*, recht in zijn ogen, waarbij op datzelfde ogenblik alle waardigheid van haar houding, die een seconde daarvoor nog stevig, uit één stuk had geleken, afbrokkelde en instortte. En om zo, midden in die struikeling, aangekeken te worden, daar was ze niet op voorbereid. Het was niet in de hysterie, de koketterie, de rancune of het moederinstinct, noch in een van de eigenschappen die hun unaniem door de wereld werden toegedicht, dat Rímini de diepe waarheid herkende die vrouwen voor hem belichaamden, maar in dat kernpunt, van een tragikomische precisie – een misstap, een verkeerde beweging, uitgelopen make-up –, waarin hun hele vermogen om te betoveren als het ware door het belachelijke werd opgeblazen en volledig in rook opging. Of misschien drukten die valpartijen in werkelijkheid niet zozeer de waarheid over vrouwen uit als wel die over het effect dat ze op hem uitoefenden, dat hoogst eigenaardige differentieel dat hem met de snelheid van een gag van de ene vorm van onderwerping deed overschakelen naar de andere: van de verering waartoe godinnen inspireren naar het treurige medelijden dat ze opwekken als ze plotseling languit en wijdbeens op de grond liggen, met omhooggeschoven rok, bebloede knieën en een kras op het nieuwe leer van hun schoenen. Rímini zag haar struikelen, Sofía zag dat hij het zag, en iets in haar ogen, geen vijandigheid, want ze was te druk bezig met het overleven van de misstap om een zo veeleisende emotie te kunnen kanaliseren, maar iets onzuiverders, een mengeling van naaktheid en pijn, van verwonding en schaamte, liet bij hem opnieuw het brandmerk achter dat alle vrouwen die hij ooit bij een val had betrapt bij hem hadden achtergelaten: de indruk dat hij getuige was geweest van iets wat hij niet had mogen zien.

'Wacht,' beval Rímini, en hij hield de hand van de taxichauffeur tegen voordat die het portier kon dichttrekken. Halverwege tussen het hotel en de straat – Rímini las de naam die in cursieve letters gegraveerd stond in een plaat van namaakmarmer: *L'Interdit* – had Sofía haar ene been schuin over het andere gelegd om iets te controleren aan de hak van haar rechterschoen. 'Stap in,' riep Rímini, met een duw het portier van de taxi openend. Sofía ging nog even door met haar inspectie, maar dat was zinloos: de hak was ongeschonden, en de inspectie had geen ander doel dan de schuld van de struikeling af te schuiven op haar schoen. Ten slotte stapte ze in, terwijl ze een vaag dreigement mompelde tegen de schoenenwinkel of het merk en bij het horen van het adres dat Rímini opgaf – 'de hoek van Bulnes en Beruti, alstublieft' – verbeterde: 'Honduras 3100.' 'O,' zei Rímini. Hij was verbaasd, maar hij was niet van plan zijn voorzichtigheid te laten varen. 'Toen ik je belde, heb ik toen niet naar Bulnes gebeld?' vroeg hij. 'Ze nemen berichten voor me aan. Maar ik woon daar al maanden niet meer. Ze hebben me eruit gezet toen ik in Duitsland was. De eigenaar heeft het appartement verkocht en moest het meteen leeg opleveren en aangezien ik nog een paar maanden in het buitenland zou blijven, heeft hij al mijn spullen eruit gehaald en opgeslagen in een depot in Barracas, dat twee weken later na een zuidoosterstorm onder water is gelopen. Ik ben vast de eerste die op twee hemisferen tegelijk uit haar huis is gezet: terwijl Konrad en dat kreng van een tante van hem me aangaven bij de immigratiedienst (mijn toeristenvisum was dertig dagen verlopen), lagen mijn meubels te dobberen en te verrotten in een kelder vol water voor de bescheiden som van tweehonderdvijftig peso per maand waar de eigenaar van Bulnes mij ook nog eens voor wilde laten opdraaien.' Ze zweeg even; het leek wel of ze haar lijdensweg aan zich voorbij zag trekken in de ruit van het portier. 'Achteraf was het allemaal zo gek nog niet,' zei ze vervolgens. 'Het heeft me geholpen veel dingen op te ruimen. Allerlei rommel en nutteloze dingen, al die prullen die je om je heen verzamelt. Dat is het voordeel van tegenslagen: ze dwingen je weer eens goed na te denken over waar je prioriteiten liggen. En ik heb het appartement in Honduras gekregen, met een uitzicht dat duizend keer mooier is.' Ze wendde zich tot Rímini. 'Wil je niet even mee?' vroeg ze. Rímini keek haar zonder iets te zeggen aan. Het was voldoende om haar af te schrikken. 'Nee, het is vast al laat,' zei ze, alsof ze hardop dacht.

Ze zwegen een paar straten. Bij een rood stoplicht viel Rímini's oog op een kiosk en hij dacht dat als hij nu niet onmiddellijk iets te roken had, hij een hartinfarct zou krijgen. Vroeger, toen hij nog rookte, had zin in roken, hoe hevig ook, altijd het trage, kalme karakter van een luxe. Nu, na anderhalf jaar onthouding, was het verlangen net zo dwingend als dorst, honger of angst. Sofía zakte ontspannen onderuit op de achterbank en streelde zacht het hoofd van Lucio, die stil, bijna slapend, door het raampje naar buiten keek. 'Dat is waar ook,' zei ze plotseling, 'raad eens wie ik in Duitsland heb gezien. Pierre-Gilles.' Rímini dacht dat ze een grapje maakte en keek haar aan. Sofía wendde haar blik af, zocht naar iets buiten, op straat, iets wat ze niet vond, keerde zich weer naar hem en vloog met haar ogen snel, heel oppervlakkig over zijn gezicht, alsof ze het niet waardig genoeg vond om erop te landen en te blijven rusten. 'Je hebt hem gezien?' vroeg hij. Sofía knikte. 'Op televisie, een keer 's avonds.' 'Ik dacht dat hij dood was.' 'Dat weet ik niet,' zei ze, 'kan best. Hoe moet ik dat weten? Alles wat op televisie komt zou ook dood kunnen zijn. In elk geval zag hij er fantastisch uit. Beter dan jij en ik. Hij kreeg een prijs uitgereikt.' 'Voor wat?' 'Weet ik niet. Het programma was in het Duits, ik begreep er niet veel van. Ik geloof dat hij filmproducent is.' 'Filmproducent,' herhaalde Rímini zachtjes. Enigszins verbijsterd probeerde hij het silhouet van de psychoot die *Spectre's portrait* had aangevallen te laten samenvallen met de welvarende onbekende die Sofía zojuist in zijn verbeelding had opgeroepen. 'Zo is het, Rímini,' zei Sofía, 'de een gaat dood, de ander wordt weer jong. Wordt weer jong, neemt de plaats in van de dode en ademt, eet, kijkt en geniet voor twee. Een dubbele portie van alles. Overlevenden, usurpators. Wat is het verschil? Wat is de liefde anders dan een vorm van natuurlijke selectie?' Sofía boog naar voren en maakte drukke gebaren bij het gezicht van de taxichauffeur om hem een kortere weg te wijzen. Ze merkte dat ze zichzelf kon zien in de achteruitkijkspiegel en raakte de onderrand van haar nog altijd rode oogleden aan. 'Ik was in het pension, zie je, in de keuken (tante Pot was naar een van haar wekelijkse vergaderingen van het buurtcomité, waar ze al maanden steun probeerde te vinden voor het idee een doodlopende straat in de wijk de naam van haar dode hond te geven, *Kimstraße*, of zoiets), de tv in de eetkamer stond aan (mensen praatten met elkaar in het Duits en af en toe klonk er een daverend applaus) en plotseling hoorde ik een paar verzen... Je zult het niet geloven. Het was net een hallucinatie, Rímini.' Ze sloeg haar ogen op naar het autodak, beet op haar lip. '*Voici de quoi est fait le chant de l'amour,*' droeg ze voor. 'Nee: *Le chant* symphonique *de l'amour/ Il y a le chant de l'amour de jadis/ Le bruit des baisers éperdus des amants illustres...* Weet je nog?' Ze wachtte niet op een antwoord maar ging verder. '*Les cris d'amour des violées, des mortelles violées par les dieux/ Il y a aussi les cris d'amour des félins dans les* na na na na... Ik rende meteen naar de eetkamer en daar was hij. Het was hem, Pierre-Gilles, met een beeldje in zijn hand, een soort cilinder eindigend in een punt, net een grote gouden pik (het was slecht te zien, de vrekkige tante zei altijd dat kabeltelevisie de duivel was), Pierre-Gilles die *Les vagues de la mer où naissent la vie et la beauté...* Is het niet ongelooflijk?' Rímini keek haar aan, glimlachte zwakjes en wendde zijn blik af. Sofía bleef hem strak aankijken, afwachtend. 'Je weet het toch nog wel, hè?' vroeg ze. 'Ja, ja,' zei Rímini, op bijna protesterende toon, 'maar...' 'Maar je begrijpt er niets van.' Rímini zuchtte. 'Je herkent niet wat je hoort,' zei Sofía. 'Het zijn alleen geluiden. Chinees. Dus het is waar.' Ze zweeg even, terwijl ze haar ogen opensperde en hem met een mengeling van schrik, nieuwsgierigheid en opwinding aankeek, alsof het wonder dat ze zojuist had vastgesteld iedereen zou kunnen imponeren behalve haar, de enige die op de hoogte was van zijn geheim. 'Dat van je taalkundige Alzheimer,' zei ze, 'dat is waar.' Hoe wist ze dat? Rímini slikte en trok een luchthartige grimas. 'Nou ja, Alzheimer is een beetje een zwaar woord, niet?' 'Het woord dat je zelf gebruikt, naar ik heb begrepen,' zei Sofía. Rímini wilde doorgaan met net doen alsof, maar hij kon het niet. 'Hoe weet je dat?' vroeg hij hevig geschokt. 'Bespioneer je me soms? Betaal je iemand om informatie door te geven? Heb je mijn telefoon afgetapt?' Er viel een stilte. Lucio maakte van de gelegenheid gebruik om zich uit te rekken; hij kromde zijn lichaam, strekte zijn armen zo ver mogelijk uit en richtte, na zijn hoofd tegen Rímini's borst te hebben laten zakken, een paar uitdrukkingloze, wijdopen ogen op hem. Zoals te verwachten viel had Rímini meteen spijt van zijn woorden. Elke heftige reactie was gevaarlijk: in een seconde kon hij alle tot dan toe geboekte vooruitgang tenietdoen. 'En wat ben je van plan te gaan doen,' zei Sofía. 'Ik bedoel, behalve kwaad worden op mij. Want je zit in de problemen, hè? Heb je bijvoorbeeld werk?' 'Niet veel,' loog hij, 'maar ik had toch al genoeg van vertalen. Met Carmen gaat het goed, dus heb ik besloten een sabbatical te nemen.' Rímini wachtte. Hij zag zijn excuus trillen in de lucht en bad dat het stand zou houden. Sofía liet een paar seconden voorbijgaan. 'Dan zul je wel gelukkig zijn,' zei ze ten slotte. 'Je droom is uitgekomen.' 'Mijn droom?' 'Een gigolo worden. Dat was toch een van je fantasieën?' Rímini kon een glimlach niet onderdrukken. 'Huichelaar,' zei ze, met een klap op zijn arm, 'denk je dat ik achterlijk ben? Jij bent degene met Alzheimer, niet ik. Ik herinner me alles nog.' 'Dat weet ik,' zei hij, 'en ik heb nooit begrepen dat je daar niet een keer moe van wordt.' 'Wie zegt dat? Soms kan ik er ook niet meer tegen. Bijvoorbeeld als ik me realiseer dat ik de enige ben. Dat om mij heen iedereen zich de luxe van het vergeten veroorlooft, omdat ze mij hebben. Ik stel ze gerust: ze weten dat zolang ik er ben de dingen niet verloren gaan. Ik ben een soort biologisch archief. Tussen haakjes, weet je wat het enige is wat niet verloren is gegaan bij de overstroming?' 'Geen idee,' zei Rímini, terwijl zijn wijsvinger langs de rug van Lucio's neus gleed, een sprongetje maakte en veilig landde in de zachte greppel tussen zijn lippen. 'Raad eens,' zei ze. 'Ik weet het niet. Ik weet niet eens wat voor spullen je had...' '*Raden*, Rímini!' onderbrak ze hem fel, 'om te raden hoef je niet te weten. Raden is het *tegenovergestelde* van weten.' 'Ik weet het niet. Je kleren?' waagde hij. 'Mijn kleren,' herhaalde ze peinzend, alsof ze nadacht over het antwoord op een examenvraag. 'Laten we aannemen dat het mijn kleren waren,' ging ze berustend met hem mee. 'Laten we aannemen dat de stoelen, boeken, lampen, schilderijen, gordijnen en lakens verwoest zijn en dat alleen mijn kleren zijn gered. Als dat zo zou zijn, lieve jongen, waarom zou ik dat dan uitgerekend aan jou vertellen? Wat zou je tegen me kunnen zeggen? "Wat jammer"? "Nee maar"?' 'Het waren niet je kleren.' 'Nee. De foto's, Rímini. Die verzameling portretten van doden waarmee je me hebt opgezadeld sinds we uit elkaar zijn. Ik heb ze geteld: het zijn er vijftienhonderdvierenzestig. Sofía en Rímini op de boulevard van Mar del Plata. Sofía en Rímini, net wakker, in Pensione Merano aan het ontbijt. Sofía en Rímini aan het eten in La Cárcova. Sofía en Rímini bij La Gioconda. Het was het eerste wat ik zag toen ik de trap van de meubelopslag af kwam: de enorme doos die in het water dreef, met daarin de foto's, onbeschadigd, als schipbreukelingen op een vlot.' Ze deed haar mond wijdopen, alsof ze geen lucht kreeg, en begon te huilen. 'Genoeg,' zei ze, 'het is afgelopen, Rímini. Laat me alsjeblieft met rust. Geef me mijn leven terug.'

Ze huilde terwijl ze voor zich uit keek, fier rechtop, met de waardigheid van een veroordeelde die elk mededogen afwijst. Rímini besefte dat ze niet op zoek was naar troost, warmte of begrip, zelfs niet naar de krankzinnige bevrediging waarvoor ze tien minuten eerder, ieder voor de helft, een hotelkamer hadden betaald die ze niet hadden gebruikt. Hij zag geen sluwheid, berekening of verleiding. Rímini voelde dat hij voor het eerst geconfronteerd werd met een puur, van elke bijgedachte ontbloot verlangen. Ze wilde haar leven terug. Dat was alles. En die naakte wil was voor hem onverdraaglijk. Hij voelde zich ziek en had het idee dat hij moest overgeven. Zorgvuldig Lucio's hoofd vermijdend boog hij zich over naar de taxichauffeur en vroeg of hij misschien een sigaret had. Meteen bemoeide Sofía zich ermee. 'Nee,' zei ze, 'haal het niet in je hoofd. Luistert u niet naar hem. Hij mag niet roken.' 'Ik heb toch geen sigaretten,' zei de taxichauffeur glimlachend, 'ik ben twee jaar geleden gestopt.' Rímini kreeg het benauwd. Hij draaide het raampje naar beneden en stak zijn hoofd naar buiten om de avondlucht op te vangen, en toen de eerste windvlaag in zijn gezicht sloeg en vrijwel onmiddellijk het zweet opdroogde dat hem twee minuten daarvoor was uitgebroken, verstijfde Lucio, begon met zijn blauwe schoentjes tegen de rugleuning van de bestuurdersplaats te trappelen en barstte in een langdurig en hevig snikken uit. Hij huilde binnensmonds, alsof hij zijn verdriet probeerde te verbijten, en zwaaide met zijn armpjes als op hol geslagen molenwieken. Rímini pakte hem onder zijn oksels, tilde hem op, draaide hem in de lucht om en zag dat hij met zijn gebalde vuist in zijn oog wreef. Hij vroeg de taxichauffeur of hij het licht aan wilde doen. 'Er zal wel iets in zijn oog gekomen zijn,' zei Sofía. Rímini onderzocht hem bij het licht: hij zag bleek en rond zijn ogen zaten twee diepe, donkere kringen. 'En als je het eens probeert met zijn speen?' 'Die zoek ik net,' zei hij, geïrriteerd door het feit dat zij eerder op het idee was gekomen dan hij, en hij begon naar de speen te zoeken terwijl hij de tien vurige groeven voelde die Lucio's nagels op zijn wangen trokken. 'Hou op, Lucio, nee,' protesteerde hij. Het branderige gevoel deed de tranen in zijn ogen springen. Hij stopte een hand in het wandelwagentje en haalde hem er bedekt met ijsresten en oude kruimels weer uit. Hij doorzocht zijn broekzakken en deed verwoede pogingen zich te bevrijden van de pluisjes die om zijn vingers heen wervelden, aangetrokken door de zoete kleverigheid van het ijsje, toen Sofía het rafelige hemelsblauwe koordje dat om Lucio's hals hing lostrok, de speen tevoorschijn kwam en zich tussen het konijn en de eekhoorn nestelde die ergens over aan het onderhandelen waren op de voorkant van zijn kruippakje. Rímini keek er wantrouwig naar, er vast van overtuigd dat het allemaal een handige manoeuvre van Sofía was geweest, en hij trok Lucio tegen zijn lichaam om de speen in zijn mond te stoppen. 'Wacht even,' zei ze, en ze pakte de speen tussen twee vingers, stopte hem in haar mond – Lucio, hevig ontsteld door die aanblik, hield meteen op met huilen – en begon er langzaam op te zuigen, en na een paar seconden haalde ze hem er schoon en glimmend weer uit en bracht hem naar de halfopen mond van het kind. 'Mag ik?' vroeg ze. Lucio draaide zich naar zijn vader en keek hem afwachtend aan. Rímini knikte. Beschaamd wendde hij zijn blik af en zag een kiosk oplichten op het trottoir aan de overkant. 'Stop,' zei hij. De taxichauffeur keek hem aan in de achteruitkijkspiegel. 'Hier stoppen!' schreeuwde hij. Hij tilde Lucio weer op bij zijn oksels en gaf hem aan Sofía. 'Hier. Hou hem even vast, wil je,' zei hij. Lucio protesteerde niet; hij nam haar aandachtig op, als was ze een soort godin. 'Hallo, Lucio,' zei Sofía. Lucio haalde de speen uit zijn mond en bood hem haar aan. Sofía schudde haar hoofd en keek Rímini met een treurige glimlach aan. 'En?' vroeg ze, met Lucio poserend als voor een foto. 'Hoe zien we eruit?' Maar Rímini was al bezig uit te stappen en stak rennend de straat over, met een provocerende behendigheid de bumpers van de auto's ontwijkend. Hij kwam bij de kiosk, stak een hand in zijn zak op zoek naar geld en heel even vulde zijn hoofd zich met sigarettenmerken: het merk dat zijn moeder rookte in de tijd dat hij, dertien jaar oud, na het eten al met het pakje en de aansteker klaarstond, wachtend op het moment dat zij besloot een sigaret te roken, zodat hij die voor haar kon aansteken; het geïmporteerde merk dat zijn vader rookte en waarvan de reclame stranden, zeilboten, fjorden en duizend andere exotische beloningen beloofde; het merk zware sigaretten waarmee Rímini was begonnen, ten dele verleid door de Franse herkomst, ten dele door de stoere uitstraling; de lichtere variant waar hij al snel op was teruggevallen, eerst om, zoals toen werd gezegd, 'bij te komen' van het verwoestende effect van de zware sigaretten, later, op nogal irrationele gronden, in navolging van de Polanski uit *De huurder* – een van de weinige films, behalve *Rocco en zijn broers*, die Rímini met Sofía meer dan zes keer had gezien –, die er altijd naar vroeg als hij de bar tegenover zijn huis in Parijs, hoofdstad van het imperium van de zware tabak, binnenging. Hij zag sigarettenmerken, hij zag zijn hele leven aan zich voorbijtrekken tussen sigarettenmerken, en met een vaag gevoel van beklemming vroeg hij zich af wat hij nu, na anderhalf jaar onthouding, zou gaan roken, alsof in de keuze van het merk zijn lot besloten lag. Hij realiseerde zich dat hij niet eens meer wist wat een pakje sigaretten kostte. Hij vroeg om een pakje Marlboro en een doosje lucifers, en het simpele feit dat hij opnieuw die aloude formule uitsprak was genoeg om zijn longen met rook te vullen. De kioskhouder – een enorme gladgeschoren dikzak die, gezeten op een draaikruk, de uitstalling van zijn kiosk leek te beheersen als was het een verlengstuk van zijn lichaam – spreidde zijn armen ten teken van onmacht. 'Geen sigaretten,' zei hij, 'de leveranciers staken en ik heb niks binnengekregen.' Rímini glimlachte. Hij bleef rustig staan, min of meer verwachtend dat de ander met een knipoog van verstandhouding in de plastic schappen zou gaan rommelen op zoek naar een pakje, maar toen hij opkeek zag hij dat ze allemaal leeg waren. Terwijl de kioskhouder zich van de draaikruk liet glijden, terugliep naar de kleine bar die bij de kiosk hoorde en een ijzeren tang in een pan kokend water dompelde, keerde Rímini zich, krachteloos, alsof ze hem volledig hadden leeggezogen, weer naar de straat, keek naar de zachte motregen die op het plaveisel viel en zocht met hulpeloze ogen de taxi. Daar stond hij, met draaiende motor, ontstoken koplampen en knipperende richtingaanwijzer, de twee handjes van Lucio als plakplaatjes op het achterraam gedrukt. Rímini stapte de straat op en gleed uit. Hij spreidde zijn armen om zijn evenwicht te bewaren en terwijl hij dat deed dacht hij aan Lucio, die vast naar hem keek vanuit de taxi, en hij kwam op het idee de glijpartij te stileren door zichzelf te veranderen in een menselijk vliegtuig en zo naar de auto, naar hém toe te lopen, en op het moment dat hij de regenachtige lucht doorkruiste, met zijn armen als vleugels uitgespreid en met zijn mond een zacht motorgebrom imiterend, keek hij opnieuw naar de taxi en zag hem heel langzaam wegrijden, de eerste hoek omslaan en uit het zicht verdwijnen.

10

Ik moest iets van je houden. Iets meer, iets beters dan die armzalige, lauw-warme traantjes zaad die je in het hotel in me zou hebben achtergelaten. Wat treurig allemaal, Rímini. Het was zo eenvoudig. Ik was zo geil. Ik ver-diende iets beters. Maar kennelijk zat zelfs dat er niet in, Rímini. (Diezelf-de avond, terwijl Lucio mijn lakens met appelmoes besmeurde, deed ik een ontdekking: waren we niet al eens in datzelfde hotel geweest? Ik herin-nerde me de naam, want ik weet nog dat ik de keer dat ik denk dat we daar geweest zijn (probeer je eens te herinneren, Alzheimer, al is het voor de laatste keer: het was lang geleden, we waren andere mensen en ik geloof zelfs dat je geen stijve kon krijgen) dacht dat L'Interdit (op dat moment zag ik de naam op een doosje lucifers) ook de naam was van de zaak waar jouw moeder haar kleren kocht, de kleren waar ik haar om benijdde toen we pas samen waren, weet je nog?, en die ze me later cadeau heeft gedaan en die ik volgens mij nog ergens moet hebben.) Lucio daarentegen is nieuw en lief. Ik wilde dat je dat wist. (Jij ook, Carmen: wat goed om te weten dat ik niets voor je hoef te verbergen.) Een schat van een kind. Hij lijkt vast op zijn moeder, want het enige wat hij van jou heeft zijn zijn ogen. Hij heeft noch jouw doodsangst, noch jouw 'bedachtzaamheid', noch jouw pathetische emotionele schraalheid. Je verdient hem niet, Rí-mini. Maar ik vermoed dat je er wel in zult slagen hem te bederven. Ik ge-loof dat we goede vriendjes zijn geworden. Hopelijk houdt hij een mooie herinnering over aan zijn tante Sofía. Hij vond de Simpsons leuk, het ge-luid van de sleutels, de miniatuurzandloper die ik als sleutelhanger ge-bruik, het groene lichtje van mijn wekker en de namaak-Calder die boven mijn bed hangt en die altijd naar me kijkt als ik masturbeer terwijl ik aan jou denk (ik heb uit Duitsland een Van Dam-dildo meegebracht, een

reusachtige zwarte met dubbele kop om hem in de vorm van een U te kunnen buigen en de ene kant in mijn kut en de andere in mijn kont te stoppen), terwijl ik denk aan de dag dat je eindelijk zult toegeven dat je van
me houdt en dat de liefde een voortdurende stroom is. Lucio is gewassen
en geparfumeerd, hij heeft gegeten en kan zo naar bed. In de zak vind je de
kleertjes die hij aanhad. Inderdaad, het hemdje dat ik voor hem gekocht
heb is een beetje te groot. Ik had zijn maat niet, het was al laat en de winkels gingen dicht. Sorry. Niemand is volmaakt.

DERDE DEEL

1

Hij kwam tien minuten te laat, nadat hij zich eerst in het gebouw en vervolgens in de vleugel had vergist en de helft van het oponthoud besteed had aan het overtuigen van de liftbediende dat hij, ook al was hij ongeschoren en ongekamd, met een overhemd vol koffievlekken en één schoen zonder veter, de waarheid sprak en écht een afspraak had met advocatenkantoor Estebecorena. Hij drukte op een bel en wachtte even, starend naar zijn eigen silhouet in het geslepen glas van de deur, totdat een ongeduldige stem door de intercom zijn naam eiste. Er klonk een doffe zoemer. Rímini duwde één, twee, drie keer tegen de deur, steeds harder, zonder enig succes, en ontdekte net het bordje *Pull* toen de stem, berustend in de omgang met idioten, hem voorstelde eens te proberen de deur naar zich toe te trekken. Een rijzige, koele secretaresse ging hem voor door een lange gang met vloerbedekking – Rímini, overgevoelig voor de geur van lijm, legde het hele traject niezend af – en liet hem plaatsnemen in een ruime, heldere wachtkamer, met vier leren fauteuils en een laag tafeltje dat vol lag met in waaiervorm uitgespreide sporttijdschriften en veilingcatalogi, waar een grijsharige veertiger in het jaarboek 1992 van het colegio Lasalle zat te bladeren.

'Koffie, thee, mineraalwater?' vroeg de secretaresse. Rímini keek op om antwoord te geven en zag dat ze zich tot de ander richtte. 'Nee, dank u,' antwoordde de grijsharige man. 'Echt niet?' drong ze aan, terwijl ze een vuil kopje van tafel pakte. 'Nee, nee, heel vriendelijk van u.' 'Meneer Estebecorena komt zo bij u,' voegde de vrouw er nog aan toe voordat ze wegliep, met haar heupen denkbeeldige meubels ontwijkend. Rímini sloeg zijn benen over elkaar om zich te ontspannen. Na een tijdje drong het tot hem door dat de schoen die vrijmoedig op en neer wipte de schoen zonder veter was en hij verborg hem snel onder het tafeltje, waarbij hij zijn scheenbeen tegen de houten rand stootte. Even later kwam de secretaresse terug en nam de grijsharige cliënt mee, waarna Rímini zich nog meer geïntimideerd voelde dan eerst, alsof de sobere en hooghartige luxe van het kantoor gebruikmaakte van het feit dat ze alleen waren achtergebleven om zich op hem af te reageren. Alles was stil en verlaten. De vloerbedekking dempte de voetstappen, de met hout bedekte muren zwakten het geluid van de telefoons en de stemmen af. Rímini herkende een scheepshoorn en het was of de wereld een laatste signaal verzond alvorens voorgoed te verdwijnen. Er ging een deur open, de zelfverzekerde stentorstem van een man die de groeten deed aan een complete familie werd hoorbaar, en daarna zag Rímini het witte hoofd van de veertiger langs de wachtkamer voorbijkomen. Hij was aan de beurt. Hij stond op en nam in gedachten nog eens door wat hij van plan was te zeggen. Een paar flarden van argumenten zweefden als jachtige wolken door zijn hoofd. 'Het is volstrekt onjuist dat...' 'Ik was evenzeer het slachtoffer als zij...' 'Een labiele persoonlijkheid...' 'Een onverbeterlijke ziekelijke leugenaarster...' Het klonk allemaal even zwak en geforceerd. Hij hoefde maar een verzachtende omstandigheid aan te voeren of een zwerm tegenwerpingen stortte zich erbovenop en reet die volledig aan stukken. Hij ging weer zitten.

Hij was moe, zijn lichaam deed pijn, hij had onaangename tintelingen in zijn handen en voeten en een onafgebroken gezoem achter zijn oren, alsof een paar insecten hem overal achtervolgden. Hij sliep al dagen slecht. De bedbank die zijn vader hem ter beschikking had gesteld was oud, de matras was versleten en de stalen banden van de vering drongen in zijn rug en lieten blauwachtige strepen achter op zijn huid. Tot overmaat van ramp werd zijn vader elke ochtend voor dag en dauw wakker. Hij had een lichte angina pectoris gehad, een schrik die doktoren altijd weten om te zetten in een kwestie van leven of dood, dankzij een beperkt maar doeltreffend scala van sombere vooruitzichten. Zijn organisme was ongeschonden gebleven, maar zijn moraal niet. Vol berouw over zijn uitspattingen en de verwaarlozing van zijn gezondheid, had hij ermee ingestemd zich te onderwerpen aan die moderne vorm van boetedoening die systematische lichaamsbeweging heet en die elke dag begon in de woonkamer van zijn huis, vlak bij de bedbank, waar Rímini na de nachtmerrie van de slapeloosheid te hebben overwonnen, net het gevoel begon te krijgen dat hij eindelijk in slaap zou kunnen vallen, en die later werd voortgezet in El Rosedal, waar hij, ongeacht de buitentemperatuur, praktisch naakt rondrende en zijn lichaam besprenkelde met flesjes mineraalwater, van nabij gevolgd door zijn persoonlijke trainer, een ex-collega die de wereld van het toerisme had vervangen door die van de anabolen en een zekere faam had verworven met het maken van kniebuigingen in enkele kabeltelevisieprogramma's.

Rímini gaapte en rook zijn eigen adem; als het die van een ander was geweest zou hij zijn hoofd hebben afgewend. Hij besloot zo ver mogelijk van de advocaat af te gaan zitten: door de afstand zou zijn armoedige toestand minder opvallen. Merkwaardig genoeg bracht die gedachte hem tot rust. Het was alsof hij een bepaalde sleutel had gevonden; zoals een acteur die na zijn personage vergeefs te hebben afgetast, plotseling een detail ontdekt, een manier van lopen, van een glas of sigaret vasthouden, van zijn neus snuiten, zodat alles waar hij eerder geen grip op kreeg, psychologie, beweegredenen, persoonlijke geschiedenis, waarden en normen, zich nu, in gang gezet door die minieme ontdekking, voor hem opent en zich in alle helderheid ontvouwt. Hij koos een golftijdschrift, verruilde het voor een blad over polo, en net toen hij de dubbele middenpagina opensloeg, waar zes paarden zich met hun ruiters verdrongen rond de Intercountriescup 1999, verscheen de secretaresse in de deuropening en keek hem een moment aan zonder iets te zeggen, alsof ze in Rímini het enige obstakel zag dat haar scheidde van een min of meer definitieve vorm van geluk.

Hij werd een grote vergaderzaal binnengelaten, met een ovale tafel in het midden en één enkel schilderij aan de muren: springende hazewindhonden op de voorgrond, een te jonge ruiter blazend op zijn hoorn, twee amazones met *breeches* en helmpjes die achter hun prooi aan snelden, wolken aan de hemel, gebladerte en op de achtergrond een kasteel, vervormd door het perspectief maar boordevol details. Het jachttafereel leidde hem af. Rímini zocht naar een of ander teken van de vos, het uiteinde van zijn staart of zoiets, en toen hij dat niet vond, begreep hij dat de vos schitterde door afwezigheid omdat alles op het schilderij op hém af kwam, dat het tafereel zijn bescheiden, geschilderde bestaan oversteeg en de echte wereld, die tussen de vier wanden van het kantoor, binnenstormde en dat de hazewindhonden, de paarden en de jaagsters zich op hem zouden storten om hem met hun poten en hoeven te vertrappen en hem met hun speelgoedgeweertjes het genadeschot te geven. Híj, Rímini, was de vos. Aan het hoofd van de tafel, in tegenlicht, met de rivier in zijn rug, voerde Estebecorena, de man met de stentorstem, een delicaat telefoongesprek met iemand genaamd Fico. Rímini stelde vast dat de secretaresse de deur niet had dichtgedaan. Hij was net van plan die nalatigheid te herstellen toen Estebecorena een hand ophief en hem tegenhield zonder op te houden met praten. Rímini bleef staan. Hij zag hem draaien in zijn stoel en licht vooroverbuigen – zijn stem daalde ook en kreeg een meer vertrouwelijke toon, en meteen daarop barstte hij in schaterlachen uit – om iets te zoeken in een la. Rímini schoof een stoel weg van de tafel en stond op het punt flink ver weg te gaan zitten, trouw aan het plan dat hij had uitgedacht, maar Estebecorena, die alweer met zijn gezicht naar hem toe zat, hield hem opnieuw met een handgebaar tegen en gooide een stapeltje papieren in dossierformaat op tafel, dat soepel over het hout gleed en op een centimeter van de linkerhand van Rímini tot stilstand kwam. Estebecorena bedekte de hoorn met zijn hand. 'Laten we geen tijd verspillen,' zei hij, terwijl hij zich achterover liet vallen en op de papieren wees. 'Het is lezen en tekenen: u hoeft niet eens te gaan zitten.' En hij ging meteen weer verder met zijn gesprek. Estebecorena verdedigde de Wilson-ballen; Fico, naar het scheen, die van Slazenger. De controverse zou in het weekeinde beslecht worden, op een negen holes-golfbaan in Pilar. Rímini, die nog altijd stond, las de eerste bladzijde vluchtig door, alsof hij ervan uitging dat hij er toch niets van zou begrijpen, maar hij dacht: ik zal tekenen, en als ik wil tekenen moet ik het lezen, en als ik het niet eens ben met wat ik lees, zal ik protesteren...

Hij begon geconcentreerd te lezen, en bij de tiende regel, toen hij de presentatie van de strijdende partijen achter zich gelaten had – hij las de naam van Carmen en daarna, in de regel daaronder, precies onder die van Carmen, de zijne, en hij wist dat hij tot het eind van zijn dagen nooit meer dichter bij haar zou komen –, kreeg hij een waas voor zijn ogen en de zinnen begonnen op te lossen op het papier, alsof ze niet met inkt gedrukt waren maar met rook. Hij deed alsof hij las, liet beide handen op de tafel rusten, een aan elke kant van het papier, en bleef een paar seconden zo staan, zonder enige hoop, gebogen over die vier of vijf vellen die een samenvatting gaven van een groot deel van het lot dat hem te wachten stond, terwijl de stem van Estebecorena, als een zinloos maar niet onaangenaam geruis, zijn laatste pogingen om zich te concentreren bleef verstoren. 'Ah. U bent écht van plan het te lezen,' hoorde Rímini de advocaat zeggen. Het was geen vraag maar een constatering, een verbaasde constatering. Rímini keek naar hem; het enige wat hij zag was de puntige omtrek van zijn schedel, die afstak tegen de horizon. 'Heb je even een momentje?' vroeg Estebecorena in de telefoon; hij bedekte opnieuw de hoorn met zijn hand en zei tegen Rímini: 'Ik zal u de formaliteiten besparen. Als u dit geschrift tekent, verplicht u zich wettelijk tot: één – en Rímini zag tegen de omlijsting van de hemel de geheven duim waarmee hij de opsomming kracht bijzette –, u niet binnen een straal van vijftig meter van mijn cliënte op te houden; twee, u niet binnen een straal van vijftig meter van de zoon van mijn cliënte op te houden; drie, af te zien van elke aanspraak op alle goederen waarvan u het eigendom tot nu toe met mijn cliënte deelde; en vier, mijn cliënte een alimentatie te verschaffen ter hoogte van driemaal het wettelijk voorgeschreven basisbedrag voor levensonderhoud, onverlet verhoging van dat bedrag indien de geestelijke gezondheid van de zoon van mijn cliënte, als gevolg van de vrijheidsberoving waarvan hij het slachtoffer is geweest, speciale zorg of behandeling behoeft, waarvan de kosten in dat geval volledig voor uw rekening zullen komen gedurende de periode waarover die behandeling zich uitstrekt. Dat is alles. Áls u tenminste tekent. En ik raad u oprecht aan om te tekenen.' Hij keerde terug naar zijn telefoongesprek: 'Eh, sorry, waar waren we gebleven? O ja, schoenen met franjes. Ik kan niet geloven dat je daar nog steeds aan hecht. Het is bijna 2000, Fico. Schoenen met franjes werden al niet meer gedragen ten tijde van Arnold Palmer!'

Cliënte? Zoon van cliënte? Hij had ze zien huilen, hij had ze gewassen en geroken, hij had ze in het donker zien slapen... Hij had hun lippen, oorlelletjes en liezen gekust... Rímini zocht in zijn zakken naar iets om mee te schrijven terwijl hij zijn bezwaren tegen de bepalingen van de overeenkomst – te beginnen met dat woord, 'overeenkomst' – nog eens op een rij zette. Hij vond een dop vol inkt – maar geen spoor van de balpen die die kliederboel had veroorzaakt –, het met mosterd besmeurde bonnetje van de twee hotdogs die hij een halfuur eerder bij wijze van lunch gegeten had, het geplastificeerde kaartje dat hij van de portier van het gebouw gekregen had in ruil voor zijn identiteitsbewijs. Een bescheiden buit, maar hij legde alles met een plechtig, zij het enigszins vermoeid gebaar op tafel, alsof die drie nietszeggende voorwerpen, waarvan er een niet eens van hem was, slechts de eerste waren van een uitgebreide collectie die hij in zijn zakken had, zodat Estebecorena, die al zag aankomen hoeveel schade het lossen van de rest zou kunnen toebrengen aan zijn smetteloze vergadertafel, zijn smetteloze documenten en, mocht er iets op de grond vallen, zoals zojuist met de dop van de balpen was gebeurd, aan zijn smetteloze vloerbedekking, een hand in zijn binnenzak stak, er een van die pruimkleurige balpennen uit haalde, een originele van vijfentachtig peso, niet zo'n grove Taiwanese imitatie die Rímini als een diamant had staan bewonderen in de etalages in de calle Florida, en na het knopje aan het uiteinde te hebben ingedrukt, zodat hij klaar was voor gebruik, de pen op tafel legde en hem zonder zelfs maar op te kijken naar Rímini toe schoof, met dezelfde trefzekerheid en precisie als waarmee hij kort daarvoor de papieren van de overeenkomst naar hem toe had geschoven. En Rímini tekende, zij het met onvaste hand. Hij tekende het eerste blad en vervolgens, vanaf het andere eind van de tafel geïnstrueerd door de luchtsprongetjes van Estebecorena's wijsvinger, het tweede, het derde en het vierde, en toen hij klaar was, toen de herhaling het treurige plechtige karakter van de eerste keer al had teruggebracht tot onverschilligheid, beval de hand van

Estebecorena, het enige van zichzelf dat Estebecorena blijkbaar in de scène wenste te investeren, hem dichterbij te komen, Rímini liep naar hem toe – de hand herinnerde hem aan de papieren, Rímini ging terug om ze op te pakken –, en na ze te hebben gecontroleerd, waarbij hij met een hooghartige blik neerkeek op de hanenpoten die Rímini op elke bladzijde had neergekrabbeld, stak Estebecorena, die zich nu aan de telefoon lovend uitliet over de kwaliteiten van zijn persoonlijke caddie, die hij speciaal had laten overkomen van de Golf Club van Mar del Plata, lusteloos zijn hand uit, die Rímini zonder nadenken, als verdoofd drukte, en zwaaide ermee ten teken van afscheid. Rímini draaide zich om, maar bleef onderweg naar de deur plotseling staan. Hij draaide zich nogmaals om en keek naar de advocaat, die een paar verbaasde ogen naar hem opsloeg. 'De brief,' zei Rímini, wijzend op de map waaruit Estebecorena de papieren van de overeenkomst had gehaald. Estebecorena bedekte de hoorn opnieuw met zijn hand. 'Pardon?' zei hij. 'De brief van Sofía. Die zou ik graag willen lezen.' 'Ik zie niet in waarom.' 'Ik wil hem lezen. Hij is aan mij gericht: technisch gesproken is hij van mij.' 'Technisch gesproken, meneer, is die brief wettig bewijsmateriaal. En als wij ervoor zouden kiezen een rechtsvordering in te stellen – een keuze waar mijn cliënte vooralsnog, tegen mijn advies, heeft besloten van af te zien –, denk ik niet dat hij uw rechtspositie veel zal verbeteren.' Rímini bewoog zich niet. 'Dat kan me niet schelen. Hij is hoe dan ook van mij. Ik heb het recht hem te lezen.' Estebecorena slaakte een geërgerde zucht. Hij had uitpuilende ogen, zo hemelsblauw dat ze wel doorzichtig leken, de huid van zijn wangen was vuurrood, alsof hij zich net geschoren had, en zijn neus was langer dan Rímini ooit bij iemand gezien had. 'Een momentje, Fico,' zei hij in de telefoon, en hij sloeg de map open en haalde er een stuk ruitjespapier uit dat uit een multomap was gescheurd. 'Dank u vriendelijk,' zei Rímini. 'Legt u het straks maar weer op tafel,' zei Estebecorena, terwijl hij ronddraaide in zijn stoel en voor het grote raam bleef zitten, met zijn rug naar hem toe. 'En als u weggaat, wees dan zo goed de deur achter u dicht te trekken.'

Het was de eerste keer dat hij de brief las, maar de inhoud was hem al volkomen vertrouwd. En toch kon Rímini zich nu pas, nu hij hem onder ogen had, voorstellen wat Carmen moest hebben doorgemaakt toen ze hem ontving. Op de avond van de ontvoering, heel laat, terwijl Rímini, gekweld door schuldgevoel, de hindernissen opstapelde om zijn terugkeer naar huis zo lang mogelijk uit te stellen, hopend dat een ongeluk, een vechtpartij, welke tegenslag dan ook, als alibi zou kunnen dienen, drukte Carmen, die al uren had zitten bellen met ziekenhuizen en politiebureaus, op de knop van de intercom en hoorde boven de straatgeluiden uit het brabbelstemmetje van haar zoon. Ze dacht dat ze droomde. Ze rende zonder na te denken, in peignoir en op sloffen, haar gezicht gezwollen van het huilen, de trap af en toen ze in de hal aankwam zag ze door de glazen deur hoe Lucio in het wandelwagentje met slaperige oogjes naar de ingang van zijn eigen huis zat te kijken. Hij zag eruit of hij net in bad was geweest: zijn haar was nat en met een zorg als voor de communie opzij gekamd, en aan zijn kleertjes, behalve aan zijn blauwe schoentjes, zaten nog de prijskaartjes van het warenhuis waar ze gekocht waren. Pas later, nadat ze zijn haar met de föhn gedroogd had alsof ze, niet helemaal tevreden met het verbranden van zijn nieuwe kleren, ook het vocht, de kou, de geur en zelfs het geringste spoortje dat het contact met Sofía op hem kon hebben achtergelaten, had willen uitwissen, ontdekte Carmen dat er een haarlok ontbrak achter zijn rechteroor. De brief was met een paperclip aan de voorkant van zijn kruippakje vastgemaakt. Drie uur later, toen Rímini stomdronken thuiskwam, voortgesleept door de pizzakoerier met wie hij ruzie had gezocht, had Carmen, geïnstrueerd door Estebecorena, die door haar uit bed was gebeld, de brief uit voorzorg al opgeborgen. Ze zei niets, liet Rímini op het vloerkleed in elkaar zakken en hoorde hem kotsen terwijl ze een paar muntjes in de hand van de pizzakoerier liet glijden. Rímini kroop over de grond onder het stamelen van een hele reeks excuses. Hij zag de onverschillige blik waarmee Carmen naar hem keek en probeerde de naam van zijn zoon uit te spreken. Hij kwam tot Luz, Luis, Laz en daarna stoof een opwindbij met een licht beschadigde vleugel over het vloerkleed de woonkamer binnen en botste dof tegen zijn lichaam, en daarachter verscheen, op handen en voeten, Lucio, die het stuk speelgoed met enkele karatekreten achtervolgde of op de vlucht joeg. Op dat moment voelde Rímini, terwijl Carmen de inhoud van Sofía's brief in de vorm van een onheilspellende lavastroom over hem uitstortte, zijn armen slap worden; hij liet zijn wang op het vloerkleed rusten en begon te huilen, en nadat hij langdurig gehuild had, met in zijn oren de klank van het onzinnige duet dat zijn gesnik vormde met de voortvluchtige bij, drukte er plotseling een enorm gewicht op zijn rug en viel hij flauw.

Een maand na die avond las Rímini de brief één keer helemaal door en sloeg hem onmiddellijk, met een griezelige volledigheid op in zijn geheugen. Later besefte hij pas dat hij dit had gedaan om hem op die manier te kunnen bezitten. Per slot van rekening was die brief, die zijn einde had ingeluid, zijn enige band met de wereld waaruit hij nog maar zo kort geleden verstoten was. In de daaropvolgende maanden keerde hij telkens wanneer de behoefte om iets van Lucio te horen ondraaglijk voor hem werd terug naar die denkbeeldige vitrine waarin hij hem had opgeborgen. Hij wist dat de Lucio die Sofía in die regels beschreef waarschijnlijk niet meer bestond, en dat de dingen waar hij plezier in had, de laatste waarvan Rímini getuige was geweest, inmiddels vervangen zouden zijn door andere, die Rímini zich weliswaar kon voorstellen maar niet met hem zou kunnen delen. Dit anachronisme was het geheim van zijn aantrekkingskracht. Voor hem was Lucio stil blijven staan in de tijd, als gebalsemd door het proza van Sofía, en Rímini kon de brief gebruiken om de opgelegde beperkingen te schenden zonder de consequenties onder ogen te hoeven zien; door hem te lezen kon hij zijn zoon bezoeken en dicht bij hem zijn en zich verheugen over zijn eeuwige, ongeschonden schoonheid als van een mummie, en zelfs heimelijk genieten van het beeld van Carmen, de lieve en moedige Carmen die Sofía met haar scherpzinnige blik in de trekken van Lucio had weten te ontdekken. De brief – of liever gezegd, zijn mentale facsimile, van een fotografische volmaaktheid, want Rímini had hem vaak willen overschrijven en dan na twee of drie regels het vel woedend verscheurd omdat daarop weliswaar de tekst werd weergegeven maar niet de aarzelingen, de doorhalingen, de onvolkomenheden van het papier, alles wat hem uniek maakte –, die brief was zijn toevluchtsoord, zijn altaar, zijn rouwkapel.

2

Op een nacht zei hij hem in zijn geheel op in zijn slaap, terwijl hij probeerde een paar succubi te verjagen die hem vanuit de lucht belaagden. (Het was de eerste van een reeks meertalige dromen: Rímini droomde van de brief en nadat hij hardop de oorspronkelijke tekst had gereproduceerd, zág hij hem, vertaald in het Engels, Frans, Italiaans, in opeenvolgende versies geprojecteerd op het gewelf van de droom, tegelijk trouw aan het origineel en schaamteloos poëtisch, maar altijd perfect. Dan, overspoeld door een adembenemend geluksgevoel omdat die nachtelijke avonturen hem terugvoerden naar wat hij ooit geweest was, pookte Rímini als een volleerde stoker de droom op om hem te laten voortduren, klampte zich vast aan de verschillende onderdelen en bezwoer elke onderbreking, elk nieuw detail dat de droom zou kunnen verstoren, erop vertrouwend dat als hij hem maar lang genoeg liet duren, de droom hem ten slotte álle vermogens zou teruggeven die de dag hem had ontnomen...) Zijn vader, die naast hem in de donkere woonkamer televisie zat te kijken, hoorde de somnambule striktheid van zijn uitspraak, zag hoe hij zich in allerlei bochten wrong en schreeuwde, en stelde hem de volgende morgen tijdens het ontbijt, kort nadat Rímini, popelend van ongeduld om de vruchten te plukken van zijn nachtelijke spoedcursus, besefte dat zijn geheugen nog even dor en gedecimeerd was als altijd, een ultimatum: hij moest zijn leven weer op orde brengen; hoeveel moeite het hem ook kostte, hij had geen andere keus. In navolging van een lang gekoesterde wens, die door zijn angina pectoris en zijn verandering van levensstijl weer was opgeleefd, had zijn vader, moe van het jachtige leven in Buenos Aires, besloten zijn weinige bezittingen – waaronder het kleine tweekamerappartement dat ze sinds drie maanden deelden – te verkopen en zich in Uruguay te vestigen. Rímini had het gevoel dat zijn wereld instortte en vroeg of hij met hem mee mocht. Zijn vader weigerde. Hij zei dat het nergens goed voor was. Toen liet Rímini zijn lepel in zijn bord ontbijtgranen vallen, daarbij het T-shirt dat zijn vader hem geleend had om in te slapen met melk bespattend, en begon op de punt van het servetje te bijten dat hij tussen zijn handen wrong. 'Alsjeblieft,' smeekte hij, 'neem me mee.' 'Nee. Ik wil je helpen,' zei zijn vader, 'niet medeplichtig zijn aan je verloedering.' 'Alsjeblieft. Ik kan werken. Ik kan de rekeningen betalen. Ik kan het huis schoonmaken, koken, kleren wassen. Ik kan je chauffeur zijn. Neem me mee, alsjeblieft.' 'Genoeg,' onderbrak zijn vader hem, 'heb je dan niet door hoe ik me voor je schaam?'

Nee, natuurlijk had hij dat niet door. Er waren dagen waarin de horizon van de dingen die hij herkende zich tot ongekende engten vernauwde. Dan wist hij niet of het licht aan was of uit, of hij wel of geen kleren aanhad, of hij met iemand samen was of alleen. Hij had toegang gekregen tot een uitzonderlijke vorm van zelfvergetelheid, een staat van bewustzijnsvernauwing die boeddhistische monniken pas na tientallen jaren van discipline bereiken, en waarvoor volgelingen uit het Westen die diezelfde monniken elk jaar in hun tempels opzoeken bereid zijn een fortuin te betalen. Hij ging de straat niet meer op. De buitenwereld – inclusief de replica's daarvan die werden uitgezonden door de televisie, de radio, de kranten of de telefoon – bestond niet langer, was veranderd in een vage en twijfelachtige herinnering die leek te zijn geïmplanteerd. Op een buitengewoon ontvankelijke dag verstond Rímini onder 'buitenwereld' bijvoorbeeld hoogstens de voorwerpen buiten zijn lichaam waarmee hij in zijn kluizenaarsbestaan contact had: in de eerste plaats het uniform waarin hij sliep en leefde – het T-shirt van zijn vader, de gestreepte pyjamabroek en een paar oude wollen sokken waar gewoonlijk aan het uiteinde, volledig buiten zijn wil, spottend de nagels van zijn grote tenen uitstaken –; een lichtschakelaar, waar hij heel af en toe een beroep op deed om zich van de ene kamer naar de andere te verplaatsen; water, dat hij alleen gebruikte om te drinken, nooit om zich te wassen; een minimum aan voedsel: saucijsjes, instant-aardappelpuree, gebakken eieren, tientallen chocoladerepen – puur, gevuld met pepermunt – waarvan zijn vader de over het appartement verspreide wikkels als aanwijzingen gebruikte om zijn bewegingen tijdens zijn afwezigheid te reconstrueren; de bedbank waar hij vrijwel de hele dag op bleef liggen; de lakens en dekens die hij over zich heen trok; het kussen waar hij zijn armen omheen sloeg... Zelfs de brief, die op een bepaalde manier leek te bewijzen dat daarbuiten leven was, een leven waarin een wereld en verloren wezens ronddoolden, zelfs dat uit een schoolschrift gescheurde stuk papier, inmiddels gereduceerd tot een geplunderde voorstelling van de geest, was voor Rímini innerlijker dan zijn gedachten, de smaak van zijn speeksel of het gerommel waarmee de honger in zijn maag weergalmde. Niet dat hij een grote innerlijke wereld bezat of dat zijn innerlijke wereld was gegroeid. Rímini bestónd louter nog uit innerlijke wereld, alleen was het niet duidelijk dat die wereld de zíjne was.

Voor zijn vader was er maar één oplossing: hem buitenwereld toedienen, een flinke dosis, maar dan wel – dat was van levensbelang – uiterst voorzichtig. In de in zichzelf gekeerde toestand waarin Rímini verkeerde kon elke onoplettendheid fataal zijn, even fataal als het blootstellen van een albino aan het volle zonlicht op een zomerdag. In die zin leek het Uruguay-plan ideaal, althans theoretisch. Hij zou het appartement te koop aanbieden; Rímini zou er zolang blijven wonen en het aan potentiële kopers laten zien, terwijl zijn vader een woning zocht in Montevideo. Er moesten twee transacties op twee verschillende markten, ongetwijfeld elk met zijn eigen regels en dynamiek, op elkaar worden afgestemd, zodat de operatie enige tijd zou vergen, minstens een paar maanden, genoeg, naar het inzicht van zijn vader, om het ventiel geleidelijk te openen en Rímini, gedwongen in contact te treden met de mogelijke kopers, ideale afgezanten uit de buitenwereld, omdat ze aan de ene kant specifieke aandacht vereisten en aan de andere kant tot niets verplichtten, beetje bij beetje, in homeopathische doses, bloot te stellen aan een vitale straling die zijn einde kon betekenen als deze op een andere manier werd toegediend. Hij zou hem niet op straat zetten, maar hij was ook niet bereid zijn onverschilligheid tegenover de wereld nog te versterken, alleen maar omdat hij medelijden met hem had. Binnen twee maanden, dacht hij, zou Rímini weer stevig in zijn schoenen staan, in staat op zoek te gaan naar werk én, met een beetje hulp van zijn kant, want hij was van plan, al zou dit hem dwingen zijn eisen met betrekking tot Montevideo enigszins te matigen, hem wat van het geld te geven dat het appartement opbracht, naar een eigen huis.

Op de dag van het vertrek werd Rímini vroeg wakker, nam een douche, poetste zijn tanden, kleedde zich aan, maakte het bed op, zette het ontbijt klaar, wekte zijn vader, hielp hem zijn koffer te pakken en vergezelde hem naar de haven. Zijn vader was opgetogen: de remedie was nog niet eens toegediend of sorteerde al effect. Aan boord van de ferry keek hij door het raam en zag hem staan, niet vlak bij de boot maar een paar meter naar achteren, geleund tegen de namaakpatrijspoorten van het havengebouw, met een vreemde stralende glimlach op zijn lippen, een hand ter hoogte van zijn gezicht, alsof hij een eed aflegde, volkomen onverschillig voor de reizigers die zich om hem heen verdrongen. De vader zwaaide. Rímini reageerde niet. Keek hij naar hem of...? Hij stond op en liep naar het middenpad. Misschien kon hij in Rímini's blikveld komen als hij een paar rijen naar achteren ging zitten; dan zou hij naar hem kunnen zwaaien om zijn twijfels weg te nemen. Hij begon achteruit te lopen, maar halverwege werd hij gestuit door een stroom passagiers uit tegengestelde richting, die werd uitgespuugd door de deuren naar het benedendek waar de auto's stonden. Hij werd meegesleurd en belandde ten slotte weer op zijn oorspronkelijke zitplaats, precies op het moment dat de ferry zich begon te verwijderen van de kade. Hij draaide zich om en keek: Rímini stond nog altijd op dezelfde plek, in dezelfde houding, alleen bewoog zijn geheven hand met mechanische regelmaat heen weer. Het was elf uur 's morgens.

De boot werd steeds kleiner, de haven bleef verlaten achter en Rímini ging weer aan het tafeltje in de bar zitten waar hij kort voor het vertrek met zijn vader koffie had gedronken. Hij sloeg zijn benen over elkaar, legde zijn wijsvinger tegen het oor van zijn lege kopje en liet het om zijn as draaien, heimelijk genietend van het moment waarop het logo van een Italiaans koffiemerk aan zijn ogen voorbijtrok. Om half-tien 's avonds kwam de ober, na langdurig te hebben geaarzeld, naar hem toe, tikte hem zachtjes op zijn schouder, alsof hij bang was hem wakker te maken, en het duizelige kopje hield op met draaien, hoewel Rímini's vinger tegen het oortje bleef rusten. Ze gingen sluiten, legde de ober hem uit. Rímini trok zijn vinger met een schok terug, alsof het kopje brandde; hij haalde zijn benen van elkaar, stond op, stopte zijn handen in de zakken van zijn overjas en vertrok.

Hij ging lopend terug. Het was niet de eerste keer dat hij veertig stra-ten te voet aflegde, maar nooit eerder had hij het gedaan in die toestand van beschikbaarheid. De route die hij volgde was een perfecte menge-ling van vastbeslotenheid en toeval: de hoofdlijn was van tevoren ge-trokken, maar in elk van de punten lag de mogelijkheid van een afwij-king, een vlucht, een onverwacht avontuur. Alles kon een afleiding zijn. Hij wist welke kant hij op ging, hoe hij er moest komen, zelfs welke route korter was, maar elke plek waar hij langskwam vormde een ver-leiding waaraan hij ten slotte onontkoombaar toegaf. Hij nam de ave-nida langs de haven, verlicht maar verlaten op dat uur van de avond, en bij een benzinestation bleef hij staan kijken hoe een heel magere pompbediende, zwaar gebukt onder het gewicht van zijn pet, de tank van een donkere bestelwagen vulde, die wel geblindeerd leek en stond te dreunen op het ritme van keiharde muziek. Even later, roerloos te-gen een pomp geleund, keek hij naar de bar die vierentwintig uur open was en zag een man en een vrouw met hun hoofd tegen de ruit koffie zitten drinken en elkaar hardop voorlezen wat ieder van hen eerder in stilte in het eigen tijdschrift had gelezen, en hij bleef een tijdje naar ze kijken, gehuld in de dwarrelwinden die ontstonden op het open ter-rein van het benzinestation, totdat een brommer die net tweetakt had getankt hem luid toeterend deed opschrikken en dwong opzij te stap-pen. Rímini besloot hem te volgen en liep verder over de avenida. Hij hing een uur rond op het busstation van Retiro. Hij liep alle winkels binnen die nog open waren, bleef bij elk krantenstalletje staan en ging in drie verschillende cafés zitten, met zijn lichaam een beetje schuin overhellend, zonder iets te bestellen, en alle drie de keren liet hij zich meeslepen door de geluidloze beelden die hij op tv zag, een opeenvolging van gigantische tornado's, een quiz, een cruiseschip bij een Griekse eilandengroep. Hij bracht uren door met het bekijken van de prullaria in de kraampjes rondom het station. Al die tijd sprak hij geen woord. De kraamhouders brulden prijzen, stalden de uit geheime bergplaatsen opgediepte producten voor hem uit, zetten allerlei huishoudelijke apparaten in werking, waarvan ze de functies direct onder zijn neus demonstreerden, in één geval zelfs door een mouw van zijn overjas als proefterrein te gebruiken; Rímini beperkte zich tot glimlachen en knikken en liep verder naar het volgende kraampje, waar hij opnieuw staande werd gehouden door draagbare radio's, elektrische tandenborstels, balpennen en paraplu's. Een vechtpartij tussen dronkenlappen, met gebroken flessen, struikelpartijen en een arme hond die niet wist voor wie hij partij moest kiezen, hield hem nog eens twintig minuten bezig. Daarna, naarmate hij zich van El Bajo verwijderde, werden de attracties steeds schaarser. Hij ging een paar minuten op in de uitdijende golf van een stijlvol feest, zonder muziek maar met een geluidsband vol stemmen, glasgerinkel en gelach, en bewonderde vanaf de straat de blote schouders van een vrouw die afstaken tegen het licht van een raam op een eerste verdieping. Hij zag twee heel jonge meisjes op alle knopjes van een intercom drukken en liep een paar meter achteruit zonder zijn ogen van hen af te houden. Bij een geldautomaat las een kale, bezwete man met gefronst voorhoofd het bonnetje dat zojuist door de gleuf was uitgespuugd. Er kwam een ambulance voorbij, een groep mannen verliet een restaurant, een opblaaspop naast een garage wiegde heen en weer in de wind. Het was twee uur 's nachts toen hij het appartement binnenging. Hij liep op de tast, zonder het licht aan te doen. Hoewel zijn vader hem toestemming had gegeven de slaapkamer, het bed, de lakens, alles wat hij maar wilde te gebruiken, zodat hij zich, tenminste zolang het appartement nog niet verkocht was, echt thuis zou voelen, trok Rímini zijn schoenen uit, ging zonder zich uit te kleden op de bedbank liggen en viel in slaap.

Zoals hem in de loop van de daaropvolgende weken regelmatig zou overkomen, werd hij halverwege de ochtend gewekt door de bel van de intercom. Hij liep versuft naar het apparaat, met zijn hoofd vol zand, en besloot alleen open te doen uit pure laksheid, om geen ruzie uit te lokken. Zijn hand tastte naar de knop en gooide onderweg een fles mineraalwater om die op de vloer in stukken viel. Rímini zonk weer weg in zijn moeras van lakens. Hij had een razendsnelle droom, vol geluidloze, fonkelende beelden, en toen die in een stabielere fase overging, waarin die onzinnige ansichtkaarten op het punt stonden de vorm van een verhaal aan te nemen, loeide de bel binnen in zijn hoofd en moest hij opnieuw opstaan om de deur open te doen. Een man op leeftijd, met een wijnvlek die de helft van zijn gezicht bedekte, keek hem verbijsterd aan; hij zocht naar bevestiging in het stuk krant dat hij in zijn hand hield, wierp een schuinse blik op de bloedsporen die Rímini's voetzolen zojuist op de deurmat hadden achtergelaten en deinsde terug om een paar rondjes in de hal te maken, alsof hij zich in de deur vergist had of op zoek was naar een nooduitgang. Rímini liet hem binnen. De man – wegbereider van een lange rij argelozen die Rímini zou kwellen met de aanblik van zijn aftakeling – schuifelde verlegen door de schemerige woonkamer, terwijl Rímini gapend terugdook in zijn stinkende nest. Van daaruit, toegedekt tot aan zijn kin, somde hij een voor een, met zijn ogen dicht, alsof hij ze op datzelfde moment vanbuiten leerde, de kenmerken op van het appartement.

De neergelaten jaloezieën, de bedompte, bijna gestolde atmosfeer van de afgesloten ruimte, de her en der over de vloer verspreide vuile kleren, Rímini's stem die in het huis weergalmde als de geluidsbundel van een zieltogende vuurtoren, achterdochtige mannen en vrouwen door de duisternis loodsend die zich aan meubels en deuren stootten, probeerden weg te komen en zich nog een keer stootten: datzelfde ritueel herhaalde zich twee maanden lang. Het enige waar ontwikkeling in zat was de omvang van de ramp: de vochtplekken op de wanden, het gedruppel van een kraan, het rottende hout van een vensterbank, het gaslek in de keuken. Sommigen sloegen al op de vlucht zodra Rímini de deur opendeed. Zoals op een keer een vrouw – hij had haar niet eens aangekeken, niets gezegd, niet het geringste gebaar gemaakt om haar uit te nodigen verder te komen: hij had zich beperkt tot het openen van de deur en zich omgedraaid en was teruggesjokt naar de bank om te eindigen voor de tv, die hij de hele nacht aan had laten staan, afgestemd op een landelijke zender met een special over sorghum of alfalfa, terwijl hij de resten van een oud stuk pizza langzaam tussen zijn vingers verkruimelde. Toen hij weer naar de deur had gekeken, opgeschrikt door een plotselinge luchtstroom, was de vrouw verdwenen. Een andere keer stond hij een jong stel te woord, pasgetrouwd, meende hij te horen, of alleen verloofd, dat hem blijkbaar jonger of toegankelijker vond dan de meeste werknemers van makelaarskantoren die ze tot dan toe hadden gesproken, en voor hem de drie jaar van hun liefdesrelatie begon samen te vatten, de reizen die ze hadden gemaakt, een beknopt overzicht van hun overeenkomsten en verschillen, en na hem bij de deur te hebben vastgehouden, wat in ieder opzicht uitzonderlijk was, onderbrak het meisje zichzelf plotseling midden in een zin, iets over wijnen, pijnen of treinen, en barstte in schaterlachen uit, en net toen Rímini, week geworden door al die romantische onstuimigheid, hen wilde binnenlaten, drong het tot hem door dat ze er niet meer waren, dat de deur van de lift al bezig was dicht te gaan, de lach van het meisje en ook die van de jongen met zich meeslepend, en pas toen hij terugliep naar de bank ontdekte hij dat zijn lul door de gulp van zijn pyjamabroek naar buiten piepte. De meesten kwamen binnen, haalden hun neus op en liepen door het appartement volgens de instructies die de toonloze stem van Rímini ze dicteerde, teleurgesteld door het weinige dat ze konden zien in het schemerdonker, maar ook met een morbide gespannenheid, want de vervallen staat waarin ze de kamers, de vloeren en het schilderwerk van plafonds en muren aantroffen voldeed weliswaar niet aan hun esthetische verwachtingen maar prikkelde tegelijkertijd hun gevoel voor een commercieel buitenkansje, dat ze ertoe bracht al die nadelen aan te voeren om hem te bewegen tot een prijsverlaging. Maar voor Rímini was nu juist de prijs het enige onaantastbare. Verkopen of niet verkopen, of het appartement een goede indruk maakte of tegenviel, of de potentiële kopers meer of minder enthousiast waren, dat alles liet hem in de vegetatieve roes waarin hij verkeerde volkomen onverschillig. En die onverschilligheid maakte hem tot een onvermurwbare verkoper. Door de onbaatzuchtige verhouding die hij had met het appartement was hij immuun voor alle argumenten – architectonische, financiële of emotionele – die gewoonlijk gebruikt worden om de wil van de traditionele verkopers te breken. 'Vijfenzestigduizend,' zei Rímini, en zijn stem, mat en monotoon bij het beschrijven van het uitzicht aan de achterkant of de besloten ligging van de binnenplaats, leek dan plotseling tot leven te komen. 'Vijfenzestigduizend. Geen peso meer en geen peso minder.'

Afgezien van een paar gevallen van spontane naastenliefde – een vrouw die aanbood de jaloezieën op te trekken; een andere die, geschrokken van zijn gekokhals, een hoestdrankje voor hem wilde gaan kopen – kreeg Rímini in twee maanden geen enkel bod op het appartement. Tegen zijn vader, die hem wekelijks belde vanuit Montevideo, waar hij een verdieping had gehuurd in Pocitos, met uitzicht op de rivier, zei hij dat alles goed ging, dat hij het appartement per week aan gemiddeld vier kandidaten liet zien en dat de verkoop alleen maar een kwestie was van tijd. 'Aha. Is er al een bod gedaan?' 'Meer dan eens.' En als zijn vader dan doorvroeg, aangemoedigd door het verslag dat hij zojuist had gekregen, bracht Rímini hem in verwarring met de esoterische maar efficiënte retoriek – prijsstijgingen, prijsdalingen, de grillige willekeur van de markt – van een ervaren makelaar. 'Waarom zouden we onder de prijs verkopen?' zei hij aan de telefoon, ineengedoken in een hoek van de bedbank, terwijl hij verwoed op zijn hoofd krabde en er een wolk roos op zijn schouders neerdaalde. 'Nee, natuurlijk niet,' zei zijn vader een beetje beschaamd, alsof zijn aandrang om te verkopen vergeleken met de commerciële vastberadenheid van Rímini een teken was van onnadenkende hebzucht, en tegelijk ontroerd door de ijver waarmee zijn zoon waakte over de waarde van zijn bezit. Toen, in de overtuiging dat hij daar juist vanwege dat vertrouwen alle recht toe had, bekende hij hem dat hij zijn spullen miste en vroeg schuchter of hij dacht dat hij zijn meubels terug kon krijgen. 'Een paar, althans,' verbeterde hij zichzelf, getroffen door het beeld van zijn zoon, alleen in een leeggehaald huis. Hij zou zelf alles wel regelen; Rímini hoefde alleen de verhuizers maar binnen te laten.

Hij had zich overgegeven aan het verstrijken van de tijd. Hij leefde in een soort nulgraad, alsof alles wat niet overeenkwam met zijn in zichzelf gekeerd zijn onverdraaglijk frivool voor hem was. Hij had geen honger of dorst meer; hij verlangde niet naar de straat, naar werk, naar boeken lezen of films kijken – op een ochtend was hij verrast door het profiel en een naakte schouder van Annie Girardot op televisie; hij had er een paar seconden naar zitten kijken, net lang genoeg om het te verwerpen als de naweeën van een oud onwaardig leven –, en zelfs de gezichten van Lucio en Carmen begonnen te versmelten met die van anonieme jongetjes en vrouwen die hij vluchtig waarnam in reclames voor snoepgoed op de krantenpagina's die hij soms gebruikte als servet. Maar hij kon beschrijven hoe snel zijn nagels, haar of baard groeiden, en ook hoe sterk de geur was die zijn lichaam begon af te scheiden. Rímini was zelf het verstrijken van de tijd, het naakte leven. Een meesterwerk van inertie, zonder richting of doel: in zichzelf besloten leven, leven in een vrije val.

3

Op een ochtend deed hij zijn ogen een stukje open en stuitte zijn blik op de gebeeldhouwde borstspieren van de persoonlijke trainer van zijn vader, die hem door elkaar schudde om hem wakker te maken. Hij dacht dat hij droomde en keek nog eens goed. Hij zag het witte polo-shirt – een zwarte gazelle die elegant boven de linkertepel zweefde –, de gebruinde onderarmen en de koperen polsarmband – met zijn raadsel-achtige groene secreties –, de sportschoenen zonder sokken; hij liet zich bedwelmen door de walm van gezondheid die hem omhulde – een ver-nuftig gedoseerde mengeling van mondwater en aftershave – en haalde opgelucht adem, alsof die sportieve engel niet alleen zijn persoonlijke verlosser was, de man die hem zou redden uit de bodemloze put van de bedbank, maar ook een tegengif dat met terugwerkende kracht zijn lij-den zou neutraliseren. Terwijl hij zijn neus en mond met zijn hand be-dekte zette de trainer de ramen van de woonkamer tegen elkaar open, slaagde erin een paar stroken licht via de jaloezieën de kamer binnen te laten vallen en aanschouwde zelfverzekerd en zonder een spier te ver-trekken de ravage in het appartement. Het was een eenvoudige, vastbe-raden man; hij was gealarmeerd door de portier van het gebouw, die een paar dagen eerder getuige was geweest van het genot waarmee twee werknemers van het gasbedrijf de meter van het appartement hadden afgesloten – hetzelfde genot overigens dat een week daarvoor de man-nen van het elektriciteitsbedrijf tentoon hadden gespreid –, en door een paar telefoontjes van Rímini's vader vanuit Montevideo, waarin deze hem deelgenoot had gemaakt van zijn enthousiasme over hoe goed het ging met de verkoop van het appartement. Rímini was voor hem niet veel meer dan de zoon van een cliënt. Maar de vader van Rímini, profiterend van de korte pauzes tussen buikspier- en strekoefeningen om zijn ontboezemingen te doen, had hem tamelijk gedetailleerd verteld over het voorval van de ontvoering van Lucio en alle ellende die daaruit was voortgekomen, en het verhaal, sterk gekleurd door het verdriet van de vader, die, zoals gebruikelijk in dit soort gevallen, in de tegenspoed van zijn zoon het bewijs voor zijn falen als vader zag, had hem op een vreemde manier ontroerd. Hij legde een paar verbanden, vermoedde dat er iets niet klopte en zegde een hele week trainingssessies af om tijd vrij te maken en zich met het probleem te belasten. Hij had geen kinderen en woonde alleen. De verzorging van zijn lichaam dwong hem tot een zeer persoonlijke levensstijl, met gewoontes en voorzorgsmaatregelen die maar moeilijk met een ander te delen waren; alleen iemand als hijzelf, een persoonlijke trainster bijvoorbeeld, zou ze als meer dan louter grillen hebben beschouwd, maar persoonlijke trainsters waren zijn type niet. Hij was echter gewend met *gevallen* mensen om te gaan. Zelfverwaarlozing, lichamelijke verloedering, geestelijk onvermogen, wilszwakheid – en alle daarmee samenhangende psychologische gevolgen – waren gemeengoed voor hem, problemen waaraan hij, eenmaal ouder en wijzer geworden, na enkele tientallen redelijk succesvolle jaren in het toerisme, besloten had zijn leven te wijden. Rímini's toestand was ernstig maar stond ook weer niet zo heel ver af van de ziektebeelden waarvan hij gewoon was zijn cliënten te verlossen. Hij lag te beven als een riet. De trainer dacht erover hem in bad te stoppen. Hij herinnerde zich dat er geen gas en dus ook geen warm water was, maar liep toch naar de badkamer, met het idee dat een shock met koud water waarschijnlijk doeltreffender zou zijn. Hij draaide een kraan open, daarna nog een, en nog een, en ten slotte allemaal, en ging vervolgens op de rand van het bidet zitten wachten. Er klonk een canon van oprispingen, kurkdroog, dampend in een enkel geval, en een opeenvolging van bleekroze druppeltjes maakte zich los uit de kraan boven de badkuip en viel op de door schimmel aangevreten rubberen mat. Hij liep terug naar de woonkamer, wikkelde Rímini's lichaam goed in de deken, zette hem zonder de minste inspanning met een ruk overeind en voerde hem ver, heel ver weg van het rampgebied.

Hij woonde in Núñez, op de tweeëntwintigste verdieping van een wolkenkrabber die op winderige dagen, aan het eind van de dag, lichtjes heen en weer leek te zwaaien, als werd hij gewiegd door de kracht van de vliegtuigen die, vlakbij, de hemel doorkruisten. Rímini doorstond de eerste fase van het herstel – de zwaarste, volgens de trainer, maar niet de moeilijkste, want voor wie zich op de bodem van de put bevindt bestaan er geen kleine vorderingen, terwijl voor wie zich daar al aan heeft ontworsteld de meest onbeduidende vooruitgang een gigantische onderneming betekent – in wat de trainer de tempel noemde, een ruim rechthoekig vertrek met uitzicht op de rivier en geen andere meubels dan een rubberen mat ter dikte van een vloerkleed, de tatami, een brug met gelijke leggers, een fitnesstoestel en twee apparaten met gewichten, allemaal verdubbeld in de spiegel die een hele lengtewand besloeg. Het was de ideale plek, en Rímini was de perfecte patiënt. De trainer had een speciaal schema voor hem opgesteld, met toenemende moeilijkheidsgraad, dat niet alleen een compleet programma met lichaamsoefeningen omvatte maar ook een dieet, vitaminecomplexen en sessies met hydrotherapie en massages, en hij gaf zich er zonder nadenken aan over, als aan een soort praktische religie die, net als elke religie, zijn leven in één enkele richting stuurde, en die hem de afmattende arbeid bespaarde om beslissingen te nemen, maar tegelijkertijd, in tegenstelling tot elke andere religie, geen enkele vorm van intellectuele of filosofische gemeenschap van hem eiste. Rímini gehoorzaamde nauwgezet, en de uren die de trainer voor zijn werk buitenshuis verbleef, en die elke andere patiënt gebruikt zou hebben om te smokkelen of zich op zijn minst wat te ontspannen, al was het maar met een tijdverdrijf als tv kijken, telefoneren of lezen, versterkten bij hem alleen maar zijn verantwoordelijkheidsgevoel en zijn verbetenheid; dat kwam gedeeltelijk door die combinatie van wilskracht en lusteloosheid die de lichamelijke discipline teweegbrengt, maar ook omdat er in het appartement, afgezien van de aanblik van de rivier, die het grootste deel van de dag vrijwel onzichtbaar was, hetzij omdat de zon en de extreme soberheid van de horizon hem reduceerden tot een verblindende witte schittering, zonder contouren of kleuren, hetzij omdat hij aan het zicht onttrokken werd door een dichte sluier van mist, nauwelijks afleiding mogelijk was: de trainer bezat geen muziekinstallatie of radio – hij was een beetje doof –, las alleen vaktijdschriften als *Muscle Today, True Fitness* of *EveryBody* – die hij liet vertalen door een tweetalige collega en die hij uit voorzorg in een afgesloten la bewaarde – en hoewel hij tv had – hij keek 's avonds een tijdje, om in slaap te vallen, of stemde af op het kanaal van Telsell om op de hoogte te blijven van de laatste spierversterkende middelen, programmeerbare stretch-apparaten, producten voor vetverwijdering, korsetten en al die oplichterij die hij, half voor de grap en half verontwaardigd, 'de grote industrie van de lichaamszwendel' noemde –, had hij de toegang tot het apparaat geblokkeerd met een geheime code om te voorkomen dat Rímini daaraan ook maar het geringste restje energie zou verspillen. Voor de trainer was de aftakeling van Rímini een typisch geval van energetische entropie: eerst de wanorde en daarna, chaotisch en massaal, het wegvloeien van de levenslust. Die lekken moesten worden gedicht; het ging om concentratie, en eenmaal geconcentreerd, als het organische complex had teruggevonden wat op een bepaalde manier zijn brandstof, zijn voedsel was, dan van het inwendige naar het uitwendige toewerken, het herstelde ik openen en projecteren op de wereld en wachten op de feedback. Rímini vormde al snel een illustratie van die argumenten, hoewel hij ze niet kende, en knapte verbazingwekkend vlug op. Hij had niets om aan te denken. Zijn geest, zijn fantasie, zelfs zijn herinnering, alles was even leeg en glad als de wanden van de tempel, waar de trainer, een spontane beeldenstormer, behalve de spiegel en een afbeelding van Charles Atlas in zijn slaapkamer, een uitvergroting van de foto die vroeger in de stripbladen altijd bij de coupons voor de schriftelijke Atlas-methode stond, weigerde ook maar iets op te hangen, omdat hij ervan overtuigd was dat afbeeldingen overbrengers van zwakheid waren en een bedreiging vormden voor de enige voorstelling die de moeite loonde: het beeld van het eigen lichaam. Het was als bevond hij zich in een gevangenis of een boeddhistische tempel. Alles was regel, ritme, herhaling. Het kostte hem minder dan een week om zijn hoofd tussen de puinhopen omhoog te steken. Alsof een ongewerveld

dier, laten we zeggen een amoebe of een kwal, plotseling een wervelkolom kreeg, een kern, een volledig beenderstelsel, en de weke, lillende
massa waaruit het bestond zich oprichtte, vorm aannam en voor het
eerst in maanden geleed begon te bewegen.

Op een ochtend, tien dagen na hem te hebben opgenomen, maakte
de trainer hem ongewoon laat wakker – om acht uur in plaats van om
halfzeven – met een ongewoon ruimhartig ontbijt: sinaasappelsap in
plaats van water, thee in plaats van water, geroosterd roggebrood in
plaats van water. Ze gingen een nieuwe fase in. Gebruikmakend – zij
het enigszins klungelig – van de wijsvinger van zijn ene hand en de vijf
vingers van zijn andere begon de trainer de belangrijkste punten van
de nabije toekomst op te sommen, terwijl Rímini aan tafel in vervoering naar de drie luxe ochtendbeloningen zat te staren. Punt één: hij
zou een begin maken met naar buiten te gaan. De tempel had zijn belangrijkste functie inmiddels vervuld – breuk met de buitenwereld, beschutting en concentratie –: als ze de internering langer lieten duren,
vooral met de vorderingen die Rímini gemaakt had, liepen ze het risico
dat de giftige reserves vrijkwamen die in elk kunstmatig ecosysteem,
zelfs in het heilzaamste, op de loer lagen. Het stadium van de concentratie liep ten einde; het werd tijd het geconcentreerde uit te dragen en,
waar mogelijk, maar alleen in omstandigheden waarbij sprake was van
optimale controle, uit te wisselen met wat zich daarbuiten bevond: hij
moest weer een relatie aangaan met de wereld. Punt twee: naar buiten
gaan zou de behandeling niet onderbreken maar alleen het programma aanpassen. Van de rehabilitatie, die als afgesloten kon worden beschouwd, zou Rímini overgaan naar de biosociale fase van de training
door zich aan te sluiten bij een van de groepen die elke ochtend onder
aanvoering van de trainer door het bos van Palermo renden. Punt drie:
Rímini zou zich niet meer bemoeien met het appartement van zijn vader, waarvan de trainer het schoonmaken en de verkoop tegen betaling
en de belofte van een provisie had overgedragen aan de portier. Punt
vier, fundamenteel: de trainer verplichtte zich ertoe punt drie – en vanzelfsprekend ook de betreurenswaardige hellevaart die het onvermijdelijk had gemaakt – verre te houden van de vader, voor wie de trans-

actie zou verlopen onder de voorwaarden die voor zijn vertrek naar Montevideo overeengekomen waren, en Rímini op zijn beurt verplichtte zich ertoe alles te doen wat in zijn vermogen lag om de nieuwe fase van zijn behandeling tot een goed einde te brengen. 'En punt vijf...' zei de trainer, en hij beet in de hoek van een aangebrand stuk toast. Een regen van zwartgeblakerde kruimeltjes bezoedelde het smetteloze wit van zijn shirt. Hij dacht diep na: punt vijf zouden ze tot later bewaren. En dan was er nog een verrassing: hij had kleren gekocht – en na de tafel te hebben vrijgemaakt van borden en kopjes zette hij er een grote tas op met het logo van een sportzaak.

Rímini haalde er het uniform uit dat hij een hele tijd zou dragen: tennisschoenen en -sokken, lange broek van grijs katoen, wit shirt met knoopjes aan de hals, door de trainer polo genoemd, en een verontrustend kledingstuk, gemaakt van drie in elkaar gevlochten elastieken banden en een soort driehoekige lendendoek, die Rímini eerst associeerde met een of ander middeleeuws attribuut, iets wat het midden hield tussen een harnas en een kuisheidsgordel, en daarna, in een plotseling moment van helderheid – half het product van zijn geheugen, dat weer begon te werken, half van het woord suspensoir, dat de trainer terwijl hij het ding voor hem ophield, had uitgesproken met een licht bezitterige praalzucht –, herkende als de onderbroek van een holbewoner die hij als kind zijn vader zo vaak had zien aantrekken in de kleedkamer van de club. Dat was het uniform waarmee Rímini zich op een ochtend, onaangekondigd en zonder dat de trainer het nodig vond hem op een bijzondere manier voor te stellen, mengde onder de vijf leden van de Blauwe groep – dinsdag en donderdag – en zijn herstelprogramma naar de letter opvolgde. Net als eerder de tempel, met zijn soberheid en het ontbreken van verleidingen, vond hij de kleding en de groep volmaakt. Ze waren het toppunt van alledaagsheid: geen enkele bijzonderheid, niets wat hen onderscheidde. Ze beantwoordden zo goed aan het stereotiepe beeld dat ze opgingen in hun omgeving en volkomen onopgemerkt bleven. Hoewel ze met z'n vijven waren, van beiderlei kunne en met een uiteenlopende lichamelijke conditie, en hun leeftijd varieerde van dertig tot vijfenzestig, werden alle mogelijk-

heden die de combinatie van dat handjevol variabelen beloofde, geneutraliseerd door het gemeenschappelijke doel dat hen met elkaar
verbond. Er was geen tijd voor persoonlijke toenaderingen: elke sub-
jectieve uiting of uitwisseling was te veel. Ze deden alleen wat ze zeiden
(terwijl ze het zeiden), ze spraken alleen over wat ze deden (nadat ze het
gedaan hadden). Ze gingen van het bevel ('handen in de zij en ...één!')
over op het commentaar ('mijn kuitspier trekt een beetje') en omgekeerd, de twee enige registers die ze leken te mogen gebruiken. Omdat
ze zich beperkten tot het heden, en tot die bijzonder beperkte vorm van
het heden, de kuren en nukken van het lichaam, waren ze op hun manier een stel fundamentalisten van de actualiteit, voor wie verleden en
toekomst alleen maar schadelijke hersenspinsels waren, ontworpen
met als enige doel hun in zichzelf gekeerd zijn aan te tasten met het gif
van historisch besef. Alles was hier en nu. Een kortzichtige, onmiddellijke wereld, waarvan de wetten slechts één soort uitstel toelieten: dat
tussen een slecht uitgevoerde oefening en de gecorrigeerde versie daarvan. Er hoefde niet met afkomsten of remanenties geworsteld noch op
zaken vooruitgelopen te worden. Er waren geen restanten; alles had
zijn plaats. In het ergste geval moesten ze steeds beter worden, maar de
parodie op een toekomst die deze eis suggereerde, veranderde de wereld niet maar bevestigde slechts haar homogeniteit. En Rímini, vasthoudend als hij was, werd steeds beter – van les tot les, vanzelfsprekend, maar ook tijdens elke les. Hij werd elk uur, elke seconde beter, alsof hij bang was dat hij zou verdwijnen als hij stil bleef staan, en naarmate hij zijn controle, kracht en soepelheid terugkreeg, begon dezelfde
wilskracht die zijn spieren weer tot leven wekte het woud vrij te maken
van onkruid, klimop, wilde en giftige planten die maanden- misschien
wel jarenlang zijn hoofd hadden overwoekerd. Mogelijk kwam het
door de diepe afgrond waar hij uit kwam dat de perfectie, die voor zijn
groepsgenoten een doel op lange termijn leek te zijn, fundamenteel
maar ver weg, door Rímini al heel snel bereikt werd, tenminste in de redelijke mate waarin die erin toestemde bereikt te worden. Hij verbaasde zich er niet over; hij was te druk bezig met het uitvoeren van zijn dagelijkse oefeningen om de afstand te kunnen nemen die verbazing ver-

eist. Zijn bewustzijn – dat minieme restje bewustzijn dat de training van de algehele zuivering had uitgesloten – mat de gebeurtenissen van dag tot dag, in de strikte termen van die dagelijkse boekhoudoefening die elke lichamelijke activiteit is – aantal minuten, ademhalingen, kniebuigingen, rondjes om het meer –, en ontbeerde daardoor een totaalbeeld, een overzicht van hoe zijn toestand zich ontwikkelde. En dus veroverde Rímini tegelijk met de perfectie ook de onschuld. Alleen de trainer, opgesteld aan de zijlijn (tegelijk binnen en buiten) van de verplichting die zijn leerling was aangegaan om het doel van het lichamelijke welzijn te bereiken, alleen hij was in staat om de twee Rímini's te vergelijken, de schipbreukeling die hij op een door motten aangevreten bedbank had aantroffen en de onvermoeibare atleet in de zon die hem nu verblufte, alleen hij kon zien tot welk punt van perfectie Rímini gekomen was en begrijpen dat het tijd werd om de sprong te wagen.

Op een ochtend, terwijl de groep languit op de rug in het gras probeerde de laatste reeks buikspieroefeningen te volbrengen, bleef Rímini, die al een hele tijd klaar was, nog even liggen kijken hoe twee bomen hun kruinen naar elkaar toe bewogen en heen en weer zwaaiden, stond vervolgens op en begon het gravelpad af te lopen dat om het park heen lag. De trainer, die een paar enkels tegen het gras gedrukt hield, volgde hem met zijn blik. Hij zag hem tegen een boom leunen, een been buigen, de wreef van zijn voet met zijn hand vastpakken en de operatie met het andere been herhalen. Hij zag hem verder lopen, zijn armen en benen losschudden, als een imitatie van een ontwrichte pop, en zijn armen als molenwieken rondzwaaien. En plotseling zag hij dat hij bleef staan, met zijn rug naar hem toe, en iets leek te bestuderen onder de zool van een van zijn schoenen. De trainer schreeuwde een opdracht en liep naar Rímini toe, die nu de zool van zijn andere schoen aan een nader onderzoek onderwierp. Rímini streek met een vinger over het rubber, van de hak tot de punt en van links naar rechts, alsof hij een mes wette, en daarna bracht hij zijn vinger naar zijn ogen, te dichtbij, zodat hij bijna scheel moest kijken, en terwijl hij ernaar keek – de vinger was bedekt met een dun laagje gravel – verlichtte een gelukzalige glimlach zijn gezicht.

Hij had al lang niet meer op een tennisbaan gestaan, misschien wel tien, vijftien jaar. En de laatste keer, waaraan hij de herinnering nu langzaam in onregelmatige stukken begon te reconstrueren – bomen, eucalyptussen, een deel van een afrastering, geklots van water, een handdoek in het gras, de schittering van de zon op de film van olie die meedeint op het water –, nee, de laatste keer was niet op gravel geweest: Rímini rende blootsvoets over een ondergrond van gebarsten cement, de bosjes onkruid ontwijkend die omhoogschoten tussen de oude asfaltvoegen, zijn ogen strak gericht op de bal die zijn tegenstandster, een meisje zonder gezicht, in badpak, zojuist met een backhand had teruggeslagen, terwijl hij zijn arm naar achteren bracht en met onverwachte felheid, het gevolg van langdurig natafelen met te veel drank of misschien ook van de verwarrende gevoelens die werden opgeroepen door de lach waarmee zijn tegenstandster al zijn bewegingen, zelfs de meest triviale, begeleidde, de doelbewust listigste slag voorbereidde, voor zover dat mogelijk was met het racket dat hij in het tuinschuurtje tussen een paar parasols had ontdekt, een houten Sirnueva, vast het racket van een vrouw, of misschien van een kind, met kaal handvat en wijd uit elkaar liggende, versleten snaren.

Beoordeeld volgens de drastische maatstaf van de rechtzinnigheid, had die tussenkomst van het verleden, met die kleurige details en merkwaardige gevoelsuitbarsting, een terugslag kunnen veroorzaken, met alle gevolgen van dien: beginnen bij nul, striktere grenzen, strengere controle. Maar de trainer was niet zo kortzichtig: de mogelijkheid van een reminiscentie maakte deel uit van de oorspronkelijke opzet van zijn plannen. Daardoor was de voor Rímini zo ontroerende tennisopenbaring niet zozeer een deel van zijn verleden als wel van zijn toekomst, van de toekomst die de trainer heimelijk voor hem had uitgestippeld. 'Je had hem moeten zien spelen: hij was een talent,' had Rímini's vader een keer gezegd, misschien om de sombere aanblik die zijn zoon bood enigszins te nuanceren. En hoewel dit het beeld in zekere zin nog somberder maakte, omdat het talent dat hij opriep onherroepelijk verloren leek, had de trainer, vertederd door de manier waarop dit eenvoudige sportieve antecedent Rímini iets menselijks scheen te geven, dit detail in zijn hoofd geprent en opgeborgen in de grote kist waarin hij de wapens placht te bewaren die hij in de toekomst zou kunnen gebruiken. Dit was het moment om het weer tevoorschijn te halen. 'Punt vijf...' zei hij. Ze gingen over naar de derde fase; de meest complexe, volgens de trainer, omdat die van de herstellende een zekere onafhankelijkheid vereiste. De controle nam af, maar de bedreigingen zouden evenredig toenemen.

Punt vijf was werken. De trainer sprak heel snel – hoe groter de uitleg, hoe minder gezag: hij wilde niet dat Rímini zich, zo kort voor een nieuwe fase, al te belangrijk zou voelen. Hij had die collega... een leraar... de Argentino tennisclub... select ledenbestand... een verkeerde draaibeweging... gescheurde kniebanden... minstens zes maanden rust... andere leraren van de club konden... maar iemand die speciaal door hem was aanbevolen... een jong iemand... zou de club beslist accepteren... Hij kon maandag beginnen. Dat was absurd, dacht Rímini. Hij kreeg een woeste aanvechting: in lachen uitbarsten. Maar hij beheerste zich, en een fractie van een seconde later vond hij het allemaal zo redelijk, zo vanzelfsprekend... Anderen waagden zich, omdat ze nu eenmaal anders wilden zijn, in de meest bedreigende werelden: ze reisden duizenden kilometers, verdwaalden in ongezonde landen, vervalsten papieren, lieten hun gezicht inspuiten met plastic, gaven zich over aan allerlei seksuele verminkingen en implantaten, bezweken onder het syndroom van een meervoudige persoonlijkheid. Hij had alleen een extra stel kleren nodig, minder van een 'atleet' en meer van een 'tennisser' dan zijn huidige outfit, een dubbel T – titanium en teflon – racket, een enigszins verouderde collectie Australische video's – de bediende die ze hem verkocht las op de achterkant de namen van Laver, Newcombe en Rosewall en liet een schamper lachje horen, maar Rímini had het gevoel dat hij met zijn handen iets aanraakte wat kostbaarder was en verder terugging dan een roemrucht tijdperk in de tennisgeschiedenis: zijn eigen kindertijd – een nutteloze voorraad harspoeder (het laagje waarmee het handvat van het racket bedekt was maakte dit volkomen onnodig) en twee doosjes Norit – merkwaardig genoeg het meest omstreden punt van zijn nieuwe identiteit. De trainer wilde ze niet kopen; hij was ervan overtuigd dat ze alleen het ongeluk zouden aantrekken dat ze pretendeerden te bezweren. Rímini, die ze gedurende vier jaar competitietennis elke ochtend in zijn zak had gestopt, wist hem pas te overreden toen hij beloofde dat hij ze alleen in de eerste lesweek en in uiterst dringende gevallen zou gebruiken.

Ze waren niet nodig, niet in de eerste week en ook daarna niet. Rímini bleek inderdaad een talent, en geen van de bevoorrechten die die dinsdag getuige waren van zijn rentree zou hebben gezegd dat hij al meer dan tien jaar niet op een tennisbaan had gestaan – behalve misschien door de opvallende hardnekkigheid waarmee hij, *voordat* hij de baan op ging, met de zijkant van zijn racket tegen zijn schoenen klopte om ze te ontdoen van de stukjes vochtig gravel die pas *na afloop* in het profiel van de zolen zouden blijven zitten. Maar afgezien daarvan, zoals soms gebeurt met vaardigheden die lang een latent leven hebben geleid, was Rímini's talent niet alleen intact gebleven maar zelfs verfijnd, alsof die winterslaap het in stand had gehouden en bovendien gezuiverd had van de nervositeit, de angsten, de onzekerheden, de scrupules, de dwaasheden, dat hele samenraapsel van gebreken waardoor het altijd was onderdrukt maar waarvan het al heel snel, na de eerste toernooien en zelfs na de clubkampioenschappen waar hij aan meedeed om zich te harden, vrijwel niet meer te onderscheiden viel. Zeker, dit keer speelde hij geen wedstrijd, hij gaf les. Maar zijn oude kuren van de gekwelde speler hadden het altijd klaargespeeld om ook de kop op te steken zonder scheidsrechters, officiële ranglijsten, publiek of tegenstanders, die ze weliswaar aanwakkerden of soms zelfs verklaarden, maar er nooit de oorzaak van waren. Hij begon al bij de kleinste fout te schreeuwen – een te diepe volley, een slimme bal van zijn tegenstander die hij had zien aankomen maar niet in staat was te pareren, een cadeautje dat hij te gemakkelijk opvatte en daardoor slap in het net sloeg. Na een dubbele fout smeet hij het racket met het blad naar beneden op de grond en ving het, als het punt niet beslissend was, na de stuit meteen weer op, of hij liet het, als het verlies van het punt het verlies van de game betekende, een moment voor straf op de grond liggen, terwijl hij voorovergebogen met zijn handen op zijn knieën bleef staan, niet zozeer zoekend naar de oorzaak van zijn fout als wel naar de kosmische onrechtvaardigheid waarvan hij zich het slachtoffer voelde. Moreel gezien viel er niets op hem aan te merken: nooit discussieerde hij met de scheidsrechter, nooit stal hij een punt. En de afloop van een rally hoefde maar twijfels bij zijn tegenstander op te roepen, zelfs al had hij die zelf niet en was de rally in zijn voordeel beslist, of hij bood aan het punt over te spelen of gaf het zonder meer cadeau aan zijn rivaal. Maar zijn manieren en zijn gedrag waren verschrikkelijk. Tussen de punten door, als hij achterstond en de ander aan service was, gaf Rímini de ballen aan door ze naar de hoeken van de baan te rollen die het verst van zijn tegenstander verwijderd waren, zodat die gedwongen was een flink eind te lopen om ze op te rapen. Bij een kinderlijke misser gooide hij de bal die hem vernederd had recht omhoog en sloeg hem met alle kracht waartoe hij in staat was in de richting van de naastgelegen baan, waar hij hem dan echter meteen weer, met het schaamrood op zijn kaken, in allerijl zelf ging halen. Hij geselde netten, staaldraden en afrasteringen met woeste slagen van zijn racket, schopte zonder te kijken ballen weg, die dan onvermijdelijk in dakgoten belandden of via verborgen gaten in de omheining de straat op rolden, in de richting van stinkende plassen waar hij ze vervolgens vol walging weer uit moest halen. Hij had een bescheiden repertoire van scheldwoorden voor zichzelf, kwetsende maar toegestane uitdrukkingen als 'stommeling!', 'idioot!', 'oen!', 'kluns!', het extravagante en altijd zo schilderachtige 'nul!', dat hij een respectabel aantal keren kon herhalen zonder door de scheidsrechter te worden bestraft, en mettertijd – eigenlijk zonder het zich te hebben voorgenomen, want wat hem tot die asociale razernij bracht was niet het verlangen om de orde te verstoren (een gangbare houding voor subversieve tennissers bij wie talent en beledigen slechts twee manifestaties van een en dezelfde energiebron zijn) maar eerder het volledig ontbreken van elk verlangen, dat zodra hij de baan op stapte werd verdrongen door een constellatie van variabelen die hij gedurende de partij het hoofd moest bieden – had hij een tamelijk vernuftige techniek ontwikkeld, die de eeuwige parasieten al snel begonnen na te bootsen, om zijn tegenstanders met een of andere straffeloze opmerking belachelijk te maken, een techniek die eruit bestond dat hij zichzelf met luide stem verwenste en tegelijk, eveneens met luide stem, toelichtte wat de redenen waren waarom hij zichzelf verwenste, waarbij hij die redenen uiteindelijk terugbracht tot één enkele reden: dat hij verzuimd had gebruik te maken van de zwakke, stuntelige, pathetische bal, een beginneling waardig, die zijn tegenstander hem op een presenteerblaadje had aangeboden. En intussen – terwijl hij de ergst denkbare reputatie begon te genieten, die van een mentaal labiele speler, een reputatie die hem vooruitsnelde waar hij ook speelde en die al zijn tegenstanders toevoegden aan zijn sportieve profiel, op hetzelfde niveau als zijn technische onvolkomenheden, en vervolgens genadeloos probeerden uit te buiten – intussen *leed* Rímini. Spelen was een roes, een vorm van extase die hartstochten bij hem losmaakte waarvan hij niet eens wist dat hij ze bezat. Zijn vader, die aangemoedigd door een van die zeldzame begenadigde momenten waarop Rímini het tennis met elke slag opnieuw leek uit te vinden, ooit het idee had geopperd de weg naar het professionalisme in te slaan, probeerde hem met alle mogelijke middelen van zijn kwaal te genezen, zonder twijfel de ergst denkbare en schadelijkste tekortkoming voor elke sportcarrière. Hij praatte met hem, vroeg hem op zoek te gaan naar trauma's, naar oorzaken. Ze speelden samen en dan deed hij hem na, in de overtuiging dat als hij zichzelf in een spiegel zag, de afschuw over zijn gedrag zuiverend zou werken. Hij trad streng op, uitte dreigementen en onderbrak zelfs een finale van de competitie tegen Deportes Racionales om hem de mantel uit te vegen ten overstaan van driehonderdvijftig toeschouwers, onder wie een vriendin met onheilspellend harige oksels, die niet tegen de spanning kon en liever voortijdig vertrok dan hem te zien verliezen. Hij onderhandelde in het geheim met de trainer van de club over een tijdelijke uitsluiting van het eerste team om hem een lesje te leren. Allemaal tevergeefs. 'Hij was een talent,' luidde de enige juiste diagnose. Rímini leed aan het syndroom van de begaafde sporter. En dat was ongeneeslijk. Want de getalenteerde speler krijgt alles van het begin af mee, gevoel, kracht, intelligentie, snelheid, inventiviteit, maar hij krijgt het in abstracte vorm, in een staat van maximale zuiverheid, alsof hij verder niets meer hoeft te doen, niets anders dan genieten van deze gave of er van een afstand naar kijken, alsof de horizon waarop hij geroepen is zich te ontplooien een onbereikbaar, zelfvoorzienend voorportaal is, in eeuwige balans en harmonie, en niet een arbitraire, ongeordende, brute wereld, waar het de ene dag warm en de andere koud is, waar het kan waaien en regenen, waar de treinen precies in de opgooi van de tweede opslag voorbijkomen, de ligusters heen en weer bewegen, de veters van de schoenen losraken, blaren ontstaan, vriendinnen op de tribune met onbekenden zitten te lachen, plastic bekertjes over de naastgelegen baan rollen, een vlag te wild wappert, de ene bal minder scherp is dan de andere, de tegenstanders maar blijven rennen en het zweet in de ogen loopt.

Nu lag dat alles achter hem. Dat Rímini – *tennisleraar Rímini*, zoals hij, nog slaperig, de doordrukstrip met Norit in zijn zak liefkozend, op de ochtend van zijn debuut in witte letters op een groen vilten ondergrond op het mededelingenbord las in de hal van de club – zijn talent had behouden, kwam simpelweg omdat zijn talent een antiquiteit was, een overbodige antiquiteit, die voor zijn nieuwe functie absoluut niet vereist was en die Rímini als een niet geprogrammeerde waarde aan zijn pedagogische ritueel toevoegde. Er was geen toekomst voor talent; met het verlies van de jeugd, waar het op een bepaalde manier een pervers synoniem van was, had het niets meer waar het bij paste. En dat eenzame lot, dat meestal deprimerend werkt als het om oneerlijk verdeelde deugden gaat, gaf in Rímini's geval zijn talent juist een buitengewoon aantrekkelijk karakter, zoals bij sommige echte maar weinig gebruikte sieraden als ze door een gelukkig toeval uit het juwelenkistje worden gehaald waarin ze verkommerden en mogen pronken op de nog vitale huid van degene die besluit ze te gaan dragen. Het was een luxe, solitair en geïsoleerd en, als elke luxe, van een anachronistische elegantie. En het was het teken van hartstocht voor verkwisting die het ras van de spelers alleen deelt met dat van de dandy's.

Niemand – niet eens Rímini zelf – had ook maar enig vermoeden van al deze zielenroerselen, maar op de dag van zijn debuut, met alle zenuwen die daarbij hoorden, en bovendien onaangenaam verrast door een gebroken veter, een teken dat niets goeds voorspelde, gaf Rímini, na vierenhalf uur les, het tennis de geest terug die vijftien jaar van anabolen, merknamen en televisie-uitzendingen hadden vervangen door de treurige mystiek van de offerande. Zijn soberheid was bijna aanmatigend. Hij speelde volkomen natuurlijk, zonder enige inspanning, alsof het racket niet een wapen of prothese maar de alerte, subtiele vertolker van zijn arm was. Hij speelde eenhandig. Vijftien jaar later ging hij nog altijd in tegen het advies van zijn leermeesters: in plaats van de bal 'aan te vallen' wachtte hij tot deze naar hem toe kwam, wat zijn spel een zekere aristocratische desinteresse gaf, alsof hij eigenlijk wel iets beters te doen had dan daar te zijn; hij nam de bal een beetje lager dan normaal, lepelde hem bijna op, net als de tennissers van voor het tijdperk van de spin. Hij liep maar zelden hard, het leek eerder op wandelen wat hij deed, en bestreek het veld niet met zijn lichaam maar met zijn verstand, door voortdurend te anticiperen op de slagen van de ander. En het vreemde aan zijn eigen, over het algemeen vlakke slagen was dat er geen pauze tussen leek te zitten: ze vormden een vloeiende sequentie, als de subtiel verbonden figuren die bij bepaalde vechtsporten in de lucht beschreven worden, die zelfs werd voortgezet wanneer de bal zich aan de andere kant van het net bevond en pas eindigde nadat het punt was uitgespeeld. En dan was er zijn kleding, praktisch een principeverklaring: helemaal wit, van katoen – enige uitzondering: de twee blauwe banen langs de rand van de v-hals van zijn mouwloze shirt –, korte broek met zakken, tennisschoenen, vanzelfsprekend van canvas, en, als bescherming tegen de zon, een hoed van grof geweven stof, licht, zodat hij niet te veel zou wegen als hij vochtig werd.

Hij kwam, speelde en overwon – symbolisch gesproken dan, want gegeven het bedenkelijke niveau van zijn leerlingen, die de bal niet vaker dan vijf, zes of in het geval van de meest gevorderden, onder wie Nancy, tien keer achter elkaar foutloos over het net konden krijgen, was de gedachte aan het spelen van een hele wedstrijd pure dwaasheid. Het was meer een cultureel dan een sportief succes. Terwijl hij rustig de tijd nam, alsof het air van anachronisme zowel betrekking had op zijn lichaam, dat zich nu met een vreemde nonchalance bewoog, als op zijn kleding, trok hij in de kleedkamer zijn fonkelnieuwe lerarenuniform aan, en de man die verantwoordelijk was voor de handdoeken en de zeep beloonde hem na een kort moment van verbazing met een stralende glimlach. Hij ging naar buiten, met in zijn hand de metalen korf met gele ballen die zijn ongelukkige voorganger hem geschonken had. Hij liep in de zon het halve clubterrein af, op zoek naar de baan die hem was toegewezen, en werd onderweg vriendelijk gegroet door een groepje medewerkers van de club – een man met een keukenschort, een tuinman die een rozenperkje stond te sproeien met een lege gieter, iemand die met een enorme ladder worstelde –, knikkend met hun hoofd als hondjes op de hoedenplank van een auto. Het hek dat toegang gaf tot de baan piepte, Rímini klopte voor de vierde keer met het racket tegen zijn schoenzolen – dit keer was het niet simpelweg een misplaatste handeling maar puur bijgeloof – en ging naar binnen. Hij had een merkwaardig gevoel van voldoening. Hij wist dat hij een bedrieger was, maar de banaliteit en doeltreffendheid van het bedrog verbaasden hem. Hij wilde net het gravel op stappen toen zijn voet, doordat hij een afstapje over het hoofd had gezien, heel even verbluft in het luchtledige bleef hangen en zijn hele lichaam uit zijn evenwicht raakte, en een bal, één enkele bal, de bovenste van de piramide, begon te rollen, uit de korf sprong en op de baan terechtkwam, waar hij één, twee, drie keer hooghartig wegstuitte, totdat Rímini hem met zijn racket de pas afsneed, er een paar keer gecontroleerd met de snaren op tikte om hem weer te laten stuiten, alsof hij hem tot leven wekte, oppakte – waarbij hij het racket als dienblad gebruikte – en de bal teruglegde op de plek waarvandaan hij had proberen te ontsnappen. Hij ging de baan op en zag hoe een terreinknecht, het sleepnet achter zich aan trekkend, hem van de andere kant van het net aankeek en met opgestoken hand groette.

Daarna was het de beurt aan de leerlingen, die zich in de loop van de eerste lesweek een voor een aandienden. Het waren er zes, allemaal vrouwen, op twee na – een opvliegend ventje, Damián, ex-leerling van een privé-school, wiens ouders het verlies van de dubbele schoolopleiding wilden compenseren door zijn ochtenden te vullen met talen en sporten die hij verafschuwde; en Boni, een broodmagere adolescent met een gezicht vol puistjes en vingertoppen geel van de nicotine, wiens moeder, die hem vrijwel in haar eentje opvoedde, had bedacht dat een beetje lichaamsbeweging zijn hormonale opvliegendheid wel zou temperen –, wat niet meer dan logisch was, gezien het tijdstip en de dagen waarop de lessen gegeven werden. Ze verwelkomden hem met een zekere ingetogenheid: met die mengeling van wantrouwen en nieuwsgierigheid die vervangers plegen te wekken, vooral wanneer hun komst onverwacht is. Damián keek altijd even spottend naar zijn canvas tennisschoenen, die naast de schoenen die hijzelf droeg, monsterachtig, als gemuteerde reptielen, van een bijna prehistorische soberheid waren; en de roker Boni – die met stilzwijgende instemming van Rímini om de andere les verstek liet gaan – slaagde er nooit in de naam van zijn nieuwe leraar uit te spreken zonder zich te vergissen. Maar ze waren niet erg veeleisend, lieten zich gemakkelijk afleiden en Rímini ontdekte al heel snel dat hij ze een plezier deed als hij de lessen inkortte. De vrouwen bezorgden hem wat meer werk. Ze leken erg op elkaar: volwassen, niets te doen, goed geconserveerd, en zowel qua kleding als sportieve technologie uitgerust volgens de laatste mode. Ze deden voortdurend hun uiterste best: eerst waardig, nonchalant, later met een blinde vertwijfeling, alsof ze gekastijd werden. Rímini verbaasde zich over één bepaald detail: allemaal lieten ze hun slagen vergezeld gaan van schrille kreten, als van een samoerai, zelfs als ze de bal met de rand van het racket raakten of volledig missloegen. Gedurende de eerste week onderwierpen ze hem aan het klassieke vergelijkende onderzoek, waarbij ze elke aanwijzing, formulering en stelregel vergeleken met die welke zijn voorganger hun had bijgebracht – de samoeraikreet was er een van: dat onthulde de geblesseerde leraar hem op de middag dat Rímini op verzoek van de trainer naar het ziekenhuis ging om hem te bedanken voor de kans die hij hem geboden had; 'zo reageren ze zich af,' legde hij uit, terwijl hij, tegen de jeuk, een breinaald in het orthopedische harnas stak dat zijn gewonde been immobiliseerde, 'en daarbij voelen ze zich ook nog eens superprofessioneel' –, maar dat deden ze zonder oordelen uit te spreken, met een hang naar neutraliteit, alsof ze zich minder zorgen maakten over het feit dat ze een bekend gezicht waren kwijtgeraakt dan over het hogere en objectieve goed van het tennis. In alles ontdekten ze een deugd én een gebrek. De jeugdigheid van Rímini bijvoorbeeld, vijftien jaar jonger dan zijn voorganger, was zowel een teken van vernieuwing, waar ze opgetogen over waren, als van onervarenheid, wat ze wantrouwig maakte. Zijn soepele, eenvoudige stijl betekende een opluchting, omdat die ze bevrijdde van die hele last van technische eisen, maar was tegelijk beangstigend, omdat ze zich zonder al dat effectbejag hulpeloos voelden. Maar toen die beginfase van wederzijds aftasten en inschatten eenmaal voorbij was, werd het allemaal wat rustiger, de verrassingen (en ook de verwachtingen) namen geleidelijk af en de langdradige doeltreffendheid van het sportieve mechanisme verdreef ten slotte alle onzekerheden.

Toen, als bij een schoonheidswedstrijd waar de kandidates die dingen naar de kroon op een rij staan te wachten, een en dezelfde spanning met tien vermenigvuldigend, totdat de jury de uitslag bekendmaakt, waarna een van de meisjes, eentje maar, een stap naar voren doet en in tranen uitbarst en terwijl een gevolg van ex-prinsessen en ex-koninginnen zich op haar stort met scepters en lauwerkransen, alle anderen, van wie ze zich tot dat moment in niets leek te onderscheiden, opgaan in een ongedifferentieerd en wazig magma waaruit ze nooit meer op zullen duiken, toen deed Nancy, met dezelfde willekeur, een stap naar voren, liet de kudde waarin ze met de rest van de leerlingen graasde achter zich en betrad hooghartig, met het gerinkel van haar gouden armbanden, de woestijn van Rímini's leven. Ze volgde de lessen met haar armbanden om, zes aan elke pols, fijn als engelenhaar, een detail dat Rímini toeschreef, enigszins argeloos zoals hij later zou ontdekken, aan de zwakte of laksheid van de vorige leraar, en dat hij tijdens de derde les besloot te corrigeren, nadat Nancy de zesde bal van die ochtend op het natuurlijke ballenkerkhof had geslagen, aan de andere kant van de afrastering direct naast de spoorrails. Hij sprong over het net – een uitzonderlijke opwelling, want omdat hij zich op het fysieke vlak van zijn relatie met de leerlingen nog altijd enigszins onzeker voelde, wisselde hij maar zelden van kant, en als hij het al deed liep hij altijd om het net heen, de langste maar ook de meest formele weg – en ging met een paar nonchalante sprongetjes op haar af, alsof het vertoon van lenigheid dat hij zojuist had gedemonstreerd hem niet de minste inspanning had gekost. Nancy wachtte hem op met haar armen slap langs haar lichaam, het racket als een dood vogeltje in haar linkerhand. Ze was rustig blijven staan, vastgenageld aan het kleine stukje van de baan waarvandaan ze haar backhand had geslagen, alsof een of andere bepaling in het reglement haar verbood te bewegen. Rímini kon haar ogen niet zien, omdat die zoals altijd verborgen bleven achter een grote zeshoekige zonnebril, maar hij zag wel dat ze haar hoofd moedeloos liet hangen. 'Goed, lááát maar eens kijken,' zei hij, alsof hij het tegen een kind had. Hij ging achter haar staan en toen hij dichterbij kwam, met de bedoeling haar bewegingen stap voor stap te leiden, zoals een poppenspeler zijn pop, hulde een vlaag parfum hem in een overweldigend zoete wolk, een mengeling van rijpe abrikozen en zonnebrandmiddel, die uit al haar poriën leek op te stijgen, en zag hij, lichtelijk bedwelmd, onder in haar nek, waar hij nooit eerder zo dichtbij geweest was, een volmaakte rij zweetdruppeltjes, allemaal even groot, glinsterend als een parelketting op haar gebruinde huid. Toen, terwijl hij zijn linkervoet naast de hare zette en daarmee de afstand die hen scheidde nog meer bekortte, raakte Rímini zacht, tegelijk doortastend en tactvol, haar linkerelleboog aan, en Nancy reageerde meteen, alsof die elleboog het centrum van haar receptorisch vermogen was: ze kruiste haar arm over haar borst en bracht hem naar achteren, daarmee de eerste fase van de backhand uitvoerend, en haar gevolg van armbanden, die tot dat moment slap aan haar pols hadden gehangen, kwam in beweging en leefde op met een heel licht, dof, ruisend geluid dat, samenspannend met haar geur, doel trof in het oor van Rímini. Hij kreeg onmiddellijk een erectie, zo hevig en abrupt dat het niet veel scheelde of hij had het uitgeschreeuwd. Hij week instinctief terug en verweet haar – bij wijze van afleidingsmanoeuvre – dat ze voor de les haar armbanden niet had afgedaan, terwijl hij intussen zijn ogen neersloeg om de bolling van zijn broek te taxeren. 'Ze zijn van goud,' zei Nancy, 'ik ben verslaafd aan goud,' en ze deed een stap naar achteren, een onnodige stap, die Rímini, die haar bij haar schouders had gepakt en opzij draaide, niet had voorzien, en raakte hem licht met haar heup. Dat was alles. Rímini sloeg zijn ogen op, zag de kruinen van de bomen ronddraaien tegen de hemel en onderdrukte een kreun in zijn badstof polsband. Er trok een kortstondige huivering door zijn hele lichaam, als een bliksemflits, die hem letterlijk deed gloeien. Zijn benen werden slap en hij zou daar ter plekke op het gravel op zijn knieën zijn gezakt als Nancy, die ondanks de afstand van minder dan twintig centimeter deel leek uit te maken van een andere dimensie, van de oude, heel ver verwijderde wereld van de realiteit, haar racket niet naar achter had gebracht – de tweede fase van de slag die hij van plan was te verbeteren – en in aanraking was gekomen met het onverwachte obstakel van zijn gezicht. Een ongeluk als een geschenk uit de hemel. De pijn bracht hem weer tot zichzelf. Nancy liet beschaamd haar racket vallen en strekte een hand uit naar zijn jukbeen, dat rood begon te worden, alsof hem aanraken een manier was om zich te verontschuldigen – een hand die beefde. Hij beefde, dacht Rímini, zoals hij alleen de handen van oude mannen, zieken en alcoholici had zien beven. En voordat ze de kans kreeg hem aan te raken, of liever gezegd, om te voorkomen dat ze hem zou aanraken, bukte Rímini zich, raapte het racket op – een handeling die hij gebruikte om een zijdelingse blik op zijn broek te werpen, het gebied waar de extase haar treurige herinnering had achtergelaten – en gaf het haar aan. 'Maakt u zich geen zorgen,' zei hij, 'het is niets. We gaan de backhand nogmaals oefenen, maar dan in de praktijk.' En hij keerde terug naar zijn kant van de baan, waarbij hij in het voorbijgaan een paar ballen opraapte die bij het net lagen door ze tussen het racket en de buitenkant van zijn rechtervoet op te wippen.

Ja, Nancy beefde als een juffershondje, wat logisch was voor een juffershondje dat vergiftigd door tonnen kalmeringsmiddelen, vermageringspillen en voedingssupplementen de vijftig was gepasseerd en nog altijd gemiddeld veertig sigaretten van honderd millimeter per dag rookte – één, steevast, na elke les, die ze aanstak met een gouden Dunhill-aansteker terwijl ze neerplofte op de bank met het racket nog in haar hand –, en ging na met een minachtend gebaar de fles mineraalwater te hebben afgeslagen die Rímini haar aanbood, zonder zich om te kleden of te douchen aan een tafeltje zitten op het terras van de club, in de gloeiend hete middagzon, strekte haar vezelachtige benen uit op de stoel naast haar en sloeg twee gin-tonics achterover, vergezeld van nog twee sigaretten, in de tijd dat Rímini, wiens bewegingen ze vanaf haar observatiepost tot in de kleinste details leek te sturen, bezig was de ballen te verzamelen die zij over de hele baan had verspreid. En op een gegeven moment, met die mysterieuze zorgvuldigheid die het toeval wijdt aan de onbeduidendste feiten, viel alles samen: de korf was bijna vol, het metalen hek dat toegang gaf tot de baan piepte opnieuw, onder de lusteloze druk van Boni's heup, en Rímini, verrast bij het oppakken van de laatste bal, sloeg zijn ogen op en keek naar het terras waar Nancy, die net haar tweede glas had leeggedronken, haar benen van de stoel haalde, opstond en enigszins aarzelend naar de uitgang begon te lopen, met haar racket over de grond slepend als de sleep van een jurk die ze nooit meer zou dragen. Ze beefde, en de accessoires waarmee ze was uitgerust, de zeshoekige zonnebril, het goud, de make-up, het kapsel – even veranderlijk als haar sporttas –, de Japanse auto die altijd op de parkeerplaats op haar stond te wachten, al die tekenen van rijkdom die dat beven hadden moeten verhullen, maakten het juist des te duidelijker.

Ze beefde van radeloosheid omdat ze leeg was. Dat grondige uitschrapen waaraan chirurgen soms de zieke baarmoeder van sommige vrouwen onderwerpen, leek Nancy niet in haar lichaam te hebben ondergaan, waarvan de vitaliteit, hoewel doelbewust gecultiveerd, nog altijd authentiek was, maar in haar ziel, die door een of ander monsterachtig stuk gereedschap, veel radicaler dan het chirurgenmes, tot op de bodem scheen te zijn weggekrabd. Ze was als een dorre, lege huls, veroordeeld tot onherroepelijke veroudering. En omdat ze geen geheimen had, niets wat ze aan de oppervlakte van de wereld kon onttrekken, was vermenigvuldigen het enige wat Nancy kon doen, door de discretie, de terughoudendheid en de schroom te vervangen door de logica van de hebzucht en de overdaad, twee neigingen waar ze ongemerkt voortdurend aan toegaf, zelfs op een tegengestelde en tegenstrijdige manier, zoals bijvoorbeeld wanneer ze aan het begin van de maand Rímini's honorarium met een beschamende fooi afrondde, terwijl ze een kwartier later op het terras van de club de ongeïnspireerde bediening van de eeuwige ober beloonde met een bedrag dat twee keer zo hoog was als de prijs van wat ze had gebruikt. En hoewel, strikt technisch gesproken, Rímini's seksuele ontlading even vluchtig was geweest als een ademtocht, en de vruchten ervan, als je daar al van kon spreken, heel snel verdwenen zodra ze in aanraking kwamen met de stof van zijn broek, was het daar, op de bedding van Nancy's hebzucht, dorre grond ongetwijfeld maar van een uitzonderlijke vruchtbaarheid, dat ze een duurzaam nageslacht vonden. Voor Rímini was alles vrijwel op hetzelfde moment ontstaan en uitgedoofd: een suïcidale extase, zoals vallende sterren verschaffen, die alleen bestaan op het moment dat ze verdwijnen. (In de seksuele horoscoop was Rímini een dromedaris; hij genoot niet: hij bereidde zich voor op de schraalheid, de enige horizon die zijn begeerte erkende.) Hij had van de kortstondige huivering genoten, voor zover je tenminste kunt genieten van iets wat een paar seconden duurt. Maar wat de seksuele vervoering met hem, ín hem deed, was niet hem in de stemming brengen voor toekomstige herhalingen – iets wat trouwens heel moeilijk voorstelbaar was, gegeven het buitengewoon toevallige karakter van het voorval –, maar een einde maken aan een lange periode van kuisheid, of hoogstens hem de benodigde, in zijn geval meer dan bescheiden bevredigingsreserves verschaffen om zonder al te grote spanningen de afstand te overbruggen die hem scheidde van de volgende vervoering.

Op die manier, terwijl Rímini opgelucht terugkeerde naar zijn nest van onverschilligheid, verkeerde Nancy in een van die toestanden van innerlijke beroering die alleen voor degenen die ze ondergaan onopgemerkt blijven. Het is niet zeker dat ze die ochtend op de tennisbaan doorhad wat er was gebeurd, aangezien ze met haar rug naar hem toe stond en Rímini alle bewijsmateriaal handig aan het oog had onttrokken. Ze had zijn erectie niet gezien, evenmin als de vochtige plek die de zaadlozing, na de weerstand van de suspensoir te hebben overwonnen, op zijn broek had achtergelaten. Maar de rest was wel tot haar doorgedrongen: de plotselinge verhoging van zijn lichaamstemperatuur, de verandering in het ritme van zijn ademhaling, het dreigende verlies van zijn zelfbeheersing, dat Rímini weliswaar had weten te voorkomen maar waarvan de echo's om hem heen bleven zweven. Ze had het op een indirecte maar tastbare manier waargenomen, zoals je een bepaalde druk waarneemt, of de bewegingen die aan de rand van je gezichtsveld plaatsvinden en die, hoewel onzichtbaar, vaak aanweziger zijn dan die welke zich voor je ogen afspelen. En hoe vaag de oorzaken ook waren, die 'atmosferische verstoring', waarvan Rímini zonder enige twijfel de stralingsbron was geweest, was genoeg om haar in vuur en vlam te zetten. Toen was het haar beurt om ook van begeerte te beven.

Er is maar één schouwspel pijnlijker dan de onbeantwoorde liefde: de onbeantwoorde begeerte. Want in de liefde zwemt zowel degene die liefheeft als degene die niet liefheeft, maar degene die niet begeert staat buiten de begeerte, en er is niets wat hem kan terugbrengen naar de wereld waarvan hij zich heeft uitgesloten. Het nee van degene die niet begeert is absoluut, er is geen weg terug, en het verandert degene die begeert in een volkomen vreemde, niet zomaar iemand anders maar een volstrekt ongelijksoortig wezen: niet iemand die in een andere 'toestand' verkeert, waar hij ten slotte na verloop van een bepaalde tijd of als de omstandigheden zich wijzigen 'uit' kan komen of in een andere toestand 'overgaan', maar iemand die behoort tot een ander rijk. Stel, een hitsige hond loopt over een plein. Hij ontdekt nog een hond, net zo een als hij, zelfs van hetzelfde ras, en nog voordat hij weet of het een mannetje of een vrouwtje is, of het nietige geslacht tussen zijn poten een opening zal vinden om zich in te verliezen, springt hij er al bovenop, verrast hem van achteren, klimt op zijn rug en begint blind en verwoed op en neer te bewegen. Maar dan blijkt dat de andere niet wil. Hij wil niet, punt uit. Zijn niet willen is alles: het is even puur, even onvoorwaardelijk als het willen van de andere. Hij blijft rustig staan, de tong uit zijn bek, starend naar een punt in de verte, totdat zijn aandacht getrokken wordt door iets anders en hij zijn kop een beetje beweegt en om zich heen kijkt, terwijl de andere, de hitsige, zijn aanval verhevigt en zich tevergeefs uitslooft. Wie heeft een dergelijk aandoenlijk tafereel niet al eens aanschouwd? Want, zijn er wel twee honden? Of is er maar één, de hitsige, die begeert, en daarnaast zijn onmogelijke prooi, die niet begeert en die omdat hij niet begeert niet langer een hond is maar iets anders: iets levenloos, een stuk steen, een plant, een boomstam in de vorm van een hond? Zo is het van degene die begeert en degene die niet begeert altijd de eerste die zich belachelijk maakt, omdat hij door het wezen te bespringen dat zijn gevoelens niet beantwoordt, niet een inschattings-, taxatie- of beoordelingsfout maakt, maar zich vergist in de soort.

Dat was de tragikomedie waar de trouwste werknemers van de club, die altijd het vroegst aanwezig waren, gedurende de twee weken die volgden getuige van mochten zijn. Nancy belaagde Rímini en Rímini keek afwezig een andere kant op – alsof in de verte zo'n fluitje klonk dat mensen niet kunnen horen maar waar honden altijd op reageren. Van het cultiveren van een soort functionele onverschilligheid, die haar alleen toestond zich te interesseren voor de dingen die met haar sport te maken hadden, begon Nancy zich te bewegen op het vlak van die veranderlijke en verwarrende vriendelijkheid die de aandrang van de begeerte, bij gebrek aan een beter hulpmiddel, vaak als voertuig en voorwendsel gebruikt om zijn object te benaderen zonder het af te schrikken. Ze begroette hem voortaan met enthousiasme en beperkte zich niet meer tot het aanbieden van een afstandelijke wang, maar pakte hem eerst bij zijn arm, daarna bij zijn schouder en ten slotte bij zijn nek om hem naar zich toe te trekken en snel te kussen, zodat zíjn kus altijd net een seconde te laat kwam en niet meer leek op de formele begroeting die het voor Rímini was, maar op een schuchtere en verwarde beantwoording van háár kus. Ze praatte nu meer, over van alles en nog wat, met een kinderlijke gretigheid, alsof ze maandenlang gekneveld was geweest, en alles wat ze zei leek ze met een onbewuste openhartigheid te zeggen, waarmee ze zichzelf ongewild blootgaf. Elke zin was een wirwar van persoonlijke belevenissen, die ze probleemloos aaneenreeg: een schoolherinnering, een roddel van de kapper, een paar schaamteloze regels uit een geromantiseerde biografie van Mariquita Sánchez Thompson,*

---

*Mariquita Sánchez Thompson (1786-1868): een van de beroemdste vrouwen van Argentinië, bekend vanwege haar vrijheidsdrang en politieke en culturele interesses.

een lofzang op de tuinman van het zomerhuis dat ze met haar man in Punta del Este bezat, de pruikenverzameling van een hartsvriendin – kortgeleden bevrijd van een hersentumor ter grootte van een roze meloen –, de opvliegers van de menopauze, een belangrijk dilemma – eutonie of ashtanga yoga? gewichten of drijftank? –, een zekere argwaan tegen het gebruik dat het dienstmeisje van haar vrije tijd maakte, en altijd, als bij toeval verzeild geraakt tussen al die kommernis, een of andere vraag over Rímini's persoonlijke leven, die Nancy stelde met gedempte stem, alsof ze, ondanks de onbezonnenheid van haar dorst naar kennis nog voldoende zelfbesef had om zich in te houden en met een of andere bijzondere nuance het ware doel van haar behoeften te accentueren.

Haar tennisspel begon er al snel onder te lijden. Dat was al slecht, maar nu werd het onvoorspelbaar. Ze verloor elk gevoel voor afstand: ze was te laat of juist te vroeg bij de bal. Ze sprintte naar voren als ze moest wachten, week terug als ze naar voren moest. Ze miste slagen die ze het best beheerste; van de ene dag op de andere, alsof ze door een ongeluk haar geheugen was kwijtgeraakt, verdween de van boven naar onderen geslagen drive met slice, in de 'stijl van de zeis', zoals Rímini de slag had gedoopt toen hij die voor het eerst aan den lijve had ervaren, zonder een spoor na te laten van haar bescheiden repertoire van autodidactische listigheden. Ze verviel weer in ondeugden waarvan ze genezen leek te zijn: ze concentreerde zich niet, raakte uit haar humeur, verdeed haar tijd; ze sloeg bijvoorbeeld een bal in het net en in plaats van een van de tientallen ballen die om haar heen lagen op te pakken, sjokte ze, langzaam, als liep ze in een begrafenisstoet, naar het net om hem te gaan halen. En alles wat ze deed – in tien procent van de gevallen bewust, in de overige negentig procent meegesleept door het geweld van de begeerte –, deed ze met maar één doel: Rímini dwingen over het net te stappen, hem naar zich toe te lokken en, onder het mom van een lijf-aan-lijfcorrectie, dat duizelingwekkende moment van ontbranding opnieuw te beleven. En Rímini stapte over het net en herhaalde de routine van de poppenspeler en zijn pop steeds weer, met geduld en toewijding, lettend op de rechte houding van zijn leerlinge, op de strakheid van haar onderarm, op het synchroon bewegen van haar benen, maar volkomen onverschillig voor haar diepe decolleté, het glinsteren van haar rechtopstaande haartjes en haar doorzichtige slipje.

Totdat op een ochtend gebeurde wat er wel móest gebeuren, zoals dat heet. Rímini wisselde diepe ballen af met korte, zodat Nancy eerst achterin moest blijven, in de verdediging, en dan opeens, bij verrassing, gedwongen was 'op te lopen' naar het net, waar ze bovendien de opdracht had om als het kon het punt in één keer af te maken. Met haar rug tegen de ligusterhaag retourneerde Nancy uit alle macht een diepe bal van Rímini, louter in de hoop de bal in het zwarte gat van de spoorrails naast de tennisbaan te deponeren, maar eerst tot haar eigen verbazing, en daarna tot die van Rímini, was het juist die mengeling van vertwijfeling en moedeloosheid waarmee ze sloeg die de bal tot een dodelijk projectiel maakte. Hij schampte licht de netrand, bleef laag bij de grond en stuitte precies op de achterlijn, waar Rímini er met een maximale inspanning in slaagde hem te achterhalen. Hij sloeg niet; daar had hij de tijd niet voor, zodat hij simpelweg zijn racket strak hield en hem blokte. Maar de bal had geen impuls meer nodig; de snelheid die Nancy eraan had meegegeven was al genoeg, en dus kaatste hij terug van de snaren van Rímini's racket, verhief zich en begon aan een trage, onzekere terugkeer naar de overkant van de baan, maar onderweg werd hij door een vlaag tegenwind afgeremd, waarna hij, alsof hij plotseling geen brandstof meer had, in één keer bijna loodrecht naar beneden viel en na de netrand te hebben geraakt aan Nancy's kant neerplofte en krachteloos, als ging het louter om een reglementaire verplichting, opstuitte. Nancy was echter niet van plan op te geven. Vertaald in wanhoop – dat wil zeggen, veranderd in pure eigenliefde – had het vuur van de begeerte haar hielen bereikt en haar, terwijl ze de bal zag terugkomen, nog altijd verbijsterd over de kracht van haar eigen slag, als een pijl naar voren doen schieten. Ze rende zoals ze nog nooit eerder had gerend, alsof ze eindelijk het tintelende gevoel dat haar al dagenlang kwelde van zich af wilde schudden. Ze hoorde Rímini's stem die haar aanmoedigde, ze hoorde het door de echo verdubbelde geluid van haar eigen voetstappen, ze strekte haar arm, haar hand, het racket uit, op zoek naar de bal die, nu in slow motion, op het punt stond nogmaals te stuiten, en ze had het idee dat ze hem raakte, dat ze hem terugsloeg, toen ze voelde dat iets – niet de mannelijke hand waar ze zo naar had verlangd, maar de servicelijn die een stukje boven de baan uitstak – haar rechtervoet tegenhield, in die kritieke situatie de enige schakel die haar lichaam met de aarde verbond, en ze languit vooroverviel. Rímini zag haar vallen, raadpleegde in gedachten een oud archief met tennisongevallen, begreep dat het niets ernstigs was en schoot in de lach, hetzelfde vrolijke lachje dat zijn vader vaak liet horen – 'om je gerust te stellen,' zoals hij zei wanneer Rímini hem dit woedend verweet – als hij midden in een partij uitgleed en op het gravel belandde. Desondanks rende hij naar haar toe. Nancy, languit op haar buik, kon hem niet zien, maar ze stelde zich voor hoe hij over het net sprong en voelde de tinteling aan de binnenkant van haar dijen knabbelen, en toen ze hem nogmaals hoorde lachen verafschuwde ze hem uit de grond van haar hart. 'Er is niets gebeurd,' zei Rímini, haar overeind helpend. Opnieuw wilde hij haar geruststellen en bereikte daarmee slechts dat ze het gevoel kreeg dat hij haar verwaarloosde. Nancy, bereid om haar laatste troef uit te spelen, zag in dat ze de gemiste bal, het belachelijke figuur dat ze geslagen had, het verloren punt moest vergeten. Ze liet hem een heel klein stukje ontvelde knie zien door haar been een eindje naar voren te steken, alsof ze het hem aanbood. 'Het is maar een schaafwond, verder niets,' zei Rímini, terwijl hij Nancy's racket opraapte en het haar aangaf. 'Je kunt er het beste niets aan doen, dan kan het ademen.'

Een poosje later was de les afgelopen en liep Nancy, de verbitterde Nancy, nadat ze het maandelijkse lesgeld op Rímini's rackethoes had laten vallen en hem van een afstand had gegroet, trekkebenend naar het clubhuis, meer dan ooit smachtend naar haar ochtendlijke alcoholische vertroosting. Rímini bleef op het bankje naast de baan zitten, met de handdoek om zijn nek. Hij genoot altijd bijzonder van die korte pauzes tussen twee lessen, van de in het spel geïnvesteerde lichamelijke inspanning die in zijn benen zakte, eerst door ze te martelen met een subtiele pijn, daarna door ze licht gevoelloos te maken, terwijl een frisse, heldere luchtstroom, de introspectieve versie van de zachte bries die langzaam het zweet op zijn hals, gezicht en armen afkoelde, de ruime kamers in zijn hoofd leek schoon te blazen. Na een tijdje merkte hij dat er iets ontbrak. Hij keek op zijn horloge, maakte een schatting en concludeerde dat Boni weer eens was weggebleven, opgeslokt door een van zijn losbandige nachten waar Rímini, door ze niet openlijk te veroordelen, uiteindelijk medeplichtig aan was geworden. Rímini dacht erover weg te gaan, maar het was een mooie, zonnige, frisse en heldere ochtend, de club was verlaten en de paar geluiden – het water van de sproei-installatie, het sleepnet over een nabijgelegen baan, een snoeischaar die met tussenpozen werd gebruikt – waren zo scherp en volmaakt duidelijk te horen dat ze onwerkelijk leken. Hij rekte zich uit, dronk in één teug een flesje mineraalwater leeg, keek naar het terras, waar een gezette ober met losgeknoopt jasje de tafel van Nancy afruimde, en besloot in een vlaag van opulentie een wandeling over het terrein van de club te maken. Hij hing de tennistas over zijn schouder en liep een tijdje tussen de banen door; hij kwam langs het lege zwembad – waar een man op handen en voeten bezig was de bodem te schrobben –, stak het pad langs het voetbalveld over, klom tegen een zacht glooiende helling op, passeerde het prieel, dat nog versierd was met de resten van een kinderfeestje, en liep aan de binnenkant van het hek langs de parkeerplaats, achtervolgd door de zoete, enigszins bedorven geur van jasmijn. Hij bekeek alles als van een afstand, met een soort onverschillige dankbaarheid. Hij wilde net het clubhuis binnengaan toen hij een dof geluid hoorde – een gedempte klap – en werd opgeschrikt door een bekend melodietje. Het was een mechanische versie, als uit een automaat, van *Für Elise*, sneller dan het origineel, zoals bedrijven vaak in hun telefooncentrales gebruiken om het wachten van hun klanten te veraangenamen: een autoalarm. Rímini bracht zijn gezicht dichter bij de afrastering, maakte een opening in de klimop en keek naar het parkeerterrein. Hij zag de witte Mazda op zijn plek staan, de ene helft binnen de gele rechthoek waar hij hoorde, de andere helft daarbuiten, op de plek ernaast, en daarna zag hij hoe Nancy, die bij haar auto stond, met haar zonnebril op en een van haar lange donkere sigaretten in haar mond, bezig was met het in de hoes gestoken racket een raampje kapot te slaan. Rímini ging de club binnen, ontweek een karretje op wieltjes vol met witte handdoeken en vloog door de hoofd-ingang naar buiten. Toen hij bij de Mazda aankwam, had Nancy, met de door de tranen gedoofde sigaret in haar mond, het racket al uit de hoes gehaald en koelde haar woede nu op de achteruitkijkspiegel. Dui-zenden glassplintertjes glinsterden op de zitting van de stoel, op de vloer en op het dashboard. 'Ik heb de sleutel erin laten zitten,' zei Nan-cy, met de zijkant van het racket op de metalen poot van de spiegel in-hakkend. Ze snikte, maar haar stem had een kille, volkomen onper-soonlijke vastberadenheid. 'De sleutel,' herhaalde ze, 'de sleutel zit er nog in.' Rímini keek naar binnen en zag de sleutel aan het contact han-gen, heen en weer slingerend alsof hij de spot met hen dreef. 'Hoe zet je het uit,' vroeg Rímini. Nancy, die het racket met beide handen boven haar hoofd hield, richtend op het dak, draaide zich naar hem toe, alsof ze nu pas zijn aanwezigheid opmerkte. 'Wat?' vroeg ze. 'Het alarm,' zei hij, 'hoe zet je dat uit?' Nancy schudde haar hoofd, alsof er daarbinnen iets los zat of alsof ze water in haar oren had, herhaalde nogmaals haar refrein – 'De sleutel. Hij zit er nog in.' – en bracht ten slotte alsnog de klap toe die ze had uitgesteld. Verrassend genoeg gaf het dak geen krimp. Rímini stak een arm door het raampje, trok de sleutel uit het contact en drukte willekeurig, allemaal tegelijk, twee aan twee, elk af-zonderlijk, op de vier knopjes van het apparaatje dat dienstdeed als sleutelhanger, totdat *Für Elise* een hikkend geluid maakte en verstom-de, en Nancy, als was ze gelijk afgesteld met het alarm, het racket losliet en in zijn armen in elkaar zakte, terwijl haar kwijnende stem in zijn oor smeekte haar daar weg te halen.

Hij legde haar zo goed en zo kwaad als het ging op de achterbank. Terwijl hij haar hoorde huilen, veegde Rímini met de handdoek de glassplinters weg, ging achter het stuur zitten en draaide de contact-sleutel om: een ontelbaar aantal gekleurde lampjes, begeleid door een explosie van geluidssignalen, werd ontstoken aan de tot dan toe don-kere hemel van het dashboard. Een tijdje reed hij als een automaat, zich overgevend aan het simpele opgeluchte gevoel in beweging te zijn. Hij zocht in de achteruitkijkspiegel een paar keer naar Nancy, maar het enige wat hij steeds zag was een effen detail van haar gewonde knie, met morbide realisme afstekend tegen het zwarte skai van de bekleding. Al snel, heel snel ontdekte hij dat ze verdwaald waren. Hij reed langzaam door een smalle straat, omzoomd met bomen. Twee vrouwen in sportkleding liepen te joggen. Rímini drukte op de claxon en maakte ze aan het schrikken, zodat de vrouwen onmiddellijk uiteenweken en hem met een vijandige blik in hun ogen nakeken. Een zwerfhond zag de wielen van de Mazda aan voor kuiten en rende hem blaffend achterna tot het volgende stoplicht, waar een tegemoetkomende schoolbus hem onder vuur nam met fel knipperend groot licht. Het drong tot hem door dat hij tegen de rijrichting in reed. Hij stuurde de stoep op en reed vervolgens door het gras, waar de banden doorslipten; hij ontweek zigzaggend een paar bomen, als waren het trainingsobstakels, en na een oude prostituee die bij een eucalyptus stond te wachten even hoop te hebben gegeven, stuurde hij de weg weer op. Zijn richtinggevoel was vooral ingesteld op de stad; de natuur, zelfs in haar meest aan banden gelegde vorm, bossen, parken, vijvers, kwam hem voor als een gebied van subtiele herhalingen, het labyrint bij uitstek. Daarom draaide hij voortdurend rondjes, sloeg willekeurig straten in, stak bruggen over en op een gegeven moment, verdoofd door het geschreeuw van Nancy, wilde hij niets liever dan dat de voorgevel van het clubhuis weer zou opduiken, met zijn oude bruinrode bakstenen, zijn vlaggen, zijn groene luiken – het clubhuis waar hij een kwartier eerder alleen maar weg had gewild. Maar wat er verscheen was niet het clubhuis maar de bol van het Planetarium, met zijn duizenden poriën, zijn uitgestrekte poten, zijn ouderwets futuristische uitstraling, en niet één keer maar meerdere keren, in elk geval te vaak, zodat Rímini tevergeefs op zoek ging naar het knopje voor het alarmknipperlicht, om het ten slotte – na eerst de ruitenwissers aan te hebben gezet, en vervolgens de mistlampen, de ruitverwarming en de airconditioning – maar op te geven en de auto te parkeren. Het huilen van Nancy was nu een zwak, kinderlijk gejammer, de schreeuw om hulp van een wezen dat zat opgesloten in een verkeerd lichaam. Nee, zei ze, ze wilde niet naar huis, de woorden afwisselend met diepe zuchten. Ze wilde naar haar psychiater. Prima, zei Rímini. Ze hadden net El Rosedal achter zich gelaten toen haar gezwollen gezicht boven de rugleuning van zijn stoel opdook. Ze was van mening veranderd: ze wilde haar chiropractor zien. Maar een paar straten verder, toen ze langs een enorm winkelcomplex kwamen, verraste Rímini haar in de achteruitkijkspiegel en zag dat ze haar gezicht tegen de zijruit gedrukt had: ze had haar bril afgezet en keek rustig, in dromerige vervoering, naar een lange rups winkelwagentjes die een jongen in uniform over het trottoir duwde.

Ze liepen hooghartig door de supermarkt, als afkomstig van een planeet waar boodschappen doen in bezwete tenniskleding en met sportschoenen vol gravel een volkomen alledaagse bezigheid was. Rímini liep achteraan en duwde het winkelwagentje; Nancy, die zich wonderbaarlijk snel hersteld had, trippelde opgewekt voor hem uit, een hand op de voorkant van het wagentje, zodat het leek of ze het voorttrok, de andere zwevend in de lucht, wijzend op producten in de schappen die ze meteen weer afwees. Zo, zonder iets te kiezen, kwamen ze langs de afdeling 'Schoonmaakmiddelen', passeerden 'Vleeswaren', lieten 'Groenten en Fruit' achter zich – een vakkenvuller onderbrak heel even het opstapelen van maïskolven om te genieten van de deinende beweging van Nancy's plooirok – en liepen direct door naar 'Dranken', waar ze op verzoek van Nancy, die plotseling precieze orders uitdeelde, alsof de plundering waaraan ze zich nu overgaven beantwoordde aan een plan en niet aan de grillen van de wanhoop, het wagentje vulden met allerlei alcoholische dranken, van de meest gebruikelijke, gin, whisky, wodka, waarvan Nancy steevast de duurste merken koos, tot de meest extravagante, combinaties van cider en vruchten bijvoorbeeld, of kant-en-klare mixdranken met felle kleuren, die vanbinnen wel verlicht leken, waarvan Rímini het bestaan nooit had vermoed, en daarna, toen Rímini het wagentje in de richting van de kassa's duwde, in gedachten schattend hoeveel tijd of hoeveel gasten Nancy nodig zou hebben om die voorraad erdoor te jagen, maakten ze nog een omweg langs de afdeling 'Snacks', waar Nancy de open plekken in het wagentje vulde met borrelhapjes in alle soorten en maten. Terwijl ze geïntrigeerd het etiket van een Griekse mousserende wijn bestudeerde, vroeg de caissière of de boodschappen thuisbezorgd moesten worden. Nancy schudde haar hoofd; ze had haar mond vol chips: de eerste zak – uien, paprika – was al op en ze viel net aan op de tweede – gerookte ham. Ze zocht naar haar creditcard en overhandigde die aan de caissière; haar vingerafdrukken bleven als hologrammen achter op het vergulde plastic.

Later, kort nadat hij vijftien kilo alcohol door de ondergrondse garage van het gebouw waar Nancy woonde had gesleept, onderging Rímini aan den lijve de gretigheid van die vettige vingers. Hij bevond zich in een keuken, languit op zijn rug op een houten tafel, met zijn nieren de zakken chips verpletterend die hij zojuist uit de tassen van de supermarkt had bevrijd, terwijl Nancy over hem heen kroop en tegen hem aan schurkte en een halve, met zout bedekte hand in zijn mond duwde. Het duurde allemaal maar heel kort. Rímini, volkomen verrast, verdroeg het begin van de aanval door naar de spinnenwebben in de hoeken van het plafond te kijken, en hij reageerde pas toen Nancy's vrije hand, na kostbare tijd te hebben verloren met de plooien van het suspensoir, zich een weg wist te banen naar het holletje waar zijn geslacht lag te sluimeren. Toen, zonder dat ook maar iets hem daarop voorbereidde – want haast is de vijand van het genot en Nancy's vingers, bedekt met minuscule chipskristallen, waren niet bepaald het toonbeeld van zachtheid –, begon heel zijn lichaam te beven en te sidderen en zijn geslacht, dat nog niet eens helemaal stijf was geworden, ontlaadde zich voortijdig, de ruwe vingers die het net hadden gewekt met een paar treurige druppeltjes besmeurend. Het was een bijna onwerkelijke zaadlozing, zoals de ejaculaties die hem soms midden in een droom overvielen en geen echte bevrediging schonken – omdat ze zo vluchtig waren dat ze geen sporen achterlieten – maar die hem, na hem te hebben opgeschrikt, in een toestand van aangename loomheid terugvoerden in de armen van de slaap. Maar dit keer sliep of droomde hij niet, en hij was ook niet alleen. Hij deed zijn ogen open en zag het vertrokken gezicht van Nancy heel dichtbij, met haar mond open en haar vingers die verstijfd van de opwinding het zaad uitsmeerden over haar tandvlees, zoals Rímini ooit de restjes coke over het zijne had uitgesmeerd. De aanblik vervulde hem met afschuw, maar hij kreeg geen tijd om te reageren. Met de kracht van een bezetene duwde Nancy hem weg en nam snel zijn plaats in; ze ging voorover op de tafel liggen, trok haar slipje naar beneden om haar geslacht vrij te maken, en begon vervolgens, zich met haar handen vastklemmend aan de randen van de tafel, als een schipbreukelinge op een vlot, te trillen en te schokken, met haar borst op het oppervlak van de tafel bonkend. 'Nu,' kreunde ze binnensmonds, 'stop hem erin.' Rímini kwam dichterbij en steunde schuchter op haar billen, en Nancy schuurde tegen hem aan, op zoek naar iets hards wat ze niet vond, waarna ze verwoed begon rond te tasten in de boodschappentassen die naast de tafel op de grond stonden. 'Pak iets, klootzak,' schreeuwde ze, terwijl haar hand wanhopig in de lucht graaide, 'en stop het in m'n kut of ik vermoord je, godverdommese klootzak.' Rímini dacht niet na; het was alsof hij zich in een medische noodsituatie bevond. Hij bukte zich, stopte een hand in een boodschappentas, trok er op goed geluk een fles uit – ananas fizz – en stopte de hele hals, met kurk, ijzerdraad, goudkleurige omwikkeling en al, in Nancy's geslacht. Hij hoorde haar een langgerekte kreun slaken, van genot en van verbazing, en voelde hoe ze stuiptrekkend ineenkromp, geëlektriseerd door het vreemde voorwerp dat zojuist in haar was binnengedrongen, en daarna, ten dele misschien om de pijn te vermijden, ten dele om het genot te laten voortduren, hoe ze uiterst traag begon te bewegen, de fles ritmisch opslokkend en weer naar buiten duwend. Rímini bleef roerloos staan, lichtjes over Nancy's lichaam gebogen, de bodem van de fles stevig met één hand vasthoudend, levenloos en tegelijk energiek, als zo'n paal die acrobaten gebruiken om de meest gewaagde toeren aan uit te halen, die tegelijk niets en alles zijn, omdat elke onvolkomenheid het nummer onherroepelijk zou kunnen doen mislukken, en terwijl Nancy de intensiteit van haar bewegingen geleidelijk opvoerde, begon hij de keuken in zich op te nemen. Hij keek naar het grote raam recht voor zich, met de groenige schaduw van de klimop die het aan de buitenkant overwoekerde; hij keek naar de namaakhouten schrootjes tegen de muren, het goudkleurige hang- en sluitwerk, de wandtegels met reliëf, de reproductie van een Magritte, het marmer van het aanrechtblad – waarschijnlijk ook namaak, met inlegwerk als opgepoetst fruit – waar een batterij geavanceerde huishoudelijke apparaten stond te wachten op het moment om in actie te komen; hij keek naar de klok, de uitbundige versiering van bloemen in het formica van de keukenkastjes, de theedoeken met dierenmotieven, de zich uitbreidende huiduitslag van magneetjes op de deur van de koelkast...; en terwijl hij zijn ogen over dat huiselijke landschap liet dwalen, voelde hij hoe hij oversloeg, zoals een cd overslaat als het oog dat bedoeld is om hem te lezen faalt, en zag hij zichzelf in een pornografische film, in een van die scènes waarbij het genre eindelijk afziet van de armoedige poging tot het instandhouden van een verhaal waarmee het koketteerde en plotseling besluit eindelijk ter zake te komen, met dezelfde vertraagde gretigheid als waarmee de hoofdrolspelers de rol die hun door het script werd voorgeschreven laten varen en zich overgeven aan de anonimiteit van de geslachtsdaad, waarbij ze niets anders meer zijn dan een massa vlees, organen, sappen in een staat van mechanische uitwisseling. Ja, hij herkende het decor, de hardheid van het licht, de snelheid waarmee de alledaagse context aan flarden was gescheurd door de seksuele escalatie... Maar wat Rímini van al die vertrouwde elementen, die een bijna letterlijke weergave waren van de clichés die hij al duizend keer in tijdschriften en op foto's en video's had gezien, het sterkst bevestigde in zijn pornografieovertuiging was niet zozeer het expliciet seksuele karakter van de situatie waarin hij verzeild was geraakt, als wel het vermogen om zich te splitsen, dat hem in staat stelde stil te blijven staan bij onbeduidende details, het formica van de keukenkastjes, de wandbekleding, terwijl hij *intussen*, op zijn manier, dat is waar, bleef gehoorzamen aan de lusten van Nancy. Dat was wat hij altijd al fascinerend had gevonden aan pornografie: het soort van bovennatuurlijke stereofonie, het ware bewijs van het professionalisme van de pornoacteurs en -actrices, dat voor Rímini slechts vergelijkbaar was met het dissociatieve vermogen van pianisten – veel fascinerender dan de lengte of dikte van de pikken, de behendigheid van handen en tongen, de meervoudige ejaculaties, de behandeling van tijden, scènewisselingen en snelheden. Het was alsof Rímini in twee onafhankelijke maar parallelle circuits functioneerde, waarbij bovendien moest worden aangetekend dat een daarvan, het seksuele circuit – per definitie het meest absorberende en in zichzelf gekeerde van alle menselijke circuits – het minst ontvankelijk was voor het toestaan van de gelijktijdige co-existentie met een ander circuit, hoe overbodig dat ook mocht zijn. Hij werd opgewonden, zoals hem soms overkwam als hij net zijn haar had laten knippen en thuisgekomen in de spiegel van de badkamer keek en onmiddellijk een erectie kreeg. Toen, terwijl zijn ogen de *tour* door de keuken voltooiden, maakte Rímini gebruik van het moment dat Nancy, verleid door het toevallige contact van haar schaamheuvel met de rand van de tafel, de fles even liet voor wat hij was, en ging achter haar staan, wachtend tot ze, na haar onderlichaam onstuimig tegen de rand van de tafel te hebben gewreven, weer naar achteren kwam, alleen was het dit keer niet de hals van de fles die tussen Nancy's benen verdween maar het kloppende vlees van Rímini. De verrassing ontlokte haar een dierlijk gebrul, misschien een beetje overdreven, dat Rímini razendsnel toevoegde aan de geluidsband van zijn zelfgemaakte film. En terwijl hij krachtig in haar stootte, minder geleid door de begeerte dan door de beelden die zich in zijn hoofd aaneenregen en als de metriek en het rijm voor dichters, al zijn bewegingen leken te dicteren, bleef zijn blik langs het decor van de keuken dwalen, telde in het voorbijgaan de borden in het afdruiprek, waarop nog een paar waterdruppeltjes glinsterden, en nam een duik in de spoelbak, waar hij stuitte op een vergiet met frisgewassen slablaadjes. Daarna zag hij de druppels die de kraan er, als om behoedzaam de dorst van een dorstige te lessen, traag maar regelmatig op liet vallen. Hij kreeg een verontrustend voorgevoel; hij had het idee dat hij niet alles zag wat er te zien was, dat iets wezenlijks hem ontging. Uit het andere circuit bereikten hem de hese stem van Nancy en zijn eigen gehijg, op weg naar de ontknoping, maar Rímini keerde alweer op zijn schreden terug en keek voor de tweede keer naar alles wat hij al gezien had, en toen hij het zag met de ogen van de argwaan, meende hij overal het spoor van een aanwezigheid te ontdekken, die, nu onzichtbaar, misschien... Nancy sloeg met haar handpalmen op de tafel en kwam klaar met een brul als uit het graf. Rímini kwam een paar seconden later, eerder door het aanstekelijke van Nancy's orgasme dan door iets anders, zette de fles weg en keek om, gealarmeerd door het knarsen van een slot. Met een traag, langgerekt gepiep zwaaide er een deur open en werd een hand zichtbaar die van binnenuit tevergeefs probeerde hem tegen te houden. 'De wc,' mompelde Nancy, met haar gezicht zijdelings op de tafel. De deur ging helemaal open en Rímini ontdekte een jonge vrouw die op het toilet zat. Haar ogen waren weggedraaid, haar gespreide benen steunden tegen de wanden van de wc, en de punt van een paarse tong stak tussen haar tanden uit; een van haar handen rustte nog op de klink, de andere stak in haar uniform en wroette tussen haar benen. Heel even bleef alles zo, alsof die uitzinnige hand het enige levensteken op aarde was, totdat de vrouw met een paar geluidloze stuiptrekkingen klaarkwam. 'Dat is Reina, het dienstmeisje,' zei Nancy. Ze stond op, ging met een hand door haar haar, zette haar bril weer op en duwde Rímini met een kil, verveeld gebaar opzij. 'Voor mij bubbelwater, Reina. In een hoog glas,' zei ze. 'En meneer?' vroeg Reina, terwijl ze opstond en tegen de trekker stootte die boven haar hoofd hing. 'Weet ik niet. Vraag maar wat hij wil,' zei Nancy, en ze liep de keuken uit. Reina dook, trekkend aan haar uniform, op uit het toilet. 'Meneer? Thee, koffie, water?' vroeg ze in het voorbijgaan. Maar Rímini hoorde haar al niet meer. Iets aan de muur van de wc had zijn aandacht getrokken: een verticale rechthoek, met een kleine cirkel in het midden, die heen en weer bewoog tussen het deksel van de stortbak en dat van de toiletpot, alsof het dienstmeisje hem bij het opstaan even met haar rug had geraakt. Hij liep er langzaam naartoe, om bij te komen van zijn verbijstering. 'Meneer?' vroeg Reina nogmaals. Rímini deed een paar stappen en ging de wc binnen. Het was een schilderij, een Riltse. En het was een origineel.

4

Het valse gat is een van de schetsen uit de serie 'Klinische geschiedenis', die Jeremy Riltse ergens in 1991, een jaar waarin hij op zijn minst drie keer dood werd verklaard, moet hebben geschilderd – of alleen maar bedacht – in een van de nomadenateliers waar hij zich dwangmatig terugtrok, telkens wanneer Londen hem begon tegen te staan. Het is een schets omdát alles daarop volmaakt af is: in de brief die Riltse vanuit Hamburg aan de butler van zijn kunsthandelaar stuurt, via wie hij na hun laatste ruzie heeft besloten voortaan het contact met zijn kunsthandelaar en met de wereld te laten lopen, overigens het enige bewijs van het bestaan van een project genaamd 'Klinische geschiedenis', maakt de schilder heel duidelijk dat hij van plan is de relatie tussen schets en definitief werk om te draaien. Er zijn vier schetsen bekend, maar de definitieve werken – de enige die aan het publiek getoond mochten worden, zoals Riltse uitdrukkelijk had laten weten – zijn nooit opgedoken. Het is mogelijk dat ze ten prooi zijn gevallen aan de vele reizen, de geestelijke lacunes – steeds frequenter – of het precaire karakter dat het leven van de kunstenaar in die tijd kenmerkte. Het kan ook zijn dat ze simpelweg nooit hebben bestaan, hetzij omdat Riltse vanaf het begin wist dat hij ze nooit zou realiseren – en er alleen melding van maakte uit tactische overwegingen, om het vuur van zijn destijds enigszins uitgedoofde roem nieuw leven in te blazen –, hetzij omdat er onderweg iets is gebeurd wat hem verhinderde of hem ervan heeft doen afzien ze te maken.

(Twee biografieën die in alles van mening verschillen zijn het er echter over eens dat wat het project heeft doen mislukken het toevallige weerzien van Riltse met Pierre-Gilles is geweest, in de zeer strenge novembermaand van 1991, op het Centraal Station van Frankfurt. Pierre-Gilles, die bijna evenveel wantrouwen koesterde tegen vliegtuigen als tegen banken, kwam uit Amsterdam, van de zesentwintigste uitreiking van de Hot d'Ors, waar hij zojuist unaniem was bekroond met een zestal beeldjes – waaronder het door de industrie meest begeerde, de Grote Hot d'Or voor de Eerste Producent van de Pornografische Film in Europa – en het publiek had verbluft met de verzen van Guillaume Apollinaire die hij had uitgekozen voor zijn dankwoord. Riltse had al twaalf dagen het station niet verlaten en leidde het anonieme leven van een bedelaar. Overdag trok hij van café naar café met een oud gelinieerd schetsboekje en een potlood – dat hij sleep met zijn duimnagel –, en bood stamgasten die daar ontvankelijk voor waren aan een portret van ze te maken. 's Nachts sliep hij in een hoek van het bagagedepot, op een van die grote karren waarop koffers worden vervoerd, toegedekt met kartonnen dozen en krantenpagina's en met het schetsboekje onder zijn hoofd. Pierre-Gilles herkende hem meteen; niet aan zijn uiterlijke verschijning, die door de baard, het vuil en de schilfers van de psoriasis – uiteraard nog afgezien van de werking van de tijd – maar al te goed verdoezeld werd, maar aan zijn hoest, die nog altijd onheilspellend was, en aan zijn schoenen – zwarte laarzen, met een rits aan de zijkant, beatlestijl, die Riltse om de enige lengte te verkrijgen die hem geen complex bezorgde, al veertig jaar van speciale hakken liet voorzien. Hij zag en herkende hem en, volgens de twee biografen, die hier hun vijandelijkheden tijdelijk staken en aanvaarden dat ze op dezelfde lijn zitten, knielde hij voor hem neer, vroeg hem snikkend om vergiffenis – en de twee biografen vragen zich gelijktijdig af waarom –, verklaarde hem zijn liefde, bood hem steun, zorg en geld aan, alsmede een middeleeuws kasteel in het Zwarte Woud, waar in de gerenoveerde kelders de studio's van de productiemaatschappij gevestigd waren, en een zomerhuis in Torremolinos, met zijn gevolg van superbedeelde sterren, die Pierre-Gilles om loonderving te vermijden, tussen de opnamen door verplichtte als persoonlijk trainer, huisbediende, tuinman of chauffeur te werken. Hij bood hem alles aan, tot de laatste bezittingen die hij vergaard had sinds de laatste keer dat ze elkaar voor de rechtbank in Londen gezien hadden, die middag, bijna een halve eeuw geleden, waarop Pierre-Gilles, in een dwangbuis, geboeid en bewaakt door twee politieagenten, uit de mond van de rechter het vonnis hoorde dat hem ertoe veroordeelde zich in het vervolg niet binnen een straal van twee kilometer van Riltse op te houden, en uit de mond van Riltse, die twee rijen achter hem zat maar vrij was en niets hinderlijkers aan zijn polsen had dan de gevlochten band van een platina Movadohorloge, de langgerekte sarcastische schaterlach waarmee hij meende voor altijd afscheid van hem te nemen. Maar Riltse veegde een haarlok uit zijn gezicht en keek hem aan, keek vanuit de diepte van zijn glazige ogen naar die enorme man die, voor hem neergeknield als een vrome voor zijn god, de zoom van zijn nertsmantel zojuist door een plas met water, olie en urine had gesleept, en hij klopte hem, ernstig en vaderlijk, één, twee, drie keer op zijn schouder, zoals je een gek troost, stond op en liep enigszins wankel het station in, met een glimlach op zijn lippen, als iemand die al bij voorbaat geniet van het effect dat het vertellen van het kleine wonder van dwaasheid dat hem ten deel is gevallen, teweeg zal brengen.

Farce? Verbittering? Of had Riltse, gek geworden door zijn zoveelste verblijf in het vaderland van de openlucht, Pierre-Gilles écht niet herkend? Hoewel ze dezelfde vragen delen, geeft geen van beide biografen daarop een bevredigend antwoord. Het is waar dat ze ook niet erg hun best doen om het te vinden: de een met een onbehouwen en rigoureuze alinea, de ander met twee regels vol bijwoorden en een vage illustratie – Riltse opgenomen in het ziekenhuis van Bloomsbury – ter afsluiting van het onderwerp, daarna keren ze allebei terug naar Londen, slaan een jaar over en storten zich op de belangrijkste mijlpalen van 1992: brand (aangestoken?) in de *cottage*, tuberculose, ontdekking van de homeopathie, aanschaf van Gombrich, mislukt elektronisch operaproject met Brian Eno – en dit (de zin, precies dezelfde in beide biografieën, vormde aanleiding voor een rechtsgeschil dat tot op de dag van vandaag voortduurt) is alles wat ze als toevoeging opmerken over de raadselachtige serie: 'Misschien maakt Riltse om de onfortuinlijke ervaring van "Klinische geschiedenis" uit te wissen een draai van 180 gra-

den, schakelt de verwarming in het hele huis in Notting Hill uit en besluit...')

Hoewel, waarom een smeuïg maar onmiskenbaar op vermoedens
gebaseerd spoor volgen als het gegeven van de vermeende ontmoeting
van Riltse met Pierre-Gilles, die heel even twee elkaar vijandige biografieën verzoent, in alle andere schittert door afwezigheid? En waarom
een psychologisch spoor volgen als het *organische* spoor zo overduidelijk is? Als de serie 'Klinische geschiedenis' nooit het licht heeft gezien,
dan komt dat misschien omdat ze bezweken is onder hetzelfde element – of, beter gezegd, onder een onverwacht verloop van hetzelfde
element – waarop ze oorspronkelijk geïnspireerd was: de ziekte. *Aft*,
Herpes en *Plak*, de drie schetsen die samen met *Het valse gat* bewaard
zijn gebleven, bewijzen in hoeverre Riltse dat jaar – 1991 – en dat se-
rieproject heeft gekozen om het oude, buitengewoon hardnekkige idee
dat kunst en het ontbreken van organisch evenwicht onlosmakelijk
met elkaar verbonden zijn, door te voeren tot zijn uiterste consequenties. Het neologisme Sick Art, later zo beroemd geworden en zo verkeerd geïnterpreteerd, komt halverwege de jaren veertig voor het eerst
voor in de geschriften van Riltse, ongeveer in de periode van de zelfverminking van Pierre-Gilles, een voorval dat misschien heeft gediend als
inspiratiebron, misschien als het cynische artistieke uitvloeisel daarvan. Maar bij het zien van de indrukwekkende plak van *Plak*, die Riltse
uit een dij sneed met als enig gereedschap een boven de vlam van een
gasbrander gesteriliseerde *cutter*, is het onmogelijk of zelfs dom om
niet meteen aan *Eikel* te denken, het andere legendarische werk uit de
carrière van de schilder, nooit gevonden en tot op de dag van vandaag
aanleiding voor de meest bizarre bespiegelingen. Het is waar dat er tussen de werken – vooropgesteld dat het tweede werkelijk bestaat – essentiële verschillen zijn aan te wijzen. *Plak* toont een monster van ziek
weefsel, maar de ziekte die het had aangetast bestond al en was gedia-
gnosticeerd voordat de kunstenaar besloot het in te lijsten. Ondanks
de verdachtmakingen van Riltse – 'pijnlijk etterende druiper' –, die
Pierre-Gilles beantwoordde met een beroemde uitspraak, 'Riltse *ís* het
virus', kon er geen enkele vastgestelde aandoening aan de eikel van *Ei-*

kel worden toegeschreven – afgezien van het wonder van de omvang, die Riltse volgens de commentaren die hij eraan wijdt in zijn brieven voorafgaande aan het conflict, nooit werkelijk als een probleem schijnt te hebben beschouwd. Toen hij in handen kwam van Riltse was hij in feite gezond, voor zover dood weefsel gezond kan zijn natuurlijk en afgezien van de logische beschadigingen die een lange reis per post, tot overmaat van ramp onder erbarmelijke vrachtcondities, kan veroorzaken bij delen van het menselijk lichaam die niet zijn ontworpen om per post te worden verstuurd. Maar of er nu een werk is of niet, waarbij het niet uitmaakt of het bij de brand in de cottage verloren is gegaan of dat Pierre-Gilles het na het voor een miljoenenbedrag op een veiling van het Clandestiene Netwerk van Pornografische Kunst te hebben gekocht zoals hier en daar wordt beweerd, in een kluis van de Deutsche Bank bewaart, het idee van *Eikel* is een eerste kristallisatie van de Sick Art, en mochten daar nog twijfels over bestaan, dan zijn er altijd nog *Aft*, *Herpes*, *Plak* en het kleine, intense en implosieve *Het valse gat* om de vondst met terugwerkende kracht haar bestaansrecht te verlenen.

De volgorde lijkt duidelijk: Riltse zwerft door Europa en verzamelt 'ellende, gevaren, ziekten, alles wat ik als grondstof kan gebruiken'. Op gezette tijden, als de voorraad een bepaalde drempel bereikt en de noodzaak om te werken onweerstaanbaar wordt, duikt hij onder in een kelder, een kraakpand, elk willekeurig varkenshok waar immigranten boven op elkaar zitten, en begint daar, in die befaamde 'nomadenateliers', de schetsen voor de serie te vervaardigen. Hij maakt de vier die we vandaag de dag kennen (en misschien een vijfde, chronologisch gezien de eerste, *Nagel met schimmel*, die hij om een of andere reden vernietigt) en ontwikkelt ten slotte het conceptuele ontwerp voor de serie definitieve werken, waarvan sommige titels (*Prostaat, Blaas, Rectum*) een vaag idee geven van de richting die zijn verbeelding op gaat. De Sick Art werkt, 'net andersom als de homeopathie', van buiten naar binnen. Het is redelijk te veronderstellen dat Riltse, na zijn eigen huidaandoeningen te hebben uitgeput, zich voornam rechtstreeks door te dringen tot het innerlijk, het onzichtbare, dat gebied – het organische – waarvan hij de naam niet kon uitspreken zonder het slaken van een zucht van wellustige nostalgie. En de deur die hem de toegang tot die wereld zou verschaffen was *Het valse gat.*

Op gevaar af de kunsthistorici te verwarren, die toch al zo geneigd zijn alles op te offeren – vooropgesteld dat dit 'alles' hun vreemd is – zolang het een portie excentriciteit oplevert voor de hongerige muil van hun commentaren, is het maar gelukkig dat de onderneming vastliep in haar oppervlakkigste fase. Als *Plak, Herpes* of *Aft* – bloederige werken, zeker, maar toch niet meer dan opperhuid – al genoeg waren om de persoonlijke veiligheid van Riltse in gevaar te brengen, is het niet moeilijk voorstelbaar wat er gebeurd zou zijn als hij de volgende stap had gezet. Een plak met psoriasis bedekte huid, een tongrand met een geelachtige zweer of de pruimkleurige uitstulping die een virus op een lip veroorzaakt, vastnieten op een doek is al een vermetel besluit, laat staan een stuk prostaat, blaas of rectum. Toch, hoe krankzinnig het ook mag lijken, het fysieke gevaar dat besloten ligt in het project staat wel degelijk in verhouding tot zijn esthetische ambitie. Tegen Fonrouge, tegen Peiping, tegen het clownsduo Gelly & Obersztern, 'kunstenaars' die, door de handvol persoonlijke ontmoetingen met Riltse waarmee het lot hen gezegend had gewetenloos te plunderen, zorgden voor een opleving van de gekuiste versie van de Sick Art die ze 'eigen' noemden, en die in wezen, onder een stuntelige dekmantel van provocatie, niets anders deed dan de oude genezende – en daarmee religieuze – functie van de kunst in ere herstellen – Fonrouge die na *Retinae* weer kleuren kan zien, Peiping die het drieluik *Gluten* 'schildert' en daarmee een heel leven als lijder aan coeliakie achter zich laat, Gelly & Obersztern die in het hart van Hyde Park *Wise Blood* installeren, waarna er onmiddellijk verbetering optreedt in de zeldzame variant van diabetes waaraan ze allebei lijden –, tegen die vervalsing van het oorspronkelijke concept, die de ziekte opsluit in de kunst om de kunstenaar weer gezond te maken, ziet en beoefent Riltse de Sick Art als een slingerbeweging, een voortdurende wisselwerking, een celebratie van de wederkerigheid. Als Riltse een zweer op zijn tong wegsnijdt en vastniet op een doek, dan doet hij dat niet om zichzelf te genezen; hij doet dat opdat de ziekte van zijn tong *verandert*, van koers wijzigt, overgaat in een andere

389

toestand. De zweer is er niet meer, dat is waar, maar dat is niet genoeg om de Peipings, de Fonrouges en de Gelly & Oberszterns victorie te laten kraaien, want de ziekte blijft bestaan, onveranderlijk en veranderend tegelijk: de ziekte is nu de *incisie* die de plaats van de zweer heeft ingenomen. ('Wat is het genezen van een orgaan vergeleken met het ziek maken ervan?' vroeg de kunstenaar zich af, Brecht parafraserend, die hij nooit heeft gelezen maar op wiens proletarische jasjes hij altijd jaloers is geweest.) De triomf van de Sick Art is niet – en kán niet zijn – de gezondheid van de kunstenaar, zoals opgevat door die kudde hoogdravende evangelisten, maar de voortdurende vernieuwing van zijn ziekte én van zijn kunst. De Sick Art als economie van de *dubbele gift*, als kruisbesmetting: geen ziekte overbrengen op de kunst zonder kunst over te brengen op de ziekte en omgekeerd; de ziekte 'verkunstelijken' maar niet zonder de kunst te verziekelijken. Deze premissen definiëren het programma, zij het niet volledig; hoewel radicaal, zijn ze nog altijd te 'intern', te gildeachtig, voor iemand die de revolutie van de kunst alleen opvat als de revolutie van het *instituut* van de kunst. Tussen *Aft* en *Herpes* in – mei? juli? –, op een buitengewoon strijdlustig moment tijdens de korte adempauze die hem vergund is tussen het ontslag uit het ziekenhuis voor infectieziekten in Hamburg en de spoedopname in de Hasselhoff-kliniek in Genève, schrijft Riltse aan de butler van zijn kunsthandelaar, en daarmee ook aan de kunsthandelaar en de wereld in het algemeen en in het bijzonder aan de Fonrouges, de Peipings et cetera: 'Is het feit dat artistieke zaken het exclusieve domein zijn van kunstenaars, critici, historici en die hele bende oplichters die zich "specialisten" laat noemen, soms niet het overtuigendste bewijs dat de kunst in verval is, en wel definitief in verval?' Men zou kunnen glimlachen om de letterlijkheid waarmee Riltse zijn verontwaardiging de vrije loop laat, maar hoe voorbeeldig zijn vandaag de dag zijn enthousiasme, zijn onverzoenlijkheid en zijn succes, vooral zijn succes, voor de anemische clowns die we zijn! De schets is niet het werk. *Herpes* – in een rechthoekig spanraam, 15 x 17, gemengde techniek, dat tegenwoordig in het kantoor van de bandleider van een satanische rockgroep hangt – is niet het werk; het is hoogstens een punt, overweldigend, zeker, maar zonder enig hiërarchisch privilege, een punt in het uitgestrekte, vormeloze, definitief onvolledige netwerk van punten die de ervaring *Herpes* omvat, en waarvan onder andere deel uitmaken: de inhoud van het flesje rohypnol dat de kunstenaar slikte een halfuur voordat hij aan het werk ging, de Staedtler-cutter die hij gebruikte om het stukje weefsel weg te snijden en de nietmachine van Black and Decker waarmee hij het vastniette op het doek, de mouw van de trui waarmee hij het bloeden probeerde te stelpen, het kaartje van de enige Weense taxi die bereid was hem in die toestand, naakt, amper bedekt door zijn oude montgomery van imitatiekamelenhaar, op sandalen en met een mond als een bloedende kraan, naar het ziekenhuis te brengen, het inschrijfformulier van de spoedafdeling, met zijn beverige handtekening en zijn in bloed gedrenkte vingerafdrukken, het steriele materiaal van de eerste behandelingen, de peuken van de twee sigaretten die hij wist te roken tijdens het wachten, voordat ze hem op het toilet betrapten en dreigden hem eruit te gooien, de bijsluiter met het telefoonnummer van de jonge arts-assistent die hem herkende en bijna op zijn knieën om zijn handtekening vroeg, en die, eveneens op zijn knieën, in hetzelfde toilet dat Riltse vijf minuten eerder als clandestiene rookruimte had gebruikt, na hem langdurig en in een ongemakkelijke houding te hebben gepijpt, hem 'de meest verkwikkende zaadlozing van mijn hele Weense leven' wist te ontlokken, de verpakking van het vlugzout waarmee ze hem weer bijbrachten, het opnamebewijs, de door de arts voorgeschreven opdracht tot het uitvoeren van een biopsie, de uitslagen van de eerste bloedanalyses... (Dit alles is *Herpes* – alles *tot nu toe*, want wat kan verhinderen dat er nog zo'n onvermoeibare speurneus opduikt, gewend aan het snuffelen in de vuilnisbakken van illustere levens, en een van de miljoenen kostbare kleinigheden ontdekt – metrokaartjes, besmeurde briefjes, twee of drie miljoen rode bloedlichaampjes in een beschimmelde reageerbuis – die nog op de loer liggen tussen de al geregistreerde delen van het werk?)

'Pyrrusoverwinning,' oordeelt een biografie, met de inmiddels klassieke overbodigheid en arrogantie van het genre. Het is mogelijk. Maar de winst-en-verliesrekening die een dergelijk oordeel vereist is zo doortrokken van boekhoudkundige toxines, en is zo vreemd aan het artistieke programma van Riltse, dat alleen al het feit dat iemand het in overweging zou nemen, een enorm, onvergeeflijk misverstand zou zijn, net zoiets als Matisse verwijten dat hij zijn figuren geen volume geeft door hun gekleurde oppervlak te arceren. Dat soort balansen, waarbij oorlog en geld hun ware gezicht laten zien en zich met elkaar vermengen, zou gerechtvaardigd zijn bij een kunstenaar die vertwijfeld op zoek is naar het probleem van het evenwicht, zoals De Vane of Bowitt, naar de absolute besparing. Maar Riltse is niet De Vane, die hij veracht, en zeker niet Bowitt, met wie hij een even kortstondige als verwarrende affaire had in de zaal met trainingstoestellen van een sportschool, met leren riemen, maskers en een lang rubberen voorwerp, gekroond met twee koppen, maar wiens esthetische principes hij van 'een onmetelijke armoede' vond getuigen. Wat Riltse met de Sick Art nastreeft is precies het tegenovergestelde: de ontregeling van de balans, van elke balans, door middel van de *disproportie*. En de disproportie, die dodelijke combinatie van heterogeniteit en schaalverandering, is de kracht die hem in staat stelt de 'perverse belegering van de kunst' te doorbreken en 'zich uit te storten' – de metafoor komt regelmatig in zijn brieven voor – in 'de gemeenplaatsen van het sociale leven'. *Succes* is de naam – self-fulfilling prophecy – van de Riltseaanse disproportie en de flagrante evidentie waarvoor álle biografieën uiteindelijk noodgedwongen zwichten, zelfs, of vooral die waarin bladzijden en nog eens bladzijden worden verspild aan belachelijke debet- en credittabellen. (Zoals vaak het geval is met grote kunstenaars wordt de waarheid niet verteld in de biografieën die de lijsten met meest verkochte boeken aanvoeren; die waarheid verschijnt als een flits in bescheiden, geheime publicaties waarvan de inkt afgeeft op je vingertoppen en die snel, heel snel verdwijnen, nog voordat ze erin geslaagd zijn hun minieme maar waardevolle dosis schade toe te brengen: 'Misschien is het echte werk van Riltze [*sic*] – zijn meesterwerk, het enige, dat wat ons als de kunstenaar nog leeft ontglipt maar in al zijn helderheid zichtbaar wordt als zijn lichaam ons verlaat, niet in zijn werken maar in die verborgen en tegelijk oogverblindende gouddraad die alles aaneenrijgt en betekenis geeft – de uitvinding van het succes *als disproportie*, het monsterachtige proces dat elke rationele verhouding tussen oorzaak en gevolg opheft en dat, zoals de ziekte in een lichaam, de wetten die het systeem van de uitwisseling van menselijke goederen beheersen buiten werking stelt.') Wat zijn in feite de tweeënhalf miljoen die de satanische rockster voor *Herpes* heeft betaald – een op zich al disproportionele operatie – vergeleken met het kwart miljoen dat bij Sotheby's werd geboden voor de cutter die voorgoed de bovenlip van de kunstenaar verminkte? En wat is dat bedrag, nu we toch bezig zijn, vergeleken met de vijfentachtig pond die de eigenaar van het pension waar hij woonde, na langdurig afdingen, ten slotte bereid was te betalen voor *Spectre's portrait*, het schilderij dat Riltse hem aanbood om vier maanden achterstallige huur te voldoen? (In die zin was *Succes*, het late topstuk uit dat laboratorium van de disproportie genaamd Sick Art, strikt genomen niets nieuws; het was de tegengestelde versie van *Mislukking*, waarmee hij de eerste dertig jaar van zijn carrière experimenteerde.) Maar gekken zeggen dat geld komt en gaat en de gekken hebben gelijk: dat Riltse succes had met *Succes* – een prestatie die in meerdere opzichten die van Warhol in herinnering roept, van wie hij een tijdgenoot was, maar wiens dorre, 'uitgedroogde' conceptualisme, 'kenmerkend voor het kapitalistische protestantisme', Riltse impliciet lijkt te bekritiseren met zijn bloederige uitbarstingen en zijn kamikazedwang – was niet zozeer een monetaire kwestie, waar hij zich nooit mee bezighield, overigens tot profijt van de partners met wie hij langer dan een week achtereen het bed, urinoirs of achterbanken van auto's deelde, en aan wie hij, met Pierre-Gilles als enige schandaleuze maar romantische uitzondering, automatisch variabele porties van zijn fortuin vermaakte, die hij steeds volgens hetzelfde procédé berekende, namelijk door de lengte van hun pik te vermenigvuldigen met het aantal nummertjes dat hij met ze gemaakt had en aan het resultaat een willekeurig aantal nullen toe te voegen, maar had eerder te maken met het in de kunst van de twintigste eeuw vrijwel unieke feit dat de boeken die zijn loopbaan beschrijven, als ze het over de laatste tien jaar van zijn leven hebben, bijna volledig voorbijgaan aan de stem van de kunstspecialisten, die alleen uitzinnig gebarend op het zesde of zevende plan verschijnen, als de vertegenwoordigers van het Italiaanse deel van een coproductie tijdens een rijer langs de door de weekendfile verstopte snelweg, om te voorkomen dat de lezer ze over het hoofd ziet, wat de lezer ook inderdaad zal doen, en daarna voorgoed uit het zicht verdwijnen zonder hun stem te hebben laten horen, terwijl diezelfde boeken daarentegen veelvuldig gewag maken van de getuigenissen van artsen en verpleegkundigen, medische verslagen en ziektegeschiedenissen, schriftelijke bewijzen van ziekenhuizen, röntgenfoto's, memo's van politiebureaus en juridische rapporten – al die instanties die hem, naar het oordeel van Riltse zelf, in tegenstelling tot de algemene ervaring van kunstenaars en in het bijzonder van de Fonrouges, de Peipings et cetera, wier biografieën zich gewoonlijk beperken tot 'een koor van vakbondsbureaucraten van de kunst, dat als elk vakbondskoor de tekst van maar één lied kent en slechts in staat is dat volkomen vals te zingen', ten slotte zouden erkennen zoals hij erkend wilde worden, niet als de uitvinder van de Sick Art of als haar meest uitgesproken vertegenwoordiger, maar als haar voornaamste en meest toegewijde patiënt en zelfs als haar slachtoffer.

Maar de voorwaarde voor het genot van het slachtoffer is de beul. Niet zomaar een beul maar een beul die op de hoogte is, die zich met dezelfde toewijding in de wond van het slachtoffer verdiept als waarmee het slachtoffer, als hij dat kon, zich erin zou verliezen. Riltse bewees beiden te zijn en dat ging hem niet slecht af: *Herpes, Plak* en *Aft* zijn zowel werken van het slachtoffer als van de beul. De kunstenaar is tegelijk de geest die het idee bedenkt, de hand die het uitvoert en de materie die lijdt. Voor zover we weten was die autarkische overtuiging een paar maanden lang bevredigend, grotendeels uit gemakzucht, een in diskrediet geraakte ondeugd die alleen nog naar waarde wordt geschat door de grote luie kunstenaars, maar er komt een moment waarop het allemaal niet genoeg meer is en mechanisch en bitter wordt, van een aapachtige treurigheid, net als de zelfbevrediger die hoewel leeg door de herhaling, doorgaat met zich voor de spiegel aftrekken. Als hij net zijn laatste ziekenhuisopname (*Aft*) achter de rug heeft, tot het ui-

terste verzwakt door het arsenaal medicijnen waarmee de artsen, ongerust over de infectie van zijn tong maar ook en vooral over de bloed-
vergiftiging die zich al maanden door zijn organisme lijkt te verspreiden, hem wekenlang hebben volgepompt, aanvaardt Riltse (hij heeft
geen andere keus) het aanbod van Lumière, een angstaanjagende maar
volstrekt ongevaarlijke beer die hij in het ziekenhuis, in de ontwen-
ningskliniek, waar hij, profiterend van een moment van onoplettendheid van zijn verpleegsters, naartoe was gegaan om een beetje dopami-
ne te stelen, heeft leren kennen en onmiddellijk heeft verleid, en neemt
zijn intrek in de ruimte achter de Song Parnass, de bar-disco waar Lumière woont en werkzaam is als portier. Het is een gecompliceerde situatie. Lumière stelt hem zijn bed en keuken ter beschikking, verzorgt
zijn nog altijd etterende tong, maar om klokslag zeven uur 's avonds –
een tijdstip waaraan niet te tornen valt omdat Sachs, de eigenaar van
de zaak, een hyperkinetische Zwitser wiens grootste trots, behalve de
Song, is dat hij beweert de *half*broer te zijn van de Gunther Sachs die
verloofd was met Brigitte Bardot, van al zijn werknemers een fanatieke
stiptheid eist – laat hij hem alleen om zijn plaats bij de ingang van de
bar in te nemen, waarvan hij pas de volgende ochtend om zeven uur terugkeert. Voor Riltse zijn die twaalf uur een nachtmerrie; niet zozeer
vanwege de eenzaamheid, die hem niet onwelgevallig is en die hij het
liefst nog zou uitbreiden zodra Lumière zijn attenties opvoert, gekweld
door schuldgevoel omdat hij hem heeft verwaarloosd, 'me verstikkend
met de kwijlende, onnozele en op een primitieve manier onvoorwaardelijke genegenheid die beren tot het beeldmerk van hun pathetische
seksuele broederschap hebben gemaakt', als wel door de herrie uit de
Song, in de eerste plaats het onafgebroken en monotone dreunen van
de muziek, maar ook het geluid van serviesgoed en bestek, gelach en
gezang van dronkenlappen, harde klappen, ruzies, vechtpartijen, met
als uitvloeisel de onvermijdelijke politiesirenes, de schoten en soms
zelfs het traangas, dat de scheidingswand waar het bed tegen staat niet
alleen niet weet te dempen maar juist versterkt doorgeeft en vertaalt in
'de onverdraaglijke taal van de vibratie, de trilling, de beving, die je behalve hoort ook nog eens in heel je lichaam voelt'. Riltse wordt tot wan-

hoop gedreven. Hij kan niet eens aan werken denken, maar aan iets anders denken lukt hem ook niet. *Herpes, Aft, Plak* – inmiddels gemaakt en verloren gegaan – stralen in zijn geest als koortsige demonen. Ze lijken te praten, lijken iets van hem te verlangen, maar wat? Hij schrikt plotseling wakker; hij weet niet of het dag of nacht is; hij weet niet eens of hij echt sliep. Als bewijs van de werkelijkheid (het enige), of misschien als haar tegenbewijs, voelt hij een hardnekkige druk tussen zijn billen. Hij draait zich voorzichtig om in bed, ontdekt Lumière die slapend, dronken of gedrogeerd, god mag het weten, tegen zijn rug aan ligt, en begrijpt dat wat met zo'n delicate volharding tegen zijn achterdeur duwt, het stijve, viervoudig opgezwollen geslacht van zijn vriend is. En dat verzoek, waarop hij op een ander moment zou zijn ingegaan door zich als een bloem te openen, wekt nu alleen zijn weerzin. Ze discussiëren. Of liever gezegd, degene die discussieert is Riltse, die een zekere logische angst, voortkomend uit de disproportie – de ironie is treffend maar misplaatst – tussen zijn lichamelijke zwakheid en de viriele afmetingen van zijn vriend, verbergt achter vurige maar weinig overtuigende morele scrupules; Lumière buigt als een oude gekwetste slaaf zijn hoofd en sluit zich op in de badkamer. Een paar dagen later, wanneer de brave slaaf schuchter een nieuwe aanval waagt, improviseert Riltse, die intussen behalve dat hij spijt heeft van zijn onheuse bejegening weer de felle steken van de begeerte is gaan voelen, snel een alternatief. Hij stapelt tien spanramen op elkaar en bindt ze samen; in het midden van de op elkaar gestapelde doeken maakt hij een min of meer rond gat, met de diameter van de pik van Lumière, zodat deze erin kan binnendringen als in een tunnel, en vult het op met een overvloedige hoeveelheid olieverf. Daarna zet Riltse, uitdagend, als de dierentemmer in een circus die de hoepel voor de afgerichte hond houdt, het verbijsterende apparaat voor Lumière neer en nodigt hem uit het in te wijden. En hoewel er geen gat in de wereld is waarvoor hij terugschrikt, hoe onbekend, stinkend of bedreigend ook, toch aarzelt de beer. Maar dan, na een paar seconden waarin de tijd lijkt stil te staan en Lumière en Riltse elkaar aankijken, naar het volgesmeerde gat in het hart van de doeken kijken en elkaar weer aankijken, sluit Lumière zijn ogen en stopt ten slotte zijn gezwollen geslacht in die vettige grot, hij doet het minder uit genot of vermetelheid dan uit iets wat hij nu misschien wel voor het eerst in zijn leven leert kennen, namelijk liefde, want hij komt tot de ontdekking dat hij voor die zwakke, prikkelbare oude man, die verteerd wordt door ondeugd en ziekte en van wie hij hoogstens tien procent begrijpt van wat hij zegt, een percentage dat ook nog eens bestaat uit tegen zijn persoon gerichte beledigingen en krenkende uitdrukkingen, álles zou doen, zelfs – en hier werpt Pierre-Gilles zijn schaduw en bedelft de romantische scène onder hoongelach – zichzelf castreren. En tussen het moment dat hij zijn lul in het gat stopt en klaarkomt verstrijken: drie seconden? Vijf? Hij beeft over zijn hele lichaam, alsof hij geëlektrocuteerd is, zoals een berg beeft die een catastrofe aankondigt, en Riltse, die naast hem staat en het apparaat vasthoudt waar hij zijn pik in heeft gestoken, zou zweren dat hij het hele huis voelt beven. Het is het meest overweldigende en langste orgasme dat Lumière ooit heeft gekend. *Ejaculatio praecox*, interpreteert niet zonder enige minachting een verklaring uit die tijd, beslist eerder ingegeven door rancune en jaloezie dan door klinische objectiviteit. Verbranding lijkt een treffender woord. Verbranding, felle gloed, het idee – vermoedelijk baanbrekend en ook vandaag nog, ondanks het feit dat het in vergetelheid lijkt te zijn geraakt, uiterst actueel – van een onmiddellijk genot zonder poespas of voorbereiding, maar de vraag is: doet het er werkelijk toe? Heeft het zin het potlood zo te slijpen om de seksuele fysiologie van een secundair personage uiteen te rafelen, een personage dat binnenkort toch geroepen is – maar ook dit is secundair – het toneel te verlaten, en niet bepaald op de meest elegante manier, wanneer daar ter plekke, op minder dan een meter afstand, de man die van de fysiologie een kunst heeft gemaakt (en omgekeerd) in zijn diepste innerlijk de kiem aan het uitbroeden is van wat komen gaat? Lumière komt klaar en *op hetzelfde moment* dat hij klaarkomt – de synchroniciteit is zo verbluffend, zegt de kunstenaar, dat die 'in een of ander kosmisch jaarboek moet zijn bijgeschreven' – voelt Riltse, naast hem, een steek die zijn rectum lijkt te doorboren en komt ook klaar, zonder dat zijn geslacht zelfs maar de 'ergerlijke formaliteit van het stijf worden' heeft doorlopen. Riltse doopt het wonder, enigszins hoogdravend, dat moeten we toegeven, 'ogenblikkelijke tele-ejaculatie'. Maar hij benoemt het alleen om het meteen weer te vergeten en op 'iets anders' over te gaan. Afgezien van het eigenaardige genot dat het hem heeft verschaft, overigens ideaal voor een nog altijd precaire gezondheidstoestand, zijn het gat in het doek en de rectale steek tekenen, tekenen en tegelijk voorboden die zijn fijngevoeligheid, creatieve kracht en inspiratie nieuw leven inblazen en projecteren op die vreemde dimensie die zich voor het eerst voor zijn ogen begint te ontvouwen: het innerlijk. (Opnieuw is er, tenzij zich neurologische problemen voordoen die moeilijk op te lossen zijn, geen enkele geldige reden om 'innerlijk' te vervangen door 'diepzinnigheid', een woord dat Riltse bekende 'meer te verafschuwen dan wat ook ter wereld'.) Er bestaat geen echte kunst die niet de toegang vrijmaakt tot nieuwe dimensies van de ervaring. Die uitspraak is niet van Riltse noch van iemand anders en staat daarom niet ter discussie. Met *Herpes, Aft* en *Plak*, ooit zo schitterend en nu, slechts een paar maanden later, zo ouderwets, had de kunstenaar contact gelegd met de verminking in haar uitwendige, zichtbare, fenomenologische verschijning. Met *Het valse gat* – de uitdrukking is van Lumière, misschien het meest verheven poëtische hoogtepunt dat hij ooit in zijn leven zou bereiken, maar de arme man heeft het niet eens kunnen lezen op de achterkant van de tien doeken, waar zijn ondankbare geliefde het had opgeschreven – bereidt Riltse zich voor om 'naar binnen te gaan', om 'door te dringen in de galerijen van dat geheime hol en mijn organisme binnenstebuiten te keren als een handschoen'.

De eerste stap om binnen te komen is naar buiten te gaan. Hij maakt gebruik van het feit dat Lumière naar zijn werk moet – en met welk een voldane argeloosheid glimlacht de beer tegen hem als hij afscheid neemt, volledig onwetend van de toekomst die al met haar wrede vingers langs hem strijkt – en ontvlucht de Song Parnass bij het vallen van de avond, beschut door die nerveus flikkerende lichten – een ervan dooft, andere, duizenden, schitteren al als vuurvliegjes – die alles onwerkelijk maken, uitgerust met de kleine Polvani-tas die hij heeft gestolen – alleen noemt Riltse het geen diefstal maar een souvenir – en waarin hij na ze met een mes te hebben teruggebracht tot het formaat waarmee ze voortaan in omloop zullen zijn omdat ze er in hun geheel onmogelijk in pasten, de tien doeken heeft gestopt die *Het valse gat* vormen. Daarna, wie weet? Het Prater, de baden van het Prater, het metrostation van de dierentuin... We raken het spoor van zijn voetstappen bijster maar niet dat van zijn geest. Als een doelbewust echobeeld van de structuur van de schetsen bedenkt hij een nieuwe serie, een drieluik, met de organen die, zo zegt hij, 'het meest binnen handbereik' liggen. Eerste doel: het rectum. Daarna komen de prostaat en de blaas, en later, waarschijnlijk, de lever. Wat zal er niet te vinden zijn, denkt hij, in dat Atlantis waar hij nog maar net een vluchtige blik op heeft geworpen? Maar het is niet gemakkelijk. Aangespoord door de dringende behoefte aan hulp – 'Beulen!' schrijft hij aan de butler op de achterkant van een strooibiljet, vermoedelijk opgepikt in het Prater, waarop de zeshonderd schotels van een Chinees lopend buffet worden aangeprezen, 'terwijl duizenden anonieme monsters dagelijks de straat op gaan op zoek naar slachtoffers, ging ik op zoek naar beulen' –, maakt hij een tournee langs de ziekenhuizen die hem tijdens de 'oppervlakkige' fase onderdak hebben geboden. Hij ondervraagt dezelfde artsen die hem ooit hebben geholpen, die hem kennen en die, in sommige gevallen, weten wat voor reputatie hij heeft en hem zelfs bewonderen, maar het plan, dat in zijn oren volkomen redelijk, bijna kinderlijk klinkt, want het is de natuurlijke bekroning van de Sick Art, blijkt moeilijker uit te voeren dan hij had voorzien. Zelfs voor zijn bewonderaars is Riltse niet wat men noemt een gemakkelijke patiënt, en de herinnering aan zijn woede-uitbarstingen ligt nog te vers in het geheugen om hem zomaar, zonder gerechtvaardigde klinische reden, op te nemen, alleen maar omdat er weer een nieuwe bloederige gril in zijn hoofd is opgekomen. Daar komt nog bij dat Riltse buitengewoon openhartig is, en de gedetailleerdheid waarmee hij zijn plan ontvouwt, gevoegd bij de opgewonden toestand waarin hij verkeert bij het uiteenzetten ervan, heeft eerder een afschrikkingseffect dan dat het bijdraagt aan het overtuigen van de artsen. Een voor een weigeren degenen die bereid zijn hem te ontvangen – minder dan tien procent van de artsen die hem hebben bijgestaan – hun medewerking, zich beroepend op de humanitaire ethiek. Riltse, bij wie de uitdrukking 'humanitaire ethiek' werkt als een braakmiddel, probeert ze te betrekken in een esthetisch debat, de enige argumentatie, zo redeneert hij, die tegenwicht kan bieden aan 'die smerigst denkbare vorm van chantage'. Hij weet er een paar, twee, mee te krijgen in de discussie door ze te verrassen op een moment van zwakte, na een zware dag, doorgebracht tussen de operatiezaal en de wachtkamer, tussen openhartoperaties en verkeersongelukken, wanneer instemmen met een gek niet het meest raadzame maar wel het gemakkelijkst is, maar als hij zijn zin krijgt en de 'humanitaire motieven' aan zijn voeten liggen, verpletterd als het zaaigoed onder de hoeven van de paarden van Attila, voeren de artsen juridische redenen aan – zonder een gegronde medische reden zou een ingreep die duizend keer minder omstreden is dan die welke Riltse van ze verlangt ze hun baan, titel en zelfs gevangenisstraf kunnen kosten – en maken een einde aan de onderhandelingen. Alle deuren die hij kent worden voor zijn neus dichtgegooid. Maar het rectum blijft hem roepen, en de intensiteit waarmee de indringende stemmen hem door elkaar schudden is omgekeerd evenredig met de problemen die hij tegenkomt om ze te bevredigen. Hij gaat op zoek naar artsen van lagere rang, erop vertrouwend dat hij met een beetje charisma en geld, dat hij niet heeft, bij hen voor elkaar kan krijgen waar zijn openhartigheid bij de anderen niet toe in staat is gebleken. Tevergeefs: iedereen weet wie hij is, iedereen heeft de opdracht gekregen hem uit de weg te gaan en geeft daar gehoor aan. Vertwijfeld, in de overtuiging dat zijn kunsthandelaar een complot heeft gesmeed om zijn werk te saboteren en hem te dwingen terug te keren naar Londen, denkt hij er al over de stad te verlaten en naar Praag, Boedapest of Warschau te gaan, elke willekeurige wetteloze plaats waar het handwerk floreert dat Wenen hem onthoudt, als hij op een avond – door een van die toevallige samenlopen van omstandigheden die de biografen, alle biografen, met triomfantelijk genot omvormen tot een ironische arabesk van het lot, dezelfde avond waarop Lumière, die voor de eerste en laatste keer te laat verschijnt op zijn post bij de deur van de Song Parnass, zich met stenen in zijn zakken en een flesje slaappillen in zijn maag van de Praterbrücke in de Donau stort, een daad die duidelijke taal spreekt over zijn achterdochtige aard – onder een arcade stuit op de jonge arts-assistent die hij, dankzij diens 'deskundige orale gastvrijheid', in zijn herinnering voor altijd, en op de meest gelukkige manier, zal associëren met de ervaring van *Herpes*. De waarheid gebiedt te zeggen dat het eigenlijk andersom was: de jonge dokter stuitte op Riltse, die zijn voeten – de kunstenaar ligt al uren onder de arcaden –, verdiept als hij is in zijn problemen, voor zich uit gestoken heeft. De struikeling kost hem een bril – dezelfde bril die hij destijds op het puntje van zijn neus had laten glijden om in een vlaag van vroegrijpe ouderdom die Riltse deed huiveren van genot, te zien hoe het geslacht van de kunstenaar begon op te zwellen – en een paar schaafwonden op zijn handpalmen: niets wat de verbazing (eerst) en de blijdschap (daarna) over het weerzien met Riltse niet ruimschoots vergoeden. Nu is de situatie ook nog eens omgekeerd. Riltse is degene die hulp nodig heeft en hij, wiens tong een zure nasmaak van het sap van de ander bewaart, kan zijn redding zijn. De jonge dokter is een en al oor. Hij ervaart een zeldzaam geluksgevoel; hij moet toegeven dat Riltses plannen absurd zijn, maar besluit toch hem te helpen. Hij heeft de prijs voor zijn medewerking nog niet eens vastgesteld of de twee glippen de trap al af die naar de ondergrondse passage voert. Ze blijven halverwege staan, de jonge dokter met licht gebogen benen, de kunstenaar op zijn knieën, vastbesloten hem met een paar energieke, snelle pompbewegingen de wederdienst te bewijzen voor die keer met *Herpes*. De conclusie is niet moeilijk te trekken dat de ontmoeting, zoals een van de biografen beweert, die zich daarbij misschien te zeer identificeert met de scène, 'niet wat men noemt een erotische apotheose was'. Maar het is duidelijk dat de dokter niet op zoek is naar seks maar naar roêm, en als hij de pijpbeurt als voorwaarde heeft gesteld, dan was dat niet zozeer omdat hij werkelijk van plan was die af te dwingen als wel om het unieke genot te ervaren dat heilige monster geknield aan zijn voeten te zien liggen.

Hij beseft evenwel dat de taak zijn mogelijkheden te boven gaat.

Tenslotte impliceert *Rectum*, zoals Riltse het zich voorstelt, chirurgie, anesthesie, de hartmonitor en een zekere postoperatieve periode, te bekorten maar niet over te slaan, in min of meer gewaarborgde steriele omstandigheden. Te veel risico voor iemand die pas halverwege zijn assistentschap is en wiens ambities, die volledig buiten het terrein van de kunst liggen, direct gericht zijn op de top van de piramide van de instelling voor openbare geneeskunde in Wenen. Alleen heeft die piramide behalve haar academies, haar systeem van eerbewijzen, haar reglementen en haar pantheons die het zichtbare deel van de instelling uitmaken, zoals te verwachten valt ook een geheim en ongetwijfeld veel minder eerzaam gezicht, dat alleen achter de schermen en in naargeestige souterrains glimlacht tegen de weinige ingewijden die het voorrecht hebben het te aanschouwen. Gelukkig voor Riltse is onze jonge dokter een van hen. Als een amfibisch wonder beweegt hij zich met hetzelfde gemak in de glimmende collegezalen van de universiteit, waar het begin ligt van carrières en waar betrekkingen worden vergeven, als in die gangen met tegelwanden, amper verlicht door flikkerende peertjes, waar illegale, fluisterend overeengekomen operaties worden uitgevoerd en waar pasgeborenen en ampullen met chemicaliën onvoorstelbaar hoge noteringen bereiken. En het is dáár, in die onderwereld waarin hij nu opnieuw afdaalt, niet om zoals vroeger de geruisloze werking van de contrageneeskunde te leren kennen, maar om de vruchten van een leerproces te plukken dat hem jaren heeft gekost, veel langer, eerlijk gezegd, dan de vele jaren die hij nodig had voor de officiële studie medicijnen, waarvan de Weense versie in de hele wereld befaamd is om de accuratesse, strengheid en de offers die worden verlangd, het is dáár dat hij – na met de grootst mogelijke tact verplegers, verloskundigen en chirurgen te hebben gepolst, want die clandestiene wereld die alle wetten van de officiële medische praktijk aan haar laars lapt, handhaaft en cultiveert er één, de geheimhouding, in die context waarschijnlijk de nuttigste van allemaal, met een toewijding waar de officiële wereld beslist jaloers op zou zijn –, de ideale kandidaat ontdekt. Hij heet Sándor Salgo en is Hongaar, en niemand is erin geslaagd dat oude stuk papier vol stempels te lezen, zo snel bergt hij het steeds weer op, waar hij mee begint te zwaaien zodra iemand, enkel om hem te provoceren, in twijfel trekt dat hij zijn universitaire studie heeft afgemaakt. Maar in het mortuarium maakt hij bijna net zo deel uit van het landschap als de aluminium bassins, is hij beroemd om zijn behendigheid bij het snijden, vermoedelijk opgedaan tijdens de twee jaar dat hij als leerling in een slagerij in het centrum van Boedapest heeft gewerkt, en wordt hij algemeen erkend om zijn specialiteit: de handel in organen. Op de ochtend waarop hij besluit, nog steeds met enige aarzeling, het project voor hem uiteen te zetten, verrast onze jonge dokter op het moment dat hij zijn handen gaat wassen – hij heeft die manie meegekregen van zijn tante, die hem heeft opgevoed en naar het schijnt altijd handschoenen droeg – Salgo op het toilet, waar hij met de deur open zijn behoefte zit te doen. Het is geen aangename aanblik. Salgo, die onze dokter alleen van gezicht kent, omdat een gemeenschappelijke kennis hem, na hem een beknopte maar overtuigende versie van zijn curriculum te hebben gegeven, van een afstand in een van de gangen heeft aangewezen, is een kleine, gezette man met een van top tot teen behaard lichaam, die de hele tijd in zichzelf loopt te brommen, alsof hem voortdurend iets dwarszit; de broek van grijs flanel die nu verkreukeld rond zijn enkels hangt, en die kletsnat wordt in de plassen op de vloer, is dezelfde die hij een week eerder aanhad, toen onze dokter hem voor het eerst zag, en alles wijst erop dat het ook dezelfde zal zijn die hij de komende zes maanden zal dragen. Salgo slaat zijn ogen op van de krant die hij zit te lezen en ziet hem. Onze dokter deinst beschaamd en vol afkeer terug, hoewel hij ziet dat de krant *The Nation* is, en dat gegeven, dat hem in verwarring brengt omdat het curriculum dat hij van Salgo bezit niets vermeldt over tweetaligheid, laat in zijn geest een zwak spoor van mysterie achter. Salgo bromt iets en leest weer verder; een seconde voordat hij zich bedenkt en weggaat, stelt onze dokter zijn blik scherp en ontdekt dat wat Salgo daar in opperste concentratie leest, zoals anderen in de beste cafés van Wenen de beurs- of overlijdensberichten lezen, de kunstpagina van de criticus Arthur C. Danto is. Salgo is beslist de juiste kandidaat.

We zijn dan al in oktober 1991. (Pierre-Gilles moet daar ergens in de buurt rondhangen, maar de biografen doen net alsof ze dat niet weten om de *coup de théâtre* van zijn latere plotselinge verschijning niet te bederven.) De herfst is een voorbode van de naderende winter. Op verzoek van de jonge dokter ontmoeten Riltse en Salgo elkaar op een mooie, koude middag in een café. De dokter, die zijn euforie nauwelijks kan verhullen, wijst op een tafeltje in de buitenlucht. Alsof ze het zo hebben afgesproken draaien Riltse en Salgo tegelijk hun hoofd, niet getroffen door een zonnesteek maar enkel door de kans die hun geboden wordt. De kunstenaar en de slager. Ze lijken rechtstreeks ontsnapt uit een circus, woeste, hulpeloze freaks die niet weten of ze elkaar moeten aanvallen, zo identiek zijn ze, of zich in elkaars armen moeten werpen, zoveel is er wat ze scheidt. Riltse houdt de Polvani-tas tegen zijn borst geklemd, waarin een slecht gesloten pot bonen in tomatensaus zojuist twee van de tien doeken van *Het valse gat* onherstelbaar heeft beschadigd. Salgo, die niet voor hem wil onderdoen, heeft een stijf, donker koffertje, als dat van een arts, tussen zijn knieën, met daarin wat kapot timmermansgereedschap. Opnieuw volkomen gelijktijdig, alsof ze ooit een Siamese tweeling zijn geweest, keren ze zich naar de jonge dokter en sluiten hem met één enkele blik, die er in werkelijkheid twee zijn, uit van het gesprek. De dokter protesteert niet. Hij lijkt de scène te hebben voorzien of zelfs heimelijk voorbereid, want hij glimlacht, staat op, laat zonder een woord te zeggen een genereus bedrag achter op de tafel – niemand heeft nog iets besteld – en begint zich langzaam van de tafel te verwijderen, met zijn gezicht naar hen toe en nog altijd met de glimlach op zijn lippen, achteruitlopend, met de uitgelaten tolerantie en de valse bescheidenheid waarmee de goden de brutaliteiten vergeven van de creaturen die ze zojuist hebben geschapen, totdat hij verrast wordt door de stoeprand en struikelt en bijna wordt aangereden door een motor met het logo van een stomerij op de benzinetank. En zoals hij zich díe middag van díe tafel verwijdert, langzaam kleiner wordend, zo ingenomen met zichzelf, zo naïef en armoedig dat je medelijden met hem zou krijgen, zo verwijdert hij zich ook uit het verhaal, of, om eerlijk te zijn, wordt hij door zijn vertellers uit het verhaal verwijderd, die van dat korte tijdsbestek van persoonlijke verrukking waarin de dokter zich louter vanwege het feit dat hij het stel dat híj, en alleen hij, bij elkaar heeft gebracht daar achterlaat, meester over de wereld voelt, gebruikmaken om hem weg te duwen uit het middelpunt en hem definitief te laten uitdoven en uitsterven, zoals dat gezegd wordt van een vuur of een bepaalde diersoort. Want zodra de jonge dokter zich begint terug te trekken, verandert het licht van die ijskoude middag, verduistert de zon die stond te stralen aan de hemel en lijkt alles, als vlak voor een onweer, weg te zinken in de schaduw, het café, het ruime geplaveide terras, de straat en het plein met de fontein – alles behalve de tafel waar Riltse en Salgo elkaar al een tijdje roerloos en in stilte zitten te bestuderen, en die nu als een lichtgevende luchtbel in het inktzwart van de ruimte zweeft.

Dan, alsof ze hetzelfde bevel hebben gekregen, komen de twee plotseling tot leven en verdelen de bankbiljetten die de arts voor hen heeft achtergelaten gelijkelijk onder elkaar. In een lange, vurige volzin, die hij niet eens onderbreekt om adem te halen, zet Riltse het idee voor *Rectum* en het plan om het ten uitvoer te brengen eindelijk uiteen. Salgo luistert aandachtig, brommend, zoals altijd, en herhaaldelijk met een groezelige vinger in zijn neus peuterend, en als de ander is uitgesproken vraagt hij met een grafstem in het Engels: 'Hoeveel geld.' 'Niets,' zegt Riltse, en hij opent de Polvani-tas en haalt er het eerste het beste doek met *Het valse gat* uit dat hij kan vinden, gelukkig niet een van de door de saus bedorven doeken. Salgo steekt zijn onderkaak een beetje naar voren en bijt op zijn lip, en terwijl Riltse die naar hem kijkt vrijwel onmiddellijk moet denken aan het Beest in *The Beauty and the Beast*, leunt hij met zijn ellebogen op tafel, jaagt met een grom de ober weg die hen komt lastigvallen en begin het schilderij te bestuderen. Na een tijdje wijst hij ernaar met dezelfde vinger waarmee hij even tevoren in zijn neus heeft zitten peuteren en zegt op dringende, zij het uitdrukkingloze toon: 'Vijf. Dezelfde.' Heel even zwijgen ze allebei en is het doodstil. Riltse kan het niet geloven; hij heeft letterlijk het gevoel buiten zichzelf te zijn van geluk. 'Er zijn er negen,' zegt hij vervolgens triomfantelijk, terwijl hij hem het schilderij aangeeft. 'Dit hier is alleen maar een voorproefje.' Salgo knikt, opent de koffer en stopt het schilderij, dat veel groter is dan de koffer, tussen een ijzervijl en een zaag.

Riltse is onder de indruk. Het zijn niet alleen de snelheid, het volledig ontbreken van bedenkingen en de zuiverheid waarmee hij de overeenkomst heeft gesloten, het is ook de persoon Salgo zelf, zo uitwendig en zo materieel dat hij het toppunt van raadselachtigheid wordt. 'Een prehistorisch wezen. Ik heb in mijn leven nog nooit iets zo heteroseksueels gezien,' schrijft hij op een servetje dat hij uit het café meeneemt en dat de butler van zijn kunsthandelaar twee weken later zal lezen, in een hevige vlaag van jaloezie. 'Maar als ik de goede en kwade kant tegen elkaar afzet, zou ik niet durven beweren dat hij een mens is. Hem *Dat* noemen is niet alleen tactvoller maar ook treffender. Als God – die als demiurg vermomde parasiet – zou besluiten een wezen te maken met de restanten van dingen die zich altijd verzamelen in de zakken van de mensen, ben ik ervan overtuigd dat het resultaat heel erg zou lijken op: een Salgo. Ik moest ook denken aan de Odradek van Kafka. Ik wilde het herlezen en probeerde in een boekhandel het deel met zijn verhalen te stelen maar werd op heterdaad betrapt. Ik zou je hier nu niet zitten schrijven als een van de boekhandelaren het niet voor me had opgenomen, een idioot met een gezichtsstoornis die zei dat hij me herkende en het voor elkaar wist te krijgen dat ze me lieten gaan. Hij had me schijnbaar verward met een plaatselijke prulschrijver die daar vaak vermomd als bedelaar rondhing.' Riltse is zo onder de indruk dat hij, misschien voor het eerst in zijn leven, alles doet wat de ander hem vraagt. Alleen is alles misschien wat veel gezegd: in feite is *wachten* het enige wat Salgo van hem vraagt. Waar hij op moet wachten weet hij niet precies. Een deel van de verklaringen lost op in het aureool van illegaliteit dat de ingreep omhult en dat de overvloed aan anakoloeten, onafgemaakte of simpelweg onverstaanbare zinnen lijkt te rechtvaardigen; het andere deel lijdt schipbreuk op het brabbeltaaltje van Salgo, dat niet te ontcijferen is maar waarin regelmatig flarden van een rustiek, gekunsteld lyrisme oplichten. Maar Riltse wacht. Waarom zou hij niet wachten, nu *Rectum* bijna binnen handbereik is, en na *Rectum* ook *Prostaat* en *Lever* en alle werken van 'Klinische geschiedenis' die hij al heeft bedacht en voor zich *ziet*, en waarvan de stemmetjes, twinkelend in de meest verborgen plooien van zijn organisme, zich al beginnen op te dringen?

Op een avond, als hij net uit de Christelijke Jongerenvereniging is gegooid – niets bijzonders: de typische overgevoeligheid van gelovigen, gevoegd bij een onbeduidend akkefietje in de douches met een rekruut, 'ook nog eens behoorlijk smakeloos, net als zo'n rijstkoekje dat je tot waanzin kan drijven en waarvan de kruimels je baas tot waanzin drijven', schrijft hij aan de butler – en languit op straat ligt, belaagd door een menigte woedend op hem in schoppende katholieke dekhengsten, ontdekt hij een man in uniform, een portier misschien, of een monteur, of mogelijk een arts, die hij niet goed kan zien – er is weinig licht – maar die blijft staan, hem overeind helpt en terwijl hij het stof van zijn jas klopt van de gelegenheid gebruikmaakt om iets in zijn zak te laten glijden. Riltse merkt het pas als het al te laat is: de man is verdwenen. Hij stopt zijn hand in de zak en haalt er een splinternieuw bankbiljet van honderd schilling uit. Als hij het openvouwt, vindt hij binnenin een papiertje met een datum, een tijdstip en het adres van het ziekenhuis waar Salgo ondergronds werkt – allemaal geschreven in de grove hoofdletters van een soort alfabet van holbewoners. De teerling is geworpen. Riltse moet nu dubbel wachten: wachten omdat hij behalve het zoeken naar iets om zijn maag mee te misleiden en naar een dak boven zijn hoofd om de nacht door te brengen, en behalve die banale schandalen die hem lijken op te monteren terwijl ze zich afspelen maar hem daarna met troosteloze walging vervullen, het soort spleen dat optreedt na verzadiging of na iets belachelijks, niets te doen heeft; en wachten omdat er zojuist een termijn is vastgesteld, zodat het wachten, dat eerst als een zee was, schijnbaar eindeloos, nu, met de overkant in zicht, een vorm van aftellen wordt. Tellen, ja, aftellen, denkt Riltse, maar hoe? Tot hoever? Hij heeft nog steeds koorts, heeft al dagen niets gegeten, is duizelig en in zijn rechterhand – dezelfde hand waarmee hij de rekruut had willen aftrekken – klopt een heel kruitvat van pijn. Hij ziet *Rectum* voor zich. Hij ziet het in alle helderheid, kant-en-klaar, *cosa mentale*, maar hij heeft niet eens de kracht om de seconden te tellen die hem ervan scheiden. En dus hurkt hij neer in een portiek, zijn armen om de Polva-

ni-tas geslagen, en omdat hij een lange, eenzame periode van slapeloosheid voor zich ziet, begint hij, niet zozeer om de slaap te vatten als
wel om de tijd te versnellen, als iemand die een wiegeliedje zingt, voor
zich uit te prevelen: duizend, negenhonderdnegenennegentig, negen-
honderdachtennegentig, negenhonderdzevenen...

De vraag is: wat is belangrijker, de man die alleen is en wacht of de
man die hem laat wachten, die hem langer zal laten wachten dan hij
verwacht, die hem misschien eeuwig zal laten wachten? De beslissing is
niet van morele maar van dramatische aard, dat wil zeggen: volledig
amoreel. We zien de nachtelijke hemel dankzij het fonkelen van de
sterren, maar er is geen ontroerender, op een macabere manier aan-
trekkelijker schouwspel dan dat wat een ster ons biedt als hij uitdooft
in dat onmetelijke gewelf van zwart velours dat hij eeuwen- en eeuwenlang zijn licht heeft geschonken. En op het beslissende moment,
wanneer we getuige zijn van het uitdoven, en een onzichtbare maar
eindeloos lange draad, die na al dat doorkruisen van ruimten een
sprong maakt en tijden, hele tijdperken doorkruist, het twinkelen van
de ster direct lijkt te verbinden met onze verwondering, wie van ons
herinnert zich dan alles wat die naamloze zieltogende ster heeft gedaan
om ervoor te zorgen dat onze nachten geen bodemloze afgrond waren
maar een fris, weergaloos, hoopvol genot? Maar waarom zouden we
ons dat eigenlijk moeten herinneren, als er op hetzelfde moment dat
die ster uitdooft miljoenen andere zijn die achteloos blijven fonkelen
en er tussen al die sterren misschien één, één enkele zal zijn die ons binnenkort met zijn kleur, met zijn bijzondere manier van schitteren, met
het patroon dat hij samen met naburige sterren vormt, zal betoveren
en door die betovering de vergetelheid waarin de ster die voor onze
ogen uitdooft al bezig is weg te zinken, definitief zal bekrachtigen?
Daar Riltse, daar de ster met zijn gevolg van biografen, schoothondjes
die in naam van het 'leven' de logica van het leven loochenen, niet alleen de verscheidenheid ervan maar ook het stelsel van schitteringen
en uitdovingen en nieuwe schitteringen – zonder enige hiërarchie:
pure afwisseling, kosmische rotatie – die het ondermijnen en vernieuwen, schoothondjes die zich hijgend voortslepen, steeds op jacht naar

dezelfde broekspijpen. De man dooft uit opdat zijn werk schittert. Is dat niet de ultieme wet van de kunst? En alvorens definitief uit te doven, net als de ster die, al verzwakt, de frequentie van zijn twinkelingen vermindert maar zijn gloed intensiveert, alsof hij uit zijn eigen doodsstrijd nog reservekracht put, weet de kunstenaar, die zich al moeizaam voortbeweegt en amper nog in staat is zijn ogen op te slaan van de trottoirtegels, een paar laatste signalen uit te zenden die we niet kunnen negeren. Met het papier in zijn hand, als een kind dat voor het eerst alleen naar de winkel gaat met het boodschappenlijstje dat zijn moeder voor hem heeft gemaakt, trots en angstig tegelijk, meldt Riltse zich op de afgesproken dag en tijd in de ondergrondse gang van het ziekenhuis. Hij komt bij een halfverroeste deur, die schuilgaat achter het karkas van een oude koelkast, en klopt aan. De deur piept en wordt op een kier geopend; Riltse vraagt naar Salgo. 'Wie?' zegt aan de andere kant een gezicht dat hij niet ziet. 'Salgo,' herhaalt hij, 'Sándor Salgo.' En hij voegt eraan toe, alsof hij een wachtwoord uitspreekt: 'Ik ben Jeremy Riltse.' 'En ik Christian Barnard,' wordt er lachend gezegd voordat de deur met het gerinkel van kettingen weer dichtgaat. Riltse klopt opnieuw aan. Na enkele ogenblikken doet zich een vrijwel identieke situatie voor, alleen met een andere stem, agressiever, en een andere cardiovasculaire beroemdheid (Riltse meent 'Vamalono' of 'Fafalolo' te horen) in plaats van de befaamde Zuid-Afrikaanse playboy. Riltse wordt ongeduldig, klopt nogmaals aan, de deur gaat open et cetera. Op een bepaald moment steekt hij de Polvani-tas als een koevoet tussen de halfgeopende deur – erop vertrouwend dat de doeken met *Het valse gat* hiertegen bestand zijn, maar helaas scheuren twee van de schilderijen bij deze manoeuvre –, worstelt met de zoveelste onvriendelijke arts die op zijn geklop reageert, slaagt er ten slotte in binnen te komen en vraagt met luide stem naar Salgo. Niemand kent Salgo. 'Ik ben Jeremy Riltse!' roept hij uit, alsof die mededeling de magische formule is die de Hongaar tot leven kan wekken. Iedereen kent Riltse – wat spreekt voor het algemene culturele peil van de medische staf van het ziekenhuis – maar niemand gelooft of zal ooit geloven dat die uitgeteerde, haveloze en stinkende geestverschijning, die gloeit van de koorts en van top tot teen rilt, en voor wie het uitspreken van de consonantengroep 'lts' dezelfde krachtsinspanning lijkt te vergen als het beklimmen van de Himalaya, de beroemdste beeldend kunstenaar van Engeland kan zijn. Riltse deinst ontzet terug; hij wijdt een vluchtige gedachte aan zijn kunsthandelaar, eentje maar, duizelingwekkend en dodelijk als een designergif, die niet alleen het complot tegen hem bevestigt en ontrafelt maar ook onmiddellijk de bedenker ervan vernietigt, en daarna, voortgedreven door een bijna goddelijke razernij, zet hij dezelfde stappen naar voren die hij zojuist achteruit heeft gedaan en, zwaaiend met de Polvani-tas, waar als opgeschrikt door alle opschudding de twee beschadigde doeken gevaarlijk bovenuit steken, begint hij luidkeels, in geuren en kleuren en in een enigszins verwarde volgorde, het plan uiteen te zetten dat hem daarheen heeft gevoerd, *Herpes*, de dringende noodzaak een rectaal monster te laten nemen, het gezicht van de rekruut, platgedrukt tegen de tegelwand van de doucheruimte, het bij wijze van vooruitbetaling aan Salgo overhandigde doek, de Sick Art, de bemiddeling van de jonge dokter, *Prostaat*, *Lever* en alle andere werken die nog zullen volgen, het biljet van honderd schilling, het hemelse contact van zijn geslacht met het gehemelte van de jonge dokter, de vijandigheid van de zon die middag op het caféterras, de stormachtige *check out* bij de Christelijke Jongerenvereniging... Maar we bevinden ons – al is dat maar bij wijze van spreken – in een ziekenhuis, in de ondergrondse gang van een van de drukst bezochte ziekenhuizen van Wenen, en voor de artsen zijn er veel dringender zaken, hoewel ook veel minder vermakelijk dan het repatriëren van een groezelige krankzinnige uit dat voorgeborchte van hartstochtelijke hallucinaties waarin hij ronddoolt. Om kort te gaan: op het discrete teken van een arts lopen twee kolossale verplegers vastberaden naar hem toe, als pionnen in een schaakspel of als soldaten, en nemen Riltse in een stevige houdgreep, terwijl een derde een mouw van zijn overhemd oprolt en hem na twee of drie mislukte pogingen een dosis kalmeringsmiddel in zijn ader spuit die een paard nog tot rust zou hebben gebracht.

Dat – smerig, verdoofd, met weggedraaide ogen en een groenig schuim in zijn mondhoeken, maar vooral met gebroken hart en dromen door het verraad van een volmaakt onbekende –, dat is de Riltse die Wenen weer in haar straten opneemt – en het welkomstmenu omvat een hagelbui, achtenveertig uur onafgebroken regen, een historische sneeuwstorm en een week met pooltemperaturen die de gemeentelijke autoriteiten dwingen in de stad de noodtoestand af te kondigen. Dat is de Riltse die, bijna versteend door de kou, als een krankzinnige acrobaat balanceert op de oostelijke reling van de Praterbrücke, de hiel van zijn ene voet neerzettend waar de punt van de andere eindigt, alsof hij hem aan het opmeten is, en plotseling, zonder het te weten het spoor volgend dat daar is achtergelaten door Lumière, die een paar dagen eerder op diezelfde plek een einde aan zijn leven maakte ('Marx, altijd weer Marx: Veel dingen gebeuren tweemaal: de ene keer als tragedie, de andere keer als klucht...'), in de leegte valt – per ongeluk of doelbewust, wie zal het zeggen: Riltse beweert dat hij werd afgeleid door 'een wolk die hem deed denken aan het derde blad van de rorschachtest' – en weer begint met aftellen, dit keer veel korter, en als zijn lichaam zich ontspant, al bij voorbaat genietend van die combinatie van weerstand en elasticiteit (het water van de Donau) waarop hij vertrouwt, klapt hij, tot zijn volslagen verbazing, niet tot die van de grote aantallen jeugdige schaatsers, die ijsvrij hebben gekregen en twee of drie bruggen voorbij de Praterbrücke al dagenlang cirkels, achten en sierlijke spiralen trekken, op een dikke, harde plaat ijs die hem moeiteloos houdt, terwijl vlakbij de kleine Polvani-tas, die Riltse door de klap los heeft moeten laten, een kleine scheur in het ijs opent en langzaam, samen met zijn kostbare inhoud van *Valse gaten*, net als Lumière wegzinkt in de diepte van het zwarte water. En dat is de Riltse die Pierre-Gilles op het Centraal Station tegen het lijf loopt, de schim van een mens, een hopeloos genie dat hoogstens nog een ordinaire illustratie is, als uit een komische strip, van het grote werk dat hem voor ogen stond: met *Het valse gat* in handen van Salgo, de rest opgeslokt door de Donau – waar jaren later een nieuwe generatie fanatieke Riltsenianen, die de kunst het avontuurlijke karakter wil teruggeven dat ze volgens hen heeft verloren, in kikvorspakken zal gaan duiken om ernaar te zoeken –, met *Herpes*, *Aft* en *Plak* inmiddels meegesleept door de diaspora van koop en verkoop, zit bijna alles wat er van de Sick Art overblijft ín Riltse. *Is* Riltse.

Dat is de Riltse die we achterlaten. En het enige wat het onbehaaglijke gevoel dat we afscheid van hem moeten nemen enigszins verzacht, is de wetenschap dat we hem eerder achter hadden kunnen laten en dat niet hebben gedaan. Eerder: bijvoorbeeld toen de kunstenaar, druk bezig met het uittrekken van de ledematen van zijn monotone geestelijke duizendpoot om het gespannen wachten te verlichten – 'zevenhonderddrieëntwintig, zevenhonderdtweeëntwintig, zevenhonderdeenen...' –, niet in staat was te vermoeden dat Sándor Salgo, aan het andere eind van de stad, al zijn persoonlijke bezittingen in een koffer stopte – in de eerste plaats *Het valse gat* natuurlijk, hoewel de wettigheid van zijn aanschaf discutabel was – en Wenen ontvluchtte. Dat was niet de eerste keer. Boedapest, Moskou, Zagreb...: alle steden waar hij zijn duistere beroep had uitgeoefend hadden hem op die manier zien verdwijnen, halsoverkop, met alleen de kleren die hij aanhad zoals dat heet, en onder bescherming van de nacht – wat vanzelfsprekend ook steevast de manier was waarop hij er aankwam. Een slecht werkende lever, een onderbroken koudeketen, een onachtzaamheid bij het vaststellen van overeenkomsten tussen donor en ontvanger... Wie zal het zeggen? Vast staat dat iemand een aanklacht indiende, dat ergens in een overheidskantoor een computer de reeks Salgoiaanse gruweldaden uitspuugde die daarin was blijven steken en dat het informantennetwerk van de schoft opnieuw perfect functioneerde. Terwijl de politie voorbereidingen trof voor de huiszoeking en de arrestatie, reed de handelaar door de buitenwijken van Wenen, in de taxi van een voormalig Oost-Duitser, een bedeesde en optimistische klant wiens hoornvliezen, die Salgo hem tegen een belachelijke prijs had bezorgd, hem al snel parten zouden gaan spelen.

Zo verdwijnt dus het enige exemplaar van *Het valse gat* dat niet aan tegenslagen ten prooi is gevallen in de vluchtige nacht. Weet Salgo wat hij in zijn koffer heeft? Laten we om te beginnen het exemplaar van *The Nation* en de naam Arthur C. Danto met een korreltje zout nemen, zoals we doen met de adellijke titels, vleiend maar volstrekt nutteloos, waarmee dromen ons vaak belonen. Dergelijke dingen kunnen liegen, maar niet de snelheid of het ontbreken van aarzeling waarmee Salgo, die zonder die titels weer wordt wat hij altijd is geweest, een ongevoelig, hongerig beest, het schilderij als enige vorm van betaling accepteert en later, bij zijn overhaaste vlucht, als men zou verwachten dat hij van alle persoonlijke bezittingen die hij in Wenen verzameld heeft er een paar, de waardevolste of in elk geval die waarvan verwacht mag worden dat ze geld opbrengen, zou uitkiezen, opnieuw niet aarzelt en het bij de beperkte bagage voegt die hij in staat is mee te nemen. Nee, die feiten liegen niet. Maar dat doet ook de toestand niet waarin het schilderij gedoemd is te reizen, ingeklemd tussen een mosterdkleurige trui en twee door de motten aangevreten onderhemden van dunne wol, terwijl de gesp van een broekriem, aangemoedigd door het hevige schokken van de taxi, begint rond te snuffelen in de opening die Lumière ooit zo in extase bracht. Nee, Salgo weet het niet. Hij heeft geen flauw idee. Hij heeft nooit Engels kunnen lezen – hij kan ternauwernood Hongaars lezen en schrijven –, de naam Arthur C. Danto zegt hem helemaal niets, en als een minder onoplettende waarnemer de moeite zou hebben genomen om van dichtbij de krantenpagina te bekijken waarin hij zo verdiept was toen de jonge dokter hem aantrof, zou hij op enkele centimeters van de naam Danto, een halve pagina grote advertentie hebben ontdekt van Turbulence, met de naakte tweelingnymfen die elkaar onder een gloeiend hete zon op de mond kussen, wat behalve de in zichzelf gekeerdheid van het beest ook het enthousiasme zou hebben verklaard waarmee het topje van zijn stijve penis onder de rand van zijn witte jas uit piepte, een detail dat de jonge arts, over het algemeen heel ontvankelijk voor dat soort gevoelsuitbarstingen, alleen kon zijn ontgaan door de opwinding vanwege de veronderstelling dat hij zich tegenover een echte connaisseur bevond. Het weinige dat Salgo weet is niet afkomstig van hemzelf maar van zijn haast, zijn moeilijke situatie, zijn radeloosheid als voortvluchtige. Inderdaad, er zit íets en niet níets in zijn koffer – iets wat voor hem een wanproduct, tijdverspilling of een ondoorgrondelijk mysterie is, maar wat door het respect, de bewondering of de hebzucht van anderen een onverwachte waarde krijgt, iets wat in plaats van iets anders kan komen, iets waarvan hij daarom beter geen afstand kan doen, tenminste niet eerder dan nadat hij ontdekt heeft waarvoor hij het zou kunnen gebruiken.

Het spreekt vanzelf dat de romance geen lang leven is beschoren. Dat de idylle na de eerste keren overstappen toch blijft bestaan, komt omdat Salgo, zelfs tijdens zijn vlucht, nog altijd wat geld heeft en op bekend terrein opereert, waar het hem niet ontbreekt aan contacten of mensen die hem nog iets schuldig zijn, zodat hij zich helemaal niet druk hoeft te maken om het schilderij. Op die manier, nog steeds in de koffer, nog steeds ingeklemd tussen zijn medegevangen, gaat *Het valse gat* van de kofferbak van de taxi over naar het bagageruim van een lijnbus – waar het die hardnekkige geur van olie en benzine opdoet die later een van de toegevoegde waarden zal worden – en vandaar naar de open laadbak van een Volkswagen pick-up met problemen aan de voortrein, waar het als het niet gehinderd werd door het leren deksel van de koffer en die massa's en nog eens massa's smerige kleren, die zelfs de grootste armoedzaaier nog geen seconde zou willen dragen, zou kunnen zien – een schrale troost maar onvergelijkelijk romantisch – hoe de zwarte Oostenrijkse hemel, tot dan toe bezaaid met duizenden en duizenden zilveren vonkjes, zich begint te vullen met wolken, steekvlammen in de verte, explosieve littekens van licht. Er gebeurt iets vlak bij de grens. Het motregent al, de ruitenwissers zijn kapot, de chauffeur van de pick-up wordt bang. Ze staan stil in de berm en overleggen – voor zover je kunt overleggen met iemand als Salgo, voor wie drie woorden achter elkaar al een volzin is en een volzin de meest beeldende vorm die het onmogelijke kan aannemen. Ze besluiten tot een nieuwe overstap, de laatste op Oostenrijks gebied, om onnodige risico's te vermijden. Een halfuur later, als de regen is opgehouden en het schone, zuivere zwart van de kerstnacht weer zichtbaar wordt tussen de donzige wolken, stopt een zilverkleurige Audi A4 bijna onhoorbaar naast de pick-up en wacht met zijn alarmknipperlichten aan, terwijl aan de achterkant een heel licht, dof geknars weerklinkt en de klep van de kofferbak als door een wonder opengaat. Salgo sleept de koffer – waarvan een van de zijkanten in de strook modder die hem scheidt van het wegdek het spoor trekt dat de onderzoekers later voor aanzienlijke vraagtekens zal plaatsen – achter zich aan en aarzelt als hij bij de afwachtende muil aan de achterkant van de Audi aankomt. 'Schiet op!' wordt er vanuit de pick-up geschreeuwd. Mopperend over het gewicht tilt Salgo de koffer op, laat hem onhandig en vol minachting in de kofferbak vallen en duwt hem helemaal achterin, een handeling waar hij uitzonderlijk lang over doet. Dan stapt hij ook zelf in, strekt zich uit op de synthetische vloerbedekking en terwijl hij ons de rug toekeert met een gebaar van zedigheid dat we niet zouden kunnen verklaren, slaat hij zijn armen om de koffer alsof het een nachtelijke talisman is, waarna de klep van de kofferbak zich langzaam boven hem sluit. Dichter bij *Het zwarte gat* zal het Beest Salgo nooit meer komen. En zo steekt hij uiteindelijk de grens over, zich vastklemmend aan het vochtige leer van de koffer en in slaap gewiegd door de futuristische vibraties van de auto, terwijl buiten, met slechts twee minuten verschil tussen de eerste en de tweede – de tijd die de Audi nodig heeft om het traject tussen de twee douaneposten af te leggen –, twee douanebeambten, de ene Oostenrijker, de andere Tsjecho-Slowaak, beiden verdiept in hun respectieve exemplaren van hetzelfde oude nummer van *Fleisch*, een van de vele parallelle bezigheden van de productiemaatschappij van Pierre-Gilles, vanuit hun ooghoek op de kleine monitoren die in hun hokje hangen het nummerbord van de Audi controleren en tegelijk met het omhoog laten gaan van de slagboom de bestuurder, die door het getinte glas verandert in een glimmende donkere vlek, met hetzelfde lusteloze gebaar als altijd beduiden dat hij door kan rijden.

Tsjecho-Slowakije heeft één voordeel: het is niet Oostenrijk. De rest is bijna pure tegenslag. Als hij de gecoördineerde actie van de twee politieapparaten voor wil zijn, moet Salgo snel handelen. Hij heeft geld nodig, een vliegticket en een nieuw paspoort. Het geluk is niet met hem. Als een Midas uit een comicstrip verbrokkelt elk contact dat hij probeert te leggen tussen zijn vingers. Sommigen zitten gevangen; anderen, die gevangen hebben gezeten, zijn weer op het rechte pad en dreigen hem aan te geven; eentje heeft zijn vrouw en zijn drie kinderen verlaten en zwerft door India, druk bezig met een *vibuthi*-materialisa-

tie die 'veel beter is dan die van Sai Baba'; een ander weegt nog drieën-
twintig kilo en ligt in een ziekenhuis te wachten op zijn einde. Salgo
doet knarsetandend een beroep op zijn laatste redmiddel en neemt
contact op met Teun van Dam, een lange, sproetige staatloze die ooit
zijn beste vriend en zijn compagnon was in de organenhandel en die
later, na een drastische morele bekering waar Salgo zich nooit helemaal overheen heeft kunnen zetten, zijn opbrengsten investeerde in de
opening van een fabriek voor geavanceerde prothesen waaraan hij zijn
huidige faam te danken heeft. Van Dam is een welgesteld en fatsoenlijk
man; als elke ex-delinquent bagatelliseert hij zijn welgesteldheid en
overdrijft hij zijn fatsoen, maar in tegenstelling tot Salgo, bij wie het
nieuwe leven van zijn vroegere compagnon nooit iets anders heeft opgewekt dan wrok, neemt hij tegenover zijn eigen verleden, en daarmee
tegenover Salgo, een bijna christelijk begripvolle houding aan, waarin
tolerantie hand in hand gaat met een buitensporige wetenschappelijke
bekeringsijver en waarin de illegale commercialisering van menselijke
levers, nieren en harten op zich niet verwerpelijk is, omdat die zou in-
druisen tegen de medische ethiek, maar vanwege de mate van achterstand in beschaving die ze verraadt vergeleken met de vorderingen van
wat Van Dam noemt – met een uitdrukking die al kan rekenen op de
enthousiaste instemming van een zestal Europese colloquia – de industrie van de orgaantransplantatie. En dus belt Salgo hem op en na via
een reeks verkeerde nummers een samenvatting te hebben gekregen
van de laatste vier verhuizingen van de entrepreneur, krijgt hij hem
eindelijk aan de lijn, op zijn kantoor, en hoewel de vriendschappelijke
hartelijkheid waarmee hij te woord wordt gestaan hem verontrust,
want Salgo is weliswaar een beest maar heeft zoals vaak het geval is met
beesten een heel goed geheugen en de successen van de omgeschoolde
Van Dam, hoe overweldigend ook, zullen nooit de gewetenloosheid,
de hebzucht en de enorme dubbelhartigheid uit zijn geheugen wissen
die de handelaar Van Dam altijd hebben onderscheiden, aanvaardt hij
ten slotte het tijdelijke onderdak dat hem wordt aangeboden, een
weekendhuis in de buitenwijken van Brno, klein maar buitengewoon
charmant, 'mijn datsja', zoals Van Dam het zelf graag noemt, waar hij

als enige overgebleven zonde uit zijn illegale verleden de Aziatische secretaresses, indien mogelijk klein en streng, pleegt te ontvangen die hij uitkiest als zijn minnaressen.

Het ziet er allemaal prachtig uit: de hoogpolige tapijten, het verwarmde zwembad, het bubbelbad, het reusachtige projectiescherm, de heimelijke edelmoedigheid waarmee iemand 's nachts de koelkast die hij overdag heeft geplunderd weer bijvult met de heerlijkste dingen, zelfs de nachtelijke verleidingstactieken van de jonge Vietnamese die Van Dam, met zijn spreekwoordelijk slechte smaak, ad hoc heeft gecontracteerd, toespelingen die echter geen effect hebben omdat Salgo, die in feite barst van begeerte, niet in staat is ze als zodanig te interpreteren en de mysterieus opengeschoven ramen, de luchtig wapperende voile, de stralen van de maan die twee sterk op elkaar lijkende initialen op de wand tekenen (zijn naam?), de geheimzinnige zwijgzaamheid waarmee het meisje eerder over de meubels in de woonkamer heen lijkt te kruipen dan dat ze ze ontwijkt, gehuld in een bel van licht en voorzien van alle suggestieve wonderen van de kitsch die Van Dam maar heeft kunnen bedenken – zich in werkelijkheid beperkend tot het herhalen van hetzelfde toneelstukje dat hij twee keer per week met zijn harem van rijstverbouwsters in ballingschap in scène zet –, liever toeschrijft aan een of andere hogere, magische macht, waarvan Salgo de uitingen op prijs stelt maar niet durft te aanvaarden, zozeer raakt hij verward vanwege hun sacrale karakter... Het ziet er allemaal prachtig uit, maar na drie dagen is er geen enkel verschil meer tussen dit toevluchtsoord en de gevangenis. Salgo krijgt het benauwd, heeft nachtmerries en lijdt aan achtervolgingswaan. In de bevallige Vietnamese godin, die eens per nacht naakt aan hem verschijnt, met geschoren schaamheuvel, een bijzonderheid waarvan op minder gespannen momenten alleen al de aanblik de laatste druppel sperma uit de testikels van de Hongaar zou hebben geperst, meent hij een spionne te zien, een vermomde agente van de Tsjechische politie, een spookachtige afgezante van een of andere cliënt die, de schuld van een ondeugdelijke long, naar adem ligt te snakken en nu op zoek is naar wraak. (De banale ironie wil dat alleen de naam van Riltse, de enige die echt het recht heeft er een hoofdrol in te spelen, schittert door afwezigheid in deze opbloei van paranoïde ideeën.) Van Dam, die gewaarschuwd is, gaat bij hem op bezoek. Salgo laat al zijn achterdocht de vrije loop en zet met overhaaste openhartigheid zijn behoeften uiteen: vals paspoort, vliegticket et cetera. Als hij hem eindelijk heeft begrepen, steekt Van Dam een mentholsigaret aan met een enorme plastic aansteker – dezelfde waarmee Salgo tevergeefs heeft geprobeerd een gaspit in de keuken aan te steken – en denkt na, gehuld in een halo van geparfumeerde rook. 'Hmmm...' zegt hij peinzend, en vervolgens: 'Over hoeveel geld hebben we het hier?' Salgo aarzelt. Van Dam kijkt hem strak aan, en het is de eerste keer, echt de eerste keer dat Salgo bij zijn vroegere vriend iets waarneemt wat lijkt op sadistisch genot. Salgo staart naar zijn blote voeten. 'Je bent geen groentje meer, Sándor: hoeveel levens moeten er worden uitgewist? Tien? Twintig?' zegt Van Dam, terwijl hij zijn holle hand onder de rups van as houdt die van de sigaret dreigt te vallen. En dan, paf, krijgt Salgo plotseling een heldere ingeving zoals dat heet, en rent naar zijn koffer, doet hem open, haalt er al zijn spullen uit en keert ten slotte terug naar Van Dam met *Het valse gat* tegen zijn borst geklemd. Van Dam trekt enigszins verbluft zijn geëpileerde wenkbrauwen op. Salgo kijkt omlaag, ziet dat hij hem de achterkant van het schilderij voorhoudt en haast zich het om te draaien, waarbij hij volledig voorbijgaat aan de huivering van hebzucht die de handtekening van Riltse, duidelijk leesbaar op de achterkant van het doek, zojuist aan Van Dam heeft ontlokt.

Vaarwel, Salgo. Vaarwel. Dit is het moment waarop het groene lichtje (Salgo) en het rode lichtje (*Het valse gat*), die samen, onafscheidelijk, zij het onder het nodige voorbehoud, het traject Wenen-Brno hebben afgelegd, heel even roerloos blijven staan, vermoedelijk om afscheid te nemen, en daarna uit elkaar beginnen te gaan. De tekening verandert; het lijkt veel op zo'n asymmetrische V waarmee televisiepresentatoren routineus de berichten afvinken die ze al hebben gehad: het rode lichtje beweegt amper een paar centimeter naar links, naar het noordwesten (Praag); het groene, ambitieuzer of wanhopiger, schiet naar boven en naar rechts, naar het noordoosten (Lodz), en laat het stralende spoor achter van een kerstvuurpijl. En terwijl Salgo, met die aanleg voor geheugenverlies die alleen de stompzinnigheid mogelijk maakt, alles vergeet – de ondergrondse gang van het ziekenhuis in Wenen, het zestal orgaantransacties dat hem twee jaar lang heeft gevoed, de ontmoeting met de jonge dokter, Riltse en, vanzelfsprekend, dat clowneske gat in de vorm van een schilderij dat, tussen haakjes, van zijn korte concubinaat met de mosterdkleurige trui in de koffer gebruik heeft gemaakt om een oksel met blauw te bevlekken – en ontdekt, dankzij een cursus op de filmschool van Lodz waar hij per ongeluk belandt omdat hij, slachtoffer van een taal die hij nog niet heeft doorgrond, in de veronderstelling verkeert dat hij deelneemt aan een wervingsactie voor verplegend personeel, dat organen filmen eenvoudiger en minder gevaarlijk is dan erin handelen en begint aan een kortstondige maar succesvolle carrière als maker van medische documentaires die hem via Lodz naar Warschau zal voeren, van Warschau opnieuw naar Moskou en van Moskou – van het Hyatt Moskou, waar hij in alle luxe logeert, als eregast van het Dertiende Wereldcongres van Wetenschappelijke Documentairemakers –, na een vaag incident dat verband houdt met de nieren van een bij een verkeersongeluk onthoofde jongen, die de Moskouse politie beweert te hebben aangetroffen, verpakt in aluminiumfolie, in de minibar op zijn kamer, naar de gevangenis van Minsk, een ware ommuurde vesting waar een bende Russische maffialeiders, seriemoordenaars en handelaars in kinderen, de voornaamste gasten, hem het welkom bereidt dat hij verdient – en het licht van Salgo, dat groene van leven kloppende licht, begint voor het eerst te flikkeren, wordt zwakker en dreigt, dit keer onherroepelijk, uit te doven. En terwijl Salgo vergeet en vergeten wordt, nestelt *Het valse gat*, dat na de wrede ontvoering van de Hongaar weer terechtkomt in een invloedssfeer, de handen van Van Dam, die past bij wat het is, bij de fijngevoelige geest die het heeft uitgedacht, zich in een van die vredige oorden die, eens te meer, de kunst ten goede komen en middelmatige biografen tot wanhoop drijven.

Het blijft in Praag, in het penthouse dat Van Dam voor een habbekrats heeft gekocht van een door de politie in het nauw gedreven tsaar van de kinderprostitutie, en hangt tussen de Freud en de Hockney – ze daarmee ook enigszins in verlegenheid brengend – in de privé-galerie die de hele bovenverdieping van het appartement beslaat. Ondanks die vaste verblijfplaats is het een periode van grote sociale beroering. Het ontvangt allerlei bezoek en is, althans gedurende een paar maanden, de voornaamste attractie van de feesten waarmee Van Dam de strenge winter pleegt te verlichten, én de enige verklaarbare reden voor het feit dat de magnaat van de prothesen de wet overtreedt die hij zichzelf heeft voorgeschreven en waar hij tot dan toe strikt de hand aan heeft gehouden, zelfs bij de veelbesproken aankoop van de Bacon, namelijk de wet die verbiedt dat de feesten, in de regel gehouden op de ruime benedenverdieping, zich uitbreiden naar de verdieping waar de collectie wordt bewaard en tentoongesteld. De reacties zijn zeer uiteenlopend, zoals dat hoort bij elke echte ster en, misschien nog wel meer, bij het heterogene karakter van het publiek van de soirees van Van Dam, waar het gebruikelijk is dat kunstverzamelaars over internationale politiek discussiëren met fabrikanten van chirurgische instrumenten, en waar ex-prostituees die zijn opgeklommen tot mannequin het glas heffen met voetballers die zojuist zijn verkocht aan een Spaanse of Napolitaanse club. Hoe vreemd het ook mag klinken, veel experts bekijken het schilderij en knikken instemmend in aanwezigheid van Van Dam, maar als Van Dam zich omdraait om een glas van het dienblad te pakken dat Ute Ulme, het giraf-model, bijna onthoofdt, wisselen diezelfde bewonderaars vluchtig een spottende blik en onderdrukken eensgezind een schamper lachje. En op dezelfde manier maar dan omgekeerd, lopen veel mannequins, licentiehouders van merkkleding, *chefs* en zelfs een enkele diplomaat of regeringsambtenaar, die a priori geen enkele band hoeven te hebben met de uitspattingen van de moderne kunst, langs het schilderij en blijven staan, op mysterieuze wijze aangetrokken door wat ze zien, en verstommen dan heel even, zij, die een minuut tevoren de muziek van het feest nog overstemden met hun grapjes, gelach en luidruchtige begroetingen, alsof de Riltse niet zozeer een object is voor passieve contemplatie zoals dat heet, maar een vreemde verlammende straling uitzendt. Voor elke fijnproever die vertrouwd is met het esthetische credo van Riltse is dat scheefgetrokken effect heel goed voorstelbaar; voor Riltse – voor de ultieme roeping van de Sick Art: kunst overbrengen op niet kunstzinnige organismen – gaat het zelfs nog verder, het is de logische bekroning van zijn werk, de enige die getrouw de postulaten van zijn project vertolkt en overigens ook de enige die hij, als maker van het werk, bereid is te erkennen. Maar voor iemand als Teun van Dam, die letterlijk zwemt in het geld – en die het schilderij in feite alleen maar heeft gehouden vanwege een misverstand, een van die *quidproquo's* waar de hyena's van de kunstgeschiedenis zich altijd zo over verkneukelen, omdat toen hij de naam Riltse las op de achterkant van het doek dat Salgo hem aanbood, hij die onmiddellijk associeerde met de naam van een schilder aan wie zijn favoriete zakentijdschrift, *Goodbuy*, in een special over nieuwe investeringen, tien pagina's had gewijd, waarbij hij beschreven werd als een 'gerenommeerd maar nog niet in de mainstream van de internationale kunstmarkt opgenomen kunstenaar' en daarmee als een buitenkansje, een schilder die, en dat was de verraderlijke kleinigheid die de verklaring vormde voor de ironie sotto voce van de connaisseurs op de feesten van Van Dam, niet Riltse maar Pilsen heette, de Mexicaan Arturo Pilsen, van wie gezegd werd dat hij een buitenechtelijk kind was van Frida Kahlo en Leon Trotski –, voor iemand als Van Dam, die bovendien, als iedere parvenu, ook nog eens buitengewoon gevoelig is voor elke dreiging die zijn naam in diskrediet zou kunnen brengen, in het bijzonder voor de ongunstige commentaren van wat hij zelf noemt, de uitdrukking met zijn vingers van aanhalingstekens voorziend, 'de specialisten', kan het feit dat zijn nieuwe aanwinst het kamp van de voor- en tegenstanders zozeer verdeelt, niet anders dan verontrustend zijn.

Hij denkt meteen – een typische reactie – dat hij is opgelicht. Voor *Het valse gat* betekent dit het einde van de sociale periode, met haar bubbeltjes, avondkleding en commentaren, en het begin van een smartelijke medische lijdensweg. In de loop van een afmattende maand paraderen een stuk of zes experts, de duurste vanzelfsprekend, en ook de meest gewetenloze, door het penthouse en onderwerpen het schilderij van Riltse aan allerlei onderzoeken en proeven, terwijl Van Dam, die weet dat zijn cheques weliswaar kennis kunnen kopen maar niet noodzakelijkerwijs argwaan tot zwijgen brengen, onwaarschijnlijke verhalen verzint om de omstandigheden waaronder hij het in handen heeft gekregen te maskeren. Het oordeel is niet unaniem maar wel unaniem ongunstig: degenen die niet zeggen dat het schilderij vals is, zeggen dat het erg slecht en daarom onverkoopbaar is, en degenen die zich, tactvoller, onthouden van een waardering in zulke drastische termen, komen tot de conclusie dat het zo buitensporig is dat het nauwelijks een plek, *welke plek dan ook*, op de markt zal kunnen vinden.

Van Dam raakt gedeprimeerd. Het is niet de eerste keer dat hem dit overkomt, maar voor iemand met de mentaliteit van een *nouveau riche*, die weigert van de ervaring te leren omdat dit automatisch zou neerkomen op een erkenning van zijn maatschappelijke positie als *nouveau riche*, iets waar hij, in zijn eigen woorden, 'voor geen goud ter wereld' toe bereid is, is het steeds alsof het wél de eerste keer is. Zijn blindheid is even volledig als zijn hulpeloosheid, en de woede waarmee hij reageert op de achtereenvolgende oordelen – waartoe de experts overigens al vóór het analyseren van het schilderij in onderling overleg hebben besloten tijdens een aantal door hun gelach en de rook van hun pijp vertroebelde geheime zittingen, als een van de privé-grappen waarmee ze, doordrongen van een gevoel van artistieke zuiverheid dat hen op mysterieuze wijze in de steek lijkt te laten telkens wanneer ze, gecontracteerd door een echte verzamelaar in nood, hun handtekening lenen voor de schandaligste taxaties en authentiseringen, op gezette tijden pretenderen wraak te nemen voor de kunst 'in haar altijd ongelijke strijd tegen het despotisme van het geld' – is geen symptoom van het feit dat hij ze in twijfel trekt, waar hij trouwens alle recht toe zou hebben gezien de vele onregelmatigheden die ze volstrekt nutteloos maken, maar van de aandoenlijke manier waarop hij zich eraan overlevert. Diezelfde middag, somber gestemd door de tegenslag maar nog altijd niet in staat een beslissing te nemen met betrekking tot het schilderij, dat hij voor de zekerheid toch maar besluit in te pakken en in de kofferbak van zijn auto te leggen, belt hij bijna zonder erbij na te denken een van de meisjes uit zijn Aziatische harem, het eerste dat hij in zijn agenda aantreft – want in de toestand waarin hij verkeert lijken alle Vietnamese namen op elkaar en kan hij onmogelijk aan elk daarvan de onderscheidende herinnering van een gezicht, een lichaam of een speciale ontuchtige vaardigheid toekennen –, wendt een bliksembezoek aan een congres van prothesefabrikanten voor ('Het einde van het beenderstelsel: nachtmerrie of utopie?') en trekt zich terug in zijn datsja in Brno, erop vertrouwend dat twee of drie dagen vrolijke bandeloosheid de waas van verblinding die hem kwelt wel zal verdrijven. Hij vergist zich lelijk. Maar die vergissing – dankzij een van die tours de force waarmee het lot, onverklaarbaar inschikkelijk ten aanzien van hun kwetsbaarheid, de nouveaux riches gewoonlijk schadeloos stelt voor de misstappen die ze door hun vasthoudendheid begaan – lost het probleem wél op. Plotseling lijkt alles in de datsja hem aan de aanwezigheid van Salgo te herinneren. Hij ontdekt de plukken haar die de afvoer van de douche verstoppen, de barst in het porseleinen zeepbakje, de koffiebus zonder deksel, het kerkhof van gelige nagels tussen de polen van het tapijt in de woonkamer en telkens meent hij in een andere hoek van het huis de schim te zien van de Hongaarse oplichter die dubbel ligt van het lachen. Dat is het toppunt. Hij is niet langer gedeprimeerd; nu wil hij, buiten zichzelf van woede, alleen nog maar wraak. Hij is net aan het nadenken over hoe hij het zal aanpakken als het Vietnamese meisje in de eetkamer verschijnt en om hem te prikkelen in de deuropening een kalenderpose aanneemt. Ze heeft een van de zijden pyjama's van Van Dam aangetrokken; het losgeknoopte jasje gunt hem een blik op het stevige, goudkleurige vlees van haar buik en een deel van de blanke halo's van haar borsten; een dun lijntje schaamhaar steekt als bij toeval boven de rand van de broek uit, die te wijd is voor haar knokige jongensheupen. De signalen zijn overduidelijk en herhalen trouw de regels van het sensuele protocol dat hij zelf ooit heeft opgesteld om opgewonden te raken; maar zoals de meest vertrouwde gezichten, namen en stemmen iemand die zijn geheugen kwijt is volkomen onverschillig laten, zo zeggen die signalen Van Dam absoluut niets. Want hij, Van Dam, ziet *iets anders*: hij ziet de roodachtige vlek die vloekt met de glanzende zandkleur van de pyjama, hij ziet hem smadelijk uiteenspatten op het monogram in Helvetica dat op het jasje geborduurd is, en zijn maag draait om bij het beestachtige beeld van Salgo die de tomatenpuree morst die hij voor de televisie rechtstreeks uit het blik naar binnen werkt. Maar het Vietnamese meisje, wier professionalisme haar verhindert ook maar iets te zien wat buiten de orde van de begeerte valt, laat gracieus haar pose van een schoonheidskoningin varen en doet op haar tenen een paar stappen in de richting van Van Dam, zonder te merken dat de zoom van het pyjamajasje achter de klink van de deur blijft haken en scheurt. Bingo. 'Stomme boerin,' zegt Van Dam, terwijl hij langzaam, heel langzaam opstaat. 'Ordinaire rijstplukster, achterlijke Aziatische, idioot kutwijf, monsterlijke spleetoog, slavin.' Ja, het is op haar, op het arme Vietnamese meisje dat die laaghartige etiketten een voor een neerdalen, alsof hij haar stenigt, maar ze worden niet geïnspireerd door háár, die nu als bevroren onder die stortvloed van obsceniteiten blijft staan, terwijl ze instinctief het pyjamajasje dichttrekt, dat nog verder scheurt, maar door de definitief verachtelijke persoon van Salgo, die Van Dam, als hij zich los zou kunnen maken van het pure heden van zijn vernedering, beslist verantwoordelijk zou stellen voor alle tegenslagen uit zijn bestaan, van de jacht die de Nederlandse belasting al jarenlang op hem maakt – de enige verklaarbare reden voor zijn verblijf in de Tsjechische republiek, 'die salon van door dichters en brave zielen in het algemeen geleide kinderfeestjes' die hij uit de grond van zijn hart verafschuwt, maar waarvan het feit dat het dienstdoet als belastingparadijs hem goed van pas komt – tot aan de multiple sclerose die, nadat ze de meest onvoorstelbare pijnen heeft moeten doorstaan, een einde maakte aan het leven van zijn tweede vrouw, op wier lichaam Van Dam, ondanks alles, toch nog zijn eerste, weliswaar enigszins experimentele stukken van orgaanvervanging had weten te testen.

Het vormt de inleiding tot een afgrijselijke, eindeloze nacht. Na de verbale mishandeling die tot ongehoorde hoogten reikt ('kut in staat van ontbinding', 'misgeboorte', 'menselijke steenpuist') en alleen maar erger wordt, volgt het oorspronkelijk afgesproken programma, de losbandigheidssessie, die Van Dam niet van plan is zich te ontzeggen en die hij alleen wil aanpassen aan het dringende karakter van zijn woede.

Het begint met klappen met de vlakke hand, tikken op de billen, het omdraaien van ledematen. Het meisje, dat die kwellingen verwart met de brute rituelen, gewelddadig maar beheerst, waaraan Van Dam gewoon is haar te onderwerpen, lijkt ze zonder al te veel moeite te verdragen door ze te vertalen in de retoriek van de opwinding, want ze is tenslotte getraind in het onderdrukken van de pijnlijke gevolgen en vooral gedwongen ze in stilte te ondergaan door het bijna slaafse regime – één nee, één protest en ze wordt het land uitgezet – dat Van Dam zijn hele harem oplegt. Maar hoe snel al laat Van Dam dat inleidende gestoei achter zich, waarvan de sporen heel even nagloeien op de huid van het meisje en daarna, als luchtspiegelingen, verdwijnen, en hoe snel verandert de apathische lusteloosheid waarmee het meisje zich daaraan overgaf in ongerustheid, in angst, in paniek, wanneer Van Dam, na haar aan handen en voeten te hebben vastgebonden op het rooster dat hij speciaal heeft laten maken door een betrouwbare smid, voor haar ogen de verzameling zwepen, stokken, riemen, gummiknuppels, messen, metalen knijpers en priemen uitstalt, waarmee een cliënt, overigens een oude vriend van deze bladzijden, hem ooit betaalde voor de hightech prothese die hem het gebruik van zijn geslachtsorgaan zou teruggeven na tientallen jaren van extravagante maar tamelijk onbevredigende troostmiddelen, en die Van Dam tot dan toe nooit had durven gebruiken, bang als hij was – hij, die zich op het gebied van erotische experimenten niet laat afschrikken door enige scrupule – voor de mogelijkheden waartoe alleen al de aanblik van die accessoires hem zou kunnen inspireren. Wat volgt – sneden, klappen, verminkingen: een waar festijn van de foltering – zou in de verbeelding van de meest barbaarse wellusteling niet uit de toon vallen. Pas als ze gedwongen is tot onbeweeglijkheid ontwaart het meisje de horizon van verschrikking die haar te wachten staat en ze brult al van pijn, begint te kronkelen op het rooster, waarmee ze de insnijdingen van het sisaltouw in haar polsen en enkels alleen maar dieper maakt, en is al bezig het bewustzijn te verliezen. Dezelfde cyclus herhaalt zich urenlang met de eentonigheid van een macaber ceremonieel, met geen andere variatie dan de intensiteit waarmee Van Dam, nog altijd verblind door het beeld van Salgo, zijn *bête noire*, telkens weer zijn foltering voltrekt, die voortdurend heviger wordt en geen grenzen lijkt te kennen. Tegen de ochtend, na verschillende ronden van puur seksueel geweld te hebben doorstaan, tot het uiterste gekweld, bloedend en doorboord – letterlijk – door de set roestvrijstalen vibrators die haar beul om enige nuance aan te brengen ten slotte aan zijn arsenaal heeft toegevoegd, veeleer ambachtelijke stukken die door Van Dam zelf in 1978 zijn ontworpen voor de Universele Expositie van de Pornografie in Kopenhagen, en die, voorzien van een mini-accu, met plotselinge elektrische schokken de verwondingen completeren die de scherpe randen in het vlees ver-oorzaken, slaakt het arme meisje een diepe zucht en valt flauw, en wat Van Dam ook probeert om haar weer bij te brengen – en hij probeert alles, absoluut alles, want het naar wraak hongerende dier waarin hij is veranderd kan weliswaar toestaan dat zijn prooi zich verzet, hem min-acht, in opstand komt of hem zelfs met gelijke munt terugbetaalt, maar nooit dat ze zich aan zijn invloed onttrekt – hij slaagt er niet in haar uit de put omhoog te halen waarin ze is weggevlucht. Van Dam verlaat de martelkamer, laat zich uitgeput op het waterbed ploffen en valt rugge-lings in slaap, halfnaakt als een gladiator, met riemen kruiselings over zijn bovenlijf, twee vergeten gummiknuppels tussen zijn lies en het elastiek van zijn onderbroek, en in zijn hand een stalen dildo waarvan de punt gekroond is met bloed. Hij slaapt – hij slaapt zo diep dat Van Dam om halfzeven 's morgens, als het meisje, dat door god mag weten wat voor verborgen Vietnamese levenskracht is bijgekomen, erin slaagt zich te bevrijden van de touwen en op de vlucht slaat in de Mer-cedes, die ze in haar toestand, nagenoeg leeggebloed, en met haar rij-ervaring, die niet veel verder gaat dan een enkele riksja of een geleende brommer, pas de weg weet op te krijgen na tegen een van de twee oude olmen bij de ingang van de datsja in Brno te zijn gebotst, zijn neus op-trekt, een onzichtbare vlieg van zijn wang verjaagt en, terwijl hij zich op zijn rechterzij draait, glimlacht als de stralende en doorschijnende baby die hij ooit was, en verder slaapt.

Iedereen op zijn plaats. Opnieuw licht het rode lampje op, *Het valse gat* rekt zich uit en begint te bewegen op de kaart. De eerste schreden zijn, zoals te verwachten valt kort en onbeholpen; ze gaan heen en weer, rijden in cirkels, nu eens vooruit en dan weer achteruit, de wispelturige route volgend die het Vietnamese meisje improviseert terwijl ze er in de Mercedes vandoor gaat. Totdat ze op een gegeven moment stoppen – grens met Duitsland –, een sprongetje maken – het meisje doet de kofferbak open om haar bagage eruit te halen, ziet het ingepakte schilderij, scheurt de verpakking eraf, herkent het werk dat tijdens de laatste mondaine feestavonden in het penthouse van Van Dam voor zoveel opschudding heeft gezorgd en besluit het zonder er lang over na te denken mee te nemen, waarna ze de Mercedes naast een stinkende kippenfokkerij achterlaat –, de stippellijn van de grens oversteken – een korte onderbreking, echter lang genoeg om de grenswachter het smerige vleselijke tiend te betalen dat hij eist om haar door te laten – en in München, op een paar straten van de matrassenfabriek die twee weken eerder het laatste model waterbed naar Brno had gestuurd, dat Van Dam op datzelfde moment, maar vele kilometers daarvandaan, zonder het te merken in zijn slaap lek prikt met de punt van de stalen dildo, het daarmee onherstelbaar ruïnerend, beginnen aan de lange, ononderbroken rechte lijn – een oud Volkswagenbusje vol apathische hippies en strijdlustige milieuactivisten met maar één doel voor ogen: de zon – die op de Joegoslavische kust zal stuiten en, na kilometers en nog eens kilometers langs de kust te hebben gelopen, zal eindigen in het zuiden van Frankrijk, in Cannes, in de zoele maand mei, wanneer de seringen bloeien, de aspirant-starlets trots hun borsten in de lucht steken op de boulevard de la Croisette en de iconen van de Amerikaanse film hun sigaretten uittrappen op het tapijt dat het Palais des Festivals als een rode kikvorstong uitspuugt, onder vuur genomen door een leger paparazzi.

Het is niet moeilijk je het Vietnamese meisje voor te stellen, gehuld in wolken marihuana, met haar armen om het doek geslagen (dat ze zo brutaal, of voorzichtig, is geweest uit het spanraam te halen) en met een aarzelende sandaal de treeplank van het busje beroerend, terwijl de eerste zonnestralen van de lente door de kruinen van de palmbomen vallen en pijn doen aan haar slaperige ogen. Ze is nooit in Cannes ge-

weest, kent er niemand, begint nog maar net een paar eenlettergrepige
woorden in het Tsjechisch te stamelen of wordt al geconfronteerd met
weer een nieuwe taal, die in tegenstelling tot het Tsjechisch, *niet vergevingsgezind* is als hij slecht wordt uitgesproken. Maar wat kunnen haar
die kleinigheden schelen? Ze is nog jong, zeventien, en op de leeftijd
waarop iedere westerse spring-in-'t-veld trillend haar eerste jointje
koopt, heeft zij al de meest extreme tegenslagen overleefd. Bovendien
is ze mooi en exotisch – iets wat haar, tijdens de eerste dagen, gevoegd
bij het beeld op de tv in een bar van een buitengewoon bloedige scène
uit *A man called horse*, waarin Richard Harris letterlijk wordt opgehe-
sen aan de haken die de indianen door zijn tepels hebben geregen, op
het idee brengt haar weldoeners er met gebaren van te overtuigen dat
de sporen die Van Dam op haar lichaam heeft achtergelaten rituele
merktekens zijn die typerend zijn voor haar geboortedorp –, en blijkt
het Aziatische type, met betrekking tot vrouwen maar ook op het gebied van gastronomie, kleding, toerisme en vanzelfsprekend film, op
een bepaalde manier, niet expliciet maar wel overduidelijk, het belangrijkste thema van het festival van dat jaar te zijn. Het is niet moeilijk
voor te stellen met welk genot de jagers op vrouwenvlees haar, met die
onweerstaanbare onhandigheid en nonchalance van ongepolijste
schoonheden, zien paraderen door de straten van een op het ordinaire
af in luxe badende stad. Ze wordt aangesproken door mannen met
grote handen vol sieraden en in een overhemd met de kraag over de revers van hun colbert. Zij, nog maar net terug uit de hel, weigert hun
voorstellen, ook al zou het minst grootmoedige nog met gemak haar
onmiddellijke behoeften hebben kunnen bevredigen. Niets van dat alles is nieuw voor haar. Al in Saigon heeft ze die roofzuchtige schittering
in de ogen gezien en die zachte maar vasthoudende toon in de stemmen gehoord die ze nu twee of drie keer per huizenblok in haar nek
voelt, en die begeerte en belegering combineren met dreiging. Na de
hele ochtend te hebben rondgedwaald, komt ze ten slotte terecht op
een strand ver weg van het centrum, een van de weinige populaire
stranden die nog niet volledig zijn bedorven door de internationale
overdaad, waar ze een groep jonge vrouwen ontdekt die gezamenlijk

zitten te lunchen in de zon. Ze ziet ze, zij zien haar en nodigen haar uit zich bij hen te voegen. Ze hoeven niet te praten; net als vampiers herkennen ze elkaar aan een geheime, geluidloze taal waarvan de wachtwoorden gevormd worden door een oud litteken, een bloeduitstorting, de kleine kring van dode huid, achtergelaten door de gloeiende as van een sigaret. Een uur later zien dezelfde pooiers die eerder getallen in haar oor hijgden haar terugkomen, triomfantelijk, mooier dan ooit, want van alle gemoedsgesteldheden waarmee schoonheid gecombineerd kan worden, is er niet een die haar zo accentueert als onverschilligheid, en onder bescherming van de stoet bloeiende meisjes waarbij ze zich zojuist heeft aangesloten. Ze heeft een huis – een klein hotel in een bescheiden wijk, dat ze deelt met de anderen maar waar ze een eigen kamer heeft – en werk – *Luxe, calme et volupté*, een escortbureau geleid door een gezette dubbelgangster van Fanny Ardant – en in een min of meer nabije toekomst, zo beloven ze haar, waarschijnlijk ook papieren.

Er wordt op de deur geklopt. En *Het valse gat?* zegt een stemmetje als van een gnoom ongeduldig. Ja, ja. Alles gebeurt zo snel. Alles zal zo snel gebeuren. In het begin – het lot van een paria, alsof het meisje het heeft aangestoken met de clandestiene staat waarvan zij zich net begint los te maken – beperkt het zich tot vegeteren. Het brengt een paar ongemakkelijke weken door, als een verstekeling opgerold in de kartonnen doos die het meisje, een paar dagen nadat ze haar intrek had genomen in de Luxe, met de zijkant van haar voet nog net op tijd onder het bed kon schuiven, enkele seconden voordat Fanny Ardant, bij een van haar inspectieronden, op haar deur klopte en zoals haar gewoonte was, de kamer binnenstapte nog voordat ze antwoord had gekregen. Maar vergeleken met de promiscue gevangenschap in de koffer van Salgo lijken die weken van opsluiting bijna op een vakantie in een kuuroord aan de kust. De Riltse blijft gevangen, ja, maar hij hoeft zijn cel met niets meer te delen, en hoewel de sokkel waarop hij rust gewoonlijk de favoriete verzamelplaats is van pluizen, insecten, haarspelden en zelfs kunstnagels – iets waar vooral Vietnamese meisjes schijnbaar dol op zijn, deels omdat ze daarmee de erbarmelijke staat van de echte, uit Vietnam meegebrachte nagels kunnen verbergen, deels ook door de rol die ze er bij het liefdesspel aan toekennen, waar ze er met buitengewone bedrevenheid gebruik van maken –, die over het algemeen in het centrum van een spinnenweb eindigen, is de kamer fris en zonnig en kijken de ramen uit op het zuiden, op de zee, waar meestal de bries vandaan komt die later, telkens wanneer het meisje naar buiten kijkt om haar longen met lucht te vullen en de verre godheid tot wie ze elke avond bidt te danken voor de wending van haar lot, de pluizen en insecten en haarspelden en kunstnagels wegblaast en bijeendrijft in een hoek onder het bed. Op een middag, terwijl ze tijdens het ledige intermezzo tussen twee klanten tevergeefs op zoek is naar de tinnen ring die ze later, tot haar verbazing en woede, zal vinden in het sieradenkistje van haar buurvrouw, een meisje uit Kaapverdië dat zodra ze een kamer in- of uitgaat moet bukken, trekt ze het bed van de muur en valt haar oog op de doos, en ze kijkt ernaar alsof die niet van haar is, en in de blijdschap over de ontdekking – die de blijdschap van de vergetelheid is, de enige kracht die alles wat wordt aangeraakt nieuw maakt – doet ze hem open, haalt er het doek uit, houdt het na het te hebben uitgerold, tegen de muur en kijkt er een paar minuten naar, als om zich voor te stellen welk esthetisch effect het op de kamer zal hebben, en ook om bij zichzelf na te gaan of ze het zou kunnen laten hangen. Het zullen hoogstens drie, vier minuten zijn, maar die vlaag van vrijheid, van een buitengewone intensiteit, is voor het doek van Riltse hetzelfde als de paar wonderbaarlijke druppels water die een barmhartige ziel laat vallen op de tong van de reiziger die dagenlang verdwaald was in de woestijn.

Het meisje klimt al heel snel op. Ze moet ondanks alles toegeven dat de verplichting om zich te onderwerpen aan de eigenaardigheden van Van Dam niet alleen een lijdensweg maar ook de best mogelijke leerschool is geweest. Haar kamer in de Luxe is maar zelden leeg en van de grote hoeveelheid mannen die er dagelijks komt, krijgt ze maar zelden, hoogstzelden, de armoedige, slecht geschoren klanten die op het moment van betalen diep in hun zakken moeten duiken om het biljet tevoorschijn te halen waarmee ze het tarief kunnen voldoen, het type klanten dat daarentegen veelvuldig voorkomt in de agenda's van haar collega's. De mannen die naar haar vragen – want ze komen naar de Luxe met haar naam op hun lippen, bereid om zo nodig te wachten, in de kleine salon die het huis voor dat doel heeft gereserveerd, maar nooit om haar te ruilen voor een ander meisje, ook al wordt dat door Fanny nog zo geroemd om ze te overreden haar te nemen – zijn kredietwaardig, zeer zelfverzekerd en op een discrete manier elegant, en het duidelijkste bewijs voor de macht die ze bezitten is dat ze het meisje als een gelijke behandelen en er pas over geld gesproken wordt als het onvermijdelijk is, na afloop, in een persoonlijk tête-à-tête met Fanny – nooit met de Vietnamese –, middels een cheque of een creditcard – nooit contant –, en dat ze daarbij hetzelfde aangename flirtgedrag, dezelfde prettige conversatie en dezelfde persoonlijke nieuwsgierigheid aan de dag leggen als bij de vrouwen van hun eigen klasse, die ze hebben leren kennen op de mondaine feestjes die ze net, in een staat van onbeschrijfelijke opwinding, verlaten hebben om zich twee uur lang over te geven aan de lichamelijke roes. Al snel worden haar naam en haar vaardigheden een publiek geheim, en de sfeer van het filmfestival, met zijn gesloten karakter, als van een zelfvoorzienende microkosmos, en tegelijk met zijn geweldige kosmopolitische poreusheid, functioneert als een fantastisch klankbord. De status van het meisje verandert. Ze beperkt zich niet langer tot ontvangen in de Luxe; nu wordt ze ook daarbuiten gevraagd, op cocktails, vernissages en privé-feesten, als gezelschapsdame van dezelfde potentaten die naar haar toe komen en betalen om haar kleine lichaam tussen vier muren aan hun degen te rijgen. Fanny stemt ermee in, ook al betekent dit dat ze voor het eerst sinds jaren ingaat tegen de politiek dat alles binnenskamers moet blijven waarmee ze haar huis en haar meisjes altijd heeft geregeerd. Het is een cruciale beslissing, zij het niet zozeer voor het meisje, dat hoogstens, veel meer nog dan dat ze 'zich bevrijdt', de tot dan toe tot de Luxe beperkte radius van haar gevangenschap uitbreidt naar de hele stad, naar de luxueuze buitenwijken, zelfs naar de jachten die in de haven liggen te deinen, waar de losbandigheid, gezegend door de straffeloosheid die het verblijf op het water met zich meebrengt, dagen en nachten kan duren, en dat later, als alles voorbij is, weer verbannen zal worden naar de Luxe – naar een aanzienlijk kleinere, minder geventileerde kamer dan die waar ze tot dat moment had verbleven – 'met gegroefd gelaat', volgens de uitdrukking die ze wel geleerd zal hebben van de man die tegelijk haar slachtoffer en haar beul was. Het is een cruciale beslissing voor *Het valse gat*.

Want het filmfestival gaat voorbij en daarmee de bedwelming, de *glamour*, de wanstaltige koorts die geld en kunst met elkaar versmelt, en een paar weken later, als het Vietnamese meisje net de buit op orde heeft gebracht die het jachtseizoen haar heeft opgeleverd, waarbij ze – op verzoek van Fanny – een bescheiden percentage afstaat aan haar collega's om de blikken van afgunst te neutraliseren die ze haar in de eetkamer, in de douches en in de wachtkamer voor de medische controle toewerpen, slaat een nieuw circusvermaak, het festival voor het reclamewezen, alweer zijn tenten op op de ruïnes die het vorige heeft achtergelaten. Feesten, welkomstborrels, banketten: alles begint weer van voor af aan – en 'alles' omvat vanzelfsprekend ook die verrukkelijke en opwindend gloeiende tinteling die opwelt uit het nog warme balboekje van het Vietnamese meisje. Maar tegelijk is alles ook ordinairder, ondoorgrondelijker en protseriger. Want de sterren van de reclame, wier glans, hoe bedrieglijk ook, in tegenstelling tot die van de film, tot in de meest afgelegen streken pleegt te reiken, schitteren alleen in de wereld van de reclame, waar hun namen in het beste geval gelijktijdig worden genoemd met die van de kledingmerken of de nieuwste delicatessen waaraan hun roem voor eeuwig verbonden zal zijn; en van de alchemie tussen kunst en geld blijft nu alleen het geld nog over. Niets van dat alles schijnt indruk te maken op het meest gevraagde hoertje van de Luxe, dat haar uitputtende routine weer opneemt en opnieuw gebruikmaakt, nu meer dan ooit, van de bewegingsvrijheid die Fanny haar heeft toegestaan. Aan de arm van Japanners, Zweden, Mexicanen gaat ze naar filmzalen, luxe restaurants, bars, nachtclubs, hotels, ommuurde paleizen, opnieuw naar jachten, waar haar rentree door het vaste personeel, van de managers tot de obers, via de croupiers, de garderobejuffrouwen en de beveiligingsmensen, wordt begroet met respectvolle buigingen en heimelijke blikken van verstandhouding, het

soort medeplichtigheid dat de slachtoffers van een gemeenschappelijke vijand, hoe verschillend ze ook zijn, met elkaar verbindt, en daarna
brengt ze de nacht met hen door, soms met meer dan één, in hotelka-
mers ter grootte van een hele verdieping, met verwarmde zwembaden
op het dakterras, gordijnen die op afstand worden bediend en koelkas-
ten boordevol luxeproducten waarvan de waarde als die in geld zou
worden uitgedrukt, voldoende zou zijn om een hele Vietnamese familie, de hare, om er maar eens een te noemen, van wie ze trouwens maar
heel af en toe een levensteken ontvangt, minstens twee jaar te onder-
houden. Er is bijna geen avond dat ze niet uitgaat. Ze woont lanceerin-
gen van nieuwe producten bij, missverkiezingen, jinglecompetities. Ze
wordt voorgesteld aan bankiers, stuntmannen, modeontwerpers,
communicatiemedewerkers. En met het verstrijken van de tijd en het
toenemen van de afkeer, misselijk van de oesters, de parfums en de
beelden, is het enige wat ten slotte nog de aandacht trekt van het meisje, dat vanwege haar maatschappelijke positie en onervarenheid alles
bekijkt met de afstandelijke blik van een buitenlandse, de Argentijnse
delegatie, die – dat herinnert ze zich nu, nu hun gezichten haar al min
of meer vertrouwd zijn – als eerste aankwam, de meeste bagage bij zich
had – ze zou er al snel achter komen dat de helft van al die koffers leeg
was – en de enige was die onder het dreigement onmiddellijk van hotel
te veranderen, eiste dat ze allemaal op dezelfde verdieping en in aangrenzende kamers werden ondergebracht. Het is ook de meest talrijke,
met het minste aantal vrouwen, de luidruchtigste, het meest geneigd
tot protesteren, en de eerste die zich op de tafels stort. Maar wat haar
van die verbijsterende gemeenschap nog het meest intrigeert is de gestalte van een al wat oudere man met een blonde snor, een gezicht vol
sproeten en altijd verwarde haren, alsof hij zojuist van een motor is gestapt, die – voor zover het gehoor van de Vietnamese dat kan beoordelen – dezelfde taal spreekt als de Argentijnen, dezelfde toon van verontwaardiging en gekwetste trots aanslaat als zij en daarom deel lijkt uit te
maken van de delegatie, maar die tegelijk steeds alleen bij de verschillende evenementen arriveert, te vroeg of te laat, en met wijdopen ogen,
stijf op elkaar geklemde kaken en zijn kin een beetje in de lucht, als een

boegbeeld, de zaal binnenstormt en zich afzijdig houdt, staande – als alle anderen zitten – of zittend – als alle anderen staan –, sigaretten rokend die steeds meer tabak verliezen omdat hij ze de hele tijd tussen twee vingers ronddraait, in de staat van voortdurende gespannenheid van iemand die midden in een massabijeenkomst wacht op een teken om de bom tot ontploffing te brengen die alles in de lucht zal laten vliegen, en die die rusteloze spiedende houding alleen laat varen om onverwacht, altijd als enige, luidkeels te protesteren tegen de voordracht die iemand aan het houden is, de film die vertoond wordt of de prijs die men op het punt staat aan iemand uit te reiken. Het meisje komt hem verscheidene keren tegen. Eén keer ontdekt ze hem in een hoek van het Palais des Festivals, terwijl hij bezig is met de rand van een fluwelen gordijn de hondenpoep van zijn schoen te vegen. (Hij draagt altijd bootschoenen, zelfs onder een smoking.) Op een ochtend meent ze hem te herkennen in een schim die staat te worstelen met een geldautomaat. Ze ziet hem een keer in het duurste restaurant van Cannes, waar hij onder de verblufte ogen van de eigenaar op een stuk papier een soort plattegrond staat te tekenen, terwijl hij, na eerst zijn schoen te hebben uitgetrokken, met een zilveren vork zijn rechtervoet krabt, en een andere keer komt ze hem tegen bij het smerigste eettentje op het station, waar hij met een hand die glimt van het vet bezig is een berg crêpes te verorberen, verdiept in de financiële bijlage van een Londense krant. Het meisje, dat alle hotels vanbinnen en vanbuiten kent, heeft hem er nooit een binnen zien gaan of uit zien komen. Ze doet navraag. Iemand vertelt haar dat de Argentijn niet op het vasteland verblijft maar aan boord van het zeiljacht Evita Capitana, waarmee hij, profiterend van het feit dat het heeft meegedaan aan de zeilwedstrijd Buenos Aires-Punta del Este, waarbij zijn rol overigens nogal wat te wensen schijnt te hebben overgelaten, besloten had solo vanuit Zuid-Amerika naar Europa te varen.

Dan gebeurt het onvermijdelijke: de Argentijn – die haar, volgens het meisje, al die tijd geen blik waardig heeft gekeurd – wenst gebruik te maken van haar diensten. En als hij in de Luxe aankomt, zoals altijd slordig gekleed, de revers van zijn oude colbertje onder de as, weigert hij de drankjes, de muziek, de conversatie, al die beminnelijke inleidingen waarmee Fanny gewend is haar klanten te verwelkomen, loopt rechtstreeks naar boven en, alsof hij achtervolgd wordt door Justitie, sluit zich op in de kamer van het meisje. Eenmaal binnen haalt de Argentijn, nog altijd met zijn colbert aan, een sigaret uit een pakje, laat die ronddraaien tussen zijn vingers, steekt hem aan – de vlam, aangemoedigd door de plukjes tabak die zich aan het uiteinde hebben verzameld, lijkt meteen de helft van de sigaret te verbranden –, gaat op de grond zitten, haalt een paar velletjes papier uit zijn zak en begint op ernstige, mooie en strijdbare toon, met een stem die het midden houdt tussen een bariton en de stem van een legerofficier, bijna zingend, de gedichten voor te dragen die deel zullen uitmaken van *Drogeren*, zijn volgende boek. Dat is wat hij in de daaropvolgende zes dagen doet: haar voorlezen, en uit zijn hoofd dingen van anderen voordragen, in talen die hij totaal niet kent maar perfect uitspreekt, en voor haar zingen – Wagner, de *Lieder* van Schumann, de hele *Rosencavalier*–, en haar imponeren met zijn encyclopedie van nutteloze feitjes, die hij in de loop van zijn carrière als marktonderzoeker en reclamemaker heeft aangelegd, en waaruit hij steeds de marginale gegevens, statistieken of percentages weet op te diepen die, op zich volstrekt onbeduidend, een *zorgvuldig beredeneerde* verklaring geven voor de val van de Berlijnse muur, de vorm van de borsten van Afrikaanse vrouwen, aids, de Eerste Wereldoorlog of de economische groei van Sony. Seks is het laatste dat hem interesseert. Hij kan een uur en vijftig minuten bezig zijn met het uiteenzetten van een theorie – over bijvoorbeeld, om in de gunst te komen bij het meisje, de doorslaggevende rol van het irrigatiesysteem bij de verdedigingsstrategie van de Vietnamese guerrilla en de nederlaag van de Amerikaanse troepen – en slechts tien minuten besteden aan een seksuele bevrediging die overigens ook zo haar eigenaardigheden heeft: tien minuten anale massage bijvoorbeeld, of zich staande laten aftrekken terwijl zij met de gouden pen van zijn Montblanc in zijn tepels prikt, of een snel nummertje, 'als een arbeider', zoals hij het noemt, met zijn broek op zijn knieën en de broekriem om haar hals geslagen. En na zes dagen houdt maar één vraag het Vietnamese meisje bezig: wie is deze man?

Het is liefde – een ander antwoord is er niet. Fanny heeft het meteen al tegen haar gezegd, toen ze haar de eerste keer verraste in een van die afwezige trances die haar zonder aanwijsbare reden plotseling op elk willekeurig moment overvallen, terwijl ze in bad zit, als ze de trap af loopt naar de eetzaal, bij het raam of als ze een kopje naar haar mond brengt, en die maken dat ze heel even roerloos blijft staan, alsof ze ergens op wacht, waarbij ze letterlijk ophoudt te bestaan voor de haar omringende wereld. Maar het meisje beseft het pas als ze op een middag, nadat ze hem een paar erotische sonnetten heeft horen voorlezen en iets heeft opgevangen, zonder er erg veel van te begrijpen, want het Engels van de Argentijn is net zo slecht als het hare, over het verband tussen de onvruchtbaarheid van bijen, polyester, de toename van allergieën en de lobby's van de internationale farmaceutische industrie, zichzelf verrast, zonder er zelfs maar bij na te denken, door iets te doen wat ze nog nooit bij iemand heeft gedaan: hem haar leven vertellen. Ze heeft er niet veel tijd voor nodig: het is een kort leven, en haar lotgevallen laten zich, ook al zijn het er veel, gemakkelijk terugbrengen tot twee of drie zich herhalende categorieën. Maar op een gegeven moment, al tegen het eind van de afspraak, schuift het meisje het bed van de muur, haalt de kartonnen doos tevoorschijn en spreidt *Het valse gat* voor de Argentijn uit, erop vertrouwend dat de aanwezigheid van het schilderij het hoofdstuk van haar ontsnapping uit de invloedssfeer van Van Dam het realisme en de overtuigingskracht zal geven die haar woorden, te oordelen naar de gezichtsuitdrukking van de Argentijn, niet hebben kunnen overbrengen. Het heeft onmiddellijk effect, hoewel niet op de manier die het meisje zich had voorgesteld. Als de ervaren wellusteling die een zwakte ontdekt waarvan hij niet wist dat hij die bezat, en waarmee vergeleken alle andere, zelfs zijn favoriete, nu verschrompelen tot armzalige troostmiddelen of kinderspelletjes, ritst de Argentijn zijn gulp open en bevrijdt zijn geslacht, dat door de simpele aanblik van het schilderij stijf is geworden, en twee seconden later zit hij al op zijn knieën op de grond en is bezig de Vietnamese op zijn hondjes te neuken, diep wegzinkend in de diepten van haar vlees terwijl hij, trouw aan de logica van het dolzinnige genie dat het heeft uitgedacht, een *chef d'oeuvre inconnu* van onze hedendaagse kunst doorboort. Laten we hier even bij stilstaan, voordat de biografen het naar believen vervormen en uitvoerig in hun scabreuze werken van de daken schreeuwen. De Argentijn is vlug van begrip zoals dat heet, en heeft het geheim van het werk van Riltse meteen doorgrond; hij begrijpt het zelfs nog voordat hij weet dat het een Riltse is, en misschien wel voordat hij weet dat het een schilderij is, maar eerlijk gezegd is het niet híj die het begrijpt maar zijn geslacht, 'mijn lezerspik', zoals hij schrijft in het sonnet waarmee *Drogeren* opent, een lange en bij vlagen zeer vermakelijke uiteenzetting over alle blinde dingen in het dagelijks leven die plotseling beginnen te lezen. En is dat wonderbaarlijke begrip, dat telebegrip, dat de esthetische ervaring 'laat afdalen' in de diepten van het organische, soms niet het klapstuk dat herinneringen oproept – in een van die echobeelden die als ze niet zo echt waren weerzin zouden opwekken – aan de onmiddellijke ejaculatie waarmee Lumière *Het valse gat* had gedoopt, de ultieme oorsprong van de rectale prikkel en het hoogtepunt die Riltse de weg wezen naar de meest radicale vormen van de Sick Art? Ach, konden we maar Riltse zijn, konden we maar in zijn huid kruipen om te weten of op het beslissende moment – toen de Argentijn, na zich te hebben uitgeleefd op de spleet van de Vietnamese, zijn sap loosde op de randen van het gat van *Het valse gat* – híj, Riltse, niet opnieuw de gewijde steek in zijn rectum voelde en daarmee de overdraagbaarheid op afstand van zijn kunst bevestigd zag!

Of ze het weten of niet – en alles wijst erop dat ze het niet weten –, de dagen van het meisje en het schilderij zijn geteld. Vervreemd van zijn maker heeft *Het valse gat* een natuurlijke eigenaar gevonden, één enkele meester, en dat is de Argentijn. Men kan protesteren, men kan zich beroepen op het wettelijke statuut van het werk, dat sinds zijn ontstaan louter frauduleuze handelingen heeft moeten ondergaan, maar de genitale erkenning, die vanwege haar spontaniteit, haar directheid en haar minachting voor elke berekening, ver verheven is boven alle vormen van erkenning die door de esthetische perceptie, smaak en kennis worden aangedragen, laat, net zoals het bewijs van de krijtring die in het stuk van Brecht bepaalt wie de echte moeder is, geen enkele tegenwerping toe. De gebeurtenissen volgen elkaar snel op. De Argentijn draait het doek om en ontdekt en herkent de signatuur van Riltse. Het meisje, dat voor het eerst, dankzij die excentriekeling die haar, zoals Fanny haar heeft verteld, betaalt door bankbiljetten uit zes verschillende landen bij elkaar te leggen en die met de onfeilbare rekenmachine in zijn hoofd om te rekenen in francs, haar eigen leven aan haar ogen voorbij heeft zien trekken, laat haar armen zakken en ontspant zich, ze raakt ontroerd en begint te dromen van een ander bestaan. Ze schiet om het minste of geringste in de lach. De aanblik van de losse veters in zijn schoenen, met de neuzen nog nat van de laatste plas waarin ze zijn gestapt, maakt haar aan het huilen. Zijn eruditie – ze hebben een hele middag gewijd aan de etymologie – doet haar duizelen. Zijn cadeaus – bescheiden, onontkoombaar ouderwets, met dat vluchtige, onaanzienlijke van gestolen voorwerpen – vertederen haar. Maar hij is getrouwd. Hij, die niet heeft geschroomd haar dat op te biechten, heeft nu ook geen moeite om dat obstakel met een schamper schaterlachen opzij te schuiven. Hij zal van haar scheiden, zegt hij, of anders vermoordt hij haar. Zij gelooft hem natuurlijk niet, hoewel ze niet geheel ongevoelig is voor de vastberadenheid waarmee hij die absurde alternatieven aandraagt. Het is goed, zegt hij, wiens enthousiasme in tegenstelling tot wat men zou verwachten toeneemt met de redelijkheid van zijn voorstellen, en hij nodigt haar uit bij hem te komen wonen in zijn huis in Argentinië, als dienstmeisje. Hij lijkt er goed over te hebben nagedacht: de voordelen van een heimelijke bigamie, de blauwe schort met witte noppen, het kapje – waarop hij klaar zal komen als zij een vrije dag heeft en dronken, als een bezetene aan het dansen is in de discotheken op de plaza Italia of Flores... De Vietnamese krabbelt terug. 'Argentinië': alleen al het uitspreken van het woord bezorgt haar rillingen. Is ze uit Phnom Penh gevlucht om in Argentinië te eindigen? En zoals zo vaak is dat terugkrabbelen voor hem juist de meest opwindende stimulans. Hij verdubbelt zijn inzet zoals dat heet, en verruilt de huishoudelijke horizon die hij haar beloofde, prettig voor hem maar, hoe vals ook, voor haar te veeleisend, voor een libretto van dubbele levens waarin het meisje papieren heeft, werk, een appartement in een luxe woonwijk en zelfs een dienstmeisje met een blauwe schort met witte noppen en een kapje... Maar de Argentijn begrijpt het niet: het probleem is het land, is Argentinië, is *dat laatste ding* – zoals hij plotseling, op een buitengewoon treurige namiddag, meent te begrijpen dat ze zegt. Er volgen moeilijke uren: na de vlagen van overmoed komt onvermijdelijk het berouw. Er verandert iets in de Argentijn: zijn tolerantie, die eerder verward kon worden met verstrooidheid, wordt minder en een verdorven rancune begint bezit van hem te nemen. Alles wordt seksueler – alsof de liefde, die bestaat en echt is, zich verhevigt en de vorm aanneemt van geweld. Op een avond, in de Luxe, zegt hij, op het toppunt van vertwijfeling, dat hij haar niet zal opgeven zonder haar eerst 'in haar kont geneukt' te hebben, een voorrecht dat de Vietnamese hem vanaf de eerste dag heeft aangeboden maar dat hij geschokt heeft afgewezen. Nu is het echter het meisje dat weigert. Nee, zegt ze, dat zal ze niet toestaan. Maar de vraag is: kán ze weigeren? Want de Argentijn is altijd blijven betalen, zelfs de keren dat ze het meest meegesleept werden door de liefde en terechtkwamen in een van die koninkrijken van de fantasie waar naar men zegt geld geen burgerrechten heeft, en louter de geldigheid van die economische overeenkomst schijnt hem inderdaad de bevoegdheid te geven alles te vragen en vooral alles te krijgen. Ze discussiëren. Zij begint plotseling te huilen en te beven, ze beeft als een bloem waarop één enkele druppel water valt. Dan zet hij haar, met de beleefde omgangsvormen die worden ingegeven door de ergst denkbare rancune, in een houding die hem het beste uitkomt en kalmeert haar, en als ze niet meer huilt, of liever gezegd, als van het huilen alleen nog het beven overblijft, die toestand van een vochtig, eenzaam bloempje, zo geschikt voor de vleselijk lusten, probeert hij van voren te krijgen wat hem van achteren niet is gelukt en stopt zijn geslacht diep in haar mond.

Tot zover althans wat erover bekend is. Daarna, of het nu de tanden waren of de nagels... Vaststaat dat een gil plotseling de stilte van de Luxe verscheurt, en als Fanny de kamer van het meisje binnenstormt, ligt de Argentijn ruggelings, naakt, op de grond, met zijn handen tussen zijn benen in een poging het bloeden te stelpen. Fanny's contacten, de goede naam van haar etablissement en vooral de talrijke eminente medici uit de regio die deel uitmaken van haar klantenkring, weten de medische noodsituatie discreet te bezweren. Maar hoe zit het met de wettelijke noodsituatie? De Argentijn kan zijn mond opendoen en er zal altijd – zelfs in Cannes – wel een gevoelige of hypocriete rechter te vinden zijn die graag de vruchten wil plukken van een smerige geschiedenis om een wit voetje te halen en zich zo van overplaatsing naar Parijs te verzekeren. En als hij inderdaad zijn mond opendoet, dan kan dat sluiting, de gevangenis, de ondergang! betekenen. De partijen komen bij elkaar in de Luxe. Fanny, die de Vietnamese uit voorzorg in de kelder heeft opgesloten, waar ze vanaf nu haar klanten zal ontvangen, neemt het initiatief en biedt een of andere vorm van genoegdoening aan die voor de Argentijn, die de hele bijeenkomst blijft staan, met zijn rechterhand in zijn zak van binnenuit het verband strelend, aanvaardbaar is. Maar de Argentijn wil geen geld, noch een levenslange vrijkaart voor de Luxe, noch de faciliteiten die Fanny, met een simpel telefoontje, voor hem kan regelen in de meest selecte kringen van de stad. Hij wil *Het valse gat*.

Hij wil het en zal het krijgen ook, want Fanny, die het schilderij pas ontdekt als de Argentijn haar meesleept naar de voormalige kamer van de Vietnamese waar het aan de muur hangt, om het haar te laten zien, kan niet geloven dat dit eerste het beste wanproduct, dat haar ook nog eens geen cent heeft gekost, de oplossing is voor een van de meest kritieke fasen in haar loopbaan als madame, en de Argentijn zal het ten slotte meenemen naar Buenos Aires in zijn enige koffer, waar het schilderij in vrijwel dezelfde benauwde omstandigheden verkeert als het heeft leren kennen toen het met Salgo op de vlucht was, alleen verfijnder, omdat de kleren, sjaals, jassen, leren laarzen en aktetassen waar het nu mee in contact komt allemaal van eersteklas merken zijn en vijfhonderd dollar of meer hebben gekost. Hij neemt het evenwel niet mee omdat hij het zo graag zelf wil houden, want hoewel hij Riltse vanzelfsprekend kent, is hij afgezien van de erectie die hij kreeg toen hij het schilderij voor het eerst zag en die hij het liefst toeschrijft aan inlevingsvermogen of een of andere chemische inwerking, volkomen ongevoelig voor elke uiting van schilderkunst, niet alleen die van Riltse, en hij acht zich ongeschikt voor andere vormen van expressie dan woorden of muziek, maar om zoals hij zelf zegt, Nancy 'de mond te snoeren', al vele jaren zijn vrouw en bezitster of liever gezegd erfgename van het fortuin dat haar man onder andere in staat heeft gesteld poëzie te schrijven en uit te geven, een reclamebureau te leiden dat in vijf jaar tijd slechts twee beeldmerken produceerde, twee bescheiden kolommen onder aan de bladzijde die de klant, een importeur van Schotse whisky, meteen de volgende dag uit de roulatie heeft genomen omdat hij ronduit ontevreden was met het resultaat, mee te doen aan zeilwedstrijden, met zijn zeiljacht naar Cannes te varen, twee weken in de *Luxe, calme et volupté* te verblijven en – om de cirkel rond te maken – de voorraad kleding, make-up en parfum aan te schaffen die hij, en dat is een voorwaarde sine qua non, van zijn vrouw mee moet brengen, elke keer dat hij naar het buitenland gaat zonder haar. Hij heeft alles al gepland, hij weet precies wat hij zal doen, hoe hij de Riltse gaat gebruiken om zijn vrouw het zwijgen op te leggen, geneigd als ze is, ondanks de zorg die hij besteedt aan het uitvoeren van haar opdrachten, tot het verwijt van geldverspilling en tot achterdocht in het algemeen. Dankzij een gunstige wind komt hij twee dagen vóór de viering van hun dertiende trouwdag aan in Buenos Aires, zodat hij als hij snel handelt nog net tijd genoeg heeft om het doek te laten inlijsten en te verpakken en het op de bewuste avond met gespeelde verbazing naar hun tafel te laten brengen door een *maître* die, terwijl hij een te vroeg gebracht voorgerecht – carpaccio van zalm of een garnalencocktail, zijn twee klassieken – even opzijschuift, het voor haar neer zal zetten alsof het zo uit de hemel is komen vallen. Ja, hij heeft nog maar net de zeilen gehesen of hij ziet het al voor zich: de uitdrukking van verbazing en enthousiasme die het nog ingepakte cadeau op haar gezicht tekent, en daarna, als het schilderij is uitgepakt, de teleurstelling, de ergernis die het onherkenbaar zullen misvormen; maar hij ziet ook hoe verrast en opgelucht ze is als hij de bezwaren die al op haar lippen liggen vóór is en onthult wat hij ervoor betaald heeft – geen cent, helemaal niets –, en hoe ze straalt van bijna moorddadig geluk als ze hoort wat Sotheby's of Christie's hun vroeg of laat zullen betalen als ze besluiten er afstand van te doen, en terwijl hij met één hand de Evita Capitana stuurt en met zijn andere de boord van zijn trui optrekt tot zijn kin, ziet de Argentijn niet, zozeer is hij verblind door de horizon die hij zelf heeft samengesteld, het stuk *werkelijke* toekomst dat haast onmerkbaar tussen zijn visioenen is geschoven, niet om ze te weerleggen, nee, maar alleen om ze te nuanceren met een intieme scène, als op een bucolische interieurschildering, waar Nancy, de mooie vrouw van middelbare leeftijd, die haar cadeau al naar het toilet heeft verbannen, waar het haar, zegt ze, niet langer kan irriteren, uitgeput ligt te slapen in de armen van Rímini, de jonge man die niet slaapt en aan *Het valse gat* denkt met een soort sentimentele hebzucht die hem in de eerste plaats zelf vreemd is, terwijl hij met twee vingers, na een haarlok te hebben weggestreken die de slaap van de vrouw bedreigt, een jukbeen en een oor streelt en vervolgens, niet in staat zich te bedwingen, langs de dunne witte lijn gaat die ze bij de haargrens ontdekken, dat mierenpaadje dat de meesterhand van haar chirurg daar in de loop der jaren heeft getekend.

5

Nooit meer bereikten ze het hoogtepunt van die eerste keer, maar hun ontmoetingen, schatplichtig aan de dagen en uren waarop Nancy les van hem kreeg, voltrokken zich met de regelmaat van een dieet of een medische behandeling. Ze kwamen elkaar voor de les tegen in de hal van het clubhuis en begroetten elkaar op een conventionele manier, tegelijk intiem en beschaamd, zoals alle leraren en leerlingen die een lichamelijke bezigheid delen, maar terwijl Rímini met zijn lippen voorzichtig langs de met crème ingesmeerde wang van Nancy streek, haar terloops verwijtend dat ze een paar minuten te laat was, sloeg zij, die gewoonlijk vermeed hem in het openbaar aan te raken, haar paarse nagels in zijn onderarm en merkte Rímini voordat hij het goed en wel besefte dat hij haar naar de dameskleedkamer volgde, die net als de rest van de club op dat uur van de ochtend volledig verlaten was, waar ze twee minuten later innig verstrengeld tegen de wand met houten lockers stonden te bonken, zij met haar rug naar hem toe, haar armen uitgestrekt en haar hoofd praktisch weggedoken in de opening van haar eigen kastje, hij met zijn handen om haar middel, ijverig zwoegend en afwezig tegelijk, terwijl hij recht in het met sproeten bezaaide en lichtelijk vertekende gezicht van haar man keek, die vanaf een aan de binnenkant van de deur geplakte foto tegen hem glimlachte. Of ze ontmoetten elkaar na afloop van de les, wanneer Rímini, weer eens in de steek gelaten door Boni, over het clubterrein begon te dwalen en vanuit de verte afwezig naar het terras van de bar keek, in een poging de irritatie die het te laat komen van zijn leerling bij hem teweegbracht te verdrijven, en Nancy, met een glas in haar hand, opstond van haar tafel en hem verleidde met ogen die brandden van verlangen. Hij vervolgde zijn weg en zij de hare, als berustten ze erin deel uit te maken van onafhankelijke invloedssferen, maar hij deed alleen alsof hij liep te slenteren en zij speelde dat ze wegging, want een paar seconden later, met een synchroniciteit die hen als ze er enige aandacht aan hadden geschonken, zou hebben verbaasd, botsten ze bijna tegen elkaar op bij een van de andere standplaatsen die ze hadden uitgekozen voor hun worstelingen, haar auto, aan het oog onttrokken door de schaduw van een enorme *palo borracho*,* met het gemak van de neerklapbare stoelen en het ongemak van de achterbank, of het schuurtje van golfplaten, een vondst van Rímini, waar de club tamelijk zorgeloos – zelfs Rímini was in staat het hangslot te openen – de onderhoudsmaterialen bewaarde.

Die twee tot spoed manende vonken – de nagels in zijn huid, Nancy's ogen die hem doorboorden als een speld de rug van een bij – waren alles wat er van de aanvankelijke uitbarsting was overgebleven. De rest, zo kort overigens dat ze er niet eens van gingen zweten, was een fysiologische formaliteit die ze twee keer per week met professionele onverschilligheid vervulden, alsof ze deelnamen aan een of ander statistisch experiment. Rímini maakte zichzelf niets wijs. Weliswaar was hij een tikkeltje trots op het feit dat hij in staat bleek enigermate efficiënt te reageren op een situatie waarin hij alleen maar het object was, en een volkomen onervaren object bovendien, maar hij wist dat zijn optreden amper bevrediging schonk – reden waarom hij heimelijk dankbaar was voor de eentonigheid van de ontmoetingen, die zich altijd beperkten tot de meest drastische vormen van de geslachtsdaad – en hij wist ook dat het hartstochtelijke hoogtepunt dat Nancy die middag in de keuken bereikt had niet aan hem, zijn persoonlijke charmes of zijn seksuele bedrevenheid te danken was, maar aan iets wat allang vóór hem bestond, iets wat zijn kunnen volledig te boven ging en wat hem alleen bij toeval had uitgekozen. Maar hij aanvaardde lijdzaam zijn rol, als iemand die te laat de aanvullende voorwaarden ontdekt waartoe het contract, dat hij slecht en te snel gelezen én al getekend heeft, hem verplicht. Het was alsof die periodieke doses bevrediging, die minder ver-

* *Palo borracho*: grote boom met zeer brede, schaduwrijke kruin.

bonden waren met het genot dan met de zaadlozing, behoorden tot zijn taken als tennisleraar, naast de veel voorspelbaardere taken als de opwarm-, rek- en strekoefeningen of de theorie, ook al waren ze nooit in zijn hoofd opgekomen en had niemand, Nancy nog het minst van allemaal, die van hem geëist. En dus verzette hij zich niet en liet zich meevoeren, zoals anderen zich bijvoorbeeld op een lange busreis laten meevoeren door muziek die hun niet bevalt en die ze nooit zelf zouden hebben uitgekozen, maar die juist door de platheid, het ontbreken van enige pretentie of de eenvoud, volmaakt het bedwelmende effect sorteert dat ze nodig hebben om de slaap te vatten.

Op een middag keerde hij terug naar zijn toevluchtsoord op de tweeëntwintigste verdieping in Núñez, doodmoe – want na de galoppade met Nancy op de achterbank van de Mazda, had Boni, zoals af en toe gebeurde, zijn hormonale opvliegendheid omgezet in agressiviteit en hem volledig uitgeput –, en leken al zijn vermoedens bevestigd te worden. Zijn voorganger, de tennisleraar die hem zijn plaats had afgestaan, lag languit op een mat, in korte broek, met zijn robotbeen steunend op een halter, terwijl de trainer, op zijn knieën naast hem, zijn gezonde been masseerde. Toen hij Rímini zag, vroeg de leraar in een vlaag van nostalgie naar zijn oud-leerlingen en luisterde aandachtig naar diens verslag. Hij was blij met Damiáns vorderingen – die Rímini ter plekke had verzonnen om op te scheppen –, verontschuldigde Boni, voor wie hij zei een zwak te hebben, en vulde Rímini's verhaal aan met een paar meelevende anekdotes over 'de dames', wier onbezonnenheid en, binnenkort, nieuwjaarsgeschenken hij miste. Toen Rímini bij Nancy kwam – hij had haar met opzet tot het laatst bewaard, in de veronderstelling dat door haar die plaats te geven de ander het belang dat hij haar toekende wel zou weten te waarderen –, trok de leraar zijn wenkbrauwen op en keek hem verbaasd aan. 'Nancy?' vroeg hij, 'is Nancy er nog?' Rímini knikte. 'Dan moet je wel bekaf zijn. En hoe vaak?' 'Twee keer per week.' 'Ah,' zei de leraar, 'je bent bevoorrecht, bij mij waren het er vier.'

Dat, en de blik van verstandhouding die de twee mannen hierop wisselden, was genoeg: Rímini begreep meteen álles wat hij geërfd had.

Maar de toespeling, die voor hem een vorm van de waarheid was, ontwijkend maar compleet, en daarmee elke nadere toevoeging overbodig maakte, was voor de leraar slechts het aperitief. Waar het om ging was wat er daarna kwam: de voorbeelden, de uitputtende illustratie – en hij vertelde, hij vertelde zonder na te hoeven denken, zonder zelfs maar moeite te hoeven doen zich alles te herinneren, alsof het verhaal van zijn intieme omgang met Nancy niet in zijn geheugen lag opgeslagen maar ergens veel dichterbij, minder veeleisend, in een of andere bureaula waar hij alleen maar zijn hand naar hoefde uit te steken om het eruit te halen: Nancy in de douches, ingezeept, met haar gezicht tegen de tegels gedrukt; Nancy met de grip van haar nieuwe grafietracket tussen haar benen; Nancy op handen en voeten, met de badstof haarband tussen haar tanden; Nancy tegen de ligusterhaag; Nancy hangend aan de brug met gelijke leggers op de sportschool; Nancy met haar mond vol; Nancy onder de spetters... – en naarmate het beeld van Nancy zich meer en meer aftekende, opgeluisterd door grove plastische uitdrukkingen als 'menselijke ontstopper', 'bodemloze put', 'loopse teef', en de trainer zich gierend van het lachen op zijn knieën sloeg, alsof hij die schaamteloze dingen voor het eerst hoorde, terwijl het duidelijk was dat hij alle details al duizend keer in geuren en kleuren had gehoord, kreeg Rímini een branderig gevoel achter zijn ogen, een droge mond, opgezwollen lippen en leek iets duisters en stroperigs zijn keel dicht te snoeren. Hij pakte de tennistas die nog aan zijn schouder hing stevig vast, alsof hij zich alleen zo staande kon houden. Maar hij besefte dat het branderige gevoel tranen waren en hij verontschuldigde zich – zijn verontschuldiging ging verloren in het schaterlachen van de twee mannen – en rende naar de badkamer. En daar, in die eenzaamheid van een voortvluchtige, kwam de onthulling die de beginnende tranen hem zojuist duidelijk hadden gemaakt: al die anekdotes, die Nancy schenen te veroordelen tot een hel van platvloersheid, pleitten haar in werkelijkheid juist vrij. En hij, die haar omdat hij daar nu eenmaal toe gedwongen werd, aanvankelijk met dezelfde minachting in herinnering had geroepen als de leraar, kreeg nu plotseling de indruk dat ze het niet over dezelfde persoon hadden gehad, alsof de oorspronkelijke

Nancy, wier naam, uitgesproken door Rímini, die ongelooflijke stortvloed van obscene laaghartigheden had ontketend, door het simpele
contact met de bespotting twee verschillende vrouwen had verwekt,
van wie er een zich nog altijd machteloos verweerde in de armen van
haar beul, terwijl de andere, als gezuiverd, de enige plek van Rímini begon te betreden waarvan niemand, Rímini zelf wel als laatste, zou hebben vermoed dat ze erin kon doordringen: zijn hart.

Nee, hij hield niet van haar, want elke vorm van liefde zou hem ertoe
hebben aangezet iets in ruil van haar te eisen, haar te willen redden,
haar dubbelheid open te breken in de hoop dat een van de twee vrouwen die ze was de andere zou vernietigen en elimineren. En de emotie
die Rímini begon te ervaren als hij haar zag – die inwendige siddering
die hij tegenover niemand kon toegeven en die de tennisleraar en de
trainer, als ze er iets van hadden gemerkt, ongetwijfeld als een vluchtige
hallucinatie zouden hebben verworpen, zozeer waren ze ervan overtuigd dat Nancy, de onverzadigbare en ijdele Nancy over wie ze zich
vrolijk maakten, in een man elk mogelijk effect kon opwekken behalve
een emotie – die emotie kwam juist voort uit die dubbelheid, uit dat
onvoorstelbare contrast, net als schoonheid die soms, in zeer zeldzame
gevallen, ontstaat, opbloeit en zich doet gelden in het smerigste varkenshok, en die als zij daar zou worden weggesneden om naar een andere omgeving te worden getransplanteerd, een omgeving die beter
beantwoordde aan haar behoeften of althans haar wezen minder vijandig gezind was, haar 'natuurlijke' omgeving zoals men gewoonlijk zegt,
geen seconde zou overleven. De vrouw die hem ontroerde was geen
'andere' Nancy maar dezelfde als altijd: de lege Nancy, die door haar eigen bekrompenheid, haar rancune, haar hebzuchtige relatie met de
wereld gespeend was van elk gevoel – dezelfde Nancy die bij de tennisleraar slechts erecties, minachting, geweld opwekte. Ja, misschien had
hij medelijden met haar. En misschien was het juist die loyaliteit van
Nancy aan zichzelf, die manier waarop ze volhardde in de laagheid, die
Rímini in staat had gesteld te veranderen. Nee, hij hield niet van haar:
hij werd – ongemerkt – langzaam maar zeker haar heilige. En zoals hei-
ligen, als ze een wond kussen, ook de onrechtvaardigheid, de lijdens-

weg en daarmee het laatste restje pure menselijkheid dat zichtbaar wordt op dat zieke gezicht of die zieke huid kussen, zo compenseerde Rímini – met de stilte van heimelijke kussen, want een van de meest solide grondslagen van de emotie die hij voelde was dat hij die niet kon uiten – de hebzucht, de ongemanierdheid, de ongevoeligheid, de arrogantie die Nancy twee keer per week over hem uitstortte.

Het was hetzelfde dissociatieve wonder dat hem weken eerder, die middag in de keuken, verrast had, alleen was het nu op een hoger plan getild en werd de egocentrische bandeloosheid vervangen door een vaag maar hardnekkig charitatief verlangen. Rímini, die zich eerst liet meeslepen, de beslissingen die hij noch zijn lichaam durfden te nemen overlatend aan de inertie, nam nu op een of andere manier de verantwoordelijkheid op zich. Nu *was hij er*, in de meest morele – meest grootmoedige – betekenis van het woord. Niet omdat hij gehoorzaamde aan het dwingende karakter van de begeerte, wat uiteindelijk niets anders betekend zou hebben dan dat hij de ene vorm van inertie verving door de andere, maar om in de vleselijke economie waaraan ze deelnamen, een extra, antivleselijke dimensie binnen te smokkelen, waarin Nancy zonder het te weten tegenover Rímini de naaktheid van haar dorre, tot op de bodem afgeschraapte ziel toonde, en Rímini – in plaats van zijn hoofd af te wenden en die aanblik, de verschrikking zelf, de pure verschrikking, zonder beeld, te vermijden – naar haar keek en door het simpele feit dat hij naar haar keek, dat hij *er was*, niet alleen haar naaktheid begreep maar die ook toedekte en haar, al was het maar gedurende het uitzinnige tijdsbestek van de coïtus, beschermde tegen de ijzige koude die in haar rijk moest heersen. Maar Nancy hoefde dat niet te weten. Rímini voerde de discretie van veel filantropen, die alleen geven als hun anonimiteit gewaarborgd wordt, tot het uiterste door en ging nog een stap verder: het was in zijn geval niet de identiteit van de gever die geheim gehouden moest worden, maar de gift zelf. Dat was zijn enige privilege.

Hij was er. Zijn bijdrage was zijn beschikbaarheid en bezat het overigens zeer zeldzame vermogen van het onzichtbare en het toevallige. Het was bijna een tautologie: om er te zijn hoefde Rímini niets te doen, niets anders dan er zijn. En het bijzondere was dat om die gift op zijn bestemming te laten komen – en in tegenstelling tot giften in het algemeen, die nooit van de ene naar de andere plaats gaan zonder een of ander verlies te lijden, zonder aanleiding te geven tot twijfel, argwaan of misverstand, kwam deze omdat hij niet hoefde te reizen, ongeschonden op zijn bestemming aan – hij niet eens de vorm van een gift hoefde aan te nemen. Hij was niet persoonlijk en niet uniek; hij kon op elk willekeurig moment, en volkomen terecht, voor iets anders gehouden worden – en zo, zonder vorm, verplichtte hij de ontvangster tot niets, eiste hij geen enkele wederdienst.

Inertie brengt geen veranderingen teweeg. Inertie brengt eigenlijk helemaal niets teweeg. Hoogstens is zij de aanleiding voor iets – voor verloedering bijvoorbeeld, of voor entropie. Verandering wel, verandering brengt dingen teweeg – inertie, om maar iets te noemen. Maar wie zou durven beweren dat het verschil tussen dat wat verandert en dat wat verloedert, tussen een teken van ontwikkeling en een teken van achteruitgang, een *reëel* verschil is? Rímini was er voor Nancy, kalm en solide, net zoals zijn racket er altijd was, aan het net, blaren en eeltplekken veroorzakend aan de basis van zijn vingers, om de ballen terug te slaan, de ene na de andere, alleen maar terug te slaan, niet te versnellen of van richting te veranderen, de ballen die Nancy kreunend op hem af sloeg, met een krachtsinspanning die haar steeds op de rand van de totale ineenstorting bracht, alsof ze zich na elke slag weer volledig moest opladen en nieuwe kracht moest vinden in een verafgelegen en vrijwel uitgeputte bron. Rímini voerde zijn taak uit, wat voor een herstellend patiënt niet slecht was. Hij deed geen poging om verder te gaan; hij wilde niets toevoegen of bereiken. Hij verwachtte niets van Nancy wat ze hem niet zelf had besloten te geven of te vragen. En Nancy, die in meer dan één betekenis een merkwaardige staat van perfectie had bereikt, zelfs zozeer dat de bevrediging – die mechanische vorm van lichaamsbeweging die ze elke dinsdag en donderdag met Rímini beoefende – bij haar elke gedachte aan genot, geluk, verdriet of eenzaamheid, al die onoplosbare dilemma's die haar over het algemeen verhinderden te leven of nerveus maakten, had verdreven, Nancy bleef ook op haar plek, de enige plek overigens waar ze zich erop kon laten voorstaan een goede leerlinge te zijn, want op de baan rende ze nog altijd recht op haar doel af – wat de korsten op haar knieën verklaarde –, keek ze nog altijd niet naar de bal – waardoor haar slagen elke precisie misten – en vergat ze nog altijd hardnekkig door haar knieën te gaan – zodat twee van de drie ballen in het net belandden.

Toch kan inertie, zoals elke kracht zonder motor, de aanleiding zijn voor plotselinge bewegingen, trillingen die verschijnen, zich even laten voelen en dan weer uitdoven, totdat de toevallige prikkel die ze heeft opgeroepen zich herhaalt en ze opnieuw verschijnen, in een cyclus waarvan de sequenties als ze een voor een, elk afzonderlijk worden genomen, de wereld die ze betreffen nooit zullen veranderen maar er wel de echo's in laten weerklinken van een geroezemoes waarin, als er goed naar wordt geluisterd, de herinnering of de voorspelling van een verandering te lezen valt. Zoals de lusteloze reiziger die op het dek van een schip in slaap valt en plotseling, opgeschrikt door een lichtflits of het gekrijs van een vogel, wakker wordt, om zich heen kijkt en in de verwarring van het ontwaken niet alleen herkent wat hij ziet – de zee, de onmetelijke horizon, de lucht – maar ook iets meent te zien wat veranderd is, iets subtiels maar onbeschrijfelijks, en pas als hij opstaat en wankelt, ontdekt dat het dek overhelt en beseft dat de verandering zich niet heeft voltrokken in het landschap zelf maar in dat 'ervoor' van waaruit hij het waarnam, dat nu beïnvloed wordt door een nieuwe instabiliteit, rechtstreeks gevolg van de golfslag die hij zich niet herinnert te hebben ervaren toen hij insliep; zo, op diezelfde manier, had Rímini op een gegeven moment de indruk dat dit 'er zijn' voor Nancy, louter door de hardnekkigheid ervan, aanleiding gaf tot een zekere vorm van 'overhellen', een neiging tot afglijden die dreigde hem met iets anders in contact te brengen... In het schuurtje, na de geslachtsgemeenschap, bukte Rímini zich bijvoorbeeld om de veters van haar schoenen vast te maken. Of hij begon in de auto, gepijnigd door de bochten waarin hij zich op de achterbank had moeten wringen, oude parkeerbonnetjes van de vloer te rapen. Of hij trok haar kleren recht en streek met zijn vlakke hand de kreukels glad. Of hij deed de kraag van haar shirt weer goed, die in een vlaag van zedigheid binnenstebuiten was gaan zitten. Of hij veegde, liggend op de licht glooiende helling van het grasveld bij het zwembad, waar ze aangemoedigd door een onverwachte telepathische ingeving voor het begin van de les naartoe waren gegaan, de grassprietjes van haar rug. Of hij bracht haar tas, die ze een paar minuten daarvoor onder haar middel had geschoven om ervoor te zorgen dat hun lichamen zich op dezelfde hoogte bevonden, naar de auto. Of hij trok een pakje sigaretten voor haar uit de automaat in de bar. Of hij betaalde, met het geld dat hij van haar kreeg, haar drankje dat ze halfvol op de tafel van het terras had laten staan.

Met het verstrijken van de dagen werden Rímini's functies steeds talrijker: chauffeur, koerier, boodschappenjongen... Het was een geleidelijk, subtiel proces, dat Nancy als volkomen vanzelfsprekend aanvaardde, alsof de aanwezigheid van die schaduw die haar overal begon te volgen niet een verrassend privilege was maar de erkenning van een recht dat ze altijd al had gehad, en dat haar alleen door een onaanvaardbare onrechtvaardigheid had kunnen worden ontnomen. Maar tegen de verwachting in maakte die verruiming van functies, die ook zorgde voor een uitbreiding van de gebieden van Nancy's leven waarmee Rímini in contact kwam, de afstand tussen hen niet kleiner en werd die evenmin verhuld door de gelegenheidsolie – triviale gesprekjes, knipoogjes van verstandhouding – die dat soort relaties gewoonlijk smeert. Als hij haar in actie zag buiten de club, die inmiddels gereduceerd was tot een kunstmatig decor dat zo bij hen paste dat het speciaal voor hen, voor de twee enige bezigheden waaraan ze zich daar overgaven, leek te zijn gemaakt, besefte Rímini hoe sociaal gehandicapt Nancy was, iemand die al bij de meest toevallige vorm van menselijk contact in een toestand van diepe hulpeloosheid verviel. Het was alsof ze, op taalgebied, in situaties waarin de dagelijkse omgang onvermijdelijk is, maar een heel beperkt repertoire van mogelijkheden kende, bevelen, protesteren, kniezen – allemaal gekenmerkt door dezelfde vijandigheid, allemaal fysiek –, terwijl alle andere, uitgerekend de meest gebruikte in het dagelijks verkeer, vragen, verzoeken, twijfelen, toegeven, haar volslagen vreemd waren, zelfs zo vreemd dat ze niet alleen nooit over haar lippen kwamen maar dat niets haar meer van haar stuk bracht dan het overigens veel voorkomende feit dat anderen er tegenover haar gebruik van maakten. (En hoe snel ging ze van verwarring over op woede als iemand, een caissière, een taxichauffeur of een bankbediende, de vraag herhaalde die zij, niet in staat die te begrijpen omdat hij in haar oren klonk als was hij uitgesproken in een vreemde taal, zojuist genegeerd had, alsof de vasthoudendheid van de ander, wat de inhoud van de vraag ook mocht zijn, haar automatisch veroordeelde tot een minderwaardige klasse.)

Zo waren een bezoek aan de kapper, boodschappen doen of een training op de sportschool, allemaal bezigheden die haar door hun regelmaat volkomen vertrouwd zouden hebben moeten zijn, voor haar, en nu ook voor Rímini, die haar overal volgde, in aanleg buitengewoon conflictueuze situaties. Achter elk contact – twijfel over een maat of een prijs, een vraag over een kleur, oponthoud bij de verwerking van een creditcard, het zoekraken van een parkeerbonnetje – gingen duizend mogelijkheden tot het ontstaan van een ramp schuil. Geïsoleerd door de felheid, de gretigheid en het veeleisende karakter van haar grillen, die van de minste tegenslag een ontoelaatbare belediging maakten en de ruggengraat van haar gedrag vormden, was Nancy grof, ongemanierd en onvoorstelbaar arrogant. Rímini leed al twee keer per week onder die gebreken en ook nog eens dubbel, op de tennisbaan, waar elk technisch commentaar werd beantwoord met een snauw, een discussie of, gewoon meteen, de weigering om verder te gaan met de les, én in het schuurtje, in de auto of op het grasheuveltje bij het zwembad, waar Nancy, net als die keer in de keuken, met haar eisen het ritme en de voortgang van hun vleselijke sessies bepaalde. Maar nu smaakte hij onverwacht het genoegen van een zekere revanche bij het zien hoe ook winkelmeisjes, kapsters, liftbedienden en obers werden getroffen door die opwellingen van minachting. En daarbij was het eigenlijk onvoorstelbaar dat haar gedrag niet regelmatig tot ernstige problemen leidde. Rímini had tenminste nog het excuus van de seksuele ontlading. Misschien zorgde het feit dat ze een 'klant' was voor een natuurlijke barrière, die de spanning van de scène beteugelde voordat alles onherroepelijk uit de hand liep, ten dele door de onderdanigheid die elke baas zijn werknemers bijbrengt als hij ze traint in de kunst van het bedienen, ten dele door de verwachtingen die Nancy wekte zodra ze de binnenkant van haar uitpuilende portefeuille toonde en de totale ongegeneerdheid waarmee ze haar geld op de toonbank uitstrooide.

Na een tijdje veranderde Rímini, die elke sociale roeping miste, van de weeromstuit in een beleefd en vriendelijk mens die, als een diplomaat of een expert in public relations, in staat was alle mogelijke middelen aan te wenden om ordinaire wrijvingen te voorkomen. Nancy snuffelde, betastte, proefde, koos, betaalde of tekende; Rímini was degene die het woord voerde, de vragen stelde, onderhandelde, eiste of bedankte, en die ervoor zorgde dat die transacties niet in bloedige veldslagen ontaardden en tegelijk een enigszins menselijk gezicht behielden. Zelfs zonder hen te kennen was het al van een afstand duidelijk dat ze geliefden waren, of dat de onzichtbare band die er tussen hen bestond, want in het openbaar vermeden ze elk lichamelijk contact en zeiden ze bijna geen woord tegen elkaar, van seksuele aard was, iets wat, zoals Rímini meer dan eens vaststelde als hij onverwacht terugkeerde naar de kassa waar ze zojuist hadden betaald en de caissières smoezend verraste, meestal een onduidelijke emotie opwekte, een mengeling van afkeer, jaloezie en opwinding, maar er was ook iets in de aanblik die ze boden, misschien hun toenemend geoliede functionaliteit, of een air van gezondheid, waardoor ze leken op een stel buitenlanders of op zo'n ongelijk maar door diepe behoeften verenigd duo dat bijvoorbeeld gevormd wordt door een buitenlandse ambassadrice en haar plaatselijke secretaris, zij altijd een beetje terzijde, geïsoleerd doordat ze een vreemdelinge is, maar tegelijk heerseres over alle beslissingen, hij als een wachter geposteerd op de grens van haar bestaan, het ene oog naar binnen gekeerd en het andere naar buiten, altijd bereidwillig en actief, alsof hij met het vermeerderen van de initiatieven het tekort aan bewegingen van zijn werkgeefster probeert te compenseren. En zoals vaak gebeurt bij dergelijke stellen, die vastgevroren lijken in hun voorschriften en regels, boekten Rímini en Nancy geen vooruitgang: ze bevonden zich steeds op hetzelfde punt. Zij was een koningin in ballingschap, een koningin van een klein koninkrijk, het product van een van die buitenkansjes – een diamantmijn, een olieveld – waarmee de natuur landen zegent die tot dan toe veroordeeld waren tot armoede, een koningin die verbannen was naar een land dat in een nog hopelozer situatie verkeerde dan het land dat ze nog maar kortgeleden had achtergelaten. Hij was haar slaaf.

Op een stralende ochtend, in een supermarkt ergens in een buitenwijk waar ze, nog in tenniskleding, net binnen waren gegaan, aangetrokken door een van die spectaculaire reclameaanbiedingen op gigantische borden vol prijsverlagingen en uitroeptekens, die op Nancy een bijna religieuze aantrekkingskracht uitoefenden, sloeg Rímini, die een boordevol winkelwagentje duwde, zijn ogen op en zag haar bij de kassa met haar schaamheuvel zachtjes tegen de rand van de aluminium toonbank stoten. Het contrast tussen het wit van haar plooirokje, de goudkleurige huid van haar dijen en het metaalgrijs van de toonbank bezorgde hem een verwarrende tinteling. Hij dacht dat het onbehagen was, of schaamte, of het signaal voor een gevoel van spijt dat tot doel had alles uit te wissen wat hij de afgelopen maanden met Nancy had meegemaakt. Het was begeerte. En dat hij zich daarvan bewust werd kwam niet door zijn vermogen tot zelfbeschouwing, dat een eerlijkheid van hem vereist zou hebben die zijn mogelijkheden verre te boven ging, maar omdat hij het weerspiegeld zag in Nancy's ogen, die hem geïntrigeerd aankeken. Voordat hij kon doen of er niets aan de hand was, drong het tot Rímini door dat hij bloosde.

Ze gingen naar buiten en laadden de auto in. Nancy wilde rijden. Rímini liet de sleuteltjes in de palm van haar geopende hand vallen en liep voor de auto langs terwijl hij lang naar haar keek, alsof hij over haar waakte. Ze reden een eind zonder iets te zeggen. Toen ze een smalle, met boomkruinen overdekte straat in sloegen, trapte Nancy op de rem, draaide het stuur naar links en reed de parkeerplaats van een hotel op. Er stond bijna niemand, maar pas na een stuk of zes manoeuvres slaagde ze erin de auto naast een Ford Falcon station te parkeren, en dan ook nog zo dichtbij dat Rímini bij het uitstappen op moest passen dat hij geen kras op het portier maakte. Hij wrong zich eruit door zich heel dun te maken en wierp bij het passeren van de Falcon, vermoedelijk aangetrokken door het historische karakter van het model, een afwezige blik in het interieur, waar hij op de achterbank een verzameling ronde en rechthoekige plastic bakjes, kommetjes en schaaltjes ontdekte, gerangschikt van groot naar klein, die leken te zwemmen in een bed van sneeuwwitte korrels. En hoewel hij belangrijkere zaken had om aan te denken, of op zijn minst dingen die om zijn directe aandacht vroegen, bijvoorbeeld de betekenis van het seksuele uitstapje dat hij op het punt stond met Nancy te ondernemen, en dat volkomen onverwacht een tot dan toe onbuigzame routine doorbrak, nam hij het beeld van dat witte landschap, vergelijkbaar met een miniatuurdorpje in zo'n glazen bol dat voortdurend blootstaat aan de geluidloze sneeuwstormen die erop neerdalen zodra iemand de bol omdraait of schudt, met zich mee terwijl hij het parkeerterrein overstak. Een paar fluorescerende pijlen leidden hen naar een gang. Ze duwden een gecapitonneerde deur open en kwamen uit in een receptie, waar alles, vloeren, wanden, plafond, en zelfs de sokkel waarop een weelderige, in volle vlucht verraste Venus van gips stond, met tapijt bedekt was. Verbazingwekkend genoeg regelde Nancy alles: ze vroeg om de goedkoopste kamer en nam de afstandsbediening van de tv pas aan nadat ze de verzekering had gekregen dat die bij de prijs was inbegrepen. Rímini had intussen op de knop van de lift gedrukt en probeerde het lied te herkennen dat wedijverde met het geruis van de waterval. Roberto Carlos. Roberto Carlos in het Spaans, met de zwakke r'en en de nadrukkelijke s'en die Rímini als adolescent een hele zomer lang onafgebroken gehoord had, tijdens een van die seizoenen vol ledigheid, hitte en eenzame opsluiting die hij benutte om zich tot soms wel vier keer per dag af te trekken, en die hij ergens in een of ander bijzonder onaantastbaar of nutteloos gebied van zijn geheugen scheen te hebben opgeslagen. Roberto Carlos, inderdaad, maar welk lied? *Detalles? Palabras?* Hij deed de deur open, liet Nancy eerst binnen en keek naar haar voeten, naar de door het gravel oranje getinte tennisschoenen, naar de pompons van haar een beetje afgezakte sokken, die rechtstreeks uit haar enkels leken te ontspruiten, en hij zag een paar korreltjes piepschuim die het schuiven van de liftdeur over de rail schenen te belemmeren. Boven lagen er nog meer, als een spoor verspreid over het tapijt in de gang. Nancy ging de kamer binnen. Rímini bleef nog even staan en volgde met zijn ogen die onderbroken witte stroom. Drie deuren verderop stond, badend in bloedrood licht, een stel in de gang te discussiëren. De vrouw was groot, mannelijk, en maakte trage, logge gebaren; de man was kaal en klein; eerder dan dat hij met haar praatte leek hij als een opgewonden wesp om haar heen te cirkelen. Ze voelden dat er naar hen gekeken werd, zwegen abrupt en draaiden zich om naar Rímini, die zonder erbij na te denken de vrouw negeerde en zijn blik op het gezicht van de man vestigde. Hij zag zijn donkere ogen, met de wallen eronder, en het plotselinge uitdoven van de begerige vonkjes met een grimas van verbazing en vervolgens van schaamte, en ten slotte verzamelden alle stukjes – de Falcon, de bakjes, kommetjes en schaaltjes op de achterbank, de bolletjes piepschuim – zich razendsnel in één centraal punt, alsof ze werden aangetrokken door een onzichtbare magneet, en vielen op hun plaats: Rodi, de vader van Sofía. De tsaar van het plastic. Hij was opnieuw onder de indruk van zijn kleine gestalte, de volmaakte verhoudingen van zijn lichaam, als van een acrobaat of een jockey. Rímini kon nog net zien dat hij een hand opstak voordat hij in de kamer verdween.

Ze neukten staande, met hun kleren nog aan, zonder de moeite te nemen een lamp aan of uit te doen, met een innerlijke drang die Rímini, behalve de eerste keer, nooit eerder had ervaren en die heel even het gezicht van Sofía's vader wist te verdrijven. Tien minuten later – Nancy stond onder de douche, Rímini zat vol walging naar een multiraciale orgie in zwart-wit te kijken – werd er op de deur geklopt. Rímini deed het houten schuifje open dat op ooghoogte in het midden van de deur zat, in de veronderstelling dat Nancy wel iets te drinken besteld zou hebben, en ontdekte het gezicht van Rodi, rusteloos en glimlachend als een marionet. Ze bleven een paar seconden zo staan, met de deur tussen hen in, elkaar aankijkend en opnemend door dat raampje dat als een misvorming in de deur was uitgespaard. Rodi stamelde iets, opgejaagd door vlagen van levendigheid die al meteen in de kiem werden gesmoord, en Rímini voelde hoe hij bevangen werd door een onheuglijke ergernis, waar hij jarenlang onder geleden had zonder er ooit naar behoren schadeloos voor te zijn gesteld. Hij herinnerde zich hoe die ongedurigheid, dat voortdurende verslappen van de aandacht, dat onvermogen om zich tot één ding te beperken en dat tot een goed einde te brengen zonder zich halverwege te bedenken, af te dwalen of stil te vallen, hem altijd al op de zenuwen had gewerkt. Hij herinnerde zich lange autoritten naar de kust, tochten van zes, zeven en zelfs acht uur die Rodi, aan het stuur, een plek waar hij zich nooit door een van hen wilde laten aflossen, wist te veranderen in een ware lijdensweg, dankzij een handvol dwangneuroses – zoals bijvoorbeeld het aanzetten van de radio en afzoeken van alle zenders, eerst in de ene richting en dan in de andere, zonder bij een zender langer stil te staan dan één of twee seconden, net genoeg om alle muziek, zelfs de onschuldigste melodie, synoniem te laten zijn met vijandigheid, om hem dan met een onverhoeds, teleurgesteld gebaar weer uit te zetten, alsof het de schuld was van de programmamakers van de twintig of dertig zenders die hij zojuist gepasseerd was en niet van de maniakale snelheid waarmee hij erlangs was geraasd, en hem vijf minuten later, terwijl zijn reisgenoten net begonnen te genieten van de herwonnen stilte, opnieuw vol enthousiasme aan te zetten, alsof er in dat minieme tijdsbestek iets veranderd zou kunnen zijn; of het plotseling tot het maximum opvoeren van de snelheid van de auto om met een wilde ruk aan het stuur de vrachtwagen in te halen waarvan hij de slakkengang al een kwartier lang luidkeels zat te vervloeken, en dan meteen daarop, schijnbaar geschrokken van zijn eigen overmoed, zijn voet van het gaspedaal te halen, vaart te minderen en zich over te geven aan de halve snelheid waarmee hij eerst reed en aan de verwensingen waarmee hij de vrachtwagenchauffeur had bestookt, die hem vervolgens vanzelfsprekend weer voorbijreed –, een lijdensweg die alle reizigers zonder uitzondering, inclusief zijn vrouw, steevast met tot het uiterste gespannen zenuwen en kotsmisselijk doorstonden, zichzelf heimelijk belovend de kwelling die ze zojuist hadden ondergaan te onthouden en zo, onverkort, in hun geheugen op te slaan, zodat ze die nooit meer hoefden mee te maken.

Rímini sloeg een handdoek om zijn middel en stapte de gang op. In witte onderbroek en singlet, met de zoom van zijn losgeknoopte overhemd ter hoogte van zijn knieën, stortte Rodi zich op hem, ging aan hem hangen en omhelsde hem met een dierlijke begerigheid, waarbij Rímini voelde hoe zijn korte armen zo'n beetje blindelings langs zijn lichaam tastten, alsof hij hem fouilleerde op wapens. Hij maakte zich van hem los. Rodi haalde gejaagd adem, af en toe een paar snelle blikken op hem werpend en hem op zijn arm kloppend als om zich ervan te vergewissen dat hij echt was. 'Losbol,' zei hij, 'we zien je nooit meer. Daar heb je goed aan gedaan: ons als schoonouders te nemen... Hoe lang is dat al geleden, dertien jaar? Wat een tijd, mijn god. En dat terwijl we toch zoveel van je houden.' Heel even voelde Rímini zich geraakt door iets van zijn emotie, die hem dwong alles tegelijk te willen zeggen en de chaos van zijn over elkaar heen tuimelende woorden een moment lang zin verleende. Hij zag hem staan, bijna naakt, gekrompen door de jaren en toch vitaal, bedeeld met dezelfde jeugdige energie die hem er, eenzaam en volkomen stuurloos, toe bracht zich op zijn zestigste nog op de meest uiteenlopende alternatieve levenswijzen te storten, van jyorei en de theeceremonie tot tai chi chuan en nudistentherapie, van spirituele retraite tot lichamelijke expressie en reflexologie, en Rímini, bevrijd van het enigszins formele kader van schoonvader en schoonzoon waarbinnen hij gewend was hem te zien en met hem om te gaan, Rímini voelde dat hij vertederd raakte. Maar hij keek nog eens goed naar hem en had het idee dat er nog iets was, dat de emotie, waarvan de lichtelijk kinderlijke zuiverheid hem zozeer had geraakt, als het ware *doorsneden* werd door een gevoel van een andere orde, minder onbaatzuchtig, dat de emotie, hoe oprecht die ook mocht zijn, een rol speelde in het verhullen van... angst. Rodi was doodsbang: zijn exschoonzoon had hem zojuist in een hotel betrapt met een vrouw die niet zijn echtgenote was. Rímini bekeek hem met dit nieuwe vergrootglas, en naarmate alles wat een seconde daarvoor nog wazig was geweest scherper werd, naarmate de rusteloosheid, de glimlachjes, de blijmoedige zorgelijkheid, de klopjes op zijn arm en de vochtige glinstering die zijn ogen deed twinkelen hun spontaniteit verloren en ver anderden in technieken om hem af te schrikken, monddood te maken of om te kopen, met als enige doel zich te verzekeren van zijn stilzwijgen, voelde Rímini, die zich tot dat moment relatief neutraal had opgesteld, meer als de getuige van een onalledaagse situatie dan als een van de hoofdrolspelers, hoe hij langzaam wegleed in een afgrond van melancholie. Hij herinnerde zich de keren dat Sofía, in een verregaande staat van woede en teleurstelling, hem had toevertrouwd dat ze haar vader ervan verdacht een dubbelleven te leiden. Ze wantrouwde zijn secretaresses, de werkneemsters van de fabriek, de jonge vrouwen die hij aannam om nieuwe producten te lanceren en te promoten. Alle *hobby's* in groepsverband waaraan hij zijn vrije tijd besteedde – alle tijd die hij haar moeder ontzegde –, die hij steeds met onvoorwaardelijk enthousiasme omhelsde, alsof hij na jarenlang vergeefs te hebben gezocht, eindelijk het wondermiddel voor al zijn kwalen had gevonden, en die hij na twee weken doodgemoedereerd en volkomen ongeïnteresseerd weer opgaf – iets wat hij vervolgens toeschreef aan banale details, zoals een ongunstig tijdstip van de bijeenkomsten, een meningsverschil met een lid van de groep, een klein lichamelijk ongemak dat, gefilterd door de merkwaardige alchemie van Rodi, van oorzaak plotseling gevolg werd –, al die disciplines en praktijken waar hij warm voor liep en die altijd verband hielden met de 'innerlijke wereld' waaraan hij, vol zelfbeklag, zei te lijden, alle groepen waar hij deel van uitmaakte en die vergeven waren van de eenzame, treurige vrouwen en charismatische leraressen, experts in de meest verborgen geheimen van lichaam en ziel, heel die wereld van werkgroepen, cursussen, experimentele practica en marathonsessies, waarvan Sofía het *element van vertwijfeling*, zoals ze het noemde, maar al te goed kende omdat ze zich er zelf ook aan overgaf, dat alles was voor haar, en ook voor haar moeder, met wie ze regelmatig, soms zelfs in aanwezigheid van Rímini, haar verdenkingen deelde, een grote dekmantel, een rookgordijn of misschien de ware gietvorm van zijn clandestiene leven. En nu de waarheid aan het licht kwam, of althans werd blootgesteld aan het verderfelijke rode schijnsel dat hen omhulde in de gang van het hotel, ondervond Rímini, die er nooit eerder ook maar enige belangstelling voor had getoond, ten dele omdat hij de rol van overspelige echtgenoot, zelfs in zijn meest pathetische vorm, buiten alle proportie vond voor dat schichtige mannetje dat uit principe alles wat nieuw was wantrouwde, zelfs zozeer dat hij liever zijn oude verstelde truien bleef dragen, op het gevaar af dat zijn klanten hem voor een sloddervos hielden, dan dat hij naar een winkel ging om een nieuwe te kopen, ten dele omdat hij de verdenkingen van Sofía toeschreef aan een soort universele, vrouwelijke axiomatiek, nu ondervond Rímini aan den lijve de treurigheid die doorsijpelt in de geschiedenis wanneer zij besluit ironisch te zijn. Want de waarheid waar Sofía en haar moeder zo lang naar hadden gezocht, en waarvoor ze in een bepaalde periode, toen Rímini nog deel uitmaakte van hun leven, alles hadden willen geven, die waarheid bleek dubbel nutteloos te zijn: ze verscheen nú, nu het al te laat was, en ze verscheen aan hém, die er nooit naar op zoek was geweest en geen enkele relatie meer had met de wereld die ze geacht werd in beroering te brengen. En net toen hij begon te denken dat dát misschien het rampzalige lot van de menselijke waarheid verklaarde – dát: niet het feit dat er geen waarheid bestond, zoals velen beweerden, maar het feit dat de waarheid altijd op het verkeerde moment naar buiten kwam, wanneer het mysterie waarop zij een antwoord gaf al vergeten was, en nooit in handen viel van degenen die haar zochten of nodig hadden –, hoorde Rímini een vreemd geluid, het langs elkaar wrijven van stukken leer, een dof gerinkel, en zag hij de vrouw die ongeduldig op de gang verscheen met een ketting om haar hals, naakt bovenlijf, waar allerlei leren banden kruiselings overheen liepen, en een ranke rubberen zweep trillend in haar hand. Zonder Rodi naast zich zag ze er niet meer zo reusachtig uit. Rodi draaide zich niet om. 'Eh. Ik moet gaan, sorry, niets aan te doen,' zei hij, en hij haalde een kaartje uit het borstzakje van zijn overhemd en dwong hem bijna het aan te nemen. 'Kom me maar eens opzoeken. Misschien heb ik iets voor je. Ik weet dat je wat probleempjes hebt gehad... Sofía is Sofía, wij zijn wij. En wij houden van je, weet je? Heel veel, we houden heel veel van je. We hebben ons steeds afgevraagd... Of kom gewoon thuis langs. Daar zou je ons een groot plezier mee doen.' Hij legde allebei zijn handen op Rímini's borst, klopte er zachtjes op met zijn handpalmen, alsof hij hem masseerde, en begon achteruit te lopen, zijn blik voortdurend op hem gericht, terwijl de vrouw in de kamer verdween. Rímini had de indruk dat hij huilde. 'Toe, kom een keer langs. Doe je dat? Beloof het me. Kom je langs?' zei hij, terwijl zijn blote voeten, klein als van een oud kind, terugweken op het oosterse tapijt.

6

De twee daaropvolgende nachten sliep hij slecht. Het kostte hem moeite de juiste houding te vinden; hij probeerde de gebruikelijke maar die kwamen hem geforceerd en ongemakkelijk voor, als kleren die twee maten te klein waren, en de nieuwe houdingen die hij aannam bezorgden hem alleen een tijdelijk comfort, waar hij na een paar minuten dubbel geïrriteerd weer uit opveerde om opnieuw te gaan verliggen. En als hij dan eindelijk insliep, eerder van ergernis dan van vermoeidheid, was het laagje slaap zo dun en teer, en was hij zich zo bewust van die broosheid, dat hij in een staat van voortdurende waakzaamheid verkeerde en zijn bewegingen zoveel mogelijk beperkte, alsof hij op een glazen plaat lag. Op donderdag werd hij vroeg wakker, helemaal blootgewoeld. Zijn hele lichaam deed pijn en hij was verkleumd van de kou. Zodra hij zijn ogen opendeed herhaalde hij hardop een onbekende zin, meegenomen uit een droom die hij zich niet herinnerde te hebben gehad: 'Liefhebben is wat lichamen doen, en wij zijn nu alleen nog geestverschijningen.' Een verdwaald restant van een of andere vertaling, dacht hij. Hij kwam op het idee die ochtend vrij te nemen en niet naar de club te gaan, maar hij maakte de fout dit bij het ontbijt op te biechten. De trainer raadde het hem af met een van die argumenten van gymnastisch terrorisme die hij gewoonlijk gebruikte om elke vorm van uit zwakheid geboren rebellie de kop in te drukken, en om het afschrikkingseffect niet al te flagrant te laten zijn, diende hij hem een dubbele portie ontbijtgranen op. Daarna kwam de routine van de ochtendgymnastiek, die Rímini met tegenzin uitvoerde. Voor het eerst speelde hij vals: hij maakte gebruik van het feit dat de trainer zich op zijn eigen reeks oefeningen concentreerde om de zijne te bekorten, delen over te slaan en bewust verkeerd te tellen. Op een gegeven moment hield hij op en keek opzij, en in plaats van de trainer te zien, in plaats van hem te herkennen, dat wil zeggen, niet zozeer hem te zien als wel onmiddellijk het idee aan te nemen dat hij al van hem had voordat hij naar hem keek, was dat wat hij zag, als op een anatomische afbeelding, een zuivere musculaire structuur, door elkaar heen gevlochten pezen en banden op een onzichtbaar onderstel, een spel van vormen en schitteringen, van samentrekkingen en uitzettingen, begeleid door de monotone muziek van de longen, en dat beeld, bloedig als een scène uit een slagerij, deed hem kokhalzen, een reactie die hij onderdrukte door zich snel op de mat om te draaien. Iets in de gehoorzame machinerie van zijn leven was definitief ontregeld.

Op de club raakte alles in een stroomversnelling. Overmand door een gevoel van vermoeidheid, dat hem traag en log maakte, moest Rímini zich haasten. Hij verdichtte de tijd waar hij kon en slaagde erin, nerveus en gespannen door de haast, net voor het begin van de eerste les aan te komen. Maar Damián was te laat – wat Rímini, nog altijd voortgedreven door een verlangen naar versnelling, dwong zich nog meer in te spannen om zijn tempo te verlagen en zich aan te passen aan de minuten van inactiviteit die voor hem lagen – en kwam precies aan op het moment dat Rímini besloten had de les niet door te laten gaan – weer een verandering van ritme –, en bovendien was hij prikkelbaarder dan ooit, zodat hij anderhalf uur lang – het was het begin van de maand en de jongen dreigde hem niet te betalen als Rímini weigerde hem de volledige les te geven – aan een stuk door kauwgom kauwde en zong, twee vrijheden die Rímini zijn leerlingen nooit toestond. Tegen het einde van de les, midden in een slagenwisseling, enigszins buiten zichzelf, wat de ongewone verbetenheid verklaarde waarmee hij van de jongen eiste dat hij de moeilijkste ballen haalde, verminderde Rímini de intensiteit van de slagen en begon zonder het spel te onderbreken en met de aankondiging dat ze volleys zouden gaan oefenen, de jongen met steeds kortere ballen naar het net te lokken. Damián werd overmoedig; hij liep op met een paar ferme klappen, door Rímini met vlakke slagen beantwoord, niet erg hard maar wel goed geplaatst, naar de lijnen, waarmee hij hem wilde attenderen op die zwakke punten. De jongen blokte drie passings achter elkaar, een over rechts, een andere over links, de volgende weer over rechts, en toen hij zich voorbereidde om opnieuw naar links te springen, de kant die het patroon van de slagen hem logischerwijs leek op te sturen, sloeg Rímini keihard, met ongeremde kracht, als langs een liniaal getrokken, rechtuit, en raakte de bal Damián vol in het gezicht, precies tussen zijn ogen, op het snijpunt van zijn wenkbrauwen. Zonder het racket los te laten zakte de jongen met een verbaasde blik in elkaar. Rímini sprong over het net en boog zich over hem heen om hem te helpen. De kauwgom stak als een bedeesd roze insect uit zijn mondhoek. Vijf minuten later zat Damián op de bank te huilen, een servetje met ijs tegen de roodachtige zwelling gedrukt die in het getroffen gebied begon te ontstaan, terwijl Rímini, die probeerde nieuwe vormen van vergelding te onderdrukken, zijn blik over het terras van de club liet dwalen en, eerst met verbazing, daarna met een verontrustend gevoel van ongeduld, de twee leerlingen zag die daarna les van hem hadden, Nancy en Boni, die *samen* – hij meende te zien dat hij haar tas droeg – aan het tafeltje in de zon gingen zitten waar Nancy gewoon was haar drankjes te nuttigen. Hij zag hen een paar woorden wisselen en weer zwijgen, de ober wegsturen die hun bestelling wilde opnemen en daarna, tot slot, naar hem, Rímini, of naar iets vlak bij hem, wijzen. Rímini maakte Damián zonder veel omhaal duidelijk dat hij wel kon vertrekken. Het gebeurde allemaal te laat, veel te laat, en toch had de haast die hem opjoeg niets te maken met de tijd. Maar toen de jongen, als een wrevelige eenhoorn, wegliep, zijn tas en racket achter zich aan slepend en twee lange sporen in het gravel trekkend, was het eerste wat Rímini deed, na Boni te hebben gewenkt dat hij de baan op kon komen, op zijn horloge kijken en een schatting maken om zich ervan te overtuigen dat het beeld van die twee samen, op dat tijdstip – ze kwamen elkaar gewoonlijk pas na de les tegen, nooit ervoor – niet zozeer iets nieuws als wel iets afwijkends was.

In tegenstelling tot Damián was Boni een en al lusteloosheid. Hij sjokte als een zieke over de baan, met ingevallen borst en gebogen hoofd, en in plaats van te rennen beperkte hij zich tot het lui uitsteken van zijn racket, niet direct naar de bal, iets wat hij gedaan zou hebben als hij van plan was geweest hem terug te slaan, maar naar het zeer vage gebied waarbinnen hij, eerder op grond van gemakzucht dan van de baan van de bal, veronderstelde dat de bal wel moest stuiten, en daarna, wanneer hij zich verwaardigde het racket te bewegen en met veel moeite een beetje in de lucht maaide terwijl de bal zijn baan vervolgde en tegen de afrastering achter hem knalde, sloeg hij zijn ogen ten hemel, slaakte een gesmoorde kreet van zelfverwijt en bleef een tijdje tegen het net geleund staan, zijn gezicht tegen zijn schouder om aan de mouw van zijn shirt de zweetdruppels af te vegen die slechts bestonden in zijn verbeelding. Het was op een van die rusteloze momenten – die de jongen vanzelfsprekend als geen ander wist te improviseren en die Rímini probeerde te verdrijven door van heel dichtbij ballen naar hem toe te gooien, alsof hij richtte op een doelwit in mensengedaante zoals je die vroeger had op de kermis – dat Rímini, die net had voorgesteld om van baanhelft te wisselen, niet zonder enige kwaadaardigheid erop vertrouwend dat de zon in zijn gezicht hem wel wakker zou schudden, een paarse vlek ontdekte aan de zijkant van zijn hals. Ze liepen bij het net langs elkaar heen, en in een poging hem gunstig te stemmen, mompelde Rímini iets over 'een wilde nacht'. Boni gaf geen antwoord en wisselde van helft met het racket als een spade op zijn schouder. Rímini gebruikte de laatste tien minuten van de les om zich te wreken voor die minachtende houding. Eerst kwelde hij hem met heel hoge ballen, die Boni dwongen in de zon te kijken en zich te laten verblinden, en daarna nam hij hem onder vuur met diepe slagen naar de hoeken. En toen hij daarmee klaar was gaf hij hem opdracht de ballen op te rapen die aan zijn kant van de baan waren blijven liggen. Boni, nog verblind, keek om zich heen en ontdekte dat hij omgeven was door een gele zee: álle ballen lagen aan zijn kant. 'Als ik terugkom wil ik ze allemaal in de mand zien,' zei Rímini. Boni sloeg een paar smekende ogen naar hem op, maar Rímini was al op weg naar het clubgebouw.

Hij rende met drie treden tegelijk de trap op, stak het terras over en ging de bar binnen om Nancy te zoeken. Het vertrek was leeg. Hij liep de hal in, waar een elektricien boven op een ladder bezig was kabels aan te sluiten. Uit een ooghoek zag hij nog net zijn verminkte naam op het aanplakbord: de eerste twee letters hadden losgelaten en lagen onder aan het bord, ingeklemd tussen het velours en de lijst. Hij wierp een snelle blik in de dameskleedkamer, verlaten en blinkend schoon, pas gedesinfecteerd, en keerde terug naar de bar, aangetrokken door een deur die dichtsloeg. Niemand. Hij begon zich zorgen te maken: hij had het gevoel dat de dingen zich bewogen zodra hij ze de rug toekeerde en tot stilstand kwamen zodra hij ernaar keek. Hij liep het terras op, hield zijn hand boven zijn ogen tegen de zon en pande met trage vertwijfeling langs de hele club, de paddle-tennisbanen, de pelota-banen, het schuurtje met onderhoudsmaterialen, het zwembad, de tennisbanen, waarbij hij een blik op zijn eigen baan zo lang mogelijk uitstelde om zich het beeld te besparen van de jongen die met de laksheid van een reiger een voor een de ballen opviste. Maar de baan was schoon, alle ballen lagen in de mand, en Nancy en Boni schenen in een zeer geanimeerd gesprek gewikkeld, zij staande met haar rug naar Rímini toe, de zoom van haar rok optillend om de achterkant van haar dij te krabben, hij zittend op de bank met gebogen hoofd, geometrische figuren tekenend in het gravel met het handvat van zijn racket. Rímini knipperde met zijn ogen; hij moest ze dichtdoen en weer open en opnieuw kijken om zich ervan te overtuigen dat hij het goed zag. Was dat mogelijk? Hij liep in gedachten de routes na die de tennisbaan met het clubgebouw verbonden: het was heel merkwaardig dat Nancy en hij elkaar niet waren tegengekomen. Hij ging met sprongetjes de trap af zonder zijn ogen van hen los te maken. Hij kreeg de indruk dat Nancy op haar hoede was, alsof ze zijn aanwezigheid geraden had. Boni hield op met zijn gekras in het gravel, stopte zijn racket in de hoes en verliet snel de baan via het pad langs de spoorrails.

Rímini aarzelde: de agressor achtervolgen of het slachtoffer bijstaan? Hij dacht erover de jongen achterna te gaan om hem uit te horen, maar hij zag Nancy een van haar ellenlange sigaretten staan roken, terwijl ze slagen oefende in de lucht, zonder bal, en de schaamteloze verveling die hij op haar gezicht las deed hem besluiten de baan op te gaan. Hij stamelde een begroeting, ging op de bank zitten, pakte een handdoek en legde hem weer neer, rommelde wat op de bodem van zijn tas zonder iets te zoeken, alleen om tijd te winnen, en nadat hij had omgekeken en de jongen in de verte kleiner zag worden, sprong hij op, wierp zich op Nancy en probeerde haar te kussen. Het enige wat hij bereikte was dat hij met zijn hand achter een bh-bandje bleef haken en een knoop lostrok. Hij ging op zijn knieën zitten om ernaar te zoeken, deed even of hij de grond afzocht en sloeg zijn armen toen prompt om haar benen als wilde hij haar om vergeving vragen. Nancy duwde hem weg met haar racket. 'Doe me een plezier en stel je niet zo aan,' zei ze. 'Laten we naar het schuurtje gaan,' zei Rímini. 'Nee.' 'Naar de auto dan, laten we naar de auto gaan.' 'Nee.' 'Naar het heuveltje.' 'Nee, vandaag niet,' zei ze, 'ik ben doodmoe.' Ze trapte de sigaret uit, pakte twee ballen uit de mand en rende verjongd en lichtvoetig naar de achterlijn, waar ze, sprongetjes makend om zich op te warmen, de ballen uitdagend liet stuiten. Een paar minuten later waren ze bezig met een slagenwisseling, toen Rímini het ritme van zijn slagen veranderde en gebruikmaakte van een lage, diepe backhand om naar het net te komen. Maar dit keer wachtte Nancy niet; ze zocht de bal op en sloeg hem met veel topspin terug. De bal ging omhoog en maakte een venijnige curve. Volkomen verrast probeerde Rímini hem uit de lucht te plukken met een backhandsmash, maar hij werd verblind door de zon en de bal vervolgde onverschillig zijn weg naar de achterlijn. Gekrenkt in zijn trots besloot Rímini erachteraan te rennen. Hij wist hem struikelend te halen, maar vrijwel zonder enige controle. De bal viel recht op de achterlijn, die een stukje boven de grond uitstak, raakte daardoor uit koers, zodat Rímini missloeg, en viel dood neer tegen de afrastering, terwijl Rímini over de achterlijn struikelde en languit op het gravel belandde.

Nancy was gedreven, gretig, een en al concentratie. Het leek wel of ze uit een langdurige lethargie was ontwaakt: ze bleef voortdurend bewegen en sloeg elke bal alsof ze de finale van een kampioenschap speelde. Rímini, totaal verbijsterd, begon de les met enige regelmaat te onderbreken. Hij stopte midden in een slagenwisseling om iets, de eerste de beste kleinigheid, te corrigeren, en deed dat met dezelfde angstvalligheid die hij anders altijd opofferde om de continuïteit van het spel te bewaren. Bij de derde of vierde opmerking, allemaal op een irritante kortaffe manier onder woorden gebracht, alsof hij tegen een zwakbegaafde sprak, ging Nancy in de tegenaanval. Ze vocht elke verbetering aan door een beroep te doen op de aanwijzingen van Rímini's voorganger, en gleed vervolgens, van dat technische twistpunt, met het verstrijken van de minuten meer en meer af naar persoonlijker terrein, waar de problemen te maken hadden met 'sfeer', met 'communicatie', zelfs met 'huid', en Nancy stelde ze glimlachend aan de orde, met een nadenkende blik die haar ver, heel ver daarvandaan leek te voeren. Rímini hoefde niet diep na te denken om precies te weten waarheen. Hij kende dat land. Hij herinnerde zich maar al te goed de gedeeltelijke vergezichten die zijn voorganger hem die middag in het appartement in Núñez had laten zien. En terwijl hij naar de blos, naar het heimelijke verlangen op Nancy's gezicht keek, zag Rímini ze opnieuw aan zich voorbijtrekken, ansichtkaarten uit een wereld van verrukkingen die hem toen hadden doen walgen en hem nu meedogenloos pijnigden: 'pijpmondje', 'tochtgat', 'vleesetende plant', 'naaimachine'... De les ging nog een tijdje door, maar zelfstandig, zonder hen: Nancy keerde niet meer terug uit de droomwereld die haar had meegevoerd, en Rímini ook niet uit de hel. Het schouwspel dat hem kwelde had te veel lagen; telkens wanneer hij er een losmaakte, in de veronderstelling dat het hem zou opluchten, verscheen er onmiddellijk weer een andere, nog obscener en weerzinwekkender, waarin de tennisleraar, Nancy en Boni, met het typische enthousiasme van de nieuweling, zich verstrengelden in een reeks afgrijselijke acrobatische kronkelingen. Hij kon er niet meer tegen en beëindigde de les. Nancy keek op haar horloge en zonder dat de glimlach van haar lippen verdween, maakte ze hem erop opmerkzaam dat ze nog twaalf minuten les te goed had. Maar Rímini was er al niet meer om naar haar te luisteren.

Hij keerde radeloos terug naar het appartement in Núñez. Zijn slapen bonsden, zijn mond was droog en hij beefde zo dat hij vijf minuten nodig had om de sleutel in het slot te krijgen. Toen hij eindelijk binnen was, hulde het licht dat het lege appartement binnenstroomde hem in een wervelwind van luciditeit. Hij liet zich in een stoel ploffen en bleef een paar seconden roerloos zitten, verbouwereerd starend naar het glinsterende mistgordijn dat de horizon vertroebelde. Hierna pakte hij de telefoon en tikte het nummer van Sofía in, en terwijl hij wachtte liet hij de details nog eens zorgvuldig aan zich voorbijtrekken, van voren naar achteren, alsof hij een band terugspoelde: de kleine voeten, als van een pop, die zich verwijderden over het tapijt, de trillende stem waarmee Rodi hem had willen omkopen, de vrouw in de gang die hem voor zich opeiste met de zweep in haar hand, de singlet onder zijn overhemd – ja, dacht hij, hij zou haar alles vertellen, in één keer, zonder erbij na te denken en zonder inleiding, alsof hij een anonieme boodschap verstuurde. Er werd opgenomen en Rímini raakte in verwarring. Hij was zo opgegaan in wat hij had besloten te zeggen dat hij het gevoel kreeg dat hij in de rede werd gevallen. Hij hoorde nog net het einde van een zin: '... in het ziekenhuis blijven slapen,' een van die flarden uit het privé-leven die je soms aan de telefoon kunt opvangen, en daarna een ongeduldige stem: 'Hallo? Hallo?' Rímini wachtte. 'Hallo?' herhaalde de stem. 'Sofía?' zei Rímini. Er viel een stilte. 'Rímini? Ben jij het?' Hij wilde ja zeggen – hij hoorde een dof geluid, vermenigvuldigd met drie, alsof de hoorn een trap af rolde, en vervolgens, een paar seconden, de tekenen van spoedoverleg: de moeder probeerde Sofía ervan te overtuigen dat ze haar moest laten praten – 'Neem me niet kwalijk, maar jij bent er nu niet toe in staat' –, Sofía verzette zich – 'Jij nog minder, mama' –, geworstel om de telefoon, nog meer gebons, hysterisch geschreeuw – 'Laat me alleen! Alleen, zei ik!' –, een klap met een deur, en alles werd weer stil. Er volgde een diepe zucht, het abrupte geluid van een hik en toen kwam de gebroken stem van Sofía weer aan de lijn: 'Rímini, ik kan het niet geloven. Het is een wonder. Ik stond net op het punt je te bellen... Ik had zóveel met je te bespreken. Hoe heb je het gehoord? Van Víctor? Wat raar, we hebben elkaar een halfuur geleden nog gesproken en hij heeft niks gezegd. Het is ongelooflijk. Het leven is ongelooflijk, Rímini. Weet je over wie papa het had, een minuut voordat hij het infarct kreeg? Over jou. Hij zei dat hij je miste. Arme man. Hij begon bijna te huilen. Hij zei dat hij je wilde zien. Hij miste je.'

7

Pas in de taxi, toen het lichtspel in de kruinen van de platanen, de breedte van de avenida en de sobere, functionele elegantie van de gebouwen – met de oude opticien die een hele afgeschuinde hoek van de straat besloeg – hem al terugvoerden naar de provincie van zijn leven die zijn archieven 'Hospital Alemán' noemden en die desondanks, onbewogen, verschillende tijdperken omvatte, allemaal verband houdend met droefheid en dood, drong het tot Rímini door dat hij zich niet had omgekleed. Hij had de telefoon neergelegd en was weggegaan. Hij had amper tijd gehad de sleutels en wat geld in zijn zak te stoppen. En nu hij naar zijn tennisschoenen keek, naar zijn blote benen – die door de leren bekleding van de auto extra naakt leken –, naar zijn polsband, die vochtig was van het zweet, naar zijn short van katoen en badstof, kon hij niet anders dan zich ongemakkelijk voelen, alsof hij verkleed als clown naar een begrafenis ging. Hij kreeg de aanvechting om terug te gaan. Maar hij stak zijn hoofd uit het raampje, zag dat hij al vlak bij het ziekenhuis was en kwam tot rust toen, tot zijn eigen verbazing, de ongepastheid van zijn kleding hem met trots begon te vervullen. Het was niet langer een teken van onfatsoenlijkheid maar van bezorgdheid; het nieuws van Rodi's hartaanval had hem overvallen en zo aangegrepen dat hij niet had geaarzeld om alles op datzelfde ogenblik te laten liggen en meteen naar het ziekenhuis te vertrekken om Sofía en haar moeder bij te staan.

Sofía stond hem in de deuropening op te wachten. Haar haar was lang en zat in de war, met een grote donkere strook aan de zijkant, alsof ze had besloten het te verven en halverwege spijt had gekregen, maar niet genoeg om het weer de oorspronkelijke kleur te laten aannemen.

Ze zag lijkbleek, en toen hij uit de taxi stapte en ze naar hem toe rende en hem om de hals vloog, bijna verdwijnend in zijn armen, rook Rímini de zware geur van haar make-up, een zoete, zwoele en ranzige walm die hem de adem benam en hem dwong haar van zich af te duwen. Hij keek haar aan; Sofía huilde. Hij had de indruk dat haar gezicht niet menselijk meer was, niet langer bestond uit beenderen, vlees en huid maar uit een soort roze deeg, samengesteld uit crème, poeder en smeerseltjes, dat met het verstrijken van de seconden snel bezig was uiteen te vallen. 'Dank je dat je gekomen bent. Dank je, dank je, dank je,' fluisterde Sofía hem in het oor terwijl ze hem opnieuw omhelsde en hem op zijn kin, hals en oorlelletje kuste, korte, koortsachtige kusjes die omhoog, naar beneden en weer omhooggingen. 'Ik had zo'n zin om je te bellen, maar ik kon het niet opbrengen. Bovendien wist ik niet waarheen. Na alles wat er gebeurd is, dacht ik dat je me nooit meer zou willen zien. Vergeef me, Rímini. Vergeef me, alsjeblieft. Ik weet niet wat me bezielde. Ik moet gek geworden zijn. Ik heb een hiaat, weet je. Ik kan me niets herinneren. Ik herinner me het hotel, de taxi, en daarna, niets, helemaal blanco, totdat ik thuiskom en naar mijn hand kijk en... (ik huil omdat ik het nog niet kan geloven; het is alsof ik het over een ander leven, een andere persoon heb) en in mijn hand dat haarlokje zie...' Rímini troostte haar met een aai over haar rug, duwde haar weer van zich af en vroeg op professioneel nuchtere toon hoe het met haar vader was. Sofía verstomde, keek hem aan zonder hem te zien, en knipperde verscheidene keren met haar ogen, alsof ze uit een trance ontwaakte. Daarna glimlachte ze en streelde hem zachtjes, teder, met het air van begrip dat Rímini zo goed kende, alsof ze grootmoedig de redenen aanvaardde waarom hij besloot van onderwerp te veranderen, maar tegelijk duidelijk maakte dat zij die niet deelde, dat ze die zelfs kinderachtig vond, niet zozeer het product van zijn vrije wil als wel van angst, dat wil zeggen, van een verlangen dat Rímini nog altijd niet durfde toe te geven, en dat ze daarom gemakkelijk weerlegd konden worden; en Rímini besefte opnieuw in hoeverre *begrip*, met zijn wonderbaarlijke vermogen om te boeien, te absorberen en te assimileren, de ware talisman van Sofía was, het tegengif dat haar in staat stelde zichzelf met uitzonderlijke doeltreffendheid en snelheid te hervinden, de onhandigheid, de ramp, de waanzin achter zich te laten en om te vormen tot vervloekte wapenfeiten die onmiskenbaar aantoonden hoe ongevoelig of dwaas de wereld was. Maar in plaats van verder te gaan, in plaats van die scherpzinnige diagnose, zoals altijd haar gewoonte was geweest, te bekronen met de noodzakelijke handelingen om de bijbehorende therapie op te leggen, glimlachte Sofía opnieuw, schudde een paar keer haar hoofd, alsof ze elk van de twistpunten die in haar hoofd om voorrang streden als overbodig van de hand wees, en duwde hem, hangend aan zijn arm, langzaam naar de ingang van het ziekenhuis.

Het ging niet goed met Rodi. Hij lag al twee dagen op de intensive care en de vooruitzichten waren niet al te best. Terwijl ze met de lift naar boven gingen, wilde Rímini, met een zweem van schuldgevoel, precies weten wanneer hij de hartaanval had gekregen. 'Dinsdagavond,' zei Sofía. Maar alles wat ze wist, had ze in feite van haar moeder gehoord. Die avond was Sofía in de Adèle H. onafgebroken bezig geweest met de voorbereidingen voor de officiële opening. Rodi was later dan gewoonlijk uit de fabriek gekomen, doodmoe, met pijn in zijn hele lichaam, 'alsof hij een pak slaag had gekregen', en verkeerde in een zorgwekkende staat van benauwdheid. Hij had een tabletje geslikt en een warm bad genomen, wat voor hem ongebruikelijk was, omdat hij dat als een vrouwelijke gewoonte beschouwde. Hij was naar bed gegaan en had gevraagd of ze zijn eten boven wilden brengen. Hij at er amper van en klaagde dat hij een vieze smaak in zijn mond had. Daarna dommelde hij een kwartiertje in. Om een uur of tien ging hij plotseling, alsof hij zich iets belangrijks herinnerde, rechtop in bed zitten en begon over Rímini te praten, herinneringen aan hem op te halen en zichzelf de laksheid te verwijten waarmee ze de relatie hadden laten doodbloeden. Sofía's moeder liet hem praten. Ze had het gevoel dat het er allemaal een beetje met de haren bijgesleept was, maar het deed haar goed om te zien dat hij ergens enthousiast over was. Ze keken een tijdje lukraak televisie. Zoals gewoonlijk veranderde Rodi na vijf minuten alweer van zender met de afstandsbediening, en als een beeld hem wist te boeien bleef hij een poosje zwijgend en in vervoering liggen kijken, totdat iets wat hij in het programma zag of hoorde hem aan Rímini deed denken, dan werd hij afgeleid, verloor zijn interesse en zapte naar een andere zender. Na een halfuur, toen zijn vrouw, die zag dat zijn benauwdheid niet minder werd, de kamer binnenkwam met een glas water en een tweede tabletje, zat Rodi op het toppunt van euforie met de afstandsbediening naar de televisie te wijzen, waar op dat moment, met *De helft van de gebeurtenis* als achtergrondbeeld, een documentaire begon over de jeugdjaren van Riltse. 'We moeten Sofía waarschuwen!' schreeuwde hij. 'En Rímini! Rímini ook!' Zijn vrouw ging naar de woonkamer om hem niet te storen, liet een bericht achter op het antwoordapparaat van Sofía en noteerde het telefoonnummer van de Adèle H., zodat ze het bij de hand had als ze het nodig mocht hebben. Toen ze terugkwam in de slaapkamer lag Rodi bewusteloos op zijn zij in bed. Dat was het eerste infarct. De andere twee, waaraan hij als door een wonder niet was overleden, kreeg hij in de ambulance op weg naar het ziekenhuis.

Nee, Rímini wist niets van de Adèle H. En hij had ook de documentaire over de jeugdjaren van Riltse niet gezien. Sofía keek hem enigszins wantrouwig aan, alsof de twee ontkenningen samen plotseling verdacht waren. De lift stopte. Pas toen ze de hal in liepen – een van die armoedige ruimtes die voortdurend worden gerenoveerd, waarmee ziekenhuizen het betreden van hun meest kritieke afdelingen aankondigen en het publiek de moed ontnemen die te bezoeken –, merkte Sofía zijn sportkleding op, die nu niet langer ongepast leek maar aansloot bij de witte jasschorten van de verpleegsters. Ze vroeg opnieuw hoe hij het gehoord had. Rímini aarzelde. De dag, de ontmoeting in het hotel, Rodi's verwarring, de angst waarschijnlijk dat Rímini het geheim zou onthullen, en daarna, alsof dat allemaal nog niet genoeg was, de sessie met de vrouw met de leren banden – alles sprak voor zich. Hij stelde zich Rodi naakt in het gloeiend hete bad voor, de bloeduitstortingen en de afdrukken van de zweep zacht golvend en zich vervormend onder de loep van het water, de penis die meer en meer verschrompelde tot hij bijna onzichtbaar was, een lachwekkende kopie van het orgaan dat

473

achtenveertig uur eerder voor de laatste keer een van de, vermoedelijk heterodoxe, openingen van die angstaanjagende vrouw was binnengedrongen. 'Hoe kwam je op het idee om mij te bellen?' vroeg Sofía. Rímini haalde zijn schouders op en glimlachte met een gebrek aan overtuigingskracht dat op bescheidenheid leek. Toen keek Sofía hem aan, langdurig, met een liefdevolle verbetenheid, zoals ze hem altijd aankeek wanneer ze van plan was alles op te graven waarvan ze vermoedde dat hij het in zijn stilzwijgen verborgen hield, en niet alleen op te graven maar het ook te lezen en grondig te ontcijferen, niet zoals hij het ontcijferd zou hebben – aannemend dat hij zich er bewust van was dat hij iets verborgen hield en de moed had om het aan het licht te brengen en onder ogen te zien –, maar zoals *alleen* zij dat kon, zij, die over een paar jaar misschien niet langer de baas was over zijn lichaam of zijn hart, maar wel over iets wat Rímini haar nooit zou kunnen ontzeggen, eenvoudigweg omdat het hem niet toebehoorde: de sleutels van zijn ziel, de lopers waaraan al zijn geheimen zich moesten onderwerpen. En nadat ze hem aangekeken had ging ze op haar tenen staan, pakte zijn hoofd tussen haar handen en toen haar gezicht zo dichtbij was dat het Rímini moeite kostte het nog scherp te zien, zei ze voordat ze hem kuste om hem gerust te stellen, dat hij niet hoefde te antwoorden, dat ze wist dat hij het woord 'telepathie' nooit zou uitspreken maar dat dat ook niet nodig was, omdat het daar nu juist om ging bij telepathie: in staat zijn niet te spreken, de woorden laten opgaan in iets anders, iets onmetelijks, groter, veel groter dan woorden, iets waar alles in paste, een huis, het huis waar ze gewoond hadden en waar ze ook nu nog woonden, waar ze altijd zouden blijven wonen, ongeacht wat ze deden.

Nadat ze hem gekust had, begroette Sofía de verpleegsters die vanaf de andere kant van het glas naar hen keken, duwde een klapdeur open en sleepte hem mee naar het hoofdkwartier dat ze met haar moeder voor de duur van het waken had ingericht, een smal kamertje, nog verkleind door een zestal metalen infuusstandaards, stapels en nog eens stapels kartonnen dozen, een tot bed omgetoverde brancard, keurig opgemaakt – Rímini herkende de Uruguayaanse deken die ze twintig jaar eerder, op een winderige middag in maart of december, gebruikt hadden op het strand om te kunnen ravotten zonder dat het zand op hun huid schuurde –, en rijen stellingkasten waarvan de planken doorbogen onder het gewicht van een arsenaal van ziekenhuisbenodigdheden. Nog verdwaasd door de scène in de hal, het misverstand, de kus, liet Rímini haar begaan en reageerde pas toen hij haar vingers en het contact met de ruwe stof van de doktersjas voelde. 'Wat? Nee,' bracht hij met moeite uit, maar hij keek naar beneden en zag tot zijn schrik dat zijn tennisschoenen al in steriele hoezen waren gehuld. 'Het zal hem goed doen je te zien,' zei Sofía terwijl ze de jas bij zijn schouders rechttrok en achter hem ging staan om die op zijn rug vast te knopen. 'Hij ligt aan de zuurstof en kan niet veel praten, maar dat hij je ziet is al genoeg. Hij zal heel blij zijn.' 'Maar... hij ligt op de intensive care,' protesteerde hij. 'Familie mag naar binnen. We hebben twee bezoekuren per dag,' zei Sofía. 'En jij, of je het wilt of niet, hoort bij de familie.' 'Ik weet het niet,' zei hij, 'ik ben erg vatbaar voor indrukken. Denk maar eens aan...' 'Maak je maar geen zorgen. Er valt niets te zien,' onderbrak Sofía hem. Ze deed een stap achteruit en bestudeerde hem van top tot teen, alsof ze op het punt stond hem de catwalk van een modeshow op te duwen, totdat de deur openging en tegen de zijkant van haar lichaam stootte. Een dokter stak een geschoren kin om de hoek en verontschuldigde zich. Het mondmaskertje hing als een ketting om zijn hals. 'Ga je naar binnen?' vroeg hij aan Sofía. Sofía schudde haar hoofd en wees op Rímini. De dokter keek hem aan en stak een slappe hand naar hem uit. 'Dit is Rímini,' zei ze. Rímini voelde hoe bij het noemen van zijn naam de hand van de dokter tot leven kwam. 'Ah, de beroemde Rímini. Uitstekend, uitstekend,' zei hij, nadrukkelijk zijn hand schuddend, alsof hij een weinig conventionele maar veelbelovende behandeling naar waarde schatte. 'Neem jij hem mee?' vroeg Sofía. 'Ja, natuurlijk,' zei de dokter, 'hierlangs, alsjeblieft.' Rímini maakte zich dun om te kunnen passeren en richtte toen hij voor Sofía langs schoof, een laatste onzekere blik op haar. 'Wacht even,' zei ze na hem nog één keer onderzoekend te hebben opgenomen. Ze strekte haar hand uit naar de stapel ziekenhuiskleding die in een mand lag en gaf hem een mondmasker aan. En daarna formuleerde ze met overdreven mondbewegingen een geluid-loos 'dank je'.

De dokter voerde hem door een met tl-buizen verlichte gang. Rímini voelde zich zwak, angstig, op zijn hoede. Hij had de enigszins boven-natuurlijke helderheid van geest van iemand die na een paar slapeloze nachten de straat op gaat en lichten, kleuren en vormen met een bijna pijnlijke duidelijkheid waarneemt. De dokter praatte met zijn rug naar hem toe, met luide stem, te luid, dacht Rímini, voor de gevoelige oren van de stervenden die hij aan de andere kant van de groen geverfde tus-senschotten vermoedde. Hij gaf hoog op van de geneeskrachtige wer-king van genegenheid, die volgens zijn ervaring vaak even doeltreffend was als een klinische behandeling, soms zelfs doeltreffender. Maar Rí-mini luisterde maar half, met één oor, hetzelfde oor waarmee hij het gehoest, het tikken van de apparaten en het langs elkaar wrijven van de lakens hoorde, terwijl hij het andere richtte op een heel zacht, onafge-broken gezoem dat hem door de hele gang heen begeleidde. De dokter bleef bij een deur op hem staan wachten, en Rímini hoorde hoe het ge-zoem plotseling werd onderbroken, alsof het een geluid was dat de an-der bij het lopen maakte. Maar hij keek omhoog en zag tegen het pla-fond een gedoofde tl-buis. De dokter deed de deur open, beduidde hem dat hij het mondmasker voor moest doen en gebaarde dat hij naar binnen kon gaan.

Er waren geen naalden en bloed, geen van de bedreigingen waar hij het bangst voor was. Rodi lag op bed, op zijn zij, en hield het zuurstof-masker een paar centimeter van zijn mond. Rímini had de indruk dat hij sliep. Een tros kabels verbond zijn borst met twee monitoren die naast het bed hingen, en een verband onttrok grootmoedig de ader in de onderarm waardoor hij werd gevoed aan het zicht. Rímini liep om-zichtig, met lange, trage passen naar hem toe, als een astronaut in een gewichtloze wereld, en toen hij een van zijn voeten op de vloer zette schrok hij op door een piepend geluid. Hij keek naar zijn voet: een bol-letje piepschuim was, door de steriele hoes heen, in het profiel van zijn schoenzool blijven steken. Toen hij zich weer naar het bed draaide, lag Rodi met wijdopen ogen naar hem te kijken. Rímini glimlachte. Hij begon zonder iets te zeggen het bed op te maken, de gebaren imiterend die hij een keer iemand had zien maken in een programma over medische spoedgevallen. Hij pakte de wollen deken, die opgevouwen aan het voeteneind van het bed lag, legde hem zorgvuldig gelijk met het laken en dekte Rodi vervolgens toe tot aan zijn nek, waarbij hij de bovenranden liet samenvallen. Rodi glimlachte dankbaar. Hij bleef hem aankijken met de uitdrukkingloze en glinsterende ogen van een net uit het water gehaalde vis. Hierna stak hij een arm naar buiten, zo onverwacht dat Rímini ervan schrok, en verhieven laken en deken zich een seconde boven het bed voordat ze op de vloer vielen. Rímini kreeg een vluchtig visioen van zijn naaktheid – twee magere, ingetrokken benen, met grote stukken zonder beharing en een samenklontering van aderen ter hoogte van de kuiten – en wendde zijn blik af. Rodi klaagde over de hitte: hij stikte bijna. Hij sprak met rauwe, doffe en bijna toonloze stem, een stem die alleen uit lucht leek te bestaan. Hij maakte zijn pyjamasje open en bood hem, terwijl hij op zijn rug ging liggen, het landschap van zijn onbehaarde, met elektroden volgeplakte borst. Hij pakte hem bij een arm, met een kracht die Rímini nooit zou hebben vermoed, en dwong hem zich over hem heen te buigen. 'Rímini,' zei hij. 'Rímini,' zei hij nogmaals, alsof in dat ene woord alles besloten lag wat de situatie vereiste dat hij zou zeggen maar niet van plan was te zeggen. 'Nu je hier bent,' ging hij verder, 'moet je me een plezier doen. Ja?' Rímini keek hem heel even zwijgend aan, en knikte pas toen Rodi hem zachtjes op zijn wang tikte, als om hem wakker te maken. 'Je moet dit telefoonnummer opschrijven, oké? 981-8725.' Rímini bracht zijn handen naar zijn borst, op zoek naar iets om mee te schrijven, en keek hem met een bedroefde blik aan. 'Onthoud het maar. Het is gemakkelijk: 981-8725. Negen: september, de verjaardag van Sofía. Negen min één: acht. En één: de één die je van de negen hebt afgetrokken. Nog een keer acht, weer min één: zeven. Twee, en vijf: ofwel zeven min twee. Toe, herhaal eens.' Rímini gehoorzaamde, en bij elke aarzeling, elke keer dat hij een cijfer verwisselde, sloten de handen van Rodi zich als een mechanische klauw rond zijn onderarm. Toen hij klaar was met het uit het hoofd leren van het nummer, prevelde Rodi een onhoorbare goedkeuring, glimlachte opnieuw en trok hem weer naar zich toe, nu zonder kracht – want de spanning van het toekijken hoe hij het nummer uit zijn hoofd leerde, scheen hem meer te hebben uitgeput dan Rímini – maar verzoend, alsof Rímini door te slagen voor het examen niet alleen de degelijkheid van zijn geheugen had bewezen, maar ook een doorslaggevend aantal hokjes op het speelbord van zijn vertrouwen was opgerukt, precies het aantal overigens dat hij nodig had om de volgende stap te zetten. 'Rímini. Luister goed naar me,' zei hij, zijn hoofd optillend en een paar haartjes achterlatend in de holte van het kussen. 'Nu moet je naar buiten gaan, de straat op, en dat nummer bellen. Wat was het ook weer?' '981-8725,' zei Rímini. 'Precies. Je moet bellen – hoe laat is het nu?' 'Twee uur. Kwart over twee.' 'Uitstekend. Als je belt, zal er een vrouw opnemen. Ze heet Ida. Als in Ida Lupino. Het is de vrouw met wie je me laatst gezien hebt. En dan moet je tegen haar zeggen dat je namens mij, namens Rodi, belt om haar te laten weten dat ik vandaag niet naar het paradijs kan komen. Zo moet je het zeggen: Rodi kan vandaag niet naar het paradijs komen. Zeg maar dat ik een probleem heb, maar dat ze niet moet schrikken, dat ik snel contact met haar zal opnemen. Verder niets. Wat voor probleem, dat weet je niet, je hebt geen idee. Wanneer ik contact op zal nemen, heel snel. Ik heb je gevraagd die boodschap over te brengen: dat is alles wat je weet. Zeg me na: "Ida, ik bel namens Rodi..." Toe, zeg me na.' Ze herhaalden het samen, tegelijk, waarbij Rodi na elke zin goedkeurend knikte. Rímini kreeg het weer benauwd. 'Goed. Heel goed,' zuchtte Rodi gerustgesteld. Hij liet zijn hoofd op het kussen vallen en sloot zijn ogen. Rímini keek naar hem. Hij had de indruk dat hij zich snel, heel snel van alles verwijderde: van hem, van de kamer, zelfs van zijn eigen lichaam. Hij dacht dat hij ging sterven en kreeg de aanvechting om te vluchten, alsof hij bang was dat er iemand binnen zou komen en hem als hij hem daar, naast het bed, aantrof, ervan zou beschuldigen dat hij zijn doodsstrijd versneld had. Hij wilde net weggaan toen hij voelde dat er aan zijn arm getrokken werd. 'Rímini.' De stem keerde traag en moeizaam terug uit de afgrond. 'Ik heb veel over ons nagedacht. Over onze ontmoeting in het hotel. Dat betekent iets, daar ben ik van overtuigd. Ik weet niet precies wat, ik ben nooit goed geweest in het betekenis geven aan de dingen. Ik zou het Sofía hebben kunnen vragen – zoals je weet is zij een specialiste –, maar ik weet het niet: ik was bang dat ik mijn mond voorbij zou praten, dat ze erachter zou komen… Maar jij, iets heeft jou op mijn weg gebracht. Iets heeft gewild dat jij het wist. Als enige, Rímini: jij bent de enige die het weet. Ida is de vrouw van mijn leven. Ik ken haar al dertig jaar en er is niets, helemaal niets wat zij niet van mij weet.' Het trekken aan zijn arm werd sterker. 'Luister. Luister goed. Er zijn dagen dat ik bevend wakker word. Dan doe ik mijn ogen open en dringt het tot me door dat ik lig te beven, en dan weet ik dat ik haar zal zien en breng ik de rest van de dag bevend door, tot het tijd is om naar haar toe te gaan. Dat gaat al dertig jaar zo, drie keer per week. En op de dagen dat we hebben afgesproken, ben ik tot niets anders in staat dan wachten op het moment dat ik haar zie. Ik zeg dat ik naar de fabriek ga, maar ik blijf in de auto zitten, rij wat rond of stap een bioscoop binnen. Ik ben bang en denk aan alles wat er moet gebeuren om elkaar te kunnen ontmoeten en het lijkt me onmogelijk dat er niet iets misgaat, dat er niet een of ander probleem opduikt – en ik ben gelukkig, Rímini. Gelukkig, gelukkig als een kind, als een dwaas. En dan weet ik zeker dat er niemand op aarde gelukkiger kan zijn dan ik. En alles wat ik bezit voel ik als een last en zou ik aan de eerste de beste die ik tegenkom kunnen weggeven. De fabriek, de auto's, het huis in Valeria. Alles. Ik ben achtenzestig, Rímini. Weet je wat mensen op mijn leeftijd doen? Ze doen afstand. Elke dag is er wel iets om voorgoed afstand van te doen. Maar ik…' hangend aan Rímini's jasschort had Rodi zijn hoofd opgericht en praatte nu heel dichtbij, met vurig enthousiasme, 'ik, Rímini, ik denk aan Ida – ik zeg: ik denk aan haar, ik hoef haar niet eens te zien of naar een foto te kijken. Ik denk aan haar en moet je zien. Geloof jij in wonderen? Kijk hier dan eens naar.' Rímini zag hoe hij een hand in zijn onderbroek stopte – zo'n oude, hoog opgetrokken katoenen onderbroek – en er een kleine, stijve penis uit haalde, als een stuk speelgoed. Rímini hoorde een steeds sneller wordend gebliep: een van de monitoren sloeg op hol. Rodi kreunde en viel achterover op bed. 'Rustig nou,' zei Rímini, terwijl hij opstond, 'rustig nou maar.' 'Nee, nee,' protesteerde Rodi. Rímini begon bang te worden. 'Wat is er? vroeg hij. 'Wat heb je?' 'Te laat.' Rímini bood aan de dokter te roepen. Rodi sloot zijn ogen, kneep zijn oogleden met kracht dicht en schudde zijn hoofd. 'Als je eenmaal begonnen bent,' zei hij, 'moet je ook doorgaan.' Rímini keek naar hem, probeerde de grimas waarin zijn mond vertrokken was te ontcijferen en begon, gealarmeerd door het bewegen van de lakens, te vermoeden waaraan Rodi bezig was zich over te geven. Het gebliep werd heviger. Op de monitor werden de pieken steeds steiler en onregelmatiger. 'Wat ben je aan het doen?' protesteerde Rímini, terwijl hij het ritme van de lijnen op het scherm volgde. 'Rodi, rustig nou, ik geloof niet dat dit het meest...' 'Het meest!' schreeuwde Rodi, en een vochtige glinstering werd zichtbaar achter de kiertjes van zijn oogleden. Het gewrijf hield op, maar zijn lichaam bleef gespannen, verstijfd. Hij huilde, ontroostbaar. 'Alsjeblieft,' zei hij, zich opnieuw vastklampend aan Rímini's arm, 'help me.' 'Ja, natuurlijk,' zei hij, en hij boog zich over hem heen om instructies te ontvangen. Daarbij liet hij per ongeluk een hand op zijn borst rusten. Rodi haalde diep adem, hield de lucht onbegrijpelijk lang binnen, en ademde pas weer uit halverwege een hoestaanval, toen zijn gezicht paars begon aan te lopen. 'Ik laat de dokter komen,' zei Rímini. 'Een van deze knopjes moet toch werken.' 'Nee, nee,' smeekte Rodi, 'ik heb een hand nodig, Rímini. De huid van een ander. Geef me je hand en alles komt goed, dat zul je zien. Het is maar even. Je hand, alsjeblieft. Je hand zal me vrijmaken.'

8

Ze troffen hem aan in het appartement in Núñez en hij verzette zich niet. Hij zou er de kracht niet voor hebben gehad. Toen de twee agenten binnenkwamen en, verblind door het witte licht in het vertrek, naast de hometrainer bleven staan, een aan elke kant, alsof ze hem moesten bewaken, druppelden de laatste, nog lauwe restjes van zijn levenskracht op het skai van de halterbank. De agenten draaiden tegelijk hun rug naar het raam, niet zozeer uit schaamte of afkeer, als wel om zich te beschermen tegen het felle licht. Rímini maakte van de gelegenheid gebruik om een vaatdoek uit de keuken te halen en de vochtige plekken op de vloer zorgvuldig schoon te maken. Toen ze zich weer enigszins hadden hersteld lieten de agenten hem het gerechtelijk bevel zien, dat Rímini niet de moeite nam te bekijken, en vroegen naar de Riltse. Rímini beperkte zich tot een beweging met zijn hoofd en ging door met het in cirkels droogwrijven van hetzelfde stuk van de vloer. Het schilderij was opgehangen boven de halterbank, tussen twee halters, alsof het elk moment door iemand met een karateklap in tweeën kon worden geslagen. Een van de agenten nam het van enige afstand aandachtig op, met de behoedzaamheid van iemand die een onbekend, mogelijk gevaarlijk voorwerp bestudeert. Hij haalde een foto uit zijn zak, keek ernaar en vergeleek hem met het origineel. 'Waar is de signatuur?' vroeg hij. Rímini stond op met de vaatdoek in zijn hand, draaide het schilderij om en liet de achterkant aan de agent zien, die tevergeefs probeerde de penseelstreken te ontcijferen. 'Wilt u het voor me spellen, alstublieft?' vroeg hij. 'R-i-l-t-s-e,' zei Rímini, en de agent noteerde elke letter zorgvuldig op de achterkant van de foto. Toen Rímini hem het schilderij aangaf, dropen er nog twee vertraagde druppels langs de randen van de opening, trokken twee parallelle verticale lijnen op het grasgroene doek en vielen, uitrekkend in de lucht, in slow motion naar beneden. 'Is het nog vers?' vroeg de agent, het schilderij in het licht houdend. Zijn collega knielde en nam een monster. 'Vers wel,' stelde hij vast, 'maar verf is het niet,' terwijl hij naar de top van zijn wijsvinger staarde en zijn mond vertrok tot een trage grimas van afgrijzen. Rímini ging weer verder met schoonmaken. Alles moest perfect schoon zijn voor als de trainer thuiskwam, zei hij. De agenten keken elkaar verbijsterd aan. 'U staat onder arrest,' zeiden ze.

Op een keer, zei Rímini, terwijl hij verwoed over de rand van de halterbank wreef, dat was in de periode dat hij zich twee en soms zelfs drie keer per dag aftrok, meestal tegen het vallen van de avond, omdat hij cocaïne gesnoven had en zijn vriendin uit die tijd – met wie hij later zou gaan samenwonen en die nog later zou omkomen bij een verkeersongeluk op de hoek van Corrientes en Ayacucho, toen ze van een symposium kwam waar híj als tolk aan had meegewerkt, kort voordat een zeer zeldzame ziekte zijn hersenen geleidelijk ontdeed van de kleine maar opvallende linguïstische encyclopedie die hij in de loop van zijn leven had opgebouwd – elk moment kon thuiskomen en hij niet wilde dat ze hem verraste in de verdoofde toestand waarin hij na het gebruik van cocaïne gewoonlijk wegzonk, op een keer, toen hij net op het punt stond te ejaculeren, had hij de controle over zijn lul verloren, iets wat hem maar zelden overkwam, en in plaats van alleen tegen de tegels te spuiten, zoals hij meestal deed, had hij een paar druppels op de wc-bril gemorst, een oude houten bril die de eigenares van het appartement steeds had geweigerd te vervangen. Een van de agenten boog zich over hem heen, pakte hem bij zijn arm en hielp hem opstaan. De andere, die het schilderij zo ver mogelijk van zijn lichaam hield, alsof het besmet was, las hardop het gerechtelijk bevel voor. Rímini knikte en zei, terwijl hij de doek in vier gelijke delen vouwde, dat zodra hij die keer was klaargekomen, hij de spatjes had schoongemaakt met een vaatdoek die hij altijd over de rioolbuis achter de wc hing, zowel de spatten op de tegels als die op de wc-bril die, hoewel ze hem zorgen baarden, ten slotte na een paar minuten zorgvuldig wrijven verdwenen waren, en zijn vriendin uit die tijd, die hij nooit de eer had bewezen die een dode vriendin toekwam, nooit een bezoek aan het kerkhof bijvoorbeeld, nooit bloemen, nooit een bezoek aan haar familie, nooit een herinnering, voorgoed uit zijn geheugen gewist alsof ze nooit had bestaan, zijn vriendin had tot zijn verbazing, en ook tot zijn voldoening, niets gemerkt, niet van zijn cocaïneverslaving, waarvan ze de sporen, die haar opvielen als ze hem kuste en met haar tong langs zijn tandvlees ging, gewoonlijk voor een of ander middel hield dat tandartsen gebruikten voor de verdoving, en ook niet van zijn aftrekverslaving, maar toen hij de volgende dag weer alleen was en na zijn vijfde lijntje naar de wc ging om zich voor het eerst af te trekken, en aangezien hij lering had getrokken uit zijn vorige ervaring de wc-bril optilde, ontdekte hij op de rand van de bril, aan de binnenkant, een spatje dat hij blijkbaar over het hoofd had gezien en dat na bijna vierentwintig uur te zijn ingewerkt, op het hout een wit ovaal ter grootte van een vijf centavostuk had achtergelaten, een onuitwisbare vlek, dacht hij toen, een vlek voor altijd, zoals na een tijdje inderdaad bevestigd werd toen hij gewapend met de vaatdoek en, meteen daarna, met allerlei schoonmaakmiddelen tevergeefs probeerde hem weg te vegen. Ze zeiden dat hij onder arrest stond, op beschuldiging van diefstal van een kunstwerk. Hij mocht een advocaat bellen en wat kleren meenemen. Rímini draaide zijn hoofd naar het grote raam en leek iets te zoeken op de witte plaat van de hemel. Daarna liet hij zijn hoofd zakken, dacht even na en vroeg: 'Wilt u koffie? Thee? Een Gatorade?'

Hij sliep vier uur achter elkaar op een smalle matras, als een fakir, ineengedoken tegen de vochtige muur van de cel. Tegen een uur of tien 's avonds kwam hij overeind, stelde hardop een vraag, op de luide, gedragen toon van slaapwandelaars – 'Met hydromassage of zonder hydromassage?' –, en legde zijn hoofd weer op de tennisschoenen die hij als hoofdkussen gebruikte. Hij werd om elf uur wakker, at in stilte met de zakkenroller die ze in de tussentijd bij hem in de cel hadden gezet, een jongeman, gekleed in trainingspak en peperdure schoenen, die soep op zijn borst morste, en viel weer in slaap. Om twee uur 's nachts stond hij weer op, klaarwakker, bruisend van energie, alsof ze hem een bloedtransfusie hadden gegeven. De zakkenroller was verdwenen. Hij liep ongeduldig rondjes door zijn cel. Toen hij zelfs de barsten in de laatste vloertegel vanbuiten kende, begon hij gymnastiekoefeningen te doen. Hij nam de routine weer op die de trainer hem aan het begin, in de herstelfase, de strengste fase, had gegeven en voerde de oefeningen zes keer achter elkaar uit, zonder zich een seconde rust te gunnen, tot bewondering van een ordonnans die op een paar afgetrapte halfhoge schoenen dienbladen met koffie in plastic bekertjes rondbracht en weer ophaalde. Later kreeg een agent, ongetwijfeld gewaarschuwd door de ordonnans, medelijden met hem, opende de deur van zijn cel en gaf hem een bezem om de achterste ruimten van het politiebureau te vegen. Binnen twintig minuten lag er geen stukje papier meer op de vloer.

Ze lieten bleekwater brengen en Rímini stortte zich op de wc's en de keuken, waar de ordonnans koffiezette en liet aanbranden. Langzaam, alsof er naarmate het werk hem meer en meer vermoeide, een ondoorzichtige sluier openscheurde, begon Rímini een paar losse stukjes te ontdekken van dat mysterie waarin de laatste dagen van zijn leven waren veranderd: een lichtreclame waarvan alle klinkers gedoofd waren, een rubberen masker, een gevallen lichaam... Het waren niet direct herinneringen. Rímini zag ze te scherp voor zich, met de gedetailleerdheid die de intiemste beelden of indrukken gewoonlijk hebben, maar het kostte hem moeite ze als eigen te herkennen, vrij als ze waren van de smetten, versluieringen en schaduwplekken waardoor persoonlijke herinneringen bijna altijd worden aangetast, en ook omdat ze niet van binnenuit, uit het geheugen, maar van buitenaf, uit een anoniem archief of een kantoor voor gevonden voorwerpen leken te komen. Later, toen hij koffie zat te drinken met de ordonnans, zag Rímini een agent langskomen die een supermarktwagentje voor zich uit duwde boordevol stereo-installaties, luidsprekers, achteruitkijkspiegels, wapens, handtassen, portefeuilles, gymschoenen en huishoudelijke apparaten. Boven op die berg schatten, net als alle andere voorwerpen verpakt in een plastic zak en tegen de voorkant van het wagentje geleund alsof het dat contingent teruggevonden schatten aanvoerde, zag hij het schilderij van Riltse, en zodra hij het gezien had voegde het schilderij zich volkomen natuurlijk bij de reeks pijnscheuten die hem een uur eerder verrast had. Hij zag het schilderij en bleef het nakijken terwijl het werd afgevoerd. En toen de agent en het wagentje en de Riltse achter de deur verdwenen waren, boog Rímini zijn hoofd en brandde opnieuw zijn lippen aan de koffie.

Een overweldigende vermoeidheid verlamde hem. Het was geen kwestie van slaap; het had ook niets te maken met het feit dat hij in twee uur het werk had verricht waar de meest doortastende beroeps-schoonmaakster zes uur voor nodig zou hebben gehad. Het was een oeroude, historische moeheid, die het handjevol decennia dat hij ge-leefd had in tijdperken omzette en zijn laatste dagen in eeuwen. Mis-schien was dat de echte dodelijke vermoeidheid, de enige die de uit-drukking *Ik ben doodop* rechtvaardigde – het soort vermoeidheid waaraan oude mensen zich overgeven als het einde nadert, of waar-naar ze gedwongen werden te gaan verlangen met de weinige kracht die hun nog restte. Ja: hij was een tachtigjarige – en hij herinnerde zich een scène aan het eind van *2001: A Space Odyssey*, wanneer, zonder dat iets daarop wijst, door een simpele coupure in de montage, de reis van de astronaut en de psychedelische versnelling die hem meesleept plaatsmaken voor een geluidloos totaalshot van een ruime kamer met spierwitte wanden, zo wit dat ze wel gevuld lijken met licht, met in het midden een bed en in het bed een man, een man die roerloos rechtop zit, in kamerjas, toegedekt tot aan zijn middel, van wie we het gezicht pas zien in het daaropvolgende shot, als de camera dichterbij komt en het doolhof van rimpels onthult waarin de tijd het heeft veranderd. Rí-mini voelde voor het eerst dat hij een leven had – eindelijk bezat hij de rijkdom, de afwisseling, de complexiteit, de sedimentatie die hij altijd tevergeefs in zijn eigen ervaring had gezocht en die hij met een kren-kende weelderigheid zag floreren in de ervaring van anderen, van ieder ander. En precies op dat moment, toen hij hardop, zonder te liegen, kon zeggen *mijn leven*, ontdekte hij ook dat het hem niet meer toebe-hoorde, dat dat leven was achtergebleven en deel uitmaakte van het verleden, en dat het, nu hij het was kwijtgeraakt, dreigde hem te bedel-ven. Hij had een leven, maar het besef van die zekerheid kon zijn dood betekenen. Net als iedereen had Rímini er lang over gedaan om te begrijpen op welke manier de ziekte of de toevalligheden van de wereld een einde maken aan het leven van de mensen. Nu moest hij aan deze twee mogelijkheden – en misschien berustte het hele mysterie van de kwestie op het feit dat het er niet meer dan twee waren – een derde toevoegen: vermoeidheid. Hij had de indruk dat hij niets meer zou kunnen vasthouden, zelfs niet het plastic bekertje. Hij wilde het op een plank zetten; zijn hand gehoorzaamde hem niet, of gehoorzaamde door te beven, zodat hij een paar druppels gloeiend hete koffie morste. Hij schreeuwde niet – hij was zelfs te moe om pijn te voelen. De ordonnans haalde het bekertje tussen zijn vingers vandaan en legde een nat doekje op de verbrande plek. Rímini keek hem aan. In een film zou hij een van de bijfiguren hebben kunnen zijn, een ver familielid van de hoofdpersoon – een vroegtijdig overleden oom, een neef die in een ander land woont – dat ondanks de vluchtigheid, de onregelmatigheid van het contact, het gebrek aan betrokkenheid dat dit soort relaties veronderstelt, of juist daarom, een onuitwisbare indruk op hem heeft gemaakt, een indruk waarvan de omstandigheden niet te achterhalen zijn maar die nog altijd doorklinkt, dankzij een magisch aureool waarvan hij nooit zal weten of die werkelijk aanwezig was in de relatie of dat de herinnering die er met het verstrijken van de tijd aan heeft toegevoegd. Hij had een heel dunne, abnormaal opwippende neus, en een korte pruik van sluik, roodbruin haar, die over zijn ene oor viel en die hij regelmatig recht schoof door net te doen of hij het kamde. Rímini had het gevoel dat hij nooit eerder in zo'n sfeer van vertrouwelijkheid met iemand had verkeerd. Hij was moe. Hij was doodop. Hij kon zich overgeven aan de herinnering.

Hij was het ziekenhuis uit gevlucht. In zijn hoofd klonk nog het zieltogende gehijg van Rodi, tussen zijn vingers voelde hij nog diens kleverige rochels, toen hij merkte dat hij voor het gebouw stond waar Nancy woonde. Het was waanzin: daar zomaar ineens naartoe te gaan, zonder zelfs maar het voorwendsel van tennis... Hij wilde op de bel drukken maar een angstaanval hield hem tegen. Hij begon spijt te krijgen. Hij zag dat de lift, die volgens het lampje tot dan toe werd vastgehouden op de verdieping van Nancy, naar beneden kwam, en hij wachtte, op zijn hoede door een duister voorgevoel. De lift arriveerde op de begane grond; de deur ging met geweld open. Het was zo'n harmonicadeur die in elkaar schuift en soms, bij een al te woeste behandeling, terugstuit, halverwege blijft steken en de uitgang blokkeert. Verblind door de breking van het licht, dat van het glas op het chroom en van het chroom op de spiegels in het portaal weerkaatste, zag Rímini alleen de omtrek van een man die een groot, onhandig apparaat droeg en probeerde de deur met zijn schouder open te schuiven. Hij was druk aan het worstelen totdat hij er met behulp van zijn hak in slaagde de deur helemaal open te krijgen en toen hij zag dat er iemand voor de buitendeur stond te wachten om naar binnen te gaan, besloot hem open te laten. Rímini liet zijn blik zakken, hij herkende het apparaat – een groene elektrische IBM met letterbol –, en ging meteen door naar de schoenen – bootschoenen, met enigszins wijkende naden en losse veters. Dus... dacht hij, maar voordat hij verder kon gaan, zag hij een uitgestrekt panorama voor zich van de hoeveelheid verschillende elementen, allemaal ver terug in de tijd, die hij met elkaar moest verbinden als hij echt wilde nadenken, en hij zag ervan af. Hij had er de tijd niet voor. Hij draaide een kwartslag en legde zijn kin op zijn borst, alsof dit zijn geheime truc was om onzichtbaar te worden, en deed een stap opzij om hem naar buiten te laten. En hoewel hij zijn oogleden toekneep en zich zo klein mogelijk maakte, kon Rímini niet verhinderen dat hij hetzelfde blonde, gebruinde hoofd met de borstelige wenkbrauwen en de door nicotine vergeelde snor voor zich zag dat hij twintig jaar eerder over een spiegeltje had zien buigen om de lijntjes cocaïne op te snuiven die hij daarna, geconfronteerd met Rímini's geschrokken uitdrukking, beschreef als een geneesmiddel, een geneesmiddel voor de chronische voorhoofdsholteontsteking waar hij aan leed. En toen hij langs hem heen liep, de deur met zijn voet tegenhoudend, als om hem uit te nodigen naar binnen te gaan, waarbij hij hem heel even met de rand van het apparaat raakte, keek de man niet alleen niet naar hem, hij *nam hem niet eens waar*. Hij vertolkte slechts de echo van de herinnering die zojuist bij Rímini was bovengekomen en beperkte zich ertoe met zijn neus de portie ruimte die hij innam op te snuiven. Hij beperkte zich ertoe hem te ruiken – met de schaamteloosheid die kenmerkend is voor de reukzin, die, in tegenstelling tot de andere zintuigen, ongedifferentieerd, zonder te kiezen, zonder na te denken, zonder enige moraal waarneemt en alles wat hij ruikt terugbrengt tot absolute passiviteit –, hem te ruiken en zijn weg te vervolgen.

Rímini ging naar boven, drukte op de bel, bonsde op de deur. Nancy deed de deur op een kier open, nog versuft van de slaap. Ze was in ochtendjas, onopgemaakt; op haar voorhoofd en wang zaten afdrukken van het laken, haar ogen waren gezwollen en ze had het onaanraakbare air van een diva die een verschrikkelijke nacht achter de rug heeft. En toen ze haar uit zijn verband gerukte bezoeker begon te herkennen, zette Rímini zijn volle gewicht tegen de deur, brak de veiligheidsketting en sleepte haar letterlijk mee in zijn val, en nadat hij op volle snelheid met haar de hele hal was overgestoken, kwamen ze tegen een gecapitonneerde muur tot stilstand. Nancy bood nauwelijks verzet, op dezelfde theatrale manier als waarop ze te koop liep met de sporen van haar kater, om het even later helemaal op te geven, te verslappen en bijna in zijn armen in elkaar te zakken. En terwijl hij haar verwijten maakte over haar afstandelijke houding, haar koelheid, haar dubbelzinnige gedrag van de laatste dagen, door zonder aanleiding, alleen om hem te kwellen, te verdwijnen en weer op te duiken, duwde Rímini haar omhoog tegen de muur, gooide een paar schilderijen op de grond en zette haar met een ongewone, maniakale precisie in de juiste positie, totdat hij de hoogte vond die hij zocht en na een seconde roerloos te zijn blijven staan, met één enkele, lange, trage stoot in haar binnendrong. Nancy, vrijwel levenloos, liet hem begaan. Totdat ze hem, met een van pijn vertrokken gezicht doordat de punt van de Fader in haar sleutelbeen prikte, smeekte naar de slaapkamer te gaan.

Hij neukte haar met het geduld en de toewijding van een edelsmid, hetzelfde geduld en dezelfde toewijding waarmee hij de afgelopen maanden haar schaduw was geweest en haar tegen de wereld in bescherming had genomen. Hij neukte haar vol overgave, met een krankzinnig gevoel voor detail, bedacht op de kleinste tekenen die hij aantrof terwijl hij, als een spoorzoeker, het inwendige van haar lichaam aftastte. Hij neukte haar omdat hij wilde dat ze het nooit zou vergeten, om haar tot zijn slavin te maken. En toen hij met een paar wilde stoten klaarkwam, lichtjaren na Nancy, die starend naar de sierlijsten van het plafond op haar nagelriemen lag te bijten, liet Rímini zich van haar af glijden, maar met zijn arm nog om haar heen geslagen, zich in zijn rol van beroepsminnaar terdege bewust van de opluchting die ze moest voelen zodra hij haar van zijn gewicht bevrijdde, maar ook van het gevoel van verlatenheid dat vrouwen ervaren na de geslachtsdaad, zodra de bevrediging de lichamen terugvoert naar de eenzaamheid. Nancy schudde zijn arm van zich af alsof het een servetje was, stond op, trok haar ochtendjas weer aan, zocht iets in haar handtas en terwijl ze een cheque uitschreef van vijfhonderd peso, een bedrag dat ruimschoots de nog resterende lessen van die maand dekte, die ze vanzelfsprekend niet van plan was te volgen, en ook alle extraatjes – inclusief dat wat hij haar, ongetwijfeld voor het laatst, zojuist had verschaft –, zei ze op onverschillige toon dat ze hem niet meer nodig had, dat ze aan de vurige pik van Boni meer dan genoeg had en dat hij de cheque maar meteen moest meenemen voordat ze spijt kreeg dat ze die had getekend. Ze ging nu onder de douche en ze wenste hem daar niet meer aan te treffen als ze uit de badkamer kwam.

Rímini bleef verbijsterd op bed liggen. Totdat het geluid van de douche hem weer tot leven wekte en hij met een strijdlustige impuls opstond. Hij wist wat hem te doen stond – het was alsof een stem het hem dicteerde. Hij ging op zoek naar de schoen die hij miste en toen hij zich bukte om hem op te rapen, viel zijn oog op een ingelijste foto waarop Nancy zich in evenwicht hield op een paar ski's, terwijl haar man, op de achtergrond, in singlet de kou trotseerde in de pose van een bodybuilder. Dat stelde hem gerust: hij wist nu dat de ontmoeting beneden, bij de buitendeur, geen zinsbegoocheling of een waanvoorstelling van zijn geheugen was geweest. Hij liep naar de keuken, deed de deur van de wc open, haalde de Riltse van de muur en wikkelde hem in krantenpapier. Daarna nam hij een flinke slok uit een aangebroken fles champagne, hing de schilderijen die hij van de muur had gegooid weer op hun plaats en verliet het appartement.

En precies op dat punt, toen Rímini, met *Het valse gat* onder zijn arm, de straat op sprong, werd het beeld onderbroken en nam een oogverblindend wit bezit van het hele scherm. En na een paar seconden wachten, toen de eerste hoofden achteromkeken naar de projectiecabine, in de hoop, bijna in het bijgeloof dat het identificeren van de wortel van het probleem misschien genoeg zou zijn om het op te lossen, sprong de film over, flikkerde het hemelsblauw van een onbewolkte lucht en verschenen er bomen, het plaveisel van een straat, de achterkant van een zich verwijderende auto en de voorgevel van een hotel met zijn ontstoken groene neonreclame, waarvan alle klinkers gedoofd waren. Rímini bevond zich daar. Hij was het, hijzelf; hij stond op de uitkijk, in zijn tenniskleren, ineengedoken als een paria in een smerig portiek. Hoe lang stond hij daar al te wachten op een vrouw die hem niet verwachtte, die hij amper een paar seconden gezien had in het purperen licht van een gang in een hotel, en die hij, ervan uitgaande dat hij haar zou treffen, niets te zeggen had – niets anders dan: Ga weg, Ida, ga terug naar huis, Rodi zal vandaag niet naar het paradijs komen, vandaag niet, morgen niet, nooit meer? Hij stond daar; hij wilde haar zien. Hij had die behoefte al gevoeld op de intensive care toen Rodi probeerde hem het telefoonnummer te laten onthouden. Nee, had hij gedacht, niet met haar praten. *Haar zien.* Een stervende Rodi wijdde zijn laatste stuiptrekkingen aan de vrouw van zijn leven, terwijl de vrouw van zijn leven simpelweg verder leefde, zich nergens van bewust, beschermd door onwetendheid – en Rímini was het enige wezen op aarde dat die twee parallelle werelden met elkaar kon verbinden en een einde kon maken aan die schandalige onverschilligheid. Hij had geen opdracht gekregen maar een missie, en missies voerde je persoonlijk uit. En dus ging hij terug naar het hotel rond het tijdstip dat hij daar een paar dagen eerder met Nancy was geweest en wachtte, wachtte terwijl het donker werd. Hij zat op zijn hurken in het portiek en dommelde weg, totdat hij merkte dat de arm waar zijn hoofd op rustte sliep en hij die los moest schudden. Hij keek naar het hotel en zag niets, maar hij wierp een sceptische blik op de avenida en meende een vrouw uit de bus te zien stappen. Hij stond op. Onbewust, als werd hij aangetrokken door een onzichtbare kracht, begon hij langzaam naar de hoek te lopen, in de richting van de vrouw die op weg was naar het hotel, terwijl hij haar met toenemende gretigheid opnam. Ze was rond, gezet, of misschien was ze alleen maar te warm aangekleed. Ze had een gebloemde hoofddoek om en liep met korte, snelle pasjes, bijna huppelend, en ze hield een leren koffer tegen haar lichaam gedrukt. Ze waren al vlak bij elkaar. Alleen de straat scheidde hen nog. Toen hij overstak, viel Rímini's oog op de ouderwetse snit, de doffe glans, de sombere kleuren van haar kleren. Ida bleef op enkele meters van het hotel staan en keek rusteloos om zich heen. Ze zocht Rodi. Zo ontmoetten ze elkaar dus, dacht Rímini. Maar Rodi was niet gekomen, en dat zo simpele feit, dat net zo goed weer ongedaan gemaakt zou kunnen worden als ze even bleef wachten, trof haar als een onheilspellend voorteken. Ze keek op haar horloge en speurde nogmaals in beide richtingen de straat af. Hierna liet ze zich, met een mengeling van ongeduld en teleurstelling, zachtjes met haar rug tegen een muur zakken en wachtte. Ze kon een weduwe zijn, een moeder die overstelpt werd door een epidemie van tegenslagen in haar gezin, een verpleegster die injecties gaf aan huis – alles, dacht Rímini, behalve die genotzuchtige amazone die de gang van het hotel op was gekomen op zoek naar haar prooi. Rímini voelde zich zwak, verzwakt door de treurigheid, maar hij liep door en riep de vrouw bij haar naam. Ida keek wantrouwend in zijn richting en wierp opnieuw een blik om zich heen, ongeduldig en hoopvol, alsof de onbekende die zojuist naar haar geroepen had een bedreiging vormde, maar ook iemand naar wie ze eigenlijk zou moeten luisteren, de boodschapper van iets wat komen ging, iets waar zij, met haar hart bonzend in haar keel, op wachtte – het enige wonder dat haar drie keer per week, dertig jaar lang, had weten los te rukken uit haar dodelijke bestaan als weduwe, gekwelde moeder of verpleegster aan huis. Maar de straat, de geparkeerde auto's, de bomen, de bedrijfspanden – alles wat ze zag ontmoedigde haar, want dat ze het kon zien, en dat ze het zo scherp en gedetailleerd zag, kwam juist omdat het *leeg* was, omdat de man die voor haar alles wat hen omringde uitwiste, niet gekomen was, niet kwam en nooit meer zou komen, en toen Rímini, die dat wist en die dat overwicht als een ondraaglijke last begon te voelen, haar opnieuw riep, drukte Ida de koffer tegen haar borst, draaide zich om en begon weg te lopen, eerst langzaam, een zekere natuurlijkheid voorwendend, alsof iets banaals haar van gedachten had doen veranderen, daarna, toen ze zag dat Rímini haar achterna kwam, steeds sneller. 'Ida!' schreeuwde Rímini. Maar de vrouw brak geschrokken de hele operatie af en begon te rennen. Ze rende en rende, totdat ze, een paar meter voor de hoek, verraden door haar eigen schoenen, die ze droeg als pantoffels, de achterkant met haar hielen plattrappend, over iets struikelde, uitgleed of een enkel verzwikte, en languit op de stoep belandde. De koffer vloog door de lucht, sloeg tegen de stam van een slecht uitgegroeide boom, barstte open bij de val en spuugde een zweep, een rubberen masker, een leren lijfje en riemen uit. Rímini bukte zich om haar te helpen; de vrouw joeg hem met luid gekrijs weg. Twee mannen die de avenida overstaken keken om en kwamen hun kant op. Rímini deinsde terug. Hij had een laatste beeld van de vrouw: languit op de grond, nog altijd schreeuwend, probeerde Ida haar bescheiden arsenaal van wellust bij elkaar te rapen. Ze wilde alles in één keer terugstoppen, maar de koffer bood weerstand. De zweep stootte tegen een rand, vouwde dubbel en toen hij zich opnieuw spande striemde hij haar gezicht en ontlokte haar een kreet van pijn. Rímini keek naar de melkwitte huid van haar benen, die de val, door het opstropen van haar jas en rok, had onthuld, en hij verbleekte: ze droeg geen slipje. Hij moest nog een keer kijken om er zeker van te zijn dat hij niet droomde – billen, witte billen, inderdaad, volledig naakt, naakt midden op straat, tegen het vallen van de avond, net zo min op hun plaats als een fauteuil of een staande schemerlamp midden in een weiland. Dus dat – die incongruentie – was het geheim van dertig jaar geluk, dacht Rímini terwijl hij wegrende: een soort contra-illusie, heilzame oplichterij of zelfs ontaarding... Hij dacht: net als vrouwen die schoenen zonder kousen dragen – het leer en de huid, het fabricaat en het vlees. En tijdens het rennen schoot hem plotseling een detail te binnen, levendig maar uitvergroot, zoals een detail van een schilderij waarvan apart een reproductie wordt gemaakt: een strookje kant dat onder de stof van een rok uitkomt – de strenge rok van een juffrouw van de lagere school.

Toen, alsof het geheugen gehoorzaamde aan een wet met eigen kracht, volgens welke de nietigste elementen in staat zijn de zwaarste en dichtste massa's niet alleen op te roepen maar ook te bevrijden, in beweging te brengen en probleemloos te verplaatsen, toen bracht die herinnering van niets, gebaseerd op iets zo weinig gedenkwaardigs als een contrast van stoffen en een vergissing bij het inschatten van de lengte van twee zomen, in een oogwenk de enige echte erotische openbaring weer boven die Rímini erkende in zijn kindertijd te hebben gehad – alles in één keer, compleet: niet alleen de naam van de hoofdrolspeelster, juffrouw Sanz, of haar geloken hemelsblauwe ogen, of haar jeugdige, bleke en ziekelijke poppenhuidje, of het vuurrood waarmee ze haar mond volsmeerde, niet alleen de houding die ze aannam om les te geven, gezeten op de rand van haar bureau, half en profil en met haar benen over elkaar, haar handen om haar knie gevouwen, de punt van een voet steunend op de grond, de andere vrij in de lucht met de mocassin los van de hiel, maar ook de regenachtige en slaperige ochtenden, het vochtige hout van het bureau, de met zaagsel bedekte vloeren, de bedompte lucht van de gaskachels en vooral de onthulling, verschaft door een informant die om een of andere reden, beslist niet op grond van zijn betrouwbaarheid, niemand op school in twijfel had durven trekken, die dat zich herhalende nummer van ochtendexhibitionisme verklaarde: juffrouw Sanz woonde heel ver weg – ze nam pillen om te slapen – ze had moeite om wakker te worden – ze leefde van de uren die ze lesgaf – die kon ze kwijtraken als ze te laat kwam – ze had tijd nodig, veel tijd, en elke ochtend trok ze, om de twee of drie kostbare minuten die de slaappillen haar hadden ontnomen in te halen, haar kleren aan direct óver haar nachthemd heen.

Omdat de kindertijd alleen geïnteresseerd is in leven en het reproduceren van leven is hij blind en wreed. Hij erkent alleen datgene wat hem voedt, maar hij herkent het alleen in de hoedanigheid van voedsel; al het overige, alles wat verwijst naar het 'leven' van het voedsel, het leven dat het leeft wanneer het de kindertijd niet voedt, is meer dan irrelevant – het is een belemmering. Toen het eenmaal een publiek geheim was, nadat er in de twee parlementen uit de schooltijd, het toilet

en de pauze, over was gedebatteerd, had het sociale drama van juffrouw Sanz het erotische effect van haar nonchalante kleedgedrag
kunnen afzwakken. Dat dit niet gebeurde, en dat het dit effect juist versterkte door het in een smerige, wellustige nevel te hullen waarin geld,
of het gebrek daaraan, en de gestalte van een afwezige man, altijd op
reis, die Rímini en zijn kameraden zich voorstelden als een yeti uit een
stripverhaal, een stevige drinker en seksueel omnipotent, maar meer
geïnteresseerd in het verspillen van zijn energie aan inheemse vrouwen
uit exotische landen dan aan die blonde, bijna doorzichtige vrouw die
altijd thuis op hem zat te wachten, wezenlijke elementen waren, kwam
doordat de sociale wereld alleen de invloedssfeer van de kindertijd
binnendringt als deze zich aan zijn regels onderwerpt en zijn doelen
dient, want piëteit, medelijden of begrip – elk van de logische emoties
die de sociale wereld bij de aanbidders van de zoom van het nachthemd van juffrouw Sanz had moeten opwekken – hadden voor hen alleen bestaansrecht als ze deel uitmaakten van de erotische vervoering
die ze verondersteld werden te onderdrukken, en ten slotte, omdat de
kindertijd dat wat we een verklaring noemen slechts accepteert wanneer deze iets toevoegt aan of in dezelfde richting gaat als het effect dat
teweeggebracht wordt door het verschijnsel dat ze pretendeert te verklaren, in die mate dat als de verklaring, zoals in het geval van de zoom
van het nachthemd van juffrouw Sanz, het effect nuanceert, afzwakt of
probeert ondergeschikt te maken aan een ander, groter effect, de kindertijd het altijd zal weten klaar te spelen om haar in overeenstemming
te brengen met zijn eigenbelang, zelfs om haar in dienst te stellen van
het oorspronkelijke effect, waar ze vervolgens deel van gaat uitmaken,
en zo niet, als ze in tegenspraak is met het oorspronkelijke effect, dan
zal de kindertijd de verklaring resoluut van de hand wijzen en net doen
of ze nooit heeft bestaan. Daarmee is het sadisme van de kindertijd, dat
het genot is om pijn te doen, maar vooral het genot om alle morele argumenten te gebruiken die worden aangevoerd om te laten zien dat
pijn doen slecht is, niets anders dan een in voedsel voor de drift omge-
zette moraal. Dat de oorsprong van de opwinding die werd veroorzaakt door de zoom van het nachthemd van juffrouw Sanz gelegen was

in een krappe financiële positie – en bijvoorbeeld niet in de bedoeling van juffrouw Sanz om haar leerlingen met een verontrustend schouwspel in verwarring te brengen – maakte die opwinding alleen maar groter en rijker, in zoverre dat die haar de sociale, en daarmee antischoolse dimensies binnenvoerde waarmee ze anders maar moeilijk in contact zou zijn gekomen. Dat juffrouw Sanz arm was, was geen verzachtende omstandigheid – het was een reden *temeer*, zelfs een van de beste redenen, om steelse blikken te blijven werpen op het stuk nachthemd dat onder de rok uitkwam, die bescheiden maar onweerstaanbare strook intimiteit waarmee juffrouw Sanz in alle naïviteit tussen de banken door paradeerde. Net als de onvoltooide ochtendkapsels – de helft van het haar goed vastgezet met haarspelden, de andere helft, slachtoffer van de haast, altijd aan zijn lot overgelaten –, de knopen die niet in de knoopsgaten zaten, de losse veters of de dingen die ze vergat – het horloge, het tekstboek, de kleurpotloden, de kleurplaten – en die haar regelmatig midden onder de les verrasten, waardoor ze moest blozen en wegzonk in een diep gevoel van schaamte waar alleen haar woedeaanvallen haar weer uit konden halen, redelijke maar buitensporige uitbarstingen tegen de twee of drie onvermijdelijke opruiers in de klas, was die schuchtere rand stof behalve een krachtige seksuele talisman ook een soort drempel, het raam waar Rímini en zijn kameraden – gevangenen in de totale binnenwereld die de school was – uit konden hangen om de buitenwereld te bespieden, al die drukte, die geluiden en bewegingen die met de eerste klokslagen van de ochtend onbereikbaar waren geworden. Roerloos in hun schoolbanken gezeten, reisden ze. Ze volgden gretig het spoor van de veter in het zaagsel, ontdekten het oorlelletje zonder oorbel, de brillenkoker zonder bril, de vulpen met het lege inktpatroon dat ze vergeten was te vervangen; ze raakten in vervoering over het lichte contact tussen nachthemd en knie, gingen de wereld in en landden onzichtbaar in die wereld binnen de wereld, in feite de enige die hen interesseerde, die bestond uit het huizenblok, het gebouw, het appartement, de kamer, het onopgemaakte en nog warme bed van juffrouw Sanz, en vanaf het bed, de ultieme bestemming van de expeditie, waar ze zich haar allemaal in haar nachthemd voorstelden, slapend, worstelend in een diepe, met nachtmerries bezaaide farmacologische slaap, stortten ze zich op het verkennen van de meest onbarmhartige details uit de omgeving, de met saus of olijfolie bevlekte sprei, de schoenen onder het bed, gevangen in een val van oude pluizen en spinnenwebben, de vuile borden, glazen en kopjes verspreid over de kamer, de open laden, de tv en het licht die alle uren van de dag aan waren, de wirwar van make-upspullen op het plankje in de badkamer, de kan met aangebrande koffie, de altijd neergelaten jaloezieën, overal oude kranten – een volledig sociaal decor waar ze langdurig in opgingen, bedwelmd door het realisme van de details maar ongetwijfeld ook door de zware, zoete gaslucht van de kachel in het klaslokaal, een geur die Rímini jarenlang zou associëren met de ochtenduren, en waaruit ze pas terugkeerden als juffrouw Sanz er genoeg van had om ze vriendelijk, met die door kalmerende middelen veroorzaakte te beheerste beminnelijkheid te verzoeken een blaadje papier te pakken en in de linkerbovenhoek hun naam en de datum te schrijven, zonder een andere reactie te krijgen dan het slaperige knikkebollen waarmee hun fantasieën werden begeleid, en met de bordenwisser op haar bureau begon te slaan en schreeuwend, letterlijk buiten zichzelf, alsof iets in haar tot uitbarsting was gekomen, het verzoek veranderde in een bevel, een dreigement, een straf, waar ze al heel snel spijt van kreeg, zodat ze zich in haar stoel liet vallen, doodmoe van de inspanning die de woedeaanval haar had gekost, en weer tot zichzelf kwam, waarna ze uit haar handtas de verkreukelde zakdoek haalde en haar neus snoot om te verhullen dat ze huilde. Zo reisden ze elke ochtend heen en terug, met de regelmaat van verslaafden, meegevoerd door de zoom van haar nachthemd of door haar kousen, vaak van twee verschillende paren, en als ze een keer niet op school kwam, een zeer gevreesde maar zeldzame gebeurtenis, die Rímini al zag aankomen als hij de directeur bij de deur van het lokaal zag staan om toezicht te houden op het binnenkomen van de kinderen, met het ernstige en verwaande air van iemand die zich voorbereidt op het overbrengen van slecht nieuws, was er iets wat onvermijdelijk een schaduw wierp over de ochtend, en dan vloeide alle energie uit hen weg en werd de schooldag die ze voor zich hadden, zelfs met de troost van de vrije uren, de extra gymnastiekles of de excursie naar de bibliotheek, een eindeloze kwelling.

Juffrouw Sanz. Rímini werd weer geboeid door haar slappe, half-open lippen, gevangen in een uitdrukking die het midden hield tussen verbazing en het verlangen – maar niet de kracht – om te praten, de spierwitte, bijna blauwachtige huid, besprenkeld met de meest opmerkelijke verscheidenheid van moedervlekken die Rímini ooit had gezien, variërend van volmaakt gladde, alsof ze op haar huid geschilderd waren, tot uitstulpende, lijkend op de wratten die ze op de rug van haar handen had, en die Rímini steeds in zijn blikveld zag opduiken als juffrouw Sanz, met onverwachte arglistigheid, het blaadje onder zijn vingers vandaan trok waar hij met veel moeite tien procent van de antwoorden had overgeschreven – en dan ook nog slecht, vervormd als ze werden door de afstand en de zenuwen – die hij met een schuin oog op het blaadje van zijn buurman had gelezen, de algehele schraalheid van haar lichaam, waarvan de echte vormen, aan het oog onttrokken door de lagen en nog eens lagen kleren die ze droeg – Rímini had alleen een winters beeld van haar –, steeds een mysterie bleven, en haar uitzonderlijk kleine voeten, eerder die van een meisje – en dan van een meisje dat kleiner was dan de meisjes die ze elke ochtend lesgaf – of van een pop dan van een vrouw van, hoeveel jaar? Achtentwintig? Dertig? Vijfendertig? (Maar hoe irrelevant, hoe steriel klonk de mogelijkheid dat volwassenen ingedeeld werden in leeftijden in de ogen van een jongen voor wie volwassenheid, het ommuurde rijk van de 'groten', een terrein was dat een stukje verder begon, zo ongeveer op je zeventiende, precies de grens waar de school eindigde, en zich gelijkmatig, zonder nuances, uitstrekte tot in het oneindige.) En toch was het begerenswaardige van juffrouw Sanz niet afhankelijk van haar kenmerken, haar eigenschappen of zelfs haar type, die Rímini nu zo vrij was te beschrijven, in de eerste plaats als een soort beschouwing achteraf maar bovendien aangemoedigd door de aanwezigheid van de ordonnans, een gesprekspartner die helemaal niets wist van het verhaal dat hem verteld werd, maar die als hij het zou vergelijken met een andere getuigenis, een foto uit die tijd bijvoorbeeld, of de herinnering van een andere getuige, niet in het minst verbaasd zou zijn geweest als het verzonnen of ronduit onwaar was gebleken. Als er, dacht Rímini nu, al een geheim was voor die aantrekkingskracht, als er al een naam aan gegeven kon worden, iets lokaliseerbaars wat verklaarde waarom de zoom van het nachthemd van juffrouw Sanz een jaar lang die invloed op hem had uitgeoefend, dan was het eerder een idee: het idee van ophanden zijn – het idee dat een vrouw niets bijzonders was, waardoor parameters als schoonheid, charme, goedheid of intelligentie, zo gewaardeerd in de citadel van de volwassenen, automatisch hun geldigheid verloren: een vrouw stond altijd *op het punt om* – in het geval van juffrouw Sanz: op het punt om te ontploffen, zichzelf pijn te doen, te brullen, in huilen uit te barsten, in te storten. Dat was wat ze was: een beginsel van uitstel. Meer dan eens, als ze geconfronteerd werd met die hardvochtigheden die kenmerkend zijn voor een klas van de lagere school – een opstand, een daad van vernielzucht of sabotage, het gesmoes van een samenzwering – of gekweld werd door een van die drama's die klopten in haar borst en die uit dezelfde smerige en eenzame wereld kwamen waar de zoom van het nachthemd een boodschapper van was, kortom, als ze zich op de rand van de afgrond bevond en de instorting een kwestie van seconden was, zoals werd aangekondigd door de rode vlekken op haar huid, de ademhalingsproblemen en de heftigheid waarmee ze haar handen over elkaar wreef, had Rímini de indruk gehad, een tegelijk verrukkelijk en beangstigend gevoel, ongetwijfeld nog versterkt door de titel van een boek, *De gebroken vrouw*, dat hij in de boekenkast van zijn moeder had zien staan, dat hij het lichaam van juffrouw Sanz spoedig letterlijk in stukken zou zien liggen, aan flarden gescheurd als een pop, door een gek of door dynamiet uiteengereten, en de geestvervoering waarin hij dan verviel, bij het gevreesde vooruitzicht van de ophanden zijnde ramp, maakte hem waanzinnig opgewonden, een opwinding die trouwens veel leek op wat hij voelde als hij voor de televisie naar het einde van een aflevering van zijn lievelingsserie zat te kijken, wanneer de superhelden die hij verafgoodde weerloos het vooruitzicht van een gruwelijke dood trotseerden, een gestileerde gruwelijke dood welteverstaan, zoals ondergedompeld worden in een reusachtige reageerbuis gevuld met zuur, verslonden worden door uitgehongerde pythons of in tweeën gezaagd door roterende messen, terwijl een heel bezorgde commentaarstem, waarvan Rímini de ironische ondertoon pas twintig jaar later ontdekte, zich hardop dezelfde vragen over leven en dood stelde die Rímini zichzelf, nog in zijn schooluniform en zittend op de vloerbedekking van zijn kamer, in stilte stelde. Maar ondanks de regelmaat waarmee ze in de loop van dat jaar dreigde te ontploffen, wist Juffrouw Sanz zich altijd in te houden en dat wat al een feit leek voortijdig te stoppen. In elk geval ontplofte ze niet dáár, in het ochtendlijke decor van het schooltheater, in aanwezigheid van dat legioen gretige toeschouwers, iets wat de hooggespannen verwachtingen van Rímini frustreerde maar tegelijk het verlangen dat die verwachtingen voedde tot het maximum oprekte, en in het licht van wat er later gebeurde moet de oorsprong van die zelfbeheersing misschien niet zozeer gezocht worden in juffrouw Sanz zelf, in haar schijnbaar totaal afwezige wilskracht, of in haar schaamtegevoel, waaraan ze in de toestanden van emotionele crisis waarin ze verviel heel weinig zou hebben gehad, als wel in het ecosysteem van de schoolinstelling, die door haar zelfregulerende aard elke psychische afwijking met een oorzaak buiten haarzelf, filterde of op een of andere manier in de kiem wist te smoren. Maar tegen het einde van het jaar, in overeenstemming met de algehele sfeer van ontspanning die de steeds warmere ochtenden en de steeds langere dagen met zich mee leken te brengen, besloot de school – een van die initiatieven waarmee de scholen van veertig jaar geleden leken te erkennen, zij het onder protest, dat er mogelijk ook buiten de oude muren van hun gebouwen enige vorm van leven was – de klas van Rímini op excursie te sturen naar de echte wereld, of liever gezegd naar een van die uitgelezen subwerelden – een snoepfabriek: de andere keuzes op het menu waren een gemeentebibliotheek met krakende vloeren en *vitraux* onder een dikke laag stof, het museumhuis van een vooraanstaand man met een wrat op zijn adamsappel, het planetarium, met zijn glamour van een monument van stedelijke sciencefiction, en, twee of drie jaar later, een eveneens gemeentelijk theater waarin horden preadolescenten die in alles van elkaar verschilden, sociale klasse, gezinssituatie, ontwikkelingsniveau, uniform, anderhalf uur lang samenspanden om met een vernuftige verscheidenheid van zelf-gemaakte projectielen de arme Tenorio, Juliette of Victoria onder vuur te nemen, die probeerden op het toneel ongedeerd hun tekst uit te spreken – waarin de school de echte wereld onderverdeelde als zij erin toestemde dat ze naar buiten mochten om die te leren kennen.

De nacht voorafgaande aan de excursie sliep Rímini bijna niet. Hij lag wanhopig van ongeduld te draaien en te woelen, en zodra het licht werd, twee lange uren voordat hij op zou moeten staan, sprong hij uit bed en trok in een oogwenk de kleren aan die hij tot verbazing van zijn moeder zelf had uitgekozen en over de rugleuning van een stoel had gehangen. Maar wat hem uit zijn slaap had gehouden was niet het vooruitzicht om met zijn maag en zakken vol snoep van de excursie te-rug te keren. Voor het eerst zou hij juffrouw Sanz *buiten* de school zien, een mogelijkheid die als die eerder bij hem was opgekomen, wat nooit was gebeurd, zo buitensporig was dat idee, hem als een onvoorstelbare vermetelheid in de oren zou hebben geklonken. Hij wist niet eens of ze buiten de school wel *bestond*! Ja, hij zou haar met onbekende mensen zien praten, in alledaagse taal, hij zou haar op vreemde plekken zien bewegen en in ongekende situaties een hoofdrol zien spelen... Zou ze daartegen bestand zijn? Of zou ze bij het contact met een vreemde at-mosfeer tot stof vergaan?

Ze verzamelden zich bij de deur van de school, waar ze in een bus stapten die met draaiende motor op hen stond te wachten. De reis duurde lang; de fabriek bevond zich op de grens tussen hoofdstad en provincie, in een wijk met lage huizen met waakhonden. Vijf minuten nadat ze vertrokken waren, gaven de reizigers, geëlektriseerd door het soort van dubbele waakzaamheid die buitengewone avonturen te-weegbrengen, zich over aan een euforisch steekspel van geschreeuw, schuttingwoorden en gangpad-atletiek. Rímini, die op de tweede rij zat, hield zich afzijdig. Hij bleef de hele reis zijn blik strak gericht hou-den op de rij voor hem, op de stoel waar juffrouw Sanz, meteen nadat ze was ingestapt, zichtbaar uitgeput en met roodomrande ogen, was neergezegen en waar ze na het toezicht op de leerlingen te hebben overgedragen aan een surveillant – dezelfde kromme, inefficiënte oude man met wie ze tijdens de pauzes altijd de draak staken –, al snel in een diepe slaap viel, haar hoofd tegen het raam geleund en haar handen om de kleine handtas van imitatieslangenleer geklemd, waaruit ze pas weer ontwaakte, haar haar platgedrukt door de ruit en een sliertje speeksel glinsterend in haar mondhoek, toen de buschauffeur het fabrieksterrein op reed. Meteen na het begin van het bezoek besefte Rímini in wat voor val ze waren gelopen. Ze hadden de uitdrukking 'snoepfabriek' geassocieerd met een fantastisch, ideaal rijk, een majestueuze privé-kiosk waarin de schatten in tegenstelling tot de normale kiosken gratis en alleen voor hen zouden zijn. Ze hadden gedacht aan 'snoep', niet aan 'fabriek', en wat de excursie hun ten slotte oplegde was een langdurige en eentonige tocht door een reeks loodsen waar zwijgzame arbeiders in ploegendienst een reeks meer of minder lawaaiige machines bedienden die grondstoffen verwerkten die niemand, zelfs de hardnekkigste suikerverslaafde van de klas niet, met de beste wil van de wereld in verband zou hebben gebracht met de kleine gekleurde drugs die ze elke dag legaal op straat kochten. Aan het hoofd van de groep stond tot overmaat van ramp een gids in een grijze stofjas, vast en zeker uitgekozen vanwege zijn welbespraaktheid, zijn bereidheid tot glimlachen en zijn acteertalent, die de kwelling tot ondraaglijke grenzen oprekte. Hij had een hoge stem die tijdens de vlagen van enthousiasme de falset dicht benaderde, en wisselde volkomen ongeloofwaardige technische uiteenzettingen – die zelfs de arbeiders terwijl hij sprak achter zijn rug spottende blikken ontlokten, die ze vervolgens heimelijk deelden met de kinderen – af met strategisch ingelaste 'participatiemomenten', om de zware kost van de industriële uitleg een beetje op te leuken, waarin hij de bezoekers uitnodigde raadseltjes op te lossen, moppen af te maken of details te vertellen over hun persoonlijke relatie met snoep, alles in het jargon van een animator van kinderfeestjes, alsof zijn optreden als gids in werkelijkheid alleen maar een voorstadium was van zijn ophanden zijnde sprong naar het toneel of de televisiestudio's. Binnen een paar minuten was de opwinding die de bezoekers in de bus nog de vrije loop hadden gelaten veranderd in verveling. Ze bewogen zich voort als een automaat, bekeken alles met neergeslagen blik en afgezien van de twee of drie obligate volgzamen die zoals altijd ijverig in het gevlij probeerden te komen van elk menselijk wezen dat tien centimeter groter was dan zij en een zweem van donshaar op zijn wangen had, beantwoordden ze de aansporingen van de gids met een compact stilzwijgen, dat ze alleen schuchter doorbraken om te bedanken voor de minieme porties chocolade of kauwgom die met enige regelmaat werden uitgedeeld, het enige smeergeld overigens dat in staat was een massale desertie te voorkomen. Een tijdlang bleef Rímini wakker door juffrouw Sanz te bespieden: ze was er wel, liep mee in de stoet maar altijd een beetje aan de zijkant, afgezonderd van de groep, en wanneer de gids een van zijn onbegrijpelijke technische exegesen voltooide en ze met een te energiek gebaar, als van een padvinder op leeftijd, uitnodigde de volgende attracties van de fabriek te ontdekken, was zij steeds de laatste die in beweging kwam, alsof ze volkomen onwetend van de instructies van de gids, alleen reageerde op grond van een vertraagd groepsinstinct, als de angst om alleen achter te blijven sterker was dan het ongerief om verder te moeten lopen. Maar dat wat erin toestemde zich bij de kudde aan te sluiten was niet meer dan de lege huls van haar lichaam; de rest – haar ziel, haar zintuigen, haar verbeelding – was daar ver, heel ver vandaan, niet op een vast punt in tijd en ruimte, want dat zou haar afwezigheid tenminste nog een plaats hebben gegeven, maar op een kruispunt van zeer gelijkwaardige, elkaar tegenwerkende krachten die haar leken onder te dompelen in een alles verwoestende onzekerheid. Ze liep langzaam, maar dat wat op tegenzin, vermoeidheid of verveling leek, was in werkelijkheid de willoosheid waaraan iemand zich overgeeft die niet weet wat hij moet doen, die zich bedreigd voelt door álle alternatieven die zich aandienen, er niet een durft te kiezen en moet toezien hoe ze allemaal verloren gaan, of zodra hij er wél een kiest, met de grootst mogelijke moeite losgerukt uit de wirwar van twijfels die die keuze aan banden legde, onmiddellijk spijt krijgt en zich, niet in staat een tweede te kiezen, laat meevoeren door het woelen van de wereld. Rímini zag hoe ze een hand naar haar mond bracht, alsof ze een gil onderdrukte of iets huivering-

wekkends had gezien, en hoe ze die daarna levenloos langs haar lichaam liet vallen, meteen nerveus met haar andere hand verstrengel-
de, in een zak liet verdwijnen en weer omhoogbracht, naar haar haar,
waar ze een lok gladstreek die zich niet had bewogen – alsof ze zat opgesloten in een kooi.

Halverwege de ochtend kregen ze een ontbijt geserveerd. Ze verzamelden zich in de eetzaal van de fabriek, een ruim vertrek met grote ramen die uitkeken op de parkeerplaats waar de bus stond te wachten, en
terwijl de gids tussen de tafels door liep en de geschiedenis van het
merk vertelde, een curve beschrijvend die de afgelopen dertig jaar, zoals hij zei, alleen maar een stijgende lijn had vertoond, zelfs zozeer dat
het logo – een glimlach met een likkende tong – en de producten inmiddels ook de kiosken van een aantal aangrenzende landen over-
spoelden, werden er onder de bezoekers door twee medewerksters in
keukenschort plastic dienbladen zoals die in een vliegtuig verdeeld,
met daarop een glas sinaasappellimonade en een piepklein koekje van
maïsmeel. Er waren nog geen vijf minuten verstreken toen de klas, na
korte metten te hebben gemaakt met wat er op de dienbladen stond,
plotseling wakker leek te worden, tot leven gewekt door het ontbijt
maar vooral door de nieuwe situatie, die ze weliswaar niet van de gids
had bevrijd maar wel van het juk van de rondleiding, en de eetzaal binnen een paar seconden in een slagveld veranderde. Rímini, die nodig
naar de wc moest, kon alleen gebukt de projectielen ontwijken. Hij
plaste staande, langdurig, terwijl hij de aanbevelingen voor persoonlijke hygiëne las die op de muren van de wc waren aangebracht, en na
deze zonder gewetensbezwaren te hebben genegeerd, hij was tenslotte
een buitenstaander, verliet hij het toilet, en toen hij de deur uit kwam
ontdekte hij juffrouw Sanz, die met haar rug naar hem toe bij een van
de twee publieke telefoons stond die de onderneming, zoals de gids
niet had nagelaten te benadrukken, kortgeleden voor haar werknemers in de fabriek had laten installeren. Rímini bleef als verlamd staan.
Hij had het gevoel dat het lot, dat hem tot dan toe niet erg gunstig gezind was geweest, hem eindelijk beloonde en hem, *hem alleen*, de kans
bood getuige te zijn van een van de scènes waar waarschijnlijk alle jon-

gens uit zijn klas van droomden. Het voorrecht overdonderde hem, alsof hij het niet had verdiend. Daarna, betoverd door de asymmetrie van de situatie, die hem in staat stelde te zien zonder gezien te worden, voelde hij zijn lichaam langzaam groter worden, in dezelfde slow motion als waarmee dat van juffrouw Sanz kleiner werd, totdat hij op een gegeven moment het idee had dat als hij een hand uitstak, zoals hij zich herinnerde op een zaterdagmiddag in een sciencefictionfilm te hebben gezien, met in zijn plaats een reusachtige angorakat en een bijna onhoorbaar microscopisch klein mannetje in plaats van juffrouw Sanz, hij met haar zou kunnen spelen en alles met haar doen waar hij zin in had. Hij werd overspoeld door een nieuw, buitengewoon hevig gevoel van opwinding, even onbekend als de vorm van volwassen intimiteit waar hij getuige van was. En alles wat hem tot dan toe had doen huiveren, alle ochtendlijke slordigheden – de zoom van het nachthemd in de eerste plaats – die juffrouw Sanz, en met haar de hijgende Rímini, meevoerden naar de warme wellust van haar bed en haar tegenover hem naakter toonden dan als ze werkelijk naakt was geweest, dat alles leek zo kinderlijk, zo overbodig en zwak vergeleken met waar hij nu getuige van mocht zijn... Maar in plaats van een van zijn klauwen uit te steken en haar jurk open te scheuren en daarmee de blankste en teerste schouder te onthullen die de hal van de snoepfabriek ooit had mogen aanschouwen, sloot Rímini zich af voor het lawaai dat uit de eetzaal kwam, waar zijn klasgenoten, sommige zelfs boven op de tafels als expeditieleden op de top van een berg, elkaar bekogelden met de munitie die ze stiekem in hun zakken hadden meegenomen, in afwachting van een geschikte gelegenheid om die te kunnen gebruiken, en probeerde zich te concentreren op het telefoongesprek. Een hele tijd hoorde hij niets. Juffrouw Sanz, die amper hoger reikte dan de telefoon, zweeg met de hoorn tegen haar oor gedrukt, haar gespannen lichaam op een bepaalde manier versmolten met de stem die via het apparaat tot haar kwam. Af en toe knikte ze, en na een paar van die ritmische hoofdbewegingen liet ze haar hoofd zakken en begon met de punt van haar rechtervoet op de grond een niet bestaande sigaret uit te drukken. Er zullen misschien twee, drie minuten verstreken zijn toen het tumult in de eetzaal plotseling ophield, alsof iemand ineens de deur had dichtgetrokken, en het lichaam van juffrouw Sanz begon te schokken. Van achteren gezien, zoals Rímini haar zag, was het moeilijk vast te stellen of ze huilde of lachte. 'Alsjeblieft...' hoorde hij haar ten slotte met gebroken stem zeggen, terwijl ze met haar geopende hand probeerde de lucht tegen te houden, met zo'n gebaar dat puur retorisch lijkt, bedoeld om een bepaalde intentie van degene die spreekt te accentueren, maar dat in wezen, alsof degene voor wie dat bestemd is het zou kunnen zien, alleen probeert de afstand te overbruggen waarin het gedoemd is te verdwijnen. Ze huilde – en de schaamte die ze voelde om het huilen veroorzaakte een even groot verdriet als degene die haar aan het huilen maakte. 'Alsjeblieft...' zei ze, 'zeg dan wat je wilt dat ik doe. Zeg het en ik doe het. Wat het ook is. Als je wilt dat ik me voor je voeten werp, dan werp ik me voor je voeten. Dat maakt me niets uit. Helemaal niets. Ik ben er al zo lang aan gewend dood te zijn. Maar verlaat me niet, alsjeblieft. Vergeef me. Ja, vergeef me, alsjeblieft. Ik zal het nooit meer doen. Maar hoe kan ik zeker weten dat ze mijn berichten ook aan je doorgeven? Als je me dan tenminste antwoord gaf! Zie je wel? Nu we met elkaar praten... Ik voel me al een stuk beter. Ik heb zo weinig nodig. Ik warm me aan je stem. Zit je naar muziek te luisteren? Het klinkt mooi. Wat is het? Ah, ze heeft een goede smaak. Wacht. Welke kleren heb je aan? Ik wil het graag weten. Ik zie je niet, maar dan kan ik me je voorstellen... Welke, de groengeruite? Ik vind de blauwe mooier, maar je hebt gelijk, hij staat je goed. Zie je hoe gemakkelijk het is? Met haar woon je samen, ga je uit, maak je plezier, heb je kinderen, bezoek je de club en ga je op vakantie. En met mij doe je wat je wilt. Alles, wat er maar in je hoofd opkomt. Als je me wilt slaan, dan sla je me. Als je me wilt... Nee, wacht. Niet ophangen. Alsjeblieft. Als je ophangt sta ik niet voor mezelf in. Nee, vergeef me, dat wilde ik niet zeggen. Je begrijpt het niet: het kan me niet schelen of ik gelukkig ben. Ik wil niet gelukkig zijn. Dat heeft toch geen zin. Het enige wat ik wil is dat je tegen me zegt wat je wilt dat ik doe. Wat je maar wilt. Wil je me op mijn knieën zien, dan kniel ik voor je. Wil dat ik op je wacht, dan wacht ik op je. Op die manier heeft het wél zin. Wil je dat ik alles achterlaat... Nee, wacht. Laten we nog een poosje praten. Je voelt zo dichtbij. Zeg eens: mis je me? Niet ophangen! Zeg dat je aan me denkt, dat je van me houdt, dat ik de vrouw van je leven ben. Alsjeblieft. Ik smeek het je. Hang nog niet op. Goed, dan zal ik ophangen. Ja, nu, maar eerst moet je zeggen dat je van me houdt. Zeg het dan: "Ik hou van je." Het zijn maar vier woorden, vier korte woorden... Wat is dat nou voor moeite? Ook al is het een leugen, ik wil het je horen zeggen. Alsjeblieft. Ah. Liefste, liefste, liefste, liefste... Nee, ik kan het niet. Jij moet ophangen. Ik zou anders mijn hele leven met je blijven praten. Jij, ja, hang jij maar op. Hang op, alsjeblieft. Ik hou van je. Ja, nu. Toe. Hang maar op. Ik hou van je, ik hou van je, ik hou van je. Hang op, in godsnaam, hang op...'

Ze bleef met haar hoofd naar beneden staan, de hoorn tegen haar oor gedrukt, en hield haar adem in, alsof ze erop vertrouwde dat de verbinding nog niet verbroken was en ze de laatste wegstervende restjes probeerde te redden. 'Hallo?' zei ze schuchter na een paar seconden. 'Hallo?' herhaalde ze, 'hallo?' met steeds zwakkere stem, totdat ze ophing, zich omdraaide – haar gezicht was vertrokken van het huilen – en naar het toilet liep, en Rímini had het gevoel dat als hij niet opzij gestapt was, ze tegen hem zou zijn opgebotst. Dat was het einde van zijn eerste erotische openbaring. Het eerste einde, in feite, want zoals elke gebeurtenis zich twee keer voltrekt, de eerste keer als gebeurtenis, voorval, indruk, de tweede keer als gewaarwording en registratie, zo wordt ook elk proces in tweeën afgesloten, en niets wat één enkel eindpunt heeft gehad, hoe drastisch en onherroepelijk dat ook mag zijn geweest, kan werkelijk als afgesloten worden beschouwd. Alleen verstreek er, zoals vaak, tussen het eerste einde en het tweede een aanzienlijke tijdspanne, genoeg in elk geval om niet alleen een respectabel aantal dingen te laten gebeuren die niets met juffrouw Sanz te maken hadden, maar ook en vooral om tussen beide de afstand van het vergeten te scheppen, en als het tweede einde voor Rímini niet het onaangename gevolg had gehad dat het uiteindelijk bleek te hebben, even krachtig en ingrijpend als het eerste, die ochtend in de snoepfabriek, dan zou het hoogstwaarschijnlijk niet in zijn geheugen zijn opgeslagen als een afsluiting – dat hangslot dat voorgoed de kamer verzegelt waarvan de deur, ook al hoorden we die niet, voortdurend bleef klapperen – maar als een van die berichten die je bereiken als niemand ze meer nodig heeft, in het beste geval om een al vage herinnering af te ronden, niet eens om die te doen herleven, met een puur onbeduidend detail. Want die vrijdag, de vrijdag van het bezoek, ging Rímini weer naar school en keerde terug naar die andere juf, de middagjuf, naar de eetzaal met zijn eindeloze rijen, zijn frituurwalmen en zijn dampende pannen, naar de gymnastiekles, waar hij onderuit probeerde te komen door kramp in zijn kuit voor te wenden, en zag hij hoe het armetierige weefsel van de schoolervaring, dat door de excursie naar de snoepfabriek was stukge-scheurd, hem in de waan latend dat niets meer zou worden als eerst, heelde en zich wonderbaarlijk snel herstelde, zonder dat iets of iemand zelfs maar de moeite had genomen melding te maken van die scheur. En daarna kwam het weekeinde, met zijn klassieke repertoire van geestdodende bezigheden, en de hitte werd steeds drukkender, en de laatste lesweken gingen voorbij met proefwerken, schoolfeesten en va-kantievoorbereidingen. En daarna volgde de gelukkige massale zo-meruittocht en in maart, toen Rímini terugkeerde naar school, uitge-put, omdat hij de hele nacht geen oog dicht had gedaan, maar in op-perste staat van opwinding, met zijn nieuwe schoenen en al zijn vakan-tieheldendaden op het puntje van zijn tong, allemaal verzonnen en klaar om zijn klasgenoten te imponeren, was hij zo geobsedeerd bezig de nieuwtjes die de komende negen maanden van zijn leven zouden bepalen in zich op te nemen dat het niet eens tot hem doordrong dat juffrouw Sanz niet meer op school was. Hij was haar niet alleen verge-ten, hij had haar volledig uit zijn leven gebannen, gewoon zomaar, zon-der boze opzet, want in de kindertijd is er niets normaler dan ostracis-me, maar onherroepelijk en met dezelfde onbewogen vastberadenheid waarmee iemand die nog maar net enkele millimeters op de maat-schappelijke ladder is gestegen, alle gewoontes die hij had toen hij ar-mer was uit zijn leven bant, uit zijn conversatie en zelfs uit zijn verle-den. Totdat zes of zeven jaar later, toen niemand – behalve de scherp-zinnigsten onder zijn naaste verwanten – zou hebben gezegd dat die adolescent die al vier talen beheerste en met zijn vriendin een bijzonder onbaatzuchtige variant van coïtus interruptus praktiseerde, dezelfde persoon was als het verlegen en smachtende jongetje op de klassenfoto uit de vierde klas dat een grimas van pijn onderdrukkend rechts naast Goberman staat, die doelbewust met zijn halfhoge laarzen op zijn tenen trapt, totdat Rímini, terwijl hij met Sofía stond te praten onder de trap op het schoolplein, de buitengewoon oncomfortabele schuilplaats waar ze tot ergernis van hun klasgenoten elke pauze in innige omhelzing doorbrachten, tot een opzienbarende ontdekking kwam en de genadeklap kreeg waarvan hij niet eens wist dat hij daar sinds zijn bezoek aan de snoepfabriek, op zijn negende, op had zitten wachten. Eigenlijk was het meer discussiëren wat ze deden dan praten, met de overgave en de verblinding, kenmerkend voor hevig verliefden die uit principe elke bezigheid cultiveren die hun ook maar enige vorm van genot verschaft zolang dat genot maar wederzijds is, en daarbij discussieerden ze ook over het onderwerp dat hevig verliefden het meest intrigeert en in vervoering brengt: hoe het leven en de wereld eruitzagen vóórdat ze verliefd werden – niet het leven en de wereld in het algemeen, die hen volkomen koud liet, maar hoe zíj eruitzagen, waar de een was terwijl de ander hier of daar was, wat de ander deed terwijl de een dit of dat deed – de bijzonderheden van een verleden van parallelle levens dat hun het summum van het onvoorstelbare en het fascinerende leek, omdat die, gereconstrueerd vanuit het heden, dat wil zeggen, vanuit de actualiteit van de liefde, van een zo absolute liefde dat ze niet konden begrijpen hoe ze al die tijd zonder hadden kunnen leven, een mate van vervreemding bezaten die ze onherkenbaar maakte, alsof het episodes waren uit de levens van anderen, en die hen desondanks bleven aantrekken en boeien, net zoals bijvoorbeeld het gadeslaan van elkaars gedragingen tijdens een hypnosesessie of het slaapwandelen hen zou hebben geboeid. Maar dat wat hen, binnen dat uitgestrekte gebied van het verleden dat ze regelmatig oprakelden, vanzelfsprekend het meest interesseerde was niet het effect van gelijktijdigheid *op zich*, dat hoewel intens toch niet duurzaam was, maar de punten waar hun twee parallelle levenslijnen, door een of andere toevallige gebeurtenis uit de koers gebracht, elkaar naderden, ontmoetten en raakten – zonder dat

dit gemeenschappelijke punt al liefde genoemd kon worden, hoogstens liefdeservaringen die nooit als zodanig herkend en daardoor onherroepelijk genegeerd, terzijde geschoven en afgebroken waren – en
daarna weer uiteenweken en hun individuele weg vervolgden. Toch
bestond er over die punten, onderworpen als ze waren aan het verleden, zelfs als een diepgravend geheugen ze tot in de kleinste details had
kunnen reconstrueren, allesbehalve eenstemmigheid. Die middag bijvoorbeeld, toen ze voor het eerst een meningsverschil hadden dat al
snel een vorm van behaagzucht zou worden doordat ze het vanaf dat
moment vaak in het openbaar uitspeelden, als een van die intieme scènes die het midden hielden tussen een uiting van genegenheid en van
vijandigheid, en die stellen vol trots opvoeren als authentieke bezege-
ling van de liefde die ze voor elkaar koesteren, beweerde Sofía dat ze samen in de vierde klas hadden gezeten en dat de eerste herinnering die
ze van Rímini had – losse veters, broek met gaten op allebei de knieën,
een grote tas uitpuilend van de boeken en schriften die hij stuiterend
de trappen op en af sleepte – terugging tot die periode. Rímini hoorde
haar met enige terughoudendheid aan. Hij kon het ontkennen noch
bevestigen, maar om een of andere reden leek de onmogelijkheid van
het bevestigen hem veel overtuigender dan die van het ontkennen. Hij
was verliefd op Sofía; als het waar was, als ze inderdaad samen in de
vierde klas hadden gezeten, hoe kon hij dat dan vergeten zijn? Het
moest een valse herinnering zijn, een transpositie, een van die overlap-
pingen waarbij het geheugen, geleid door een gericht punt van interesse uit het heden, gebruikmaakt van eenzelfde element – een persoon,
een decor – om twee verschillende tijdperken met elkaar te verbinden
en te versmelten. Sofía hield vol; ze herinnerde zich het nummer van
het lokaal niet maar wél de verdieping, de parkeerplaats waar de ramen
op uitkeken, de vochtplekken in de hoeken van het plafond. Rímini
glimlachte spottend; hij duwde haar van zich af en trok haar weer naar
zich toe, en terwijl hij zijn armen om haar heen sloeg, bedolf hij haar
onder een regen van kussen. Dat kon iedereen zich herinneren, zei hij
lachend, uit elk jaar en van elk lokaal. Hij wilde haar provoceren; hij
eiste iets nauwkeurigers: waar ze zat bijvoorbeeld. Achteraan, zei Sofía:

achteraan, zoals altijd, en tegen de wand van de deur, niet tegen die van de ramen. 'Zoals altijd,' herhaalde Rímini, en hij schudde teleurgesteld zijn hoofd. Hij wilde precisie, zij kwam met algemeenheden. Voor Sofía was dat evenwel niet het echte probleem. Volgens haar was het onmogelijk dat Rímini zich haar persoonlijk herinnerde, haar of enig ander meisje dat in die jaren bij hem in de klas had gezeten, niet uit onwil of door een onvolkomenheid van het geheugen, maar om de eenvoudige reden dat in de vierde klas de meisjes voor de jongens veel minder waren dan figuranten of voorwerpen, waarmee ze weliswaar een zekere duidelijk waarneembare existentiële minderwaardigheid deelden, en daarmee de natuurlijke verplichting om min of meer onopgemerkt te blijven, maar waarvan ze zich ook onderscheidden door de tegenovergestelde gewoonte, de voor elke jongen in de klas onaanvaardbare innerlijke drang om zich te laten zien, zich te doen gelden, onverwacht op de voorgrond te treden en de aandacht te trekken, iets wat de mannelijke populatie, en dus, hoeveel Sofía ook van hem hield, ook Rímini als vertegenwoordiger van die populatie, vanzelfsprekend dwong hun inspanningen om ze te vergeten te verdubbelen, door ze, althans in de meest drastische gevallen, zonder omhaal weg te strepen uit de registers van het verleden, of door ze allemaal terug te brengen tot een soort algemene, buitengewoon vage aanwezigheid waarin geen plaats was voor individuele identiteiten en die, in laatste instantie, alleen maar een belemmering of een vage dreiging vormde. Rímini lachte, alsof hij op heterdaad betrapt was. 'Inderdaad,' erkende hij, 'je had de wereld van de details: de kaart van Argentinië met de inktvlek op El Chaco, de oneffenheden op het schoolbord, de barst in de laatste ruit – en daarna kwamen jullie, "de meisjes", als een rookgordijn ver weg aan de hemel...' 'En je had juffrouw Sanz,' zei Sofía. 'Ja,' zei hij, nog altijd lachend. 'Juffrouw Sanz,' herhaalde hij, en hij voelde hoe de herinnering hem omhulde en isoleerde. 'Juffrouw Sanz,' ging zij verder, 'die op de dag van het bezoek aan Georgalos bij de publieke telefoon in huilen uitbarstte.' De onthulling kwam zo onverwacht dat Rímini zich verraden, zelfs verkracht voelde. Het was alsof hem iets heel intiems was ontnomen. Maar om zich te verdedigen, bedacht hij dat dit nog niets bewees. Misschien had Sofía het gehoord van iemand anders uit de klas, een getuige die Rímini, in beslag genomen door de scène die zich voor zijn ogen afspeelde, niet had opgemerkt. Alleen was dat nu ook van geen enkel belang meer. Volledig verdwaasd ging Rímini terug in de tijd, hij bevond zich weer in de fabriekshal en inspecteerde de uitgang van de toiletten, de muur met de telefoons, de hoek die hij omsloeg en de gang die hij doorliep tot aan de eetzaal, en hoewel hij niemand zag – niemand anders dan zichzelf, roerloos, het hart bonzend in zijn keel en een merkwaardig schrijnend gevoel tussen zijn benen, en juffrouw Sanz, een schitterende overspelige vrouw, badend in tranen, onweerstaanbaarder dan ooit, pogend haar geliefde los te rukken uit het echtelijke paradijs waarin hij gevangenzat – besefte hij dat het al te laat was, dat de scène, op het eerste gezicht ongeschonden, ingrijpend veranderd was: nu Sofía hem had onthuld dat ze die kende, wist hij dat er nog iemand was, niet noodzakelijkerwijs een persoon, een lichaam met voor- en achternaam, die van Sofía of van ieder willekeurig ander, maar eenvoudigweg *andere ogen*, maar dat was al meer dan genoeg. De scène was niet meer dezelfde. En Rímini, die ervan had kunnen genieten dankzij een gelukkig toeval, het voorrecht dat hij naar juffrouw Sanz kon kijken zonder dat zij dit wist, ontdekte nu dat hij in de echte scène, niet de scène die hij zich herinnerde maar die waarvan hij net had ontdekt dat hij er een hoofdrol in speelde, een rol had vervuld die niet veel verschilde van die van juffrouw Sanz, en dat andere ogen op dezelfde manier hadden genoten van zijn verbijstering als hij had genoten van de instorting van juffrouw Sanz. Het was precies het soort ontdekking waartegen hij geen verweer had, een ontdekking die, hoe onbeduidend ook, hem letterlijk kapot kon maken. Maar dat hij het overleefde, en dat hij bovendien de vreemde deur kon sluiten die hij zonder dat hij het zelf wist acht jaar lang open had laten staan, kwam omdat Sofía, die misschien spijt had van de schok die ze bij hem teweeg had gebracht, ongetwijfeld heel doeltreffend, maar ook verdorven door een kinderlijke rancune, verder ging, veel verder, met dat talent dat bepaalde vrouwen hebben om de wonden van een wrede daad met een nog wredere daad te verzachten, en hem meedeelde, het explosieve effect van de onthulling achter zich latend alsof het de gewoonste zaak van de wereld was, als iemand die ervan afziet een dodelijk wapen te gebruiken, dat het jaar na het voorval in de snoepfabriek Georgalos juffrouw Sanz niet was teruggekeerd naar school. Rímini bespeurde een lichte achterdocht in haar stem en keek haar aan. 'Dat is waar ook,' zei hij, 'nu je het zegt...' En hij had het gevoel dat een onheilspellende schaduw over hem neerdaalde.

Alles wat Sofía wist, wist ze in feite van haar moeder, die lerares Engels was, lesgaf aan een privé-instelling in de wijk Belgrano en door zo'n toevallige samenloop van omstandigheden juffrouw Sanz als leerlinge had gehad. Na zes maanden, van augustus tot februari, kon de moeder van Sofía niet bepaald zeggen dat ze vriendinnen waren geworden, daarvoor was de groep te omvangrijk, zodat persoonlijke contacten beperkt bleven, en bovendien scheen juffrouw Sanz, die steevast te laat kwam en als eerste weer wegging, altijd haast te hebben en was ze nooit aanwezig bij het ongedwongen samenzijn na afloop van de lessen, waarbij leerlingen en leraren, bevrijd van het pedagogische protocol, meer informele gebieden van hun relatie verkenden, maar wél dat er een zekere mate van vertrouwelijkheid tussen hen was ontstaan, vooral gebaseerd op het uitzonderlijke geduld en de bijzondere toewijding die de moeder van Sofía aan de dag legde bij het toezien op de vorderingen van haar leerlinge. En juffrouw Sanz maakte geen vorderingen, of niet zoveel als wenselijk was geweest, niet door gebrek aan interesse, aanleg of mogelijkheden, maar door de enorme moeite die ze had om zich te concentreren, de lessen te volgen en zich te richten op de oefeningen. Ze leek altijd ergens anders te zijn, al had haar afwezigheid niets dromerigs maar eerder iets gespannens, iets geïrriteerds, alsof ze niet zozeer in afwachting was van de schoonheden van de wereld die ze daar, onder die tl-buizen, bezig was mis te lopen, als wel van de tegenslag, het ongeluk of de verschrikkelijke dreiging die voortdurend op de loer lag; en als ze tijdens de les haar aandacht er al niet bij kon houden, waar alles haar daartoe aanspoorde, dan moest die wel helemaal verdwijnen als ze alleen thuis was, zoals bij de volgende les inderdaad te zien was aan haar schriften, waarin ze nooit haar oefeningen maakte, en aan de opgegeven bladzijden in haar tekstboek, zo smetteloos schoon en nieuw dat het duidelijk was dat ze niet eens de moeite had genomen ze in te kijken. 'Ik heb problemen,' zei juffrouw Sanz een keer tijdens een van die persoonlijke onderonsjes die de moeder van Sofía uit medelijden met haar onvrede midden onder de les soms met haar had, en de verlegenheid, de onhandigheid en het gebrek aan sociale vaardigheden van juffrouw Sanz waren gewoonlijk zo overdonderend dat die standaardformulering, 'ik heb problemen', die meestal wordt gebruikt met de bedoeling terughoudend te zijn, de nieuwsgierigheid van de gesprekspartner te bevredigen en hem tegelijk de smakelijke details te ontzeggen die hij hoopte te horen, in haar geval even vertrouwelijk, dramatisch en veelzeggend klonk als de meest minutieuze bekentenis. In december, met de zomerse hitte, de voorbereidingen voor de feesten en – van wezenlijk belang, aangezien de groep geheel bestond uit docenten – de eindexamens en het opstellen van de cijferlijsten, die de bescheiden restjes energie waar de leerlingen nog over beschikten volledig opeisten, viel de groep al snel uit elkaar. Maar wat de moeder van Sofía verbaasde was niet de abruptheid van dat massale vertrek, waar ze na al die jaren onderwijs op het instituut wel aan gewend was, maar het feit dat juffrouw Sanz op een middag, in het administratiekantoor waar ze heen was gegaan om, zoals gewoonlijk te laat, zo moeilijk viel het haar, de laatste termijn van het jaar te betalen, haar vroeg of ze door kon gaan met de cursus – zij, die afgezien van haar persoonlijke problemen aan hetzelfde eisenprogramma onderworpen was als de rest van haar groepsgenoten. De moeder van Sofía moest haar uitleggen dat dit onmogelijk was: los van de algehele uittocht die het einde van de lessen eigenlijk maar met een paar dagen had versneld, stond al van tevoren vast dat de cursus halverwege december afgelopen zou zijn. En toen ze zag hoe teleurgesteld juffrouw Sanz op haar uitleg reageerde, voegde ze er om haar te troosten aan toe dat ze maar twee maanden hoefde te wachten, aangezien de cursus zoals alle jaarlijkse cursussen in maart weer zou beginnen en dat ze de vrije tijd van de zomer misschien zou kunnen gebruiken om weer een helder hoofd te krijgen en energie op te doen, iets wat, gelet op de feiten, voor haar even hard of nog harder nodig leek dan het leren van welke vreemde taal ook... Maar juffrouw Sanz luisterde al niet meer naar haar. Ze had de uitdrukking 'vrije tijd' nog niet gehoord of ze boog als geschokt haar hoofd en barstte daar in het administratiekantoor, ten overstaan van de boekhoudster van het instituut die een paar nota's op orde bracht, en van de loopjongen die brievenordners uit een kast haalde, in ontroostbaar huilen uit, het snikken afgewisseld met hartverscheurend gejammer, alsof de moeder van Sofía haar zojuist op de hoogte had gebracht van een onverwacht en verschrikkelijk bericht, een gedwongen ontruiming, de dood van een geliefde, een ongeneeslijke ziekte, die degene die het ontvangt in volstrekt hulpeloze toestand achterlaat. Het was niet de moeder van Sofía, te druk bezig haar te troosten, zozeer voelde ze zich voor haar verantwoordelijk, maar de boekhoudster van het instituut die, ontroerd door die vrouw die in haar aanwezigheid ongegeneerd haar tranen de vrije loop liet – en niet omdat ze geen schaamtegevoel zou hebben maar eenvoudigweg omdat ze er niet meer tegen kon, alsof het nieuws dat ze de twee maanden die ze gedroomd had aan Engelse les te kunnen wijden plotseling in ledigheid door moest brengen, de druppel was die de emmer deed overlopen –, een fortuinlijke ingeving had en op het idee van de intensieve zomercursussen kwam. Voor de moeder van Sofía was dat een ware bevrijding; althans dat dacht ze op dat moment, terwijl ze het haar van juffrouw Sanz, dat vochtig was van de tranen, bleef strelen. De zomercursussen duurden twee maanden, er werd geen vooropleiding verlangd, en hoewel de inschrijvingstermijn al verstreken was, kon er altijd een uitzondering worden gemaakt.

De moeder van Sofía had nooit een meer toegewijde, oplettende en volhardende leerlinge gehad. In iets minder dan twee maanden, met een ritme van vijf lessen per week, had juffrouw Sanz zonder één les te missen niet alleen haar eigen prestaties van een heel jaar overtroffen, wat op zich niet zo'n bijzondere uitdaging was, maar ook die van haar beste medecursisten. Haar toewijding en leergierigheid waren zo groot dat de moeder van Sofía zich gedwongen zag ook na de les, als iedereen het instituut al verlaten had, nog een tijdje bij haar te blijven om haar extra lessen en oefeningen op te geven die juffrouw Sanz steeds stralend van geluk in ontvangst nam, als een jonge hond zijn beloning, en die ze in perfecte staat weer inleverde, lang voordat de termijn verstreken was die ze had gekregen om ze te maken. Maar het meest hartverwarmend was niet de fabelachtige werklust die ze aan de dag legde, of de kennis van de taal die ze met de dag verdiepte, of het enthousiasme waarmee ze elke nieuwe fase van het leerproces te lijf ging, een geestdrift die haar ertoe bracht altijd meer te geven dan er van haar gevraagd werd, maar de manier waarop die toewijding, minder passend bij een studente dan bij een zendelinge – voor wie er niets op de wereld is wat de zaak die ze heeft omhelsd in de schaduw kan stellen, laat staan vervangen –, de problemen die haar in de loop van dat jaar zo hadden gekweld schijnbaar volledig had uitgewist. Volgens de moeder van Sofía was ze een ander mens geworden – onherkenbaar. Zelfs uiterlijk was ze veranderd. De kleur, die ze maar heel af en toe en dan nog bij toeval kreeg als er iets aan haar controle ontsnapte of als ze zich ergens voor schaamde, straalde nu op haar wangen en gaf haar een air van jeugdige opgewondenheid, in scherp contrast met haar ouderwetse stijl van kleden, en haar magere en broze lichaam leek steviger, veerkrachtiger, alsof ze een paar kilo was aangekomen. Vandaar dat toen de moeder van Sofía die maandagochtend in de tweede helft van februari de deur van het lokaal dichtdeed, zich tot haar leerlingen wendde en zag dat de plaats van juffrouw Sanz voor het eerst leeg was, de enige plaats overigens, zoals ze later ontdekte, die ze dag in dag uit graag bezet had gezien, ze bevangen werd door een somber voorgevoel. Juffrouw Sanz ontbrak ook op dinsdag en woensdag, en de hele rest van een week die ineens ondraaglijk lang duurde, zonder bericht en zonder dat haar medecursisten, met wie ze nauwelijks contact had, net genoeg om 'hallo' en 'tot ziens' te zeggen, en daartussenin, eventueel, een of andere technische kwestie te bespreken, ook maar iets wisten te vertellen wat enig licht zou kunnen werpen op de reden voor haar wegblijven. De maandag daarop bleven de stoel en de lessenaar van juffrouw Sanz leeg. In een vlaag van helderheid en angst zag de moeder van Sofía de mogelijkheid onder ogen dat het wonderbaarlijke herstel waarvan ze in amper veertig dagen getuige was geweest alleen maar een van die oplevingen van gezondheid en kracht bleek te zijn die bepaalde zieken doormaken voordat ze wegzinken in de definitieve verschrikking. Ze gaf zo goed en zo kwaad als het ging les, klampte zich vast aan het programma dat ze thuis had voorbereid, om zich maar niet over te geven aan haar bezorgdheid, maar ondanks de alertheid en professionele vaardigheid waarmee ze het afdwalen van haar geest wist te verhullen, overkwam het haar meer dan eens dat ze halverwege de les haar ogen opsloeg alsof ze uit een diepe slaap ontwaakte, en ontdekte dat haar leerlingen allemaal tegelijk naar haar keken, in afwachting van het antwoord op een vraag die ze niet eens had geregistreerd. Meteen na afloop van de les ging ze naar de administratie, vroeg om de inschrijvingskaart van juffrouw Sanz en draaide haar telefoonnummer, zich totaal niet bewust van de geïntrigeerde blik waarmee de boekhoudster haar gadesloeg. Er werd niet opgenomen. Zonder erbij na te denken noteerde ze haar adres. Vijf minuten later, toen ze erin geslaagd was haar eigen handschrift te ontcijferen, las ze het met bonzend hart voor aan de taxichauffeur die haar in de achteruitkijkspiegel aankeek. Het was aan de andere kant van de stad, een buurt met lage huizen, bestrating en braakliggende terreinen. Juffrouw Sanz woonde in een gebouw met vijf verdiepingen, een van de weinige moderne bouwwerken waarop de wijk zich kon beroemen. De buitendeur stond open. De moeder van Sofía ging naar binnen, liep naar boven en bonsde, na tevergeefs te hebben aangebeld, op de deur. Het duurde even voordat er werd opengedaan. Met stomheid geslagen week de moeder van Sofía een paar passen terug: de vrouw die voor haar stond was het perfecte evenbeeld van juffrouw Sanz, maar ze rookte, was tien jaar ouder en had een hoofddoek om, en alles wat aan juffrouw Sanz onzeker, kwetsbaar en broos was, had haar evenbeeld bedolven onder een dikke laag ongevoeligheid en wreveligheid. De vrouw leunde op een bezem, kneep haar ogen tot spleetjes – er hing een brandende sigaret tussen haar lippen – en bestudeerde haar met een laatdunkende nieuwsgierigheid. De moeder van Sofía stelde zich voor. Toen draaide de vrouw zich om en ging verder met schoonmaken, zonder een woord te zeggen, zonder zelfs de deur weer te sluiten, waarmee ze de moeder van Sofía niet zozeer uitnodigde binnen te komen als wel haar aanwezigheid negeerde. De moeder van Sofía stapte naar binnen. Ongemakkelijk keek ze een tijdje hoe de vrouw aan het werk was in de ontruimde woning: ze veegde energiek, bijna woedend, waarbij ze de paar meubels die er nog stonden geërgerd opzijschoof, alsof ze haar stoorden. De moeder van Sofía zocht in het vertrek naar iets wat haar aan juffrouw Sanz herinnerde. Ze vond niets; alleen de bedompte lucht van een te lang afgesloten ruimte, hoewel de ramen openstonden. Ten slotte besloot ze de vraag te stellen. Maar zodra ze haar lippen van elkaar deed om iets te zeggen, onderbrak de vrouw, alsof ze haar gedachten geraden had, opnieuw haar werk, draaide zich om, niet uit respect, want het was duidelijk dat de moeder van Sofía en alles wat met dat appartement te maken had – en, logischerwijs, met de persoon die er gewoond had – voor haar alleen maar een reden tot ergernis konden zijn, een last die ze altijd zou blijven vervloeken, maar om met al haar vijandigheid het effect te versterken van wat ze op het punt stond te gaan zeggen, zodat ze er verzekerd van zou zijn dat de moeder van Sofía nooit meer haar pad zou kruisen, en vertelde op neutrale toon en zonder enig teken van dramatiek, laat staan verdriet of mededogen, dat juffrouw Sanz, die ze 'die ongelooflijke stommeling van een zus van me' noemde, vorige week was overleden in een clandestiene kliniek in Saavedra, vóór, na of tijdens de abortus, dat wist ze niet precies, die ze na veel wikken en wegen had besloten te laten plegen in een poging de man die haar zwanger had gemaakt niet kwijt te raken, de enige man in haar leven, voor zover zij wist, die haar ooit had aangeraakt, een getrouwde zakenman met kinderen die toen hij de valstrik waar hij in was gelokt ontdekte, een overigens typische valstrik voor vrouwen die weten dat mannen niet meer bij hen in de buurt zullen komen tenzij ze dood zijn, haar had gewaarschuwd dat als ze het kind wilde houden, ze dat vooral moest doen, maar dat ze hem dan nooit van haar leven meer zou zien en hem maar het beste voorgoed kon vergeten.

9

Bij het aanbreken van de dag werd hij gewekt en overgebracht naar een ijskoud kantoor, krapper dan zijn cel, waar een onbekende in pak en overjas hem beleefd de hand schudde en hem de rechthoekige kartonnen doos zonder deksel, ter grootte van een schoenendoos, met op de voorkant nummer negentien geschreven, die dezelfde agent die 's avonds zijn vingerafdrukken had genomen zojuist uit een oude houten vakkenkast had gehaald, toeschoof. Rímini herkende het horloge, de broekriem, de veters van de tennisschoenen, de portefeuille en de sleutelbos, en die buit, die hem twintig uur eerder toen hij gedwongen was geweest alles af te geven aan de agent die hem in hechtenis had genomen, een kapitaal van onschatbare waarde had geleken dat hij nooit meer terug zou krijgen, kwam hem nu, nu hij hem eindelijk weer in zijn bezit had, voor als van een bedroevende armoedigheid. Hij keek er een paar seconden naar zonder zich te bewegen, zonder het echt te zien, als iemand die kijkt naar het onnozele heen en weer zwemmen van vissen in een aquarium, en als de advocaat, vooral uit ergernis over het vroege uur, de tijd die Rímini's aarzelingen hem kostten en de volstrekt oninteressante cliënt die Rímini voor hem was, niet had ingegrepen met de bruuskheid waarmee hij dat nu deed, door de doos als een dobbelbeker om te keren en de persoonlijke eigendommen op het bureau uit te strooien, dan zou Rímini ze daar waarschijnlijk zonder spijt en zelfs met voldoening hebben achtergelaten, overwegend dat een zo bescheiden bezit nauwelijks een geschiktere habitat zou kunnen vinden dan die vier kartonnen wanden, noch een meer verantwoordelijke bewaker dan de agent die nu, terwijl hij hem de rug toedraaide, de lege doos terugzette in het bijbehorende vak.

'Is dat alles?' vroeg de advocaat. Rímini knikte, tekende een formulier op de stippellijn die de advocaat met een door nicotine vergeelde vinger aanwees en in plaats van ze aan of om te doen, wat op zijn minst in het geval van de broekriem, het horloge en de veters verwacht had mogen worden, stopte hij ze langzaam weg, alsof het heel veel was, totdat zijn broekzakken op een onaangename manier uitpuilden. Er verscheen nog een formulier. De advocaat zei 'hier' en op hetzelfde moment zag Rímini de gelige vinger nogmaals op een blanco ruimte op het papier wijzen, alsof de stem was ontsproten aan de vingertop. Rímini keek hem met een mengeling van verbazing en wantrouwen aan. 'Het is je ontslag,' legde de advocaat uit. Zoals iedere specialist veroorloofde hij zich de luxe om, in aanwezigheid van een nieuweling, vermoeiende en niet altijd even efficiënte hele zinnen te vervangen door losse woorden die als gebiedende woordvoerders leken op te treden namens alle andere die hij wegliet. Rímini tekende zonder te begrijpen wat hij eigenlijk tekende. Hij herwon zijn vrijheid met dezelfde berusting als waarmee hij die was kwijtgeraakt. Alles kwam hem nieuw voor, als een van die droomscènes waarin de voorwerpen gaaf en onaangeroerd staan te stralen, alsof ze op het laatste moment voor de scène zijn gekocht, en een farce of een valstrik lijken aan te kondigen. De advocaat verfrommelde het formulier als een zakdoek en stopte het in zijn jaszak. 'Kom,' zei hij, en hij pakte hem met zijn vingers bij een elleboog en duwde hem zachtjes in de richting van de deur, waar op dat moment het geluid van een zoemer weerklonk. Ze liepen door de hal van het politiebureau, waar een vrouw op sloffen in een lange ochtendjas zat te wachten met een koud blikje frisdrank tegen een blauw oog gedrukt, en voordat de advocaat de deur had kunnen openen, deed Rímini een paar stappen terug, daarmee zijn escorte heel even ontlopend, en riep met zwakke stem, alsof hij nog niet helemaal wakker was, uit: 'De Riltse!' Maar voordat hij er goed en wel erg in had, waarschijnlijk aangespoord door de verbijsterde blik die de advocaat hem toewierp, stond hij al buiten.

Buiten waren de straat, de auto's met de met rood lint afgeplakte portieren, het kleine zaakje waar je pasfoto's kon laten maken, het nachtcafé waarvan de metalen rolluiken op dat moment met veel lawaai werden neergelaten, dezelfde tekenen van de wereld die Rímini de vorige dag moest hebben gezien toen hij daar in een patrouillewagen heen werd gebracht, maar die hij nu, met een hinderlijk branderig gevoel in zijn ogen, niet zozeer versuft door de voortdurend onderbroken slaap als wel door de abruptheid en het uitblijven van tegenslagen waarmee hij zojuist uit zijn gevangenschap was losgerukt, voor het eerst leek waar te nemen. Sofía was er, op het trottoir aan de overkant, ze maakte zich net los van de muur waartegen ze had staan wachten, gleed zijdelings tussen de bumpers van twee auto's door, stak de straat over en kwam op hem, op hen af, met haar vlammende haardos, gehuld in die eeuwige aureool van helderheid die haar gezicht overschaduwde, als in tegenlicht. Het was het laatste wat hij gehoopt had te zien. En toch, zodra hij haar zag, voelde hij opnieuw dat haar verschijning even natuurlijk, even voorspelbaar was als het roodachtige licht van het ochtendgloren, de frisse lucht of al die onveranderlijke zekerheden waarmee de wereld iedereen die haar vergeten mocht zijn, overtuigt van haar bestaan. Hij zag haar en alles viel op zijn plaats, als de stukjes van een uit elkaar gehaalde legpuzzel die bij het terugdraaien van de handeling zonder enige aarzeling het heldere oorspronkelijke landschap zouden reconstrueren. Schots geruite rok, donkere coltrui, leren jas gevoerd met schapenvacht: Rímini zou hebben gezworen dat ze dezelfde kleren droeg als... wanneer? De laatste lesdag, twintig jaar geleden? Verder terug? De avond waarop ze ingeklemd tussen de rand van een bijzettafeltje en een tweezitsbank, heerlijk ongemakkelijk, profiteerden van een onderbreking in het toezicht van Rodi om elkaar voor het eerst te besnuffelen op het tapijt van de woonkamer, aanvankelijk met de honger van schipbreukelingen, meteen daarna met de onbeholpenheid van schuldigen, terwijl Yves Montand, dankzij een onverwachte kras in het vinyl, steeds weer dezelfde regel van *Les feuilles mortes* herhaalde? Maar deed het ertoe wanneer? Als het verleden die rimpelloze, gelijkmatige zee was, zonder zichtbare grenzen, en Sofía het enige gezicht ervan, zelfs zozeer dat het aanroepen van haar naam genoeg was om het helemaal op te roepen, wat deden feiten, data er dan nog toe? En was Sofía, in die betekenis, 'buiten'? Een element van 'buiten'? Was ze erbij *inbegrepen*? Waarom begon dan, naarmate ze dichterbij kwam, alles wat er om haar heen was, de achtergrond en de onderdelen die haar een plaats en realiteit gaven, plotseling te trillen als een weerkaatsing in het water en te vervagen, en was zij het enige wat hij nog zag, ongeschonden en alleen te midden van de leegte?

Hij zag haar oversteken en het trottoir op stappen. Weer was hij verbaasd over de soepelheid, de bijna suïcidale natuurlijkheid waarmee Sofía zich in die uitzonderlijke situatie bewoog, zonder zich erdoor te laten overweldigen maar ook zonder er iets aan af te willen doen, alsof die uitzonderlijkheid, voor Rímini de voornaamste factor, alleen maar bedoeld was om haar soevereiniteit te accentueren. Ja, nu meende hij het te begrijpen: Sofía – die levende, organische Sofía die zo aanwezig was dat ze zelfs als hij haar zou hebben weggevaagd de fysieke ruimte die ze in de wereld innam open zou hebben gelaten – was van hetzelfde materiaal gemaakt als juffrouw Sanz, als de zoom van haar bleekgroene nachthemd, als het klaslokaal waarvan de lucht door de kachels werd verpest, als het zaagsel op de trappen, als de slaperige gezichten van zijn klasgenoten, als hijzelf, Rímini, in zijn kinderlijke versie, met zijn grijze flanellen broek met stukken op de knieën en altijd met losse veters, die met een macaber genot stond te kijken naar de schokkende schouders van een door haar getrouwde minnaar afgewezen lerares – hetzelfde materiaal waarvan, stuk voor stuk, alle spoken uit het verleden gemaakt waren die hem gedurende de nacht op het politiebureau hadden bezocht. Een vlak materiaal, zonder dimensies, maar hardnekkig en vooral onverwoestbaar: het materiaal waarvan de doden gemaakt zijn.

De advocaat kwam tussenbeide, stak zijn hand uit naar Sofía en zei: 'Hij is helemaal van u.' Hij zei het opgelucht, als overhandigde hij haar een ongezeglijk diertje met kleine maar vlijmscherpe nageltjes. Daarna, voordat hij wegging, wendde hij zich tot Rímini en wierp hem een laatste blik toe – rusteloosheid of professionele scrupule –, waarna hij zich weer tot Sofía richtte en er op enigszins bezorgde toon, alsof een hinderlijk wolkje zojuist de hemel van zijn opluchting verduisterd had, aan toevoegde: 'Als er iets is belt u me maar.' Sofía zei niets; ze knikte niet eens. Nu ze dichter bij hem stond en de stralenkrans van vlammen een beetje tot rust gekomen was, ontdekte Rímini dat haar haar, dat de laatste keer, in het ziekenhuis, nog blond was geweest, blond als honing, de kleur die het in zijn herinnering altijd had gehad, nu grijs was, een licht en gelijkmatig grijs, als van as. Ze deed een paar stappen naar voren – Rímini zag hoe de advocaat oploste in de vroege ochtend – en ze omhelsden elkaar, of beter gezegd, Sofía omvatte hem in zijn geheel met haar armen, op een onverklaarbare manier, niet alleen omdat Rímini twee keer zo groot was, maar ook omdat de leren jas haar bewegingsvrijheid aanzienlijk moest beperken, alsof ze eindelijk terugkreeg wat haar door een of andere goddelijke onrechtvaardigheid was afgenomen. En zo, midden in de omhelzing, gesmoord door die klem van vochtigheid en warmte die hun adem, haar haarlokken, het leer van haar jas, de voering van schapenvacht, de wol van haar trui en haar onderarmen vormden, hoorde Rímini haar zwakke maar heldere, glaszuivere stem die zich zacht en behoedzaam een weg baande, zelfs bereid te zwijgen om hem maar geen angst aan te jagen, en hem één enkel woord influisterde: 'Genoeg,' als om hem te kalmeren, en daarna, terwijl ze hem langzaam heen en weer schudde, alsof ze hem wakker wilde maken, herhaalde ze steeds weer: 'Genoeg, genoeg, genoeg,' totdat Rímini voelde dat de stem zich verdichtte, versnelde, in een andere toestand overging, chemisch werd, niet zozeer een stem als wel een dosis, en rechtstreeks zijn bloed binnendrong en zonder haast door zijn lichaam begon te trekken, geleid door één enkel blind verlangen: bij zijn hart aankomen, en dat in bezit nemen en bevruchten.

VIERDE DEEL

1

Hoe lang is het geleden dat ik je heb zien slapen? Hoe lang is het geleden dat je me dat schouwspel hebt geschonken? (Er is net een druppel water – ik heb gedoucht, het is kwart over twaalf, ik kom te laat, je ligt al dertig uur ononderbroken te slapen – langs mijn arm gegleden, even weifelend aan mijn elleboog blijven hangen en op je wang gevallen en uit elkaar gespat, twee millimeter boven de afdruk die het laken daar heeft achtergelaten, en daarna vertakte hij zich in een hele reeks kleinere druppeltjes, en een daarvan gleed langs de huid van je enorme gezicht naar beneden, langs de zachte glooiing van je wang, en verdween in een hoek van je mond. Daaruit stak je tong naar buiten, als een dier dat uit zijn hol komt, maar het was al te laat: er was niets meer te drinken.) Zoals je ziet schrijf ik nog altijd graag. En de haakjes. Ik kan niet anders. Niets aan te doen, Rímini. We kunnen niet anders. Dat zou onze lijfspreuk kunnen zijn. Ik blijf zinnen in zinnen stoppen en jij blijft... Gaat het te snel? Jij zult zeggen van wel (maar je zegt niets, je zwijgt, en ik kan uren en uren tegen je praten, als een hypnotiseur, en je hersenspoelen, en als je dan wakker werd zou je je niets meer herinneren). Maar ik, Rímini, ik blijf zien. En wat ik nu zie (het weinige dat je voorlopig zult weten van alles wat ik zie terwijl ik kijk naar hoe je ligt te slapen) is dat je, hoewel je al jaren zonder mij, ver weg van mij, tégen mij, slaapt, nog altijd met je armen stijf onder het kussen slaapt (ik zou je verschrikte gezicht willen kunnen zien als je wakker wordt en ze niet meer voelt en heel even denkt dat je ze niet meer hebt, dat iemand – ik, vanzelfsprekend, de monster-vrouw, de messen-vrouw – ze heeft afgerukt terwijl je sliep, maar nee. Een vergissing: als ik je armen zou willen, Rímini, dan zou ik ze verstenen), nog altijd met je sokken aan slaapt, nog altijd je voeten tegen elkaar wrijft terwijl je slaapt, nog altijd het kussen-

sloop natmaakt met je speeksel, nog altijd praat in je slaap (weet je trouwens dat je in je slaap een perfect soort namaak-Frans spreekt?), nog altijd te veel ligt te woelen en de lakens naar je toe trekt (niets wat we met een beetje moeite niet kunnen oplossen), nog altijd met je onderarm je ogen bedekt, alsof je treurt om iets verschrikkelijks of verblind wordt door de zon, nog altijd midden in de nacht recht overeind in bed gaat zitten, diep in slaap maar met je ogen wijdopen, geschrokken, zoals je me vertelde dat je deed als kind (maar je bent al volwassen, je staat niet meer op om door het huis te lopen: nu kijk je strak naar twee punten in het donker, laten we zeggen, de plafondventilator en mijn knie, die door de plooien die hij in het laken maakt wel van steen lijkt, en na verscheidene keren van het een naar het ander te zijn gegaan, als de doodsangst die je heeft opgeschrikt al is uitgedoofd, laat je je in één beweging weer achteroverzakken, zoals je met een druk op de knop de elektrisch verstelbare rug van een bed laat zakken, en is het alsof er níets is gebeurd.) De anatomische les. Je rilt nog steeds, Rímini. Mijn arme, arme Rímini. Mijn schipbreukeling. Maar het is al over, het is voorbij, je bent thuis. Ik heb met de advocaat gesproken: ze hebben het schilderij teruggegeven en de vrouw heeft haar aanklacht ingetrokken. Hij heeft haar ook nog een paar peso moeten geven. Mijn advocaat stribbelde tegen. Hij houdt niet van je. (Ik geloof zelfs dat hij denkt dat papa door jouw schuld gestorven is.) Hij zei dat hij nog nooit in zijn leven zo'n ordinaire vrouw had gezien. Ben je zo diep gezonken? Ik wist dat je zonder mij verloren was, maar zo erg? (Een geblondeerde vijftigjarige, behangen met goud – ja, dat heb ik van horen zeggen, ik heb niet het genoegen gehad – een... hoe noemen ze dat? Personal trainer? Ik heb het over de man die me opbelde om me te laten weten waar je was. En jij... Je uit het politiebureau te zien komen op die tennisschoenen... Ik zou niet verbaasd zijn geweest als je alcoholist, cocaïneverslaafde of homoprostitué was geworden. Maar dat je je aan spórt te buiten zou gaan?) Ik zou je ook in de gevangenis hebben kunnen laten zitten, weet je dat? Denk nu maar niet dat ik dat niet heb overwogen. Niet uit wraak (jij hebt mij pijn gedaan, ik heb jou pijn gedaan: we hebben elkaar evenveel pijn gedaan, zoals alleen gebeurt tussen twee mensen die niet anders kunnen), maar uit liefde. Ik stelde me voor dat ik bij je op bezoek ging in de gevange-

nis, dingen voor je meebracht, net als in films. Alsof je om míj gevangen-
zat. Een crime passionnel. Alsof je mijn minnaar, de echtgenoot die me
sloeg of de baas die me had verkracht, had vermoord. Ik weet dat je de
Riltse om mij, uit liefde voor mij, hebt gestolen. (Dat zijn dingen die je een
advocaat niet kunt uitleggen.) Ik zeg het je zo, nu, terwijl je ligt te slapen,
want ik weet dat je het als je wakker bent nooit zult durven toegeven. (Zo
typisch voor mannen om geheimen te bewaren!) En ik heb ook overwogen
(je zult wel zeggen dat ik gek ben) een proces aan te spannen. Dat oude
wijf te grazen te nemen en aan te klagen. Want wat jij hebt gedaan was
geen diefstal: dat was een onteigening, een daad van rechtvaardigheid.
Als er iemand gestolen heeft, dan was zij het. Degenen die Riltses kópen
zijn de echte dieven. Wie het ook zijn. Riltse is van ons. Ik heb in de boeken
naar het schilderij gezocht maar het niet gevonden. Later besefte ik, stom-
meling die ik ben, dat de boeken maar tot 1976 gaan, tot het begin van
onze jeugd, en dat ik niets heb van daarna. En nu ik kijk hoe je ligt te sla-
pen ben ik voor het eerst onder de indruk van hoezeer je dezelfde gebleven
bent. Nee, ik weet wel dat het niets nieuws is. Je bent altijd Dorian Gray
geweest. Maar toen we samen waren kon ik dat niet bevatten. We hielden
van elkaar = we waren gelijken = we werden niet ouder. Geen van bei-
den. (Maar mijn vader is gestorven, hij is gestorven met die glimlach op
zijn lippen, de glimlach die jij daar hebt achtergelaten voordat je ervan-
door ging, en de volgende ochtend was mijn haar grijs.) Nu ben jij Dorian
Gray en ik het portret. Wilde je dat we veranderden? Was dat wat je vroeg:
een smijdige liefde, die in een andere toestand kon overgaan? Dat is dan
nu gebeurd. 'Ik zou je moeder kunnen zijn.' Sorry, ik moest de telefoon op-
nemen. Dat was Víctor, vanuit het ziekenhuis. Ik heb het hem verteld. Ik
zei: 'Wedden dat je niet weet wie er in mijn bed slaapt.' Denk je dat hij ver-
baasd was? Niemand is verbaasd. (We zijn van zo ver gekomen, Rímini.
We zijn miljoenen jaren oud. Onze liefde is geologisch. *De scheidingen,*
de ontmoetingen, de ruzies, alles wat er gebeurt en wat zichtbaar is, wat
een datum heeft, 1976, dat alles heeft evenveel betekenis als een gebarsten
vloertegel vergeleken met de beving die al duizenden jaren het centrum
van de aarde doet trillen.) Hij gaat dood. Ik geloof dat iemand de telefoon
voor hem vasthield zodat hij kon praten. Hij heeft je ook gemist. Hij vroeg

of we een feest gingen geven. Ik zei van niet. Ik zei dat hij beter moest wor-
den voor de officiële opening van de Adèle H. Maar nu moet ik echt weg.
De vrouwen vermoorden me. Er staat koffie in de keuken, er is brood, er
liggen schone handdoeken in de badkamer. Ik laat de doos met foto's hier
voor je achter. Die ligt al jaren onaangeroerd op je te wachten. Nee, ik heb
geen tijd gehad sleutels bij te laten maken. (Nu ik erover nadenk, weet ik
niet of ik eigenlijk wel wíl dat je een sleutel hebt.) Ben je hier? Ben jij het
echt die in zijn slaap in mijn bed ligt te protesteren? Dag, mijn schone sla-
per. Dag, mijn Gevangene.

2

Hij werd van het minste of geringste wakker: het druppelen van een niet goed dichtgedraaide kraan, het borrelen in de verwarmingsbuizen, de krachtsinspanning waarmee de lift reageerde, telkens wanneer een of andere nachtbraker vijf verdiepingen lager op de knop drukte. En natuurlijk de ademhaling van Sofía. Ze snurkte niet. Het was een soort voorstudie: de voorbode van het gesnurk dat nooit kwam, net als zo'n eerste opzet van een schilderij die figuren, vormen en kleuren belooft en die de schilder vervolgens laat verkommeren en vergeet af te maken. Ze ademde met een ongewone hevigheid, uitzonderlijk diep, alsof haar longen nooit helemaal gevuld raakten met lucht. De eerste keren had Rímini, opgeschrikt maar nog wel slapend, gedacht dat als hij zich in bed om zou draaien, hij een woedend dier zou aantreffen, met vlammende ogen en twee stoompluimen uit zijn neusgaten. Maar hij raakte eraan gewend, en na een aantal dagen werd het gezicht van Sofía die op haar rug volkomen ontspannen die ongelooflijke hoeveelheden lucht lag in en uit te ademen – zonder geluid te maken, hoogstens een zwak gesis dat af en toe, ver weg op de achtergrond, hoorbaar werd en de onverschillige ondoorschijnendheid van haar ademhaling nuanceerde –, het vertrouwde schouwspel waarmee de wereld de eerste ogenblikken van zijn slapeloosheid compenseerde. Want hij werd wakker, en na een paar seconden van verbijstering ging hij zonder onderbreking over in een staat van alertheid, van absolute, onwrikbare waakzaamheid, zo rimpelloos en homogeen dat het leek of die het moeizame resultaat was van jaren en jaren van niet slapen, en meteen daarna, als iemand die zich herinnert dat hij ergens halverwege in is blijven steken en zwicht voor het schuldgevoel dat hij het niet heeft afgemaakt, kreeg hij de dwingende behoefte om in actie te komen, eíndelijk iets te doen, op een of andere manier de buitengewone hoeveelheid energie waarmee hij wakker was geworden te benutten. En voordat hij dan uit bed gleed en, gehuld in Sofía's ochtendjas en omringd door zijn systeemkaarten en potloden, aan de eettafel ging zitten om de bijschriften van de foto's op te stellen, een taak die hij al heel snel, kort nadat hij weer bij Sofía was gaan wonen, had besloten op zich te nemen, en die hij aanvankelijk reserveerde voor die vroege uren van de dag maar geleidelijk had uitgebreid tot de hele ochtend en ten slotte tot een groot deel van de dag, zoveel foto's waren er en ook zoveel herinneringen, die alleen al door ze te bekijken bij hem bovenkwamen, bleef hij een hele tijd, als om ordelijk wakker te worden, aandachtig zitten kijken hoe Sofía lag te slapen, even onbeweeglijk als zij, of nog onbeweeglijker, want het gebeurde vaak dat Sofía als ze zich met een te bruusk gebaar had blootgewoeld of plotseling reageerde op de prikkel van een droom, van houding veranderde en onverhoeds verder van Rímini af schoof of juist dichter tegen hem aan kroop, waarbij ze nu eens volledig uit het zicht verdween, doordat ze zich helemaal in de lakens hulde bijvoorbeeld, en dan weer zo dicht tegen zijn gezicht aan lag dat hij scheel moest kijken en zich gedwongen zag, wellicht door de angstvalligheid van de waarnemer die bang is dat elke beweging die hij maakt de spontaniteit van de waargenomen beleving beïnvloedt en daarmee bederft, stil te blijven liggen, zijn adem in te houden en zelfs de meest ongemakkelijke houdingen, de meest bizarre posities van hun lichamen in stilte te verdragen om die onbeweeglijkheid maar voort te laten duren. Hij keek hoe ze lag te slapen, terwijl hij zelf langzaam wakker werd, alsof zijn ogen uit haar, uit de diepe put waarin ze rustte, het element opdiepten dat hij, die net uit de zijne omhooggeklommen was, nodig had om zijn hoofd helder te maken. Hij keek eerst met een afstandelijke, conventionele tederheid naar haar, zoals je kijkt naar alles wat bedoeld is om te vertederen, de foto van een knuffel, of van een kind, of van een kind met zijn knuffel; daarna, als hij die beginfase achter zich gelaten had, kwam hij in een staat van maximale concentratie en kreeg de waarneming een onderzoekend en afwachtend karakter: hij keek naar haar in afwachting van iets, als iemand die op de uitkijk staat. En steeds weer, elke ochtend, ontdekte Rímini teleurgesteld – want als Sofía zich op een gegeven moment al verwaardigde te reageren op Rímini's verwachtingen, dan was het met de typische reflexbewegingen van de slapende, draaien, een trap geven, zich krabben, zich verwoed vastklampen aan een stuk laken, nooit met de onthulling waar hij voortdurend naar leek uit te kijken – dat wat hem ertoe bewoog naast dat slapende lichaam te blijven liggen, wat hem intrigeerde en tegelijk verwonderde, zelfs zo sterk dat hij soms meer dan een uur niet van haar zijde week, lang genoeg om het pikdonker waarin hij naar haar begon te kijken plaats te laten maken voor het ochtendgloren en de stilte te bevolken met de eerste schuchtere geluiden van de dag, niet zozeer de mogelijkheid was dat ze in haar slaap een of ander onverwacht teken zou geven of in staat zou zijn de geheimen uit te spreken die ze verborgen hield als ze wakker was, als wel de natuurlijke, volkomen zorgeloze manier waarop Sofía het slapend klaarspeelde om daar te zijn, op een paar centimeter van hem af, zonder te reageren, volledig overgeleverd aan Rímini's genade, en tegelijk ver weg, heel ver weg, op een afstand die geen enkele lengte-eenheid kon meten, opgesloten in de invloedssfeer van haar slaap, een sfeer die Rímini kon verstoren, door haar te strelen bijvoorbeeld, of door haar te kussen, en ook kon vernietigen, als hij haar wakker maakte, maar nooit, wat hij ook deed, met haar kon delen.

Sofía had gelijk: niemand was erg verbaasd. Om te beginnen Rímini zelf niet. Toen hij die ochtend het politiebureau verliet en Sofía zag staan, had hij met een soort verwonderde verbijstering moeten denken aan het gemak en de snelheid waarmee de wereld veranderingen in zijn leven introduceerde die hem, als hij zich had voorgenomen die op eigen houtje door te voeren, niet alleen eeuwen zouden hebben gekost maar ook een vastberadenheid hadden geëist waarvan hij wist dat hij die nooit zou bezitten. Maar dat was dan ook alles geweest: een flits van helderheid die schitterde en hem verblindde – in de witte steekvlam de aanwezigheid van Sofía en de advocaat uitwissend – en die uitdoofde op het moment dat hij voelde hoe hij verdween in de omarming van Sofía. Hij aanvaardde zijn nieuwe leven zonder protest, met de onverschillige volgzaamheid van een wees, en zijn nieuwe leven nam hem gastvrij en welwillend op: hij was niet bereid de vernederingen te vergeten, maar wel om ze onschadelijk te maken door ze te minimaliseren, ze terug te brengen tot de categorie van ernstige maar onbedoelde dwaze jeugdzonden die, en het feit dat hij was teruggekeerd bewees dat, nooit een echte bedreiging hadden gevormd. Voor de rest kwam alles hem zo vertrouwd voor... Hij kende het appartement van Sofía niet, maar hij hoefde er maar binnen te stappen, de geur die er hing op te snuiven – een zware, zoete geur die iedereen zou hebben toegeschreven aan de bedompte lucht in het afgesloten huis en Sofía aan de warmte – en de overweldigende aanwezigheid van hout op te merken, lichtgekleurd hout met fijne nerven, oud eiken, het enige materiaal dat Sofía *ervaren* genoeg vond om mee samen te leven, om het gevoel te hebben dat hij het kon dromen, en dat als op datzelfde moment een stroomuitval hen in de zwartste duisternis zou hebben gehuld, hij blindelings en geheel zelfstandig zijn weg zou hebben kunnen vinden, enkel geleid door de aanwijzingen uit zijn herinnering. Daar kwam bij dat Sofía, trouw aan haar principes, die haar opdroegen zich te hechten aan alles met een geschiedenis, niets had weggegooid. Rímini liet zich inkapselen door dat algehele, atmosferische déjà vu en herkende al snel de reeks relikwieën waarop het berustte, de eetkamertafel, de stoelen, de boekenkast en de rieten stoelen – die Sofía had weten te erven van Rímini's grootmoeder met het schijnbaar onweerstaanbare argument dat Rímini ze boven alles in de wereld zou willen hebben, maar dat hij dat *zelf niet wist –*, het grote witte hoogpolige tapijt, als een plat op zijn buik liggende ijsbeer, de oude tafel op wieltjes, oorspronkelijk bedoeld voor flessen, die Sofía nog altijd als telefoontafeltje gebruikte, de schemerlampen met een kap van namaakperkament, de dekbedden – eentje op het bed, hetzelfde bed, het andere over een van de stoelen in de woonkamer –, de kurken onderzetters, de kleurplaten van planten en vogels in de keuken, de radio met buizen, die het wonderbaarlijk genoeg nog steeds deed... En dat alles, dat van hem was geweest en door hem was vergeten, dat alles nam hem nu onvoorwaardelijk en zonder rancune, zelfs met een zeker mededogen, weer op, zoals je de zieke opneemt die na weken in het ziekenhuis weer thuiskomt. En toen Sofía al haar kasten voor hem opende, de ongedwongenheid van haar gebaar dit keer wel kleurend met een licht plechtig accent, alsof ze hem toegang verleende tot een geheime kamer, het laatste centrum van haar soevereiniteit, en Rímini begon met het opbergen, in de ruimte die zij zelf voor hem had vrijgemaakt, van de kleren die zijn onregelmatige bestaan van de laatste jaren hadden overleefd – twee of drie stel, versleten en vrijwel hetzelfde, en Sofía had de moeite genomen het laatste stel, dat Rímini aan had toen hij uit het politiebureau kwam, onmiddellijk te schenken aan de vereniging voor bijstand aan weeskinderen waar ze regelmatig aan bijdroeg, ervan overtuigd, door een animistische geloofsbelijdenis die Rímini maar al te goed kende, dat kleren, zoals alle persoonlijke voorwerpen en vooral plaatsen, voorgoed getekend bleven door de omstandigheden waarin ze waren gebruikt en dat ze, getekend en wel, een magische aura behielden van die omstandigheden, die in een latente toestand werd opgeslagen en bij de juiste prikkels altijd opnieuw vrij kon komen –, had hij het idee dat er tussen de kleren van Sofía niets zat wat hij, in de wandkasten van het laatste huis dat ze hadden gedeeld, al niet eerder had gezien, helemaal niets, geen kledingstuk, geen stof, geen kleur, geen mode – om te beginnen, dat sprak vanzelf, de geur waarin alle kleren gehuld leken, lavendel, zakjes lavendel die tussen de truien waren gestopt, aan de kleerhangers hingen, verspreid lagen in de la met kousen, en die Rímini tegemoetgekomen was zodra Sofía de deuren opendeed. Nee, hij keerde niet terug naar een huis, noch naar de liefde van een vrouw, niet eens naar een verleden – want het huis, en de liefde van een vrouw en zelfs het verleden zijn nooit helemaal immuun voor het verstrijken van de tijd. Hij keerde terug naar een museum: het museum waarin hij geboren was, dat hem had gevormd, waaruit hij gestolen was, en dat in de loop der jaren niet alleen geweigerd had zijn plaats op te vullen met een ander stuk maar die plek zo gelaten had, leeg, tegen alles en iedereen in, zoals je een plek behoudt waar een wonder is gebeurd, in de hoop, of liever gezegd, de zekerheid dat hij, Rímini, vroeg of laat zijn plaats weer zou innemen en het wonder zich zou herhalen.

Hij sprak met zijn vader, die niet verbaasd was over het nieuws van zijn terugkeer, het leek hem zelfs op te luchten, alsof ook hij belangen in het museum had en het terugplaatsen van het stuk een einde maakte aan een lange periode vol onzekerheden. Later bekende Sofía, ter verklaring van een reactie die hem anders verdacht zou kunnen voorkomen, dat ze zijn vader al eerder iets verteld had. Met die merkwaardige mengeling van verbazing, verontwaardiging en trots die goedbedoelde vormen van verraad opwekken, besefte Rímini dat noch de ballingschap van zijn vader in Montevideo, noch het zwervende bestaan van Sofía, noch Rímini's afstand tot beiden, dat niets van dat alles zijn vader en Sofía er ook maar één moment van had weerhouden achter zijn rug om met elkaar in contact te blijven. Toen ontdekte Rímini – die zich herinnerde dat hij jaren daarvoor de breuk met Sofía eens had vergeleken met de ontploffing van een planeet, van de *hele planeet*, zo'n ontzaglijke en grootschalige ontploffing dat het ondenkbaar was dat de stukken, Rímini en Sofía in de eerste plaats, maar ook Rímini's vader, Víctor en iedereen die er op zijn manier deel van had uitgemaakt, ooit nog samengevoegd zouden kunnen worden, laat staan weer het soort band konden smeden dat er voor de ontploffing tussen hen bestaan had – in hoeverre dat alles een illusie was, en in hoeverre hij daar het slachtoffer van was geweest. Want het was duidelijk dat de planeet óf helemaal niet ontploft was en dat Rímini, als *enige*, zichzelf simpelweg had buitengesloten, wat bovendien verklaarde waarom hij nu, bij zijn terugkeer, alles net zo aantrof als daarvoor, of dat hij wél was ontploft, maar dat de stukken na een tijd richtingloos te hebben rondgezweefd, weer bij elkaar waren gekomen en opnieuw de oorspronkelijke planeet hadden gevormd, en dat alleen de traagheid van Rímini, die uiteindelijk van alle stukken misschien wel degene was die het minst ver was gekomen, ervoor had gezorgd dat toen hij terugkwam alle breuken in de planeet al waren geheeld.

Nee, hij was niet Odysseus die terugkeerde naar Ithaca, na de cycloop, Circe en het gezang van de sirenen te hebben overleefd. Hij was een van die zwakke en koppige wezens, te gronde gericht door een buitengewoon verderfelijke ziekte, de alcohol bijvoorbeeld, of een geheugenstoornis, die er van tijd tot tijd ineens vandoor gaan, met een regelmaat die hun verwanten maar al te goed kennen, net zo goed als de signalen die ze hebben leren ontcijferen om te weten waar ze aan toe zijn, en die met de instemming of de onverschilligheid van hun geliefden, die al tevergeefs hebben geprobeerd hen ervan af te brengen, tegen te houden of onder dwang op te sluiten, verdwijnen zonder een spoor achter te laten en een paar dagen later uitgeput terugkomen, hun kleren en lichaam getekend door de scheuren en schrammen van hun uitstapje, en op de deur kloppen – god mag weten in welke goot ze hun sleutels zijn kwijtgeraakt – en die als er wordt opengedaan hun ogen opslaan naar het geliefde gezicht, beschaamd maar vervuld van een koortsachtig verlangen, hopend op het uitgelaten en dramatische welkom dat ze voor zichzelf meenden te hebben gegarandeerd toen ze verdwenen, en wat ze dan aantreffen, in het beste geval, is een flauwe glimlach, als uit een handboek van de barmhartigheid, schouderklopjes, bemoedigende woorden, hardop uitgesproken om het geluid van het twee keer omdraaien van de sleutel waarmee de voordeur wordt afgesloten te overstemmen, of anders een grimas van afkeer, een soort lang gekoesterde ergernis en een lijst met alle verplichtingen die zich tijdens de verdwijning van de voortvluchtige hebben opgehoopt en die nu op hem liggen te wachten. Nee, er was niets episch aan zijn terugkeer; zelfs niet de epiek van de mislukking of de wraak. En toch had Rímini, na een lichte teleurstelling, het gevoel dat het zo beter was, dat er in dat ontbreken van verbazing en emotie ook iets aangenaams en verzachtends besloten lag, iets wat de gevaren van een te grote intensiteit temperde en hem koesterend vergezelde bij de overgang naar een leven dat tegelijk nieuw en oud was, op dezelfde manier als waarop in zijn kindertijd, vlak voor een operatie, een door zijn moeder toegediend half tabletje genoeg was om de meest gevreesde fase, de tocht op de brancard naar de operatiekamer, te bedekken met een bijna gelukzalige sluier van onverschilligheid.

Er was een onverwachte troost, de nieuwsgierigheid – de nieuwsgierigheid!, niet langer het geluk, de verwondering of de opschudding – die hij niet aantrof bij zijn eigen vader, noch bij Víctor, en vanzelfsprekend evenmin bij Sofía, maar ook niet bij degenen die hem nooit persoonlijk hadden gezien, satellieten die tijdens zijn afwezigheid ronddraaiden in de baan van Sofía's invloedssfeer, voor wie Rímini, hoeveel Sofía hun ook over hem verteld had, niet iemand was die terugkeerde maar gewoon een onbekende, een verschijning, een *eerste keer*, die nieuwsgierigheid vond Rímini ten slotte wél bij de vrouwen van de Adèle H. Afgezien van de metselaar en de gasfitter die betrokken waren bij de verbouwing van de ruimte, omdat de architecte voor dat werk geen vrouwen kon vinden die ze wel had weten op te sporen voor de elektriciteit en het schilder- en timmerwerk, was Rímini de eerste man geweest die een voet in de Adèle H. zette. Door dit feit, dat hem een zekere aura van zeldzaamheid verleende, en door de verwachtingen die Sofía's ontboezemingen bij haar compagnons hadden gewekt, maar ook omdat hij zodra hij over de drempel stapte, verblind door het contrast tussen het daglicht buiten en de duisternis binnen, de treden van het afstapje niet zag, struikelde en als Sofía, die hem bij zijn arm hield, er niet was geweest bijna boven op een door twee vrouwen van de groep gedragen rechthoekige glazen plaat was beland, kon Rímini's binnenkomst niet minder onopgemerkt zijn gebleven, en het zou komisch zijn geweest, komisch genoeg om in schaterlachen uit te barsten, als de vrouwen die lach niet hadden 'gesmoord' door de sluier van hun afstandelijke blik op hem te werpen, een blik waarmee ze, zoals Rímini mettertijd zou ontdekken – als hij ze daar, in de Adèle H., opzocht, of met ze meeging om inkopen te doen, of tijdens de tweewekelijkse bijeenkomsten die Sofía in haar appartement hield, waar Rímini ze welkom heette, de koffie met cake serveerde, de agenda voorlas en de notulen opmaakte –, alle dingen van de wereld bekeken. Hoeveel waren het er? Acht? Tien? Twaalf? Hij kwam er nooit achter, zo onregelmatig was steeds hun aantal, zo gelijkvormig het groepsgedrag en zozeer leken ze op elkaar. Die middag, de middag van zijn officiële debuut, zoals Sofía het uitdrukte, de woorden ironisch tussen aanhalingstekens plaatsend om na zijn eerste misstap het ijs te breken, deelde Rímini kussen en glimlachjes uit aan een zestal in een halve cirkel opgestelde vrouwen, terwijl hij luisterde naar de namen, die hij meteen weer vergat, waarmee Sofía ze aan hem voorstelde, en toen hij daarmee klaar was, legde hij zijn handen over elkaar op zijn kruis, alsof hij naakt was, boog zijn hoofd en liet zich in stilte, langdurig, beoordelen, terwijl vanuit de keuken het felle gejank van een boormachine tot hem doordrong. Hij werd goedgekeurd.

In feite was het meer dan een goedkeuring: Rímini had het gevoel dat hij werd geadopteerd. Nadat de eerste nieuwsgierigheid was bevredigd, wat lang genoeg duurde om de vrouwen de kans te bieden de versies van en over hem die Sofía hun al eerder had gegeven te staven, nodigden ze hem uit verder te komen, het zich gemakkelijk te maken – wat niet eenvoudig was, gegeven het feit dat de enige stoel die niet pas geverfd was dienstdeed als trapje voor een vrouw in overall die op haar tenen met tape een paar losse stukken kabel isoleerde – en spraken vanaf dat moment op fluistertoon tegen hem, steeds van heel dichtbij, met een vriendelijkheid en een traagheid die ze allemaal leken te delen, alsof ze die op dezelfde cursus protocollaire omgang hadden geleerd. Degene die verbaasd was, was hij. Om een of andere reden was dit niet de bejegening die hij had verwacht. Hij wist van de Adèle H.; hij wist ook van het bestaan van het genootschap waarvoor Sofía sinds twee jaar werkte, het genootschap van Vrouwen die Te veel Liefhebben, dat uiteindelijk, tot definitieve tevredenheid van Sofía, de onuitputtelijke reeks seminars, practica en workshops verving waaraan ze zich de laatste twintig jaar van haar leven had overgegeven. Maar dat was ook alles. Dat Sofía hem geen nadere details gaf, was niet uit bescheidenheid of onwil, maar omdat Rímini er niet naar durfde te vragen, of omdat Sofía besefte dat zo, door alles bekend te veronderstellen, Rímini op een zuivere, rigoureuze manier deel zou uitmaken van het project, zoals ze het graag noemden, en ze zich de altijd lastige overgangsfase zouden besparen. Het is waar dat hij enigszins afgeschrikt werd door de naam van de groep, en dat toen Sofía hem het logo liet zien met de afkorting dat een van de vrouwen had ontworpen voor de interne paperassen, het hem moeite kostte een gevoel van onbehagen te verhullen. 'Is het niet perfect?' zei Sofía, tegen hem aan kruipend, met een bewonderende blik op de drie hoofdletters die zich tot bloedens toe in een klein purperen hart boorden.

Dat nam niet weg dat de ontvangst hem in verwarring bracht. Ze waren attent, op een zalverige manier vriendelijk. Ze spraken zacht en langzaam, alsof ze liefkoosden, en niet alleen als ze zich tot hem richtten, want tenslotte was het logisch dat ze hem, aangezien hij de man was van Sofía, met enige consideratie bejegenden, maar tegen iedereen, voortdurend, als ze met elkaar praatten, bevelen gaven aan het personeel dat in de Adèle H. rondliep, of in groepsverband discussieerden – als je uit dat woord tenminste de agressieve lading mocht afleiden die erin besloten lag – over een of andere brandende kwestie met betrekking tot de zaak. Je stem verheffen leek voor hen een mengeling van verkwisting en platvloersheid, van ondoelmatigheid en belediging. En datzelfde gold voor hun bewegingen en gebaren, voor de eigenaardige manier waarop ze hun lichamelijke aanwezigheid kenbaar maakten: alles was even week, smijdig, vloeiend. In plaats van te lopen leken ze, altijd gehuld in tunica's of ruim vallende jurken, eerder voort te glijden, te zweven, een beetje als geisha's die als je ze alleen vanaf hun middel tot hun hoofd bekijkt, de indruk wekken zich in een ononderbroken lijn voort te bewegen, als op een rollend tapijt, en dezelfde beheersing die ze over hun lichaam uitoefenden leken ze uit te breiden tot de ruimte, de voorwerpen en de lichamen van anderen, zodat tussen hen en de wereld elke mogelijkheid van geweld, van een ongelukje, zelfs van een onbedoelde gedachtewisseling verdween, en dit ging zelfs zover dat ze, voortgedreven door die onfeilbare choreografische vitaliteit, vast en zeker het resultaat, dacht Rímini, van de tientallen lichamelijke disciplines die zich in de loop der jaren in hen hadden vermengd en tot gisting waren gekomen, niet alleen hoogstzelden struikelden, zich aan dingen stootten of zoals dat heet, fysiek de rekening gepresenteerd kregen, maar ook, door een of ander magisch of technisch effect, zoals zich voordoet als we plotseling het geluid van de televisie uitzetten terwijl het beeld blijft doorlopen, geen geluid leken te maken, geen enkel geluid in elk geval dat de innerlijke drempel van de lichte aanraking overschreed, en op een eigenaardige manier onstoffelijk werden. En toch herkende Rímini achter die vloeiende bewegingen, die Sofía toen hij haar daar een keer naar vroeg, had toegeschreven aan een van die door de groep eenstemmig gedeelde hartstochten, de hartstocht voor het *legato*, per definitie afkerig van alle krachten die proberen de continuïteit van het leven te onderbreken, nadat hij de natuurlijkheid van die donzige wereld, vrij van lawaai en inzinkingen, aan een nadere analyse had onderworpen, al heel snel het onmiskenbare rumoer van de inspanning. Wat werkten ze hard! Wat een discipline! dacht hij, en het enige element in het geheel dat hiermee tot dat moment in tegenspraak was, de zweem van onvrede of verbittering die hij zo nu en dan over het gezicht van die zo beheerste vrouwen meende te zien trekken, kreeg plotseling, afgezet tegen die nijvere achtergrond, zijn volle betekenis. Ze werkten, ze werkten fulltime, vierentwintig uur per dag, want de branche waaraan zij zich wijdden, de harmonie tussen lichaam en wereld, stopte niet om uit te rusten, zelfs niet tijdens de slaap, en het werk, ongeacht het effect van bevalligheid en gewichtloosheid dat het sorteerde, vrat onherroepelijk aan hen, als een foltering of een onzichtbare ziekte. Het waren vermoeide vrouwen, en misschien kwam het wel door die vermoeidheid dat alles aan hen zo'n verwelkte en enigszins ouderwetse indruk maakte, niet alleen hun manier van kleden, hun smaak of de verbale anachronismen die hun zinnen van tijd tot tijd kleurden, maar ook hun lichaam zelf, de kraaienpootjes bij hun ogen, de groeven aan de zijkant van hun neus, het ongekamde haar, dat altijd net van het kussen leek te zijn opgeheven, de onwetendheid, bijna de minachting, met betrekking tot make-up, en ook de bedwelmde afstandelijkheid waarmee ze naar de wereld keken, die ze schijnbaar respecteerden, met een verdraagzaamheid die op het eerste gezicht een zekere nieuwsgierigheid niet uitsloot, maar die ze in werkelijkheid juist op de meest drastische wijze diskwalificeerden en elke mogelijkheid ontzegden om hen te verrassen, alsof ze geen dertig, veertig, vijftig waren, de leeftijd die in hun paspoort stond, maar eeuwen of millennia oud, de bovenmenselijke leeftijd waarop degenen die zeggen alles al te hebben gezien, zich laten voorstaan.

Die middag was er één vrouw in het bijzonder die zijn aandacht trok. In tegenstelling tot de anderen, die rustig in de halve cirkel waren blijven staan, hem daarmee dwingend naar ze toe te lopen om ze te begroeten, deed zij twee stappen naar voren, waarmee ze hem bijna de weg versperde, en maakte zich meester van de hand die hij gemakshalve, omdat hij toch nog vijf of zes vrouwen moest begroeten, in de lucht liet zweven. Ze hield hem een tijdje tussen de hare, te lang, vergeleken met het vluchtige contact waaraan haar collega's de voorkeur hadden gegeven, terwijl ze met slechts één kant van haar mond glimlachte en hem strak aankeek met een paar grijze ogen die zo waterig waren dat het leek of ze elk moment in huilen kon uitbarsten, en toen, na een paar minuten waarin Rímini het gevoel kreeg dat ze iets van hem verwachtte, iets wat hij, verward door de aandacht die ze aan hem schonk, niet kon raden, toen trok ze hem naar zich toe en wist het via een mysterieuze combinatie van handgrepen en druktechnieken klaar te spelen dat ze elkaar innig omhelsden en langdurig kusten, als oude vrienden die elkaar eindelijk terugzien, waarbij ze het evenwel deed voorkomen dat híj, Rímini, en niet zij, degene was die het initiatief had genomen tot deze hartelijkheid. 'Lieve jongen van me,' hoorde hij de vrouw in zijn oor fluisteren, 'wat heb jij een ommezwaai gemaakt!' En hij voelde hoe de vrouw hem ineens van zich af duwde, als om een einde te maken aan een vasthoudendheid waar Rímini absoluut geen deel aan had, en hem opnieuw aankeek met haar omfloerste ogen, tegelijk tevreden en ontroerd, alsof ze met het weerzien een schuld had afgelost die ze steeds als onbetaalbaar had beschouwd. 'Heb je het nu gezien, Isabel?' zei Sofía op triomfantelijke toon. 'En jij zei nog wel dat hij het zich niet meer zou herinneren.' Isabel, dacht Rímini. Hij liep al op de volgende vrouw af, de stappen volgend van een ceremonie die hij niet kende maar die hij wel eens, afwezig, op tv had gezien, bij een overdracht van diplomatieke taken of een officiële ontvangst in het Vaticaan, en samen met de naam die hij net gehoord had, en die tot zijn verbazing al begon terug te kaatsen tegen een of andere verborgen wand van zijn geheugen, hield hij heel even het beeld van het gezicht vast dat hij net achter zich gelaten had – de witte huid, de geloken, grijze, bijna doorzichtige ogen – en toen herinnerde hij zich haar, en hij hoefde haar alleen maar een beetje jonger te maken, haar haar de kleur terug te geven die door het grijs was overschaduwd, haar stem te ontdoen van de rauwheid der jaren – de rest, het hindoegewaad, de zwarte kousen, het stevige lichaam, nog altijd jonger dan de rest, was precies hetzelfde gebleven – om haar weer te zien op de plek waar hij haar de laatste keer had gezien, zittend op de bank in de woonkamer van het appartement aan de calle Vidt, met een schoteltje met apfelstrudel op haar knieën, de onfeilbare delicatesse, eigenhandig bereid, waar ze behoedzaam met de vork de stukjes van af prikte die ze, terwijl ze haar andere hand er met de palm naar boven als een vangnet onder hield, naar de lippen van Frida Breitenbach bracht. Toen kwamen alle gezichten hem ineens vertrouwd voor, alsof ze, verlicht door de weerklank die Isabel bij hem had weten los te maken, plotseling uit de duisternis tevoorschijn kwamen. Hij meende er een paar te herkennen: hij veroorloofde zich zelfs ze in gedachten te benoemen, waarbij hij de oude, pijnlijke namen gebruikte die in zijn herinnering begonnen boven te komen. Milagros, Rocío, Mercedes. Hij zag ze allemaal zitten met een schoteltje op hun knieën, elkaar aflossend om het keelgat van de meesteres te vullen, en hij hoorde ze allemaal, zonder uitzondering, in een van de vrijplaatsen van het appartement – een gang, de garderobe, de lift of de voordeur, altijd op slot, als ze naar beneden gingen om iemand die wegging open te doen en van de gelegenheid profiteerden om even onder elkaar te zijn –, op fluistertoon ontboezemingen doen over de laatste details van hun veelbewogen gevoelsleven. Dat 'laatste' was alleen maar bij wijze van spreken; het hadden net zo goed de eerste kunnen zijn, zo moeilijk was het om bij die vrouwen de volwassen liefdes te onderscheiden van de jeugdige hartstochten, allemaal getekend door dezelfde zweem van ontevredenheid en tegenspoed, onbeantwoorde, afgebroken of nooit uitgesproken liefdes, wanhopige, uitzichtloze passies die alles met zich meesleurden – de *slachtoffers van de liefde*, zoals Frida recht in hun gezicht zei, met een licht spottende trilling in haar stem, die later als het merendeel van de gasten vertrokken was en een besloten kring van intimi, onder wie vanzelfsprekend Sofía en ook Rímini, de bijeenkomst voortzette in de keuken, bij de warmte van de brandende gaspitten en verzameld rond de restjes van het banket, overging in regelrechte minachting, hard ongetwijfeld, maar veel toepasselijker dan spot voor de uitdrukkingen die ze nu ze afwezig waren gebruikte om ze mee aan te duiden, en die als een waterval van haar lippen stroomden, *zielige lammetjes, offervlees, weduwen uit roeping* et cetera, hatelijke omschrijvingen waarvoor de anderen, dacht Rímini, zich alleen veilig konden wanen omdat ze daar aanwezig waren en omdat ze ervan uitgingen, met een goedgelovigheid die Frida ondanks al haar pogingen maar niet de kop kon indrukken, dat het feit dat ze door Frida als vertrouwelingen van haar woede waren uitverkoren, ze ervoor vrijwaarde ooit zelf een van haar slachtoffers te worden. Om die diskwalificaties van Frida, haar toezicht of alleen haar blik te ontlopen, verlieten de Milagrossen, de Rocío's, de Isabelles onder de meest triviale en onwaarschijnlijke voorwendselen geregeld de woonkamer en grepen elke korte ontmoeting aan om zonder namen te noemen, zachtjes smoezend vanwege de haast en het dreigende gevaar, te praten over het laatste blauwtje, het laatste verraad, de laatste doorwaakte nacht, het laatste onbeantwoorde telefoontje, de laatste vervlogen dromen, en het was tijdens die clandestiene woordenwisselingen, als van een samenzwering, dat Rímini ze regelmatig betrapte als hij op weg was naar de wc of een paar lege flessen naar de keuken bracht, met z'n tweeën, soms met z'n drieën, hun hoofden dicht bij elkaar, hun lichamen een beetje voorovergebogen, alsof ze de geheimen die ze deelden probeerden te beschermen, en als ze hem dan zagen, glimlachten ze verward en gingen onmiddellijk uit elkaar, zich snel verspreidend of zich overgevend aan de bezigheid die ze als excuus hadden aangevoerd om de salon te kunnen verlaten, alsof ze in Rímini niet alleen de ongewenste getuige, de indringer zagen, maar ook de verrader die hen te gronde kon richten.

Hoewel de zin die ze in zijn oor gefluisterd had hem verwarde, doordat die hem dwong na te denken over de mogelijkheid of er tussen hen niet ooit meer geweest was dan de enigszins geforceerde intimiteit van de Breitenbach-kring, was het toch dankzij Isabel en dankzij de hartelijkheid waarmee ze de regels van het protocol doorbroken had, dat Rímini kon begrijpen in hoeverre de lankmoedigheid van de verwelkoming tot hem persoonlijk was gericht en zelfs voortvloeide uit een zekere dankbaarheid. Hij ontdekte dat als zijn terugkeer een heuglijk feit was voor de vrouwen van de Adèle H., dit niet alleen kwam omdat het iets wat was onderbroken voortzette en de wonden van de onderbreking uitbrandde, daarmee nieuw voedsel gevend aan de overtuiging, van zo'n vitaal belang voor een bepaald soort amoureus geloof, dat op het gebied van gevoelens nooit strikte grenzen gesteld kunnen worden, dat er geen einde is, dat niets werkelijk ophoudt te bestaan, dat alles onbeslecht, open, in afwachting blijft, en dat zelfs in het geval dat een relatie eindigt, in de zin dat die verbroken wordt en elk van beide partijen een andere richting wordt uitgeworpen en alles wat ze mogelijk gedeeld hebben kapotgaat en in twee onverenigbare helften uiteenvalt, zelfs in dat geval, hoezeer een of beide partijen de breuk ook claimen op het moment dat die zich voltrekt, door die te rechtvaardigen met feiten, oorzaken en overtuigende argumenten, geen van tweeën ooit zeker zal kunnen weten of datgene waarvan ze het einde zeggen te hebben meegemaakt echt is afgelopen of alleen maar een pauze inlast om in een andere, bijvoorbeeld latente fase over te gaan. Er was nog iets anders: de terugkeer van Rímini was een testcase, het bewijs, misschien wel het eerste werkelijk doorslaggevende bewijs dat de zaak van vrouwen die te veel liefhadden een goede afloop kon hebben, een andere, om niet te zeggen volledig tegenovergestelde afloop dan zij gewend waren en dat, zoals de Isabelles, de Mercedessen, de Rocío's bewezen, zoals ook Sofía zelf had bewezen voordat de geschiedenis de wending nam die ze had genomen, die ontknopingen niets anders waren dan een uitvoerige catalogus van tegenslagen. Tot dan toe, tot het moment waarop Sofía de groep meedeelde dat Rímini van zijn dwalingen was teruggekeerd, had de zaak – zoals de oprichtsters van de Adèle H. een hartstocht noemden die ze, zoals in de tijd dat ze die nog voor een ziekte hielden, niet langer bereid waren te verbergen of beschaamd te ondergaan, maar die ze ook niet meer in het kader van een persoonlijke ervaring wilden zien – maar één enkele vorm gekend: de lijdensweg, die een bevredigende intensiteit van gevoelens verschafte maar altijd leek in te staan voor hetzelfde trieste, onzalige einde. Het was niet alleen een mystiek van het lijden; het was een mystiek van de nederlaag. Te veel liefhebben kón geen succes hebben. Maar het was juist die onverbiddelijke mislukking, met alle bijkomende treurigheid en ellende, die de zaak zijn grote waarheidsgehalte gaf, alsof door zich te wentelen in het zielenleed, de wanhoop of welke van de afgronden dan ook waarin die vrouwen door een onevenredig grote liefde gedoemd waren af te dalen, en waaruit ze korte tijd later gewoonlijk weer omhoogklauterden, verscheurd door verdriet maar met het vaandel van de zaak hoger geheven dan ooit – hoewel niet altijd, te oordelen naar de zelfmoordpogingen, de ziekenhuisopnamen, de therapeutische begeleiders, de medicijnen die, geslikt in angstaanjagende hoeveelheden, de enige dosis overigens die op dat moment enig effect sorteerde, veelal de werkelijke oorzaak waren van de afstandelijke blik waarmee ze naar de wereld keken –, alsof door zich te wentelen in die hele emotionele hel, verwant aan de vernietiging en de dood, de vrouwen alleen maar hun hand hoefden uit te steken om het hart van de waarheid aan te raken.

Misschien konden ze nu alles hebben, zoals Sofía op een van de eerste vergaderingen van de groep na de terugkeer van Rímini had genoteerd. Alles: de overdaad aan liefde, de lijdensweg, de waarheid én het geluk. En dan zonder er iets voor op te hoeven geven, dat was het belangrijkste, de reden tot trots die de vrouwen op diezelfde vergadering, gehouden in de akelige kou en vochtigheid van de nog in aanbouw zijnde keuken van de Adèle H., alle levenslust, de emotionele daadkracht waarvan ze leken te zijn beroofd, had teruggegeven. En op dat punt, hoe vervelend ook, moesten ze allemaal – niet alleen Sofía, die zich er in laatste instantie dankzij de jaren dat ze een stabiele relatie met Rímini had gehad, als enige op kon laten voorstaan dat ze in die zin nooit het doelwit was geweest van Frida's minachting – de gevoelens van verbittering en rancune van zich afzetten die de dood van Frida, verre van die te verzachten, nog had doen toenemen, en zich neerleggen bij het onloochenbare feit dat de Breitenbach-preek, een ongetwijfeld extreme preek waartegen zij zich, opgenomen in de lange militante praktijk van Frida tegen alles wat de vrouwelijke zwakheid vertegenwoordigde, altijd hadden verzet, niet alleen niets onzinnigs had maar juist buitengewoon trefzeker bleek te zijn, een schot in de roos, de roos die zij, met de onbeholpen, treurige en trillende pijlen waarmee ze in de loop der jaren hadden geprobeerd hem te raken, steeds hadden gemist. Het was op die manier, door de buitensporige liefde tot het uiterste door te voeren, dat de vrouwen die te veel liefhadden konden veroveren wat ze najaagden, het in bezit konden nemen en zich de toegang verschaffen tot een zekere vorm van liefdesgeluk. Op die manier – en niet door de buitensporigheid in te perken, te beteugelen of te maskeren met al die presentabele vormen die alleen maar zorgden voor een sociaal tintje tegen de prijs van het onvermijdelijke verraad.

In hoeverre ze zich aan dit onloochenbare feit hadden overgegeven bleek wel toen diezelfde middag, gezeten op banken gemaakt van gestapelde bakstenen, vastbesloten de kou op de bouwplaats te trotseren met de straalkachel die de metselaars gebruikten, twee van de vrouwen van de groep ertoe kwamen openlijk het enige in twijfel te trekken wat tot dat moment, twee jaar na de begrafenis van Frida, bakermat van het idee voor de Adèle H., onaangetast was gebleven: de naam. Als dat zo was, als de terugkeer van Rímini inderdaad bewees dat noch de nederlaag noch de verbittering van de eenzaamheid wezenlijke elementen van de zaak waren, maar slechts toevalligheden, en dat de buitensporige liefde, behalve dat wat zij altijd al geweest was – principe van de onbeantwoorde gevoelens en de verkwisting, synoniem van het meest onomkeerbare emotionele bankroet –, ook een motor, een formidabele aantrekkingskracht kon zijn, in feite des te krachtiger naarmate zij onverzettelijker was, dan was de keuze voor de jongste dochter van Victor Hugo als muze niet alleen een vergissing, maar getuigde ook van een ernstig gebrek aan ideologische intelligentie. Nu, in het post-Rímini-tijdperk van de groep – aldus de uitdrukking die Sofía diezelfde middag liet vallen, vanzelfsprekend zonder daarbij te denken aan de discussie die ze even later zou uitlokken, terwijl ze de houten plank die dienstdeed als tafel leegmaakte om de bordjes, het bestek, de porties strudel en de glaasjes Cointreau te verdelen –, leken alle lotgevallen van de ongelukkige Adèle te verwijzen naar een achterhaalde prehistorie: niet alleen haar hartstocht voor luitenant Pinson, die ze in haar eigen huis had leren kennen, tijdens een van de befaamde, door haar vader georganiseerde spiritistische seances – een unieke, waarlijk verslindende hartstocht, waarvoor Adèle na de enige man die echt van haar hield, de arme Auguste Vacquerie, die zeer serieuze bedoelingen had haar tot zijn vrouw te maken, te hebben afgewezen, alles had achtergelaten, niet alleen haar zieke vader, die haar pas veel later, toen ze al vervallen was tot waanzin, zou terugzien om haar te laten opnemen in de kliniek van Saint Made, waar ze de laatste veertig jaar van haar leven pianospelend, tuinierend en schrijvend in haar gecodeerde dagboek zou verblijven, maar ook haar moeder, wier naam ze geërfd had, haar twee broers, Charles, vertaler van Shakespeare, en François-Victor, leerling-fotograaf, en ten slotte Guernsey, het nietige eiland waar haar vader, de grootste dichter van Frankrijk, onder druk van de staatsgreep van Napoleon III in ballingschap was gegaan. Alles, Adèle gaf absoluut alles op om in haar eentje de vreemdste reizen te ondernemen, reizen die in die tijd, de tweede helft van de negentiende eeuw, vast niet erg aanbevelenswaardig waren voor een vrouw van amper dertig, eerst Halifax in Nova Scotia, Canada, waar ze gehoord had dat het regiment dat Pinson moest inspecteren gelegerd was, daarna Barbados, nog altijd in het spoor van Pinson, die ze dan inmiddels, hoewel ze door de straten dwaalt met gebruikmaking van zijn achternaam, alsof ze werkelijk zijn echtgenote was, niet eens meer herkent als ze hem tegenkomt. Nee, niet alleen haar hartstocht – de *affaire* Pinson, die eenzame liefde die haar ertoe brengt te liegen, zich als man te kleden, haar identiteit te veranderen, zich uit te geven voor Léopoldine, haar dode zus, een hypnotiseur in dienst te nemen om haar slapende geliefde de liefdesgelofte te ontlokken die hij haar hardnekkig blijft ontzeggen als hij wakker is, dat alles om trouw te blijven aan haar devies, waarvan ze zich niet zal laten afbrengen door mislukking, lijden of verachting, zelfs niet door de diepste geestelijke ontwrichting, maar alleen door de dood: *de liefde is mijn religie* –, maar ook de buitengewoon onevenredige verhouding tussen haar opoffering en haar anonimiteit, tussen haar muzikale talent en de zeer schaarse sporen die daarvan getuigen, tussen de intensiteit waarmee ze leefde en de minachting waarmee de geschiedenis haar heeft beloond – Adèle, Adèle H., voor eeuwig overschaduwd door de tragedie van haar zus Léopoldine, die samen met haar man verdronk in de Seine bij Villequier. Adèle H., die toen ze in 1915 stierf voorgoed werd opgeslokt door het geweld van de Eerste Wereldoorlog.

De discussie was levendig maar leverde niets op: een van die plotseling opflakkerende vuren die een rustig landschap doen opschrikken, dreigen alles radicaal te veranderen en dan weer net zo snel uitdoven als ze zijn ontstaan. Er veranderde niets, ten dele door de striktheid van de voorwaarden waaronder de vergadering werd gehouden, die niet toelieten dat ze ergens te lang bij stilstonden maar doorgingen, voortgang boekten, zo snel mogelijk de tijd bekortten die hen scheidde van de officiële opening, ten dele door de toestand van apathie waarin de meerderheid van de groep was weggezonken, een meerderheid die afgezien van Sofía, Isabel en de twee vrouwen die bezwaar hadden gemaakt, helemaal niets wist van Adèle H., waardoor elke discussie daarover hen alleen maar volkomen onverschillig kon laten, ten dele door de onverzettelijkheid, vast en zeker geleerd in de jaren die ze aan de zijde van Frida Breitenbach, die kunstenares van de manipulatie, had doorgebracht, waarmee Sofía de noodzaak om de oorspronkelijke naam te behouden verdedigde, waarbij ze onder andere aanvoerde dat hij al overal op voorkwam, niet alleen op het enorme uithangbord boven de ingang, geschreven met een onbestemde kopie in neon van de cursieve letter uit de negentiende eeuw, en binnen op de kleinere die, twee maanden tevoren besteld, elk moment konden aankomen, maar ook op de menu's, de servetten, de lucifersdoosjes, de onderzetters, de borden, de wijnglazen en, vanzelfsprekend, het briefpapier waarop ze de informatie hadden laten drukken waarmee ze al weken de markt van alleenstaande vrouwen overvoerden. Toch besefte Rímini, toen Sofía die avond met een rode neus en een enigszins schorre stem uit de Adèle H. thuiskwam en hem over het incident vertelde, dat die praktische argumenten, hoe redelijk ze ook klonken, niet volstonden ter verklaring van zo'n hardnekkige verdediging van de naam. Net als na de eerste dag van zijn terugkeer had hij de hele middag foto's zitten bekijken, dezelfde honderden foto's die ze hadden moeten verdelen toen ze uit elkaar gingen, die Rímini, zelfs niet in staat ernaar te kijken, uit angst te worden meegesleept in een van die emotionele draaikolken waarin hij steeds vreesde te verdrinken, beetje bij beetje, zonder het echt van plan te zijn maar tegelijk doelbewust, was vergeten in het huis van Sofía, en die Sofía al die jaren in twee grote rechthoekige dozen had bewaard en tegen alles en iedereen had beschermd, tegen de ongelukjes bij verhuizingen bijvoorbeeld, maar ook tegen de ziekelijke en bedreigende nieuwsgierigheid van sommige mannen en vooral tegen haar eigen rancune, die haar meer dan eens in de verleiding had gebracht er alle represailles op neer te laten dalen die ze niet op Rímini kon laten neerdalen. Hij had ze zitten bekijken en geprobeerd er een chronologische volgorde in aan te brengen, en hoewel hij niet erg was opgeschoten – omdat hij zich zodra hij zijn oog op een foto, een willekeurige foto, liet vallen, in plaats van zich te beperken tot het in zich opnemen van de details die van nut zouden kunnen zijn, leeftijd van de personen, kleding, auto's, plaatsen, om niet te zeggen, voor zover aanwezig, het schriftelijke bewijs van datum en tijd dat soms op de achterkant van een van de afdrukken vermeld stond, verdiept had in onbeduidende, persoonlijke details, die alleen hij en eventueel Sofía konden herkennen en die hem meevoerden naar een vreemde, pure vorm van het verleden, waar de inwendige plooien van de tijd werden uitgewist door een oceanische, sentimentele continuïteit –, was hij na een paar uur, bijna ongemerkt, begonnen de foto's te nummeren en in een schrift onder het nummer van elke foto de indrukken op te schrijven die in zijn herinnering boven kwamen drijven terwijl hij ernaar keek. Zoals hij zei tegen Sofía toen hij haar zag aankomen, zijn ogen opsloeg en de nevelige sluier verdreef om haar te kunnen zien, had hij urenlang in het verleden rondgezworven. Misschien dat hij daarom, omdat het verslag van de controverse over de naam hem halverwege verraste, met één voet in het heden en de andere nog op het terrein van de opgravingen, waarvan hij zich vanzelfsprekend maar moeilijk los kon maken, misschien dat hij daarom de praktische argumenten verwierp en op zoek ging naar de ware reden. Hij begon tussen de foto's te snuffelen. Hij had er in het voorbijgaan een gezien en daar geen aandacht aan geschonken, maar het beeld had in plaats van te vervagen een restant achtergelaten, het soort van mnemonisch gif dat later, door een of andere onverwachte prikkel gestimuleerd, plotseling het beeld waarvan we dachten dat het onbelangrijk was, doet oplichten en met een vreemd voorgevoel doordrenkt. Hij vond hem: het was een slechte foto van een plein. Een stel adolescenten omhelsde elkaar op een stenen bank tegen een achtergrond van tentakels van een *ombú** of palo borracho. De takken van de boom waren in elk geval scherper dan de figuren, die vaag leken door een verkeerde camera-instelling van de fotograaf en door de snelheid van het gebaar waarmee de jongen, als het een jongen was, probeerde het meisje, als het een meisje was, te troosten met de halve ton leer en schapenwol die zich rond de mouw van zijn lammycoat ophoopte. Barrancas de Belgrano, winter, begon Rímini terwijl hij haar de foto aangaf, *Adèle H.* – een van de eerste films die ze samen hadden gezien. De eerste, meende hij. Ze hadden afgesproken bij de ingang van de bioscoop, een zaaltje aan de avenida Cabildo, inmiddels verdwenen en toen al een door vocht en de stank van kattenpis aangetaste bouwval, die alleen kon overleven dankzij een documentaire over een legendarisch Noord-Amerikaans rockfestival en natuurlijk de achtereenvolgende generaties jongeren die jarenlang de nachtvoorstellingen deden uitpuilen om hem te kunnen zien, en die zich totaal niets aantrokken, gedeeltelijk uit dweepzucht, gedeeltelijk door de staat van collectieve verdwazing waarin ze binnenkwamen, van de steeds slechter wordende kopie, waarop de sprongen, de vertroebelingen en de noodlassen niet langer simpelweg de vloeiende voortgang van de film verstoorden, maar in een willekeurige hoewel niet altijd onzinnige selectie, songs en zelfs hele bands hadden uitgeroeid, zodat de generaties jongeren die na elkaar de bioscoop bezochten zich behalve door hun leeftijd, ook onderscheidden door de verschillende muziekgroepen die de tijd en de aantasting van het celluloid hun hadden voorgeschoteld. Het was niet alleen de eerste film die ze samen zagen; het was misschien wel de eerste keer dat ze uitgingen, de

* *Ombú*: grote boom met bladerrijke kruin, veelvuldig voorkomend op de Argentijnse pampa.

eerste keer – te stoutmoedig, te naïef – dat ze hun bescheiden, schuchtere, nog onvolmaakte amoureuze libretto van de wereld van de school, waar het ontstaan was en waar het op een min of meer natuurlijke manier functioneerde, overbrachten naar de jungle van de buitenwereld, die vanwege het simpele feit dat ze die niet kenden hun beslist vijandig gezind zou zijn. Zodra ze naar binnen gingen, al meteen bij de kassa, moest Rímini, die met een vooruitziende blik het gepaste bedrag al in zijn hand hield om de transactie van het kaartjes kopen zo kort mogelijk te houden, zich een grondig onderzoek van de priemende ogen van de kaartjesverkoper laten welgevallen, een onderzoek dat Sofía evenwel onbedoeld onderbrak toen ze vanuit de achtergrond waar ze stond te wachten, een stap naar voren deed en zich vooroverboog om de aanvang van de voorstelling te controleren, en haar mooie hand, de hand van een vroegtijdige rookster, tussen de blik van de beul en het weerloze lichaam van zijn slachtoffer schoof. Hij had een slag gewonnen, maar niet de oorlog. Even later overhandigde Rímini, gelukkig of op zijn minst vrijmoedig, de kaartjes aan de man die ze hun plaatsen wees en wilde, voortgedreven door zijn optimisme, zomaar, niet verwachtend dat hij ze afgescheurd terug zou krijgen, de schemerige zaal in lopen, toen hij plotseling werd tegengehouden door de als een slagboom uitgestoken arm en de stem van de man, die hem op neutrale toon, als van een machine, vroeg naar zijn leeftijd. Ik ben meerderjarig, protesteerde Rímini terwijl het schaamrood naar zijn kaken steeg en zijn gezicht deed gloeien. Hoe oud ben je? drong de man aan. Zestien, zei hij. Hij werd overmoedig: Wilt u mijn legitimatie zien? Ja, zei hij. Toen, toch al vernederd en met niets meer te verliezen, veroorloofde Rímini het zich om overdreven diep te zuchten, als teken van burgerlijke verontwaardiging, wat hij vermoedelijk geleerd had van zijn vader, die nooit een loket, een tolhuisje of een douanekantoor passeerde zonder een of ander schandaal te veroorzaken, een privé-oproer in miniatuur, waarvan hij de sporen, onzichtbaar voor iedereen, verzamelde als trofeeën van een eindeloze oorlog, en zocht vervolgens met alle laksheid waartoe hij in staat was naar zijn identiteitsbewijs, alsof hij de man onder zijn neus wilde wrijven dat hij met zijn wantrouwen hun kostbare tijd verspilde. En toen hij het gevonden had, na een verontrustende reeks lege zakken te hebben afgetast, zich bewust van het afbrokkelen van zijn zelfverzekerdheid en lef, een dubbel afbrokkelen, want het waren de zelfverzekerdheid en het lef van iemand die zich aan de wet hield en desondanks vernederd werd, liet hij het hem woedend zien, duwde het de man praktisch onder zijn neus. Maar die had er al geen enkele belangstelling meer voor, negeerde het legitimatiebewijs en beperkte zich tot een klopje op zijn schouder, waarmee hij hem de zaal in duwde, en terwijl hij ongeduldig met zijn vingers knipte, vroeg hij de weinige toeschouwers die zich in de hal ophielden in de rij te gaan staan met hun kaartjes in de hand. Het was allemaal voorbij, ze waren binnen en konden gaan zitten waar ze wilden, zonder iemand naast zich, maar Rímini was nog altijd verward door die duizeling van onzekerheid die hij zojuist had doorstaan, gehuld in een wolk van ongevoeligheid waarin de kussen, de liefkozingen en de opwinding van Sofía oplosten als kringelende rook, en waaruit hij zich pas een paar minuten later weer kon losmaken, toen de lichten in de zaal begonnen te doven en, vooruitlopend op de totale duisternis, als in een vlaag van ongeduld, de kleuren van de door Victor Hugo geschilderde landschappen het hele doek besloegen. *De geschiedenis van Adèle H. is gebaseerd op ware feiten en handelt over gebeurtenissen die werkelijk hebben plaatsgevonden en over mensen die werkelijk hebben bestaan.* Vanaf het moment dat deze tekst verscheen, enkele seconden na de aquarellen, tot aan de scène waarin Adèle, alleen in haar pensionkamer in Halifax, voor het eerst in haar dagboek schrijft, volgden ze de film samen, in stilte, dicht tegen elkaar aan gekropen, alsof de donkere zaal een vijandig onguur element was, het eerste stadium van een tweepersoons schijnschipbreuk die ze in de daaropvolgende jaren tot vervelens toe zouden herhalen.

Adèle gaat 's avonds van boord, de enige vrouw in een grote groep mannen. Op zoek naar een kamer loopt ze Hotel Halifax binnen, maar de drukte schrikt haar af en drijft haar ten slotte op de vlucht. De koetsier zet haar vervolgens af bij een klein familiepension, waar ze zich aan de eigenares, mevrouw Saunders, voorstelt als juffrouw Lewly, de eerste van een reeks valse identiteiten die ze gedurende haar leven zal gebruiken. Ze gaat meteen naar bed. De volgende dag bezoekt ze een notaris en draagt hem op – haar stem enigszins verheffend, want doctor Lenoir is zoals dat heet een beetje hardhorend – op zoek te gaan naar een Engelse luitenant genaamd Pinson, van het zestiende regiment Huzaren. Ze verzint een verhaal, eveneens het eerste van een lange reeks, waarin een nicht van haar, een heel romantische nicht – niet zijzelf, want zij heeft, zoals ze twee keer kort na elkaar verklaart, niet de minste belangstelling voor die luitenant –, die tot over haar oren verliefd is op Pinson, tegen de wil van hen beiden van hem werd gescheiden door het plotselinge vertrek van zijn regiment naar Halifax. Een paar minuten later, op straat, blijft Adèle gespannen staan voor de etalage van boekhandel Whistler, waar luitenant Pinson – Rímini en Sofía weten dat hij het is: dat wisten ze nog voordat ze zijn gezicht zagen door de manier waarop Adèle naar hem kijkt en haar ogen lijken te verbleken, hun kleur verliezen en letterlijk doorzichtig worden, als de ogen van een blinde –, in gezelschap van een mooie jonge vrouw met een tweetal hondjes in haar armen, afscheid neemt van de boekhandelaar. Om niet gezien te worden trekt Adèle zich terug van het raam. Ze wacht tot Pinson en zijn begeleidster naar buiten komen en gaat dan pas de boekhandel binnen. Ze improviseert een aannemelijk excuus – ze heeft papier nodig: ze moet een 'getuigenis' opstellen en is niet zozeer op zoek naar een paar velletjes als wel naar een hele riem – om een gesprek aan te knopen met de boekhandelaar. De man die net naar buiten ging, was dat niet luitenant Pinson? Inderdaad, een goede klant: hij is nog niet zo lang in Halifax en heeft al een reputatie, zegt meneer Whistler. Dat zeggen ze tenminste. O ja? En wat zeggen ze nog meer? vraagt Adèle. Ze zeggen ook dat hij veel schulden heeft, maar hier betaalt hij altijd contant. Neemt u me niet kwalijk, mevrouw... juffrouw. Juffrouw, bent u soms familie van Pinson? Ja, zegt Adèle, het is mijn zwager, maar we zien elkaar heel weinig: ik sta op niet al te goede voet met mijn zus. Voordat hij afscheid neemt, biedt de boekhandelaar, zichtbaar geïnteresseerd in Adèle, haar de diensten aan van zijn uitleenbibliotheek, die Adèle belooft in overweging te nemen.

De avond valt. Adèle keert terug naar het pension; mevrouw Saunders nodigt haar uit samen met haar te eten; haar man is het huis uit om te bedienen op het banket van de officiersclub. Adèle blijft boven aan de trap staan om te vragen of de Britse officieren ook aanwezig zijn. Natuurlijk, zegt mevrouw Saunders, het is een banket ter ere van het regiment Huzaren! Adèle denkt even na en zegt, alsof ze hardop denkt: Dan zal mijn neef er ook wel zijn. Heeft u een neef in Halifax? Ja, luitenant Pinson. Een plotselinge ingeving licht op in de ogen van Adèle. Ik noem hem wel mijn neef, maar eigenlijk zijn we geen familie van elkaar. We zijn samen opgegroeid: hij is de zoon van de vicaris van het dorp. Eerlijk gezegd is hij al verliefd op me sinds we klein waren. En dat terwijl ik hem nooit de minste hoop heb gegeven. We hebben elkaar al zo lang niet gezien! Misschien is dit wel een goede gelegenheid om elkaar weer te ontmoeten. Als ik u een brief voor hem zou geven, kunt u die dan voor me laten bezorgen? Adèle trekt zich terug in haar kamer. Onze scheiding heeft me kapotgemaakt, schrijft ze bij het licht van een olielamp; ik heb elke dag aan je gedacht sinds je bent weggegaan, en ik weet dat je net zo lijdt als ik. Ik heb geen van de brieven die je me ooit gestuurd hebt ontvangen, en jij vast ook niet die van mij. Maar nu ben ik hier, Albert, aan dezelfde kant van de oceaan als jij, en alles zal weer net zo worden als vroeger. Spoedig zal ik je armen weer om me heen voelen. Ik ben heel dichtbij, Albert. Ik wacht op je en ik hou van je. Je Adèle.

Later bekijkt mevrouw Saunders bewonderend het album met tekeningen van Adèle. Die heeft mijn broer gemaakt, zegt Adèle. Een mooi portret, zegt de vrouw. Bent u dat? Nee, dat is mijn oudste zus. Woont ze in Europa? Nee, ze is een tijd geleden gestorven. Mijn god, zegt mevrouw Saunders, dat spijt me vreselijk. Léopoldine is verdronken, een paar maanden nadat onze moeder dit portret van haar had laten maken. Ze was negentien en pasgetrouwd. Ze waren een boottochtje gaan maken. Haar man is ook verdronken. Onze vader was op reis, ver weg. Hij las het toevallig in de krant en is bijna gek geworden van verdriet. En u? vraagt mevrouw Saunders. U zult wel diepbedroefd zijn geweest. Adèle kijkt niet op van het portret van haar zus. Léopoldine was de lieveling van iedereen, zegt ze. Wat ziet ze er aanbiddelijk uit! Adèle doet een sieradenkistje open en haalt er een halsketting uit. Deze ketting was van haar. Ik heb hem altijd bij me. Na hem te hebben bekeken, probeert mevrouw Saunders hem Adèle om te doen, maar die weert haar bruusk af. Nee, nee, zegt ze, ik zou hem nooit kunnen dragen. Ik begrijp het, juffrouw Adèle: ik heb altijd broers en zusters willen hebben, weet u? Nee! zegt Adèle, en ze maakt de vrouw met haar felheid aan het schrikken. U begrijpt me niet! U weet niet hoeveel geluk u heeft dat u enig kind bent!

Die avond, als meneer Saunders terugkomt van het banket, bestookt Adèle hem praktisch met vragen: of hij haar neef heeft gezien, hoe hij gekleed was, waar hij over heeft gesproken. En de brief? vraagt mevrouw Saunders. Heeft hij hem de brief gegeven? Ja, natuurlijk, zegt meneer Saunders. Goed, waar wacht je dan nog op, zegt zijn vrouw, geef zijn antwoord aan juffrouw Lewly. Nee, zegt meneer Saunders, er was geen antwoord. De luitenant heeft de brief gelezen maar wilde hem niet beantwoorden. O, dat geeft niet, zegt Adèle, haar teleurstelling verbijtend, ik verwachtte eigenlijk ook geen antwoord. Terwijl Adèle zich verwijdert en de trap op loopt, vraagt mevrouw Saunders haar man uit over het menu. De chef-kok van generaal Doylee was verantwoordelijk voor het eten. Schildpadsoep, kip met curry... Boven horen ze de deur van Adèles kamer dichtgaan. Weet je, die brief, zegt meneer Saunders, die heeft de luitenant niet eens opengemaakt. Hij keek alleen naar de envelop, haalde zijn schouders op en stopte hem ongeopend in zijn zak. Vreemd, hè? Voor een man die verliefd is... Het beeld wordt langzaam zwart; als het terugkeert, worstelt Adèle met een nachtmerrie: ze ligt in haar nachthemd op haar rug op bed, maar er is overal water, alsof de hele kamer schipbreuk lijdt, en ze worstelt wanhopig om haar hoofd boven water te houden.

De volgende dag gaat ze naar de bank, waar een bankbediende haar een brief overhandigt. Adèle lijkt teleurgesteld. Ze verwachtte iets meer, een postwissel. De bankbediende schudt zijn hoofd: misschien over een paar weken. Terug in haar kamer knipt Adèle een vel papier in tweeën dat ze van de riem heeft gehaald en schrijft: Lieve ouders, dat ik zonder iets te zeggen ben vertrokken, komt omdat ik weer een van die discussies wilde vermijden die in onze familie bij de geringste aanleiding ontstaan. Als luitenant Pinson op dit moment zijn post zou opgeven, zou hij zijn hele carrière op het spel zetten. Vandaar dat ik hem nu niet kan verlaten. Zoals u weet, houd ik van hem, en hij van mij. We willen gaan trouwen. Maar ik zal niets doen zonder uw toestemming en wacht op een antwoord van u beiden. Met mijn innige liefde, Adèle. P.S. Vader, u bent me nog de maandtoelagen van mei en juni schuldig. Ik weet dat een deel van het geld is overgemaakt via de British Bank van Noord-Amerika, maar ik heb het hele bedrag nodig, want het leven in Halifax is erg duur.

Terwijl ze wacht, doodt Adèle de tijd met dwalen over de boulevard van de stad. Ze komt een officier tegen, draait zich om en rent hem achterna. Ze tikt hem op zijn schouder. De officier blijft staan en kijkt haar verwonderd aan. Ze slaat beschaamd haar ogen neer en loopt weg. Ze sluit zich op in haar kamer. We moeten met de kleine dingen in het leven omgaan alsof ze belangrijk zijn, schrijft ze in haar dagboek. Ik weet dat je de morele veldslagen in je eentje moet leveren. Duizenden kilometers verwijderd van mijn familie zie ik het leven op een andere manier. Ik kan alles alleen, op mijn eigen houtje leren, maar om lief te hebben heb ik hem nodig.

Toen huiverde Sofía, alsof er een elektrische schok door haar lichaam was getrokken, en begon te huilen. Ze huilde zo hevig en zo onafgebroken dat het na een tijdje – toen Rímini, wiens onderarmen van al dat tegen zich aan drukken inmiddels doorweekt waren, begreep dat het incident niet langer een gelukkig toeval was, een van die voorwendsels die vermomd als tegenslag zorgen voor de bespoediging van een toenadering die vaak door verlegenheid, schaamte of onzekerheid wordt uitgesteld, maar iets anders werd, iets van een orde die hij niet kende maar die hem noopte onmiddellijk een beslissing te nemen – onmogelijk voor haar werd nog langer naar de film te kijken, omdat ze haar ogen, geïrriteerd door de tranen, niet open kon doen zonder dat een vreselijk branderig gevoel haar dwong ze meteen weer te sluiten, en als ze er al in slaagde ze een paar seconden open te houden, was het gordijn van tranen zo dicht dat het de beelden op het witte doek vertroebelde. Het was een huilrecord, veertig minuten op de klok, gerekend vanaf de zin van Adèle H. die de huilbui had veroorzaakt tot het moment waarop – alweer in Barrancas de Belgrano, waar Rímini haar mee naartoe had weten te slepen na haar onder dwang uit de bioscoop te hebben geleid –, enkele seconden nadat de fotograaf op het plein ze op het bankje verraste en de foto nam die Rímini haar nu liet zien, hun de weg werd versperd door een tweetal zigeunerinnen die uit het niets, achter de boomstammen vandaan, uit de muziektent, uit een van de vele schuilplaatsen die ze op het plein hadden, opdoken en hen met vage tovergebaren, dreigend gefluister en beloften in verwarring brachten, waarbij ze hen betastten en een beetje tegen hun borst en schouders duwden, en voordat Rímini en Sofía het goed en wel beseften waren ze al uit elkaar gedreven, zij aan de rand van het pad, met haar voeten in de aarde van een bloemperk, de zigeunerin bijna boven op haar, min of meer hangend aan haar kleren, hij aan de andere kant, verwoed pogend de controle over de hand terug te krijgen waarin zijn zigeunerin de sporen van een willekeurige toekomst las. Alleen een angst zoals opgewekt door dat stel veelkleurige monsters, voor wie waarzeggerij niet langer een etnisch erfgoed was maar een handeling die ze gedachteloos leken uit te voeren, met een minimale dosis exotisme om meteen daarna, steeds sneller, over te kunnen gaan op het enige werkelijk aantrekkelijke onderdeel van de situatie, het vragen om geld, alleen een dergelijke angst, herinnerde Rímini zich, kon Sofía uit haar trance bevrijden en haar laten ophouden met huilen, zoals ook inderdaad was gebeurd. Rímini trok aan zijn eigen arm, rukte zich los van de zigeunerin en schoot Sofía te hulp, die in haar zakken grabbelde naar een geldstuk, en toen ze het pad af renden, in de richting van de bank waar ze gezeten hadden en waar de fotograaf nu op hen stond te wachten om de foto te verkopen, keek Rímini haar aan, keek aandachtig naar haar gezicht, alsof hij wilde verifiëren dat de hinderlaag van de zigeunerinnen geen sporen bij haar had achtergelaten, en ontdekte dat haar wangen weer blank, fris en stralend waren, net zo helder glimmend als straten die na een hevige regenbui weer door de zon beschenen worden.

Maar Sofía herkende zich niet in de opgeroepen herinnering. Behalve het gemak waarmee ze huilde, dat niet veranderd was en dat ze altijd had aangevoerd als bewijs voor een bovennatuurlijke gevoeligheid, kwamen alle elementen van de beschrijving haar bekend voor, de film over Adèle H. natuurlijk, de bioscoop aan de avenida Cabildo, de eerste keer dat ze met Rímini uitging, het verzoek om zijn identiteitsbewijs te laten zien, het plein, de zigeunerinnen – maar niet de volgorde waarin Rímini die gebeurtenissen had verteld, en al helemaal niet de eenheid van tijd die ze met elkaar verbond. Om te beginnen de foto: dat was zij, ja, Sofía, en het bankje was van lichtgroen hout en had een enigszins gebogen rugleuning, inderdaad, en het plein was Barrancas, dat was waar, en de jongen die haar omhelsde, of die eigenlijk meer haar gezicht leek te willen bedekken met zijn omhelzing, als om haar te beschermen tegen de lens van de fotograaf, droeg inderdaad een lammycoat, maar ze zou hebben gezworen dat het niet Rímini was – Sofía kon zich overigens niet herinneren ooit met hem in Barrancas te zijn geweest –, maar zijn onmiddellijke voorganger, een jongen genaamd Moacyr, de van het rechte pad afgedwaalde zoon van een Braziliaanse diplomaat, nogal wat jonger dan zij en ook veel ervarener, wiens curriculum op zijn dertiende al een reeks benijdenswaardige wapenfeiten bevatte, zoals een vliegreis, twee of drie rockfestivals, meerdere volwassen vriendinnen – inclusief seks –, experimenten met een heel scala aan drugs, de ondersteuning van een mooie, aan alcohol verslaafde moeder en het in de verte familie zijn van een grondlegger van de bossanova, en die in de scène op de foto, als ze het zich goed herinnerde, zijn uiterste best deed haar te overtuigen van de positieve kanten van de vrije liefde zoals die werd bedreven in de villa die hij met zijn vader en een kolonie chauffeurs en bedienden bewoonde in een van de meest exclusieve wijken van de stad; dezelfde wijk, trouwens, waar zich het kale plein bevond waar Rímini als kind, zoals hij Sofía een keer had opgebiecht, net ingewijd in de kunst van het fietsen, frontaal tegen een mast was opgebotst waar in de top de Argentijnse vlag hing te wapperen.

Ze konden het niet eens worden, maar dat scheen ze ook niet zoveel te kunnen schelen, ver verwijderd als ze waren van de invloedssfeer waarin dat soort meningsverschillen gewoonlijk een of ander negatief effect sorteren. Sofía vierde het misverstand alvast als een overwinning: het gedetailleerde onderschrift dat Rímini bij de foto had gezet was voor haar een onmiskenbaar teken van gezondheid. Rímini was niet alleen teruggekeerd, hij was zich weer dingen gaan herinneren, en die wederopstanding van het geheugen, bij iemand als hij, die jarenlang de overtuiging was toegedaan dat al zijn mogelijkheden om te overleven afhingen van zijn vermogen om te vergeten, en dat er voor hem geen enkele emotionele toekomst zou zijn als hij zich niet eerst bevrijdde van de last van het verleden, was voor haar een succes van onschatbare waarde, in feite het enige echte succes, zelfs zozeer dat daarmee vergeleken de fysieke terugkeer van Rímini – zijn aanwezigheid in haar huis, in haar bed, tussen haar spullen, zelfs in de Adèle H., ook al vervulde hij de functies die hij inderdaad vervulde, in de eerste plaats het geleidelijk herstellen van een evenwicht dat al jaren verstoord was, en vervolgens, simpelweg doordat hij daar was, op al die plekken waar hij eerder geschitterd had door afwezigheid, het levende bewijs vormen van het feit dat de terugkeer van mannen inderdaad mogelijk was – voor Sofía van ondergeschikt belang werd, iets waar ze trots op was maar waar ze als het erop aankwam ook buiten kon. Zich weer herinneren was de sleutel van de echte terugkeer, het fundament, alles – net zoals negeren van het geheugen, herinneringen kwijtraken of wegdrukken, laten ontglippen en vergeten, de sleutel, het begin, het model vormden van alle verlies en verdwijning. En werd de overdaad aan liefde meestal niet op die manier voor het eerst zichtbaar: zich tegen een achtergrond van geheugenverlies aftekenend als een overdaad aan herinnering? De vergeten trouwdag, het detail waaraan wordt voorbijgegaan, de context van een bepaalde gebeurtenis die weigert terug te keren: was dat in feite niet hoe tragedies begonnen?

Pas op die vreemde middag, vol van verbijsterende kleine wonderen, waarop Rímini, volkomen spontaan, het idee had gekregen de achtergrond van een op een plein genomen foto aan het licht te brengen, was Sofía er zeker van dat Rímini werkelijk aan haar zijde was teruggekeerd. Ze zag hoe hij zich herinnerde, was getuige van de zelfverzekerdheid en de natuurlijkheid waarmee hij die beelden beschreef, zo levendig dat niemand zou hebben geloofd dat ze al twintig jaar oud waren, en nog veel minder dat ze zeven van die twintig jaar in een kelder begraven hadden gelegen, en die in zichzelf gekeerde houding maakte hem in haar ogen reëler dan alles waaraan ze zich had vastgeklampt om zich ervan te overtuigen dat ze hem had teruggewonnen: zijn geur, zijn plotselinge blozen, het geluid van zijn voetstappen, de bruuske beweging waarmee hij een raam opende of een stoel terugschoof, de flits van angst die oplichtte in zijn ogen zodra hij naar haar keek – tekenen die naast de dichtheid en het gewicht van zijn opgeroepen herinneringen licht, frivool, tijdelijk leken. Daarom liet ze hem tot het eind uitpraten, een voor een de tegenwerpingen onderdrukkend die bij haar opkwamen terwijl ze naar de foto keek. En dat ze ten slotte toch besloot ze op te biechten, dat korte moment van onzekerheid tussen hen veroorzakend dat ze daarna al snel lachend hadden verdreven, kwam alleen doordat ze blaakte van vertrouwen. Het geheugen beschermen tegen een paar bedenkingen, die het overigens op geen enkele manier in gevaar konden brengen, dat was niet het geheugen eer bewijzen, dat was het van zijn waarde ontdoen. Het geheugen was de garantie, de enige garantie. Al het andere was lucht of stof en zou vroeg of laat gedoemd zijn uit te doven.

Zoals Rímini kort daarna zou vaststellen, als hij midden onder een vergadering de kamer binnenviel om koffie in te schenken, een telefoontje of de komst van een groepslid aan te kondigen, of Sofía een cheque te laten tekenen, en flarden opving van de discussies die de groep tot groot enthousiasme dreven, verving de befaamde wederopstanding van het geheugen al snel het enige punt op de lijst met doelstellingen van de zaak dat hen tot dan toe had beziggehouden: de terugkeer van de man. Misschien was het eenvoudig een kwestie van middelen en doelen, maar een tijdlang, of hij nu aan het begin of aan het eind van een vergadering binnenkwam, de vrouwen verraste of ze de kans bood te veinzen, hun stem te dempen of van onderwerp te veranderen, hoorde Rímini hen bijna geen andere uitdrukkingen gebruiken dan *archief, geheugenkapitaal, administratie van het verleden*, of over iets anders discussiëren dan over de manier waarop je – volgens de merkwaardige uitdrukking die Sofía een keer in zijn bijzijn gebruikte – bij mannen een herinnering kon *maken*. Al het andere was naar het tweede plan verwezen: de heroveringstechnieken, de verleiding, de seksuele trucjes, de emotionele mimicry, de chantage, allemaal even vluchtig, ontoereikend, inefficiënt, zoals ruimschoots werd bewezen door het veelvuldig voorkomen van een valse terugkeer in de liefdesgeschiedenissen van de vrouwen van de Adèle H.: mannen die na dagen, maanden of jaren van scheiding terugkwamen, gedreven door de meest karakteristieke en, naar algemeen werd aangenomen, meest beproefde stuwende krachten, berouw, behoefte aan steun, begeerte, heimwee naar intimiteit en gemeenschappelijkheid, die werden onthaald met de hartelijkheid van alle verzoeningen – een mengeling van onvoorwaardelijke toewijding, tot het uiterste doorgevoerde romantiek, overmoed, verdraagzaamheid, voortdurende bereidheid tot onderhandelen en de wil om te behagen – en die dagen, maanden of jaren later onvermijdelijk weer in rook opgingen, daarmee al het geïnvesteerde kapitaal verkwistend en de bron die hun te drinken had gegeven opgedroogd, in de meest barre onvruchtbaarheid achterlatend. Maar voldoening, verbintenis, duurzaamheid, zwangerschap, alles wat de conventionele verzoeningsmethoden slechts in onvolledige en kortstondige vorm verschaften, met de bijbehorende teleurstellingen, kon het geheugen wél mogelijk maken. Een herinnering maken bij mannen, hoorde hij Sofía op de officiële opening tegen een handjevol verbijsterde journalisten zeggen, terwijl het reusachtige, bleke gezicht van Adèle H. op alle wanden van de bar werd geprojecteerd, zoals mannen eeuwenlang kinderen hebben gemaakt bij vrouwen. In sommige gevallen, zoals dat van Rímini bijvoorbeeld, was het genoeg om het al bestaande geheugen nieuw leven in te blazen, het te wekken uit de slaap waarin het vegeteerde en het net zo lang op alle mogelijke manieren te prikkelen totdat het de dynamiek, de reflexen, de hartstocht voor het detail en de aangename, welwillende, beschermende huiselijkheid die het onvervangbaar maakten op het moment van het bezinken van de liefde, had teruggekregen; in andere gevallen, waar de duur van de scheiding of de rancune alles had weggevaagd, moest het geïmplanteerd worden. Dat was precies zoals met sommige plantensoorten die, eenmaal overgeplant, verwelken en wegkwijnen, maar op een wonderbaarlijke manier lijken op te leven zodra hun wortels weer in contact komen met de oorspronkelijke aarde, niet zozeer om een biologische reden, want de eigenschappen van de aarde waarin men probeerde ze te planten verschillen tenslotte nauwelijks van die van de plek waar ze ontkiemd zijn, en als ze al verschillen zou het altijd mogelijk zijn dit verschil op te heffen – en dan nog zou de overplanting onvermijdelijk mislukken –, maar omdat dit simpele contact als een vonk is die onmiddellijk, in al zijn complexiteit, het vitale weefsel herstelt waarin het tot dan toe gerijpt was, die subtiele samenhang waarbij bepaalde eigenschappen van de aarde, de lucht, het licht en de vochtigheid doorslaggevend zijn, maar alleen, en alleen dan, als ze gecombineerd worden met een essentiële factor, de tijd, de tijdsduur die de plant ermee in contact is geweest en hun gunstige invloed heeft ondergaan, maar tegelijk ook invloed op ze heeft uitgeoefend – zo was het volgens Sofía ook met verloren mannen: precies zo. Volgens een van de eerste notulen van de Adèle H. die Rímini had mogen opmaken, was de herinnering aan de liefde de minimale eenheid van liefde, de nervatuur die het mogelijk maakte het hele blad te reconstrueren, en met het blad de bloem en de hele plant, en niet alleen de plant en zijn plek in de aarde maar ook het hele ecosysteem waarvan de plant, in laatste instantie, het resultaat was. De onstandvastige, de onthechte, de ontrouwe, de ontwijkende man, de onbeheerste faun waren problematische figuren, harde noten om te kraken, onzekere uitdagingen; maar de man die aan geheugenverlies leed, dat was de blinde vlek, het werkelijke breekpunt. Boven de man die liefheeft en vergeet, zo bedrieglijk, zo gewoon, gaven ze ongetwijfeld de voorkeur aan de man die haat en zich herinnert, de man die elke herinnering koestert omdat die de reden is voor zijn haat en die niet van plan is op te houden met zich herinneren omdat hij tot het einde toe wil blijven haten. De horizon van de eerste is de onverschilligheid, de verdwijning; die van de tweede, op zijn minst, de verbeten wens te zijn en te volharden, en op zijn hoogst, wie weet, de mogelijkheid terug te vallen, zich te laten vangen in de netten van de liefde als hij, midden in het revisionistische vuur, verrast wordt door een aangename herinnering – een beschermend gebaar, een klein beetje warmte, een scène die hem aan het lachen maakt – die hem opnieuw in vuur en vlam zet.

De opening was een succes. Sofía en haar gevolg van vrouwen waren de heldinnen van de avond; Rímini, op zijn stilzwijgende en onderdanige manier, de ster. De opkomst overtrof drievoudig de meest optimistische verwachtingen en Rímini zag zich genoodzaakt midden onder het feest weg te gaan om de voorraden aan te vullen. Toen hij terugkwam, moeizaam een boordevol winkelwagentje voor zich uit duwend, met flessen tot in zijn zakken, wachtte Sofía hem op bij de ingang voor de aflevering van goederen en terwijl ze op het laatste moment een mildere toon aansloeg, dreigde ze hem te zullen ontslaan als hij nog eens verdween zonder haar te waarschuwen. Ze had hem overal gezocht. Een nieuwe golf bezoekers was zojuist gearriveerd en de meest radicale factie had haar staande gehouden om haar, op de felle toon van een vakbondseis, dringend te verzoeken hem uit de kelder te halen waar ze hem verstopt had en een tijdje aan hen af te staan. Sofía had hem niet kunnen vinden; de vrouwen, die zich opgelicht voelden, dreigden niet alleen om te vertrekken maar ook om de Adèle H. in een kwaad daglicht te stellen in de kleine maar invloedrijke kring van de existentiële therapieën. Het duurde even voordat Rímini begreep dat híj het circusnummer was waar ze op doelden. Misschien had hij zich de luxe kunnen veroorloven om net te doen alsof hij het niet begreep, maar Sofía pakte hem al bij zijn hand en sleepte hem bijna de zaal in, waar hij onmiddellijk, te midden van alle drukte, een handjevol magere, asgrijze vrouwen ontdekte, met sjaaltjes om hun hals, polsen en enkels geknoopt, alsof ze cadeautjes waren, die eendrachtig stonden te puffen boven hun plastic bekertjes – ook het serviesgoed had niet aan de vraag kunnen voldoen – waar iemand de laatste druppels van een of andere laatste fles had ingeschonken. 'Meisjes, *voilá*,' zei Sofía, en ze duwde hem zachtjes in hun richting, zoals je een verlegen kind naar een stel babysitters duwt dat vanaf nu voor hem zal zorgen. De vrouwen draaiden zich, eveneens eendrachtig, naar hem toe en terwijl Rímini om het gevoel van onbehagen enigszins te temperen, hun bekertjes volschonk, namen ze hem met wijdopen ogen, vol nostalgie en opwinding, onderzoekend op, als was hij het laatste exemplaar van een uitgestorven soort of het eerste van een nieuw ras dat nog bezig was te ontstaan. Het duurde maar heel kort, een paar seconden, voordat het hypnotische effect verdween en de vrouwen weer tot zichzelf kwamen, een nerveus gegiechel lieten horen en bloosden, alsof ze ineens door begonnen te krijgen dat de hypnotiseur gebruik had gemaakt van de trance om zichzelf of hen volledig uit te kleden.

Toen pas begreep Rímini het helemaal. Hij bevond zich op een plek bomvol mensen, waar hij – behalve Sofía, Isabel en de andere vrouwen, die hij overigens steeds door elkaar dreigde te halen – niemand kende en waar iedereen hem kende, en het enige woord dat hem te binnen schoot om die duizelingwekkende asymmetrie een naam te geven, was *roem*. Rímini was een beroemdheid. En tegen zijn vooroordelen in, die net als die van ieder ander voortkwamen uit de jaloezie en het genot waarmee hij in de kranten en op televisie de ondank volgde waarmee de roem beroemdheden placht te belonen, had het niets onplezierigs. Het was alsof hij zweefde. Hij dacht meteen aan de extase die zich van rocksterren leek meester te maken als ze zich ruggelings op hun publiek stortten en zich zo, gekruisigd met hun gezicht naar boven, lieten meevoeren door honderden en honderden anonieme armen. Het is waar dat Rímini, aan zijn lot overgelaten door de brigade van dienstertjes die hem eigenlijk behoorden te helpen – danseressen, studentes orthopedagogiek, hoveniersters, voor het merendeel min of meer ongezeglijke dochters van dezelfde vrouwen die ze verondersteld werden te bedienen –, maar die van Rímini's populariteit geprofiteerd hadden, hoe verbijsterend die voor hen ook was, om hun plichten te verzuimen en in de keuken de tijd te doden met snoepen van de restjes van de catering, of op de wc met roken – de enige rook die in de zaal was toegestaan was wierook – en praten over mannen, hem zodoende dwingend overal tegelijk te zijn waar iemand in de Adèle H. iets nodig had, niet meer de tijd of energie kon vinden om ergens te blijven staan en, desnoods voor een paar minuten, de nieuwe rol te vertolken die hem door de vluchtige maar veelbetekenende blikken van de vrouwelijke gasten werd toebedeeld. Hij liep onvermoeibaar af en aan, totdat hij ineens op een deel van zijn lichaam, zijn nek, zijn rug, de zijkant van zijn gezicht, een drukpunt meende te voelen, alsof een onzichtbare, zachte vinger hem aanraakte of dat er met een draadje zachtjes aan hem werd getrokken, en zodra hij zich omdraaide, steeds zonder te blijven staan, begonnen alle gezichten die in zijn blikveld samendromden te trillen en werden onscherp, allemaal behalve één, dat van de onbekende vrouw die hem zojuist van een afstand met haar ogen had aangeraakt, een vrouw die nog altijd naar hem keek en zich scherp aftekende in het vervaagde landschap. Ze konden tegen hem glimlachen of niet, medeplichtigheid of arrogantie uitdrukken, maar wat al die blikken, behalve belangstelling, die ze dwong langer op hem te blijven rusten dan gebruikelijk, met elkaar gemeen hadden was een zeker geestelijk overwicht. Ze keken naar hem om in hem, in zijn gezicht, zijn houding, zijn manier van bewegen of kleden, bevestigd te zien wat ze al van hem wisten, maar ook om hem simpelweg te laten weten dát ze het wisten, hoewel ze er wel voor waakten ook maar iets te laten doorschemeren wat zou kunnen onthullen waaruit die kennis precies bestond. Het was een zuiver abstracte situatie: het toppunt van de afwezigheid van wederkerigheid. Het belangrijkste was niet zozeer het geheim – want wat kon een onbekende vrouw van Rímini weten wat Rímini zelf al niet wist? – als wel de *geheime vorm*; dat wil zeggen, de ongelijke krachtsverhouding, de dubbelzinnige betekenis, het midden houdend tussen chantage en zinnelijke nieuwsgierigheid, die die blikken uitdrukten zodra Rímini ze door ze te beantwoorden, bekrachtigde.

Maar het was halverwege de avond toen dat asymmetrische regime, juist vanwege zijn abstractie gedoemd om althans in theorie eeuwig te zijn, uit balans raakte. Er waren al minder mensen en iedereen kon weer wat ruimer ademhalen. Even daarvoor, met de Adèle H. tot de nok toe gevuld, had Sofía van een kort moment van rust gebruikgemaakt om op het podium te klimmen, waar ze – terwijl ze op zichzelf de werking testte van de volgspot, het enige toneelattribuut dat de

groep zich financieel had kunnen veroorloven, die haar scherp deed afsteken tegen de duisternis en haar een schel lachje ontlokte, alsof het
licht haar kietelde – het programma aankondigde dat de officiële opening zou bekronen. Zoals te voorzien was, zorgde de aankondiging
voor een kleine uittocht, net voldoende om de lucht een beetje te zuiveren en het resterende publiek wat meer ruimte te geven. Trouw aan
de zaak voerde een groot deel van de vrouwen die weggingen aan dat
het al laat was: als ze bleven, zouden ze pas in de kleine uurtjes in bed
liggen en de volgende ochtend slecht uitgeslapen verschijnen voor hun
kleine legertjes van lijdende vrouwen, die ze niet wilden ontmoedigen
met de trieste aanblik van de wallen onder hun ogen, hun migraine en
hun stramme lichaam. Door te blijven zouden ze inbreuk maken op de
zelfdiscipline die hun leven regelde en alle argumenten ontkrachten
waarom ze die avond daar, in de Adèle H., waren en niet ergens anders.
Velen gingen ook weg uit lichtzinnigheid, omdat ze dachten dat het
beste al geweest was. De muziek veranderde, de ramen werden tegen
elkaar opengezet en het publiek verspreidde zich over intiemere
groepjes. Sommigen bleven nog op fluistertoon met elkaar praten; anderen keken in stilte, zich koelte toewuivend met het menu, hoe de
arme Adèle opnieuw droomde dat ze Léopoldine was en verdronk op
de grote witte achterwand; weer anderen hielden zich, nu dat eindelijk
kon, bezig met een eerste verkenning van de ruimte en merkten terloops op dat, zoals de sfeerverandering van de avond noodgedwongen
had geleid tot de vervanging van de levendigheid van de Griekse tam-
boerijnen – een oud aandenken dat Isabel had meegenomen van een
workshop in Parijs, waar ze verrast was door de première van *Zorba de
Griek* – door een repertoire van sefardische treurliederen – een bijdrage van Sofía, die trouw bleef aan de idolen uit haar jeugd –, het ook tijd
was voor het vernieuwen van de drank. 'Cointreau!' beval Sofía – en Rímini stoof weg naar de kelder, waar de groep een exclusieve voorraad
alcohol voor intiemere momenten had opgeslagen. Hij liep net weer de
smalle cementen trap op met twee flessen drank in zijn hand toen hij
bovenaan een jonge vrouw zag verschijnen, waarschijnlijk de jongste
die hij de hele avond had gezien, zo jong dat ze afkomstig leek uit een

andere wereld, die de deur achter zich sloot en naar beneden kwam – en Rímini had de indruk dat ze of naakt was of een perfect om haar lichaam sluitend, griezelig realistisch vleeskleurig tricot droeg en dat het donkere koord dat ze om haar hals gewikkeld had en dat als een spinnenweb afdaalde langs haar lichaam, ook werkelijk was wat hij dacht dat het was: een telefoonsnoer – en terwijl ze als een amazone boven op hem sprong en letterlijk aan zijn hals ging hangen, zijn middel omklemmend met de kracht van haar getrainde dijen, begon ze hem gretig en vol toewijding te kussen, wanhopig, alsof ze hem helemaal met kussen wilde bedekken, waarbij ze de kussen afwisselde met smachtend gefluister. 'Ja,' zei ze, 'ook ik heb in Londen geknield voor de roos van Riltse.' 'Ja,' zei ze, 'ook ik verafschuw Oostenrijk uit de grond van mijn hart.' 'Ja,' zei ze, 'ook ik lag te rillen van de koorts in Wenen en liet me betasten door een dokter in het Engelse ziekenhuis.' 'Ja,' zei ze, 'ook ik heb in Rio de Janeiro een allergische huiduitslag gekregen en mijn gezicht ingesmeerd met zalfjes die niets hielpen.' 'Ja,' zei ze, 'ook ik heb tijdens een abortus de regen horen kletteren op een zinken dak.' 'Ja,' zei ze, 'ook ik heb gehuild tot ik door mijn tranen niets meer kon zien bij de ontmoeting tussen Rocco en Nadia op het dak van de dom.' Het was een wonder dat ze niet over de grond rolden. Rímini trotseerde het gewicht en de kussen van het meisje zonder zich te verroeren, gesterkt door zijn eigen verbazing, maar hij liet wel een van de flessen drank vallen, die op de rand van een trede werd onthoofd en leeg begon te lopen. 'Trouw met me,' fluisterde het meisje in zijn oor, met haar vochtige lippen langs zijn hals strijkend. Rímini lachte en duwde haar een eindje van zich af om naar haar te kunnen kijken. Hij wilde zien of ze echt was; hij wilde zien of hij een echte vrouw nog in de ogen kon kijken. Ze had een heel zachte, blanke huid, een snorretje van zweetdruppeltjes parelend op haar bovenlip, en een minuscuul kratertje tussen haar wenkbrauwen, overblijfsel van een van de meest uitgekookte waterpokken die hij ooit in zijn leven had gezien. Rímini kreeg zin om te huilen. Hij omhelsde haar. 'Wees geen lafaard, trouw met me,' hoorde hij het meisje herhalen, terwijl hij voelde hoe haar jonge kin zich nestelde in de holte van zijn schouder als in een wieg, de oude wieg die daar altijd al op had gewacht.

Hoeveel jaar had het hem gekost om die lafheid te overwinnen? Twintig? Dertig? Om die op deze manier teniet te doen, met een vrouw die in staat was de twee of drie hoogtepunten uit zijn leven uit haar hoofd, zonder één enkele vergissing, op te sommen, en wier jeugdigheid op zich al genoeg was om hem uit te putten? Hij voelde zich zo oud dat het beeld van de stervende oude man in *2001: A Space Odyssey* hem overviel alsof het een persoonlijke herinnering was, een van de foto's waar hij elke dag de autobiografische onderschriften bij zette die Sofía niet eens meer las. Hij formuleerde: *Rímini op zijn sterfbed, plechtig en gelukkig, na het laatste aanbod voor emotionele verlossing te hebben ontvangen en afgewezen.* Later, midden onder de voorstelling – een Penthesileia met overgewicht, overlopend van enthousiasme, had zojuist haar liefde verklaard aan een onzichtbare Achilles, die boven op de bar geklommen was, ergens tussen de flessen whisky en tequila –, toen de hinderlaag op de keldertrap de vorm begon aan te nemen waarin hij die zich waarschijnlijk de komende twintig jaar zou herinneren, keek Rímini, gebukt tussen de tafels door zigzaggend om het zicht van het publiek niet te belemmeren, op en herkende zijn acrobatische huwelijkskandidate op het toneel, vastgenageld tegen het achtergordijn door het licht van de volgspot, terwijl ze een passage voordroeg uit *De menselijke stem*, of liever gezegd brulde, in de hoorn van de telefoon die ze ter hoogte van haar ogen hield, alsof het het afgehakte hoofd was van de man die haar weer eens had verlaten, en waar, met een vertwijfelde knoop vastgebonden, zo ontdekte Rímini op datzelfde moment, het snoer eindigde dat als een dodelijke sjaal om haar hals was geslagen en langs haar hele lichaam omlaag kronkelde. En toen hij bij Sofía aankwam, die met open mond naar de scène stond te kijken, zei hij: 'Dat is een leerlinge van je, hè?' Sofía knikte. 'Hoe oud is ze?' vroeg Rímini. Sofía verwaardigde zich haar hoofd naar hem over te hellen maar zonder haar blik van het toneel af te wenden. 'Weet ik niet: een *onbestemde* leeftijd,' zei ze, of dat was tenminste wat Rímini afleidde uit de met alcohol doordrenkte geeuw die ze produceerde. Ze was zo dronken dat ze toen het meisje haar voordracht beëindigde, niet eens kon applaudisseren: ze bracht haar handen in de lucht naar elkaar toe, keek er strak naar, in een van die ontroerende pogingen zich te concentreren waar dronken mensen vaak zo goed in zijn, en liet ze toen, alsof ze ze een onnodige vernedering wilde besparen, levenloos op haar dijen vallen, totdat het meisje van het toneel stapte en een grotere vrouw, wier leeftijd in elk geval níet onbestemd was, haar plaats innam en, terwijl ze naast de microfoon een paar bladzijden met aangevreten randen, opzettelijk toegetakeld om ze er oud te laten uitzien, liet knisperen, net deed of ze voorlas – *Lieve ouders, ik ben zojuist getrouwd met luitenant Pinson. De plechtigheid heeft afgelopen zaterdag plaatsgevonden in een kerk in Halifax. Voortaan dient u zich als volgt tot mij te richten: 'Mevrouw Pinson, 33 North Street, Halifax, Nova Scotia'* – en in twintig intens saaie minuten een verkorte versie afhandelde van de verzameling brieven van Adèle H. Maar toen de honderd schimmen die het schouwspel roerloos hadden gevolgd opstonden, hun handen ten hemel hieven, die nabije hemel waar de bladen van de plafondventilator onophoudelijk ronddraaiden, en kreten slaakten, euforisch als vuurwerk, wilde Sofía niet achterblijven. Ze richtte zich langzaam op, heel voorzichtig; ze wilde schreeuwen, haar stem voegen bij de om haar heen heersende herrie, maar zodra ze haar mond opendeed voelde ze een bittere smaak vanuit haar maag omhoogkomen en haar knieën weigerden dienst. Rímini kon haar nog net ondersteunen voordat ze in elkaar zakte. Sofía lag in zijn armen, met haar gezicht naar hem toe, en hij boog zich over haar heen en keek haar van heel dichtbij aan, waardoor ze eruitzagen als een versteend danspaar. Isabel, Rocío, Mercedes – iemand zag hen, een van de bacchanten die in vervoering om hen heen dansten moest het kleine sprookjesachtige tafereel waarin ze bevroren waren hebben opgemerkt, want plotseling gilde een stem, een andere sprak hun namen uit, vingers wezen naar hen en de lichtbundel van de volgspot, nog in beweging door de recente afgang van Adèle H., maakte zich los van het toneel, trok een energieke witte streep door de lichamen die zich verdrongen om het wonder te aanschouwen en viel ten slotte op het tweetal, ze omhullend met de magische stralenkrans die nog ontbrak om de betovering onweerstaanbaar te maken. Het applaus en geschreeuw nam oorverdovende vormen aan; de kring vrouwen werd steeds nauwer. Het waren nu meer dan bacchanten, het waren amazones, de amazones die de mollige Penthesileia die een halfuur daarvoor haar hartstocht voor Achilles had uitgebraakt, niet op het toneel had willen laten komen uit angst dat de vloer het zou begeven, en die nu, letterlijk buiten zichzelf, minder meegesleept door de alcohol dan door het in de loop van de avond aangewakkerde vuur en het besef – zo kenmerkend voor dronkenschap, zo verdacht – deelgenoot te zijn van een uniek moment, dat zich niet zal herhalen, dat alles zal veranderen, wraak namen door de rijen te sluiten om de levende allegorie die Sofía, onbewust, in de armen van haar man uitbeeldde. Een vrouw die boven op een stoel geklommen was stelde voor om ze te schilderen; een andere, ongeduldiger, liet haar fototoestel flitsen boven de roerloze dansers. Rímini keek naar Sofía en zag dat ze bleek was, met wallen onder haar ogen en bijna paarse lippen. Hij had zelfs het idee dat ze rilde. Hij tilde haar op en droeg haar weg, terwijl de volgspot vertwijfeld probeerde ze vast te houden en iemand een Italiaanse versie van *My man* begon te zingen.

Ze waren ook op straat nog de prins en de schone slaapster, evenals in de taxi – aangemoedigd door de chauffeur, een sentimentele roodharige man die hen voor een pasgetrouwd stel hield – en op de trap van het appartementencomplex van Sofía, waar Rímini, bezorgd haar wakker te maken, op de lange ceintuur van de jurk trapte die hij net in de taxi had losgemaakt om het haar wat makkelijker te maken, zodat ze bijna hun nek braken. 'Minder licht, minder licht,' kreunde Sofía. Rímini dacht erover meteen door te lopen naar het bed, niet zozeer uit een hang naar romantiek als wel uit angst haar gewicht niet langer te kunnen dragen, en dat deden ze, na een korte tussenstop bij de wc, waar Sofía zich in drie keer beschaafd ontdeed van een groot deel van de alcohol die ze in de loop van de avond gedronken had. Daarna droeg Rímini haar naar de slaapkamer, kleedde eerst haar en vervolgens zichzelf uit, waarna ze samen het frisse paradijs van de lakens binnengingen. Een paar seconden luisterde hij hoe ze ademde, weggleed in de slaap, en voor hij het goed en wel besefte zaten ze als zuignappen aan elkaar vast. Ze vrijden bijna slapend, zonder zich van elkaar los te maken, met een dronken lusteloosheid tegen elkaar aan wrijvend. Rímini was er niet eens zeker van dat hij in haar binnengedrongen was. Hij kwam snel klaar, sneller dan zij in elk geval, en terwijl de laatste schokken wegebden, wist hij met onverklaarbare maar zeer overtuigende stelligheid dat de hoeveelheid zaad die hij blindelings loosde, zonder precies te weten waar, de laatste was. Hij voelde een geweldige, allesomvattende opluchting, zoals hij een keer had ervaren na een onstuimig noodweer, toen de regen ophield en het geraas van de wind weer overging in een zacht en vriendelijk ruisen. Hij dacht aan Lucio; hij zou graag in staat zijn geweest diens lengte aan te geven door de zijkant van zijn hand tegen zijn lichaam aan te houden, zoals hij veel ouders had zien doen. Hij kon zich niet eens meer zijn gezicht herinneren. Hij voelde nagels in zijn rug, een omhelzing, Sofía kwam klaar. Tussen de korte, gejaagde schokjes van haar gekreun door meende Rímini te horen dat ze iets zei, de naam van iemand noemde, een van die condensatiestrepen die de taal van de slaap in de lucht van het waken achterlaat; daarna, niets meer.

Rímini wist al snel dat hij niet zou kunnen slapen en hij verbaasde zich voor de zoveelste keer over de aantrekkingskracht die de slapeloosheid op hem uitoefende. Iedereen sliep behalve hij, en die banale uitzonderlijkheid gaf hem een merkwaardig gevoel van superioriteit, macht en onkwetsbaarheid, gaf hem tijd – niet alleen de tijd die hij aan zijn eigen slaap onttrok, maar ook de tijd die hij dankzij een bijzonder, vampierachtig mechanisme uit de eendrachtige slaap van anderen haalde. Hij had de indruk dat hij daarmee een voorsprong had, alsof het waaksupplement dat zich voor hem uitstrekte een van die unieke, absoluut bevoorrechte kansen was, die, indien goed benut, tussen degene die ze krijgt en degenen die slapen een onomkeerbaar verschil kunnen betekenen. Hij maakte zich los van Sofía, ging recht overeind in bed zitten en bleef een poosje in het donker turen, beduusd door het eindeloos aantal mogelijkheden dat om voorrang leek te strijden om die onverwacht vrije uren op te vullen. Hij begon ze een voor een te evalueren, met de bedoeling, dacht hij, op een verantwoorde manier zijn bevoorrechte positie uit te buiten, maar hij ontdekte al snel dat ze allemaal op voet van gelijkheid stonden, even interessant waren en dezelfde rechten hadden. Hij nam ten slotte de meest behoudende beslissing: hij trok een badjas aan en ging op het tapijt van de woonkamer verder met het sorteren van de foto's. De voorbereidingen voor de officiële opening hadden dat karwei bij het begin van 1976 onderbroken; hij had nog net tijd gehad om met een wit potlood het jaartal te noteren op een van de vellen zwart Canson-papier die hij gebruikte als tabblad. Hij keerde een envelop om, de minst dikke van de acht enorme bruine enveloppen, en er viel een waterval van foto's op zijn knieën. Hij spreidde ze min of meer willekeurig uit op het tapijt, om te voorkomen dat ze op elkaar kwamen te liggen, en de foto's met afgeronde hoeken, een teken dat ze genomen waren met een Instamatic en dus stamden uit de jaren zeventig, legde hij meteen apart. En plotseling, terwijl hij zijn blik oppervlakkig, globaal over de stapel liet gaan, zoals we, om het schokeffect niet al te groot te laten zijn, meestal doen als we beginnen met een taak die al onze aandacht zal opeisen, kreeg hij de indruk dat er iets in hem, in de foto's, in de relatie tussen hem en de foto's op een subtiele maar definitieve manier veranderd was. Bijna alle foto's die hij apart had gelegd waren volledig verkleurd. Ze waren nooit erg goed geweest; ook toen niet, ten tijde van het geluk dat erop werd afgebeeld: ze waren oud, maar de auto's, de huizen, de meubels, de kleding, alles leek nieuw, splinternieuw, alsof elke foto iets had vastgelegd wat nooit eerder was gebeurd. Nu neigde het bovendien allemaal naar het geel of grijzig vuil rood van het licht dat wordt gebruikt in een donkere kamer. Maar het was niet die chromatische afwijking die hem verontrustte. Was die tenslotte niet kenmerkend voor alle foto's? En was dat niet de ultieme verklaring voor het voortbestaan van iets zo primitiefs als fotografie: het verlangen te zien hoe dat stukje papier, in theorie bedoeld om een gezicht, een lichaam, een plek, een amoureus moment onsterfelijk te maken, óók aftakelde, ouder werd, sterfelijk was? Nee, wat hem verontrustte was dat hij naar tien, twintig foto's keek en zich realiseerde dat hij, behalve hen tweeën, Sofía en zichzelf, vertekend door de tijd en de afstand maar onverzettelijk, *niemand meer herkende*. Zelfs de plekken waar ze poseerden – een balkonterras tegen een achtergrond van bomen, de voorgevel van een boekwinkel, een strandtent, een groot raam, overbelicht door de zon – kwamen hem niet bekend voor. Zij tweeën stonden er steeds scherp op, maar de rest, de omgeving, de mensen die ook in beeld waren, de voorwerpen, zelfs de teckel die snuffelde aan Sofía's klokmouw, op een zo vlekkerige foto dat hij genomen leek door een psychedelische camera – alles leek te vertroebelen en zich terug te trekken en te verstommen achter een ondoorzichtige sluier. Rímini zocht naar zijn ouders, naar de ouders van Sofía, naar een nog jonge, gezonde Víctor die vanuit dat onschuldige verleden naar hem zwaaide. Hij zag gezichten, leeftijden, gebaren, kleren, en bleef er met hoopvolle gretigheid een tijdje naar kijken. Hierna, omdat er niets was wat hem trof en alleen een voltreffer hem bevrediging kon schenken, berustte hij erin apathisch, gedesillusioneerd, naar de foto's te kijken, als iemand die een aantal acteurs auditie laat doen om de hoofdrolspelers voor een toneelstuk te kiezen. Daar waren ze, Rímini en Sofía, verdwaald in een valse omgeving, speciaal in elkaar gezet voor de foto, of per ongeluk naar een parallelle wereld gestuurd, waar alles wat maar enigszins vertrouwd was, was weggelaten... Was dat mogelijk? Hij keerde terug naar het album, aarzelde en begon als iemand die vaste grond onder zijn voeten zoekt, door de hoofdstukken te bladeren die hij al gerangschikt had. Hij keek naar de foto's, verslond letterlijk de onderschriften. Ja, hij had ze al eerder gezien. Ja, hij herkende ze. Het was zijn eigen handschrift, maar – wie waren al die glimlachende mensen die hun glas hieven naar de camera? Waar kwam die Fiat 600 vandaan? Aan wie liet die vrouw met de donkere bril en de tulband haar armetierige spierballen zien? Hij las: 'Op de kade, met Lucrecia en Cinthia, tien minuten na het eten van Provençaalse mosselen en vijf minuten voor de eerste rit in een ambulance.' Hij wreef in zijn ogen, dwong zich het nogmaals te lezen. Lucrecia? Cinthia? Ambulance? Het was al erg genoeg dat hij niet begreep wat er stond; en dan ook nog al die vanzelfsprekendheden... In wat voor trance waren die regels ontstaan? Hij stond op en keek wantrouwig om zich heen, alsof hij vreesde dat in die tien of vijftien minuten van verwarring alles veranderd was.

De voorwerpen stonden bewegingloos in het schemerdonker, en dat stelde hem gerust. Hij bedacht dat Sofía de dingen misschien hun plaats zou kunnen geven. Hij liep naar de slaapkamer en ging op de rand van het bed zitten, maar hij durfde haar pas aan te raken toen het hem gelukt was op te houden met trillen. Sofía gromde, draaide zich om in bed, waarbij ze zich helemaal blootwoelde, en sliep verder met haar gezicht naar de andere muur, in dezelfde houding waarin Rímini haar verrast had. Hij wilde haar net toedekken en hield het dekbed al boven haar lichaam, toen hij een donker lijntje zag dat uit haar geslacht kwam en over het witte laken kronkelde. Hij boog zich voorover en voelde met de top van zijn vinger. Het was bloed. En meteen daarna, terwijl hij zich nog een stukje verder over haar heen boog en zijn gezicht dichterbij bracht, kon hij zien dat het uit de opening van haar geslacht kwam – eerst iets glinsterends, alsof de huid plotseling vochtig werd, dan een belletje, dat nog niet eens helemaal was opgeblazen of alweer uiteenspatte, en ten slotte een sliertje, een rood, glinsterend sliertje dat een spoor achterliet op de huid en eindigde in de grote vlek die Rímini zojuist op het laken had ontdekt. Toen sloeg Rímini zijn badjas open en zag dat ook uit zijn geslacht bloed druppelde. Hij deinsde terug, legde in omgekeerde richting het traject af dat hem van de woonkamer naar de slaapkamer had gevoerd en veegde met zijn voetzolen het spoor van druppeltjes uit dat hij op de grond had achtergelaten. Hij liep weer naar de slaapkamer, ging naast Sofía liggen en viel in slaap. Hij droomde van een stad met lage, armoedige huizen, waar een oorverdovend lawaai heerste, politieagenten met fluitjes het verkeer regelden en op zijn minst een stuk of zes opticiens en brillenzaken per blok voorkwamen. Opticien 10, las hij – of misschien was het, in dezelfde droom, al een herinnering. Opticien Luz, Opticien Carron, Opticien Mia, Opticien Universal, Opticien Exprés, Opticien Jesucristo, Opticien Nessi, Opticien Paraná, Opticien Americana. Hij zag zijn blote voeten lopen op een tapijt van kunstgras dat om een zwembad heen lag op de bovenste verdieping van een door de zon geteisterd gebouw. Toen hij wakker werd, viel er een zwak licht door de jaloezieën naar binnen. Er was niets veranderd. Ze verloren nog steeds bloed.